① Plaza ② Kirche ③ Rathaus ④ Markt ⑤ Schule
⑥ Haus von Schwester Ramírez ⑦ Polizeiwache
⑧ Frisiersalon Gómez ⑨ Cafetería d'Villegas
⑩ Eloísas Haus ⑪ Casa de Emilia ⑫ Rosalbas Haus
⑬ Señorita Cleotildes Haus ⑭ Virgelina Saavedras Haus
⑮ Ubaldinas Haus ⑯ Das Haus der Morales'
⑰ Franciscas Haus ⑱ Das Haus der anderen Witwe

James Cañón

Der Tag, an dem die Männer verschwanden

James Cañón

Der Tag, an dem die Männer verschwanden

Roman

Aus dem Amerikanischen
von Sky Nonhoff

Ullstein

Die amerikanische Originalausgabe erschien 2007
unter dem Titel *Tales from the Town of Widows & Chronicles
from the Land of Men* bei HarperCollins Publishers, New York.

ISBN 978-3-550-08729-5

© 2007 James Cañón
© der deutschsprachigen Ausgabe
Ullstein Buchverlage GmbH, Berlin 2008
Alle Rechte vorbehalten
Gesetzt aus der Bembo bei
Franzis print & media GmbH, München
Druck und Bindearbeiten: Pustet, Regensburg
Printed in Germany

*Für meine Mutter, meine Großmutter
und alle Frauen dieser Welt.*

»Der Tag wird kommen, an dem die Männer das andere Geschlecht als ebenbürtig ansehen werden, und zwar nicht nur am Herd, sondern auch in den Parlamenten. Erst dann wird es ein vollendetes Miteinander geben, eine ideale Vereinigung der Geschlechter, die zur höchsten Entwicklung der menschlichen Spezies führen wird.«

Susan B. Anthony

Kapitel 1

DER TAG, AN DEM DIE MÄNNER VERSCHWANDEN

Mariquita, 15. November 1992

Der Tag, an dem die Männer verschwanden, begann wie ein typischer Sonntagmorgen in Mariquita: Die Hähne vergaßen, das Morgengrauen anzukündigen, die Kirchenglocke rief die Gläubigen nicht zum Frühgottesdienst, und nur eine Person nahm an der Sechs-Uhr-Messe teil: Die Witwe Doña Victoria viuda de Morales. Die Witwe war den Ablauf ebenso gewohnt wie Padre Rafael. Anfangs war es für beide ein wenig peinlich gewesen; für den kleinen Priester, der hinter der Kanzel fast gänzlich verschwand, während die Witwe, groß und üppig, stumm in der ersten Reihe saß und seiner Predigt lauschte, den Kopf mit einem schwarzen Schleier bedeckt, der ihr bis zu den Schultern reichte. Am Ende waren sie übereingekommen, sich die Zeremonie zu schenken, nun tranken sie meist einen Kaffee zusammen und erzählten sich den neuesten Klatsch. An dem Tag, an dem die Männer verschwanden, beschwerte sich der Padre über den drastischen Spendenrückgang; anschließend diskutierten sie, wie man die Gläubigen wieder dazu bewegen könnte, den Zehnt zu entrichten. Im Anschluss an ihre Unterhaltung empfing die Witwe die Heilige Kommunion, obwohl sie auf die Beichte verzichteten. Dann murmelte sie noch ein paar Gebete, ehe sie wieder nach Hause ging.

Durch das offene Wohnzimmerfenster ihres Hauses hörte die Witwe Morales die Straßenhändler, die ihre Leckereien – »Morcillas! Empanadas! Chicharrones!«– den Frühaufstehern feilboten. Sie schloss das Fenster, wenn auch eher wegen des unangenehmen Geruchs von Blutwurst und gebratenem Fleisch als wegen der lauten Stimmen. Sie weckte ihre drei Töchter und ihren einzigen Sohn und ging in die Küche, wo sie ein frommes Lied vor sich hin pfiff, während sie das Frühstück für die Familie bereitete.

Um acht Uhr morgens standen die meisten Türen und Fenster in Mariquita offen. Die Männer spielten Tangos und Boleros auf alten Phonographen oder lauschten den Radionachrichten. Auf der Hauptstraße schleppten Bürgermeister Jacinto Jiménez und Polizeisergeant Napoleón Patiño einen großen runden Tisch und sechs Klappstühle unter einen ausladenden Mangobaum, um mit ein paar Nachbarn Parcheesi zu spielen. Zehn Minuten später trug Don Marco Tulio Cifuentes, der hünenhafte Besitzer des El Rincón de Gardel, zwei Betrunkene aus seiner an der südwestlichen Ecke des Dorfplatzes gelegenen Bar, jeden auf einer Schulter. Er ließ sie nebeneinander zu Boden gleiten, schloss sein Etablissement und machte sich auf den Heimweg. Um acht Uhr dreißig begann Don Vicente Gómez in der Barbería Gómez, einem kleinen, gegenüber dem Rathaus von Mariquita gelegenen Gebäude, seine Rasiermesser zu schärfen und Kämme und Bürsten mit Alkohol zu desinfizieren, während seine Frau Francisca die Spiegel und Fenster mit feuchtem Zeitungspapier putzte. Zwei Straßen weiter feilschte Rosalba Patiño, die Frau des Polizeisergeanten, auf dem Markt mit einem rotgesichtigen Farmer um den Preis für sechs Bündel Kornähren, während alte Frauen unter grünen Markisen ihre Waren feilboten, von Kalbsfüßen in Aspik bis zu Raubkopien von Michael Jacksons *Thriller*. Um fünf nach halb neun begannen sich die Restrepo-Brüder (alle sieben) auf dem Acker gegenüber dem Haus der Witwe Morales für ihr wöchentliches Fußballspiel aufzuwärmen, während sie auf David Pérez warteten, den Enkel des Dorfschlachters, der den einzigen Ball besaß. Fünf Minuten später flanierten zwei alte Jungfern mit langem Haar und leicht eckigen Körpern Arm in Arm über den

Platz, verfluchten ihr Altfräuleindasein und traten nach den streunenden Hunden, die ihren Weg kreuzten. In einem Mietshaus mit grüner Fassade, drei Blocks von der Plaza entfernt, wälzte sich Ángel Alberto Tamacá, der Dorfschullehrer, um zehn vor neun im Bett herum und träumte von seiner geliebten Amorosa. Um drei Minuten vor neun ging Doña Emilia höchstpersönlich durch die am Ortsrand gelegene Casa de Emilia (das Dorfbordell); sie weckte die letzten Kunden, warnte sie, dass sie sich schweren Ärger mit ihren Frauen einhandeln würden, wenn sie sich nicht ruckzuck verabschiedeten, und keifte eines der Mädchen an, weil ihr Zimmer wie ein Schweinestall aussah.

Unmittelbar nach dem neunten Schlag der Kirchenglocke – das Echo klang noch in den Ohren des Küsters – tauchten von überall her insgesamt etwa drei Dutzend Männer in verschlissenen grünen Uniformen auf, feuerten ihre Gewehre ab und riefen: »Viva la Revolución!« Sie marschierten die engen Gassen entlang; ihre sonnenverbrannten Gesichter waren schwarz bemalt, und ihre Hemden klebten an ihren hageren Körpern. »Wir sind die Volksarmee«, verkündete einer von ihnen durch ein Megaphon. »Wir kämpfen dafür, dass alle Kolumbianer Arbeit finden und ihren Bedürfnissen entsprechend bezahlt werden, aber wir brauchen eure Unterstützung!« Kein Dorfbewohner befand sich mehr auf den Straßen; selbst die streunenden Hunde waren nach den ersten Schüssen geflohen. »Bitte«, fuhr der Mann fort. »Helft uns mit allem, was ihr entbehren könnt.«

In ihrem Haus räumte die Witwe Morales mit ihren drei Töchtern und ihrem Sohn den Esstisch ab. »Das hat uns gerade noch gefehlt«, murrte die Witwe. »Schon wieder eine Guerillatruppe.

Ich habe die Nase voll von diesen gottlosen Bettlern, die alle naselang hier vorbeikommen.«

Ihre beiden jüngeren Töchter, Gardenia und Magnolia, eilten ans Fenster in der Hoffnung, einen Blick auf die Rebellen zu erhaschen, während der einzige Sohn der Witwe, Julio César, sich ängstlich an seine Mutter klammerte. Orquidea, die Älteste, musterte ihre Schwestern und schüttelte missbilligend den Kopf. Vor etwa fünf Jahren hatte Orquidea Morales ein für alle Mal das Interesse an Männern verloren. Ihr war klar, dass sie nicht besonders anziehend wirkte, und in ihrem Alter – sie war einunddreißig – konnte sie auf weitere Zurückweisungen getrost verzichten. Sie hatte spitze Ohren, eine Hakennase und einen Mund, der zu klein für ihre großen, schiefen Zähne war. Außerdem prangten an ihrem Kinn drei Warzen, die wie goldene Rosinen aussahen. Bei Orquideas Geburt hatten sich die unschönen Auswüchse noch auf ihren Wangen befunden, waren im Lauf ihrer Jugend aber zum Kinn herabgewandert. Sie hoffte, die Warzen würden noch weiter nach unten wandern, in Bereiche, wo sie nicht mehr so offen zu sehen waren. Orquidea behauptete, noch Jungfrau zu sein, was die ungehobelten Kerle von Mariquita mit rüpelhaften Bemerkungen gern und wiederholt bestätigten: »Wenn alle Jungfrauen so einen Körper hätten, blieben sie garantiert für immer unberührt.« Die Brust hatte sie von ihrem Vater geerbt; zwei kleine dunkle Nippel, die ihren flachen Brustkorb zierten. Den Rat ihrer Schwestern, sich BHs zu kaufen und diese mit Getreidespelze auszustopfen, ignorierte sie und trug weiterhin nichts unter ihren makellos weißen Blusen. Orquidea besaß weder eine erkennbare Taille noch sonstige Kurven; sie war ein wandelndes Rechteck, verfügte aber über ein ausgesprochen einnehmendes Wesen. Ob Napoleon Bonaparte oder Simón Bolívar, Shakespeare oder Cervantes, Island oder Patagonien, über alles konnte man sich trefflich mit ihr unterhalten, ebenso gut aber scherzte man mit ihr über die kolumbianische Politik. Ihr gesamtes Wissen hatte sie sich in der kleinen Schulbibliothek von Mariquita angelesen – sie kannte fast alle dort vorhandenen Bücher –, blieb aber trotz Belesenheit und hoher Allgemeinbildung eine strenggläubige Katholikin. Sie war felsenfest davon überzeugt, dass der Papst Stellvertreter Gottes auf Erden sei, und gern träumte sie davon, wie er ihre Bibel signierte: »Für Orquidea Morales, meine ergebenste Dienerin. Herzlich, Johannes Paul II.«

In jüngeren Jahren hatte Orquidea einen Verehrer gehabt: einen Farmarbeiter namens Rodolfo, der sich durch die Heirat mit ihr verbessern wollte. 1986 aber, als die erste marxistische Guerillatruppe auf der Suche nach Freiwilligen durch Mariquita gezogen war, hatte er sich zu Orquideas Überraschung den Rebellen angeschlossen. Sie regte sich darüber derart auf, dass sie zwei Monate lang Durchfall hatte. Eines Tages kam sie schließlich vom Donnerbalken zurück und sagte laut und selbstbewusst: »Jetzt habe ich mir die Liebe zu Rodolfo endgültig ausgeschissen!«

Seitdem hatte Orquidea nie wieder einen Freund oder Durchfall gehabt.

»Kommt bitte zu uns auf die Plaza«, rief einer der Guerilleros abermals durch ein Megaphon. »Wir werden niemandem ein Haar krümmen. Wir kämpfen für eure Rechte, für die Rechte aller Kolumbianer.« Ein ums andere Mal wiederholte er seine Worte, jedes Mal noch ein bisschen lauter, doch außer dem Dorfschullehrer, zwei Betrunkenen, einer Prostituierten, die nicht schlafen konnte, und drei streunenden Hunden nahm niemand die Einladung der Rebellen an.

»Darf ich gehen, Mamá?«, fragte Gardenia Morales ihre Mutter, die gerade das Geschirr abwusch, während Julio César abtrocknete.

»Bei diesen kommunistischen Aufrührern hast du nichts zu suchen!«

»Aber ich habe doch sonst nichts zu tun.«

»Hol dein Nähkästchen und kümmere dich um die Decke für die Frau des Bürgermeisters. Wir brauchen das Geld.«

»Es ist Sonntag, Mamá. Ich will ins Dorf gehen.«

»Du hast gehört, was ich gesagt habe, Gardenia«, erwiderte die Witwe und hob dabei sowohl den Blick als auch die Stimme.

Gardenia schritt wütend von dannen, wobei sie einen stechenden Geruch hinterließ. Julio César hielt sich beide Hände vor Mund und Nase und murmelte durch die Finger: »Mamá, mach sie nicht sauer.«

So wie auch ihre beiden Schwestern war Gardenia nach einer duftenden Blume benannt worden. War sie aber genervt, aufgebracht oder betrübt, sonderte ihr Körper einen Geruch ab, der sich vom Odeur der zarten Blume drastisch unterschied. Egal wie oft sie ein warmes Bad mit Rosen-, Geißblatt- oder Jasminduft nahm oder sich mit lieblichsten Wohlgerüchen parfümierte, stets entströmte ihren Poren ein kadaverartiger Geruch, wenn ihr etwas gegen den Strich ging. Dr. Ramírez, der einzige Arzt im Dorf, hatte nichts ausrichten können, und die Medizinmänner, zu denen ihre Mutter sie geschleppt hatte, meinten, dass Gardenia von einem bösen Geist besessen war. Da nichts getan werden konnte, hatte sich die Familie Morales mit dem immer wieder auftretenden Gestank abgefunden. Davon abgesehen aber war Gardenia eine attraktive Frau. Sie war siebenundzwanzig und forderte ihre Schwestern immer wieder auf, ihr auch nur eine einzige Falte nachzuweisen. Sie hatte große schwarze Augen und volle Lippen, hinter denen sich zwei makellose Reihen weißer Zähne verbargen. Ihre stark ausgeprägten Augenbrauen zupfte sie nie, doch benutzte sie bei besonderen Gelegenheiten Wimperntusche mit Curl-Effekt. Ihr langer, graziler Hals wurde stets von einer wohlriechenden Kette geschmückt – einem unsichtbaren Nylonfaden, an dem sie Gewürznelken, Kardamomsamen und Zimtstäbchen aufgereiht hatte. Hinter das linke Ohr steckte sie sich gern frische Blumen, Engelstrompeten oder Lilien etwa, je nachdem, was gerade am besten roch. Fast unabsichtlich fuhr sie sich alle paar Sekunden mit der Zunge über die Lippen, eine Angewohnheit, die die frommen Frauen von Mariquita für ein Zeichen der Wollust hielten. Tatsächlich aber war Gardenia noch Jungfrau, genau wie ihre ältere Schwester. Sie hatte drei Verehrer aus den umliegenden Dörfern gehabt, die sich aber schleunigst aus dem Staub gemacht hatten, als ihnen die Ursache des Gestanks klar geworden war. Selbst 1988, als die zweite Guerillatruppe auf der Suche nach Freiwilligen nach Mariquita gekommen war, hatte Gardenia zu den wenigen Frauen gezählt, die von den lüsternen, jedem Weiberrock hinterherjagenden Rebellen verschmäht worden war.

Da die Dorfbewohner es vorzogen, in ihren Häusern zu bleiben, beschlossen die Aufständischen, von Tür zu Tür zu ziehen und um Spenden zu bitten; außerdem hofften sie, junge, gesunde Männer für ihre Sache zu interessieren. Aber nur wenige Leute öffneten. Die Bewohner von Mariquita hatten die Nase voll davon, dauernd von Rebellen belästigt zu werden, die aus den Bergen kamen und um Geld, Hühner, Schweine und Bier bettelten, arglosen Mädchen mit ihrer Machotour und ihren staubigen olivgrünen Uniformen den Kopf verdrehten und sie nach ein, zwei Wochen schließlich sitzenließen – mit schlechtem Ruf, anschwellenden Bäuchen und minimalen Aussichten, irgendwann noch mal einen Mann abzukriegen.

Als Magnolia Morales, die seit Ankunft der Rebellen wie gebannt am Fenster stand, ihre Mutter darüber informierte, dass die Guerilleros an allen Türen klopften, wickelte die Witwe die Überreste des Frühstücks rasch in Platanenblätter ein und deponierte das Bündel vor der Haustür.

»Wir sollten ihnen das Essen wenigstens persönlich geben«, sagte Magnolia. »Das sind Kommunisten, keine Hunde.«

»O nein, das kommt überhaupt nicht infrage«, sagte die Witwe nachdrücklich. »Sobald man ihnen die Tür öffnet, versuchen sie einen zum Kommunismus zu bekehren und machen euch Mädchen schöne Augen.«

»Ich will doch nur mit ihnen reden, Mamá. Du glaubst doch selbst nicht, dass ich mit irgendeinem dahergelaufenen Revolutionär durchbrenne.«

»Dann sprich am Fenster mit ihnen«, sagte ihre Mutter. Sie schob einen schweren Lehnstuhl gegen die Haustür.

Magnolia Morales, die jüngste der drei Schwestern, war zweiundzwanzig, wirkte aber um einiges älter. Durch die beinahe transparente Bluse sah man ihre schlaffen Brüste; sie hatte breite, eckige Hüften und haarige, muskulöse Männerbeine, die sie mit dunklen Nylonstrümpfen tarnte. Ihrem Gesicht fehlte nichts: Sie hatte zwei dunkle Augen mit den dazugehörigen Augenbrauen, einen Mund, eine Nase und reichlich unerwünschten Haarwuchs. Früher hatte sie sich die Stoppeln und den üppig wuchernden Oberlippenbart ausgezupft, doch die widerspenstigen Haare kamen immer wieder – genau wie die Guerilleros. Am Ende hatte sie beschlossen, der Natur freien Lauf zu lassen. Das schwarze, schimmernde Haupthaar reichte ihr bis zur Taille.

Magnolia war eindeutig keine Jungfrau. »Hätte sie für ihre Dienste jedes Mal Geld genommen, wäre sie längst Millionärin«, pflegten die alten Jungfern zu sagen. Sie besaß einen so schlechten Ruf, dass sie ihre Haut genauso gut gleich zu Markte hätte tragen können. In Wahrheit aber hatte sie gar nicht mal mit besonders vielen Männern geschlafen, nur mit den falschen – jenen, die den Mund nicht halten konnten. Als ihr die Gerüchte erstmals zu Ohren gekommen waren, hatte sie sich ein halbes Jahr lang in ihrem Zimmer eingeschlossen, im Glauben, die anderen Dorfbewohner würden das Gerede über kurz oder lang vergessen. 1990 aber, als die dritte Guerillatruppe ins Dorf einfiel, tauchte Magnolia aus der Versenkung auf, in der Hoffnung, einem neuen Mann zu begegnen. Kurz darauf wurde ihr allerdings klar, dass ihr zweifelhafter Ruf noch das geringste Problem war; die Rebellen hatten die meisten der ledigen Männer in Mariquita überzeugt, sich der Revolution anzuschließen. Von einer Sekunde auf die andere war Magnolias großer Traum geplatzt, einen gutaussehenden, reichen Mann zu heiraten; selbst ihr zweitgrößter Traum, überhaupt einen Mann abzukriegen, war in weite Ferne gerückt. Deprimiert stand sie am Fenster ihres Zimmers und sah den Junggesellen nach, die mit den Guerilleros das Dorf verließen; kraftlos winkte sie ihnen hinterher und weinte, bis auch der letzte Mann aus ihrem Blick entschwunden war.

Die insgesamt vierzig Guerilleros versammelten sich gegen Mittag wieder auf der Plaza. Sie ließen sich im Schatten eines Mangobaums nieder und besahen sich, was sie zusammengebracht hatten: zwei lebende, ausgesprochen magere Hühner, vier Pfund Reis, drei Liter Diät-Cola, sechs Säcke Panela, drei kleine Bündel mit lauter unbrauchbarem Kram sowie eine Handvoll rostiger Münzen. Außerdem verfügten sie über einen neuen Mitstreiter, Ángel Alberto Tamacá, den dreiundzwanzigjährigen Dorfschullehrer. Er war der einzige Sohn eines legendären Rebellen, der sein Leben verloren hatte, als Ángel erst wenige Monate alt gewesen war. Ángel war von seiner Mutter Cecilia Guaraya und ihrem zweiten Gatten aufgezogen worden – Don Misael Vidales, einem klugen Mann, der vor vielen Jahren mit nichts als seinem Kropf und drei großen Kisten voller Bücher nach Mariquita gekommen und drei Monate später zum ersten Lehrer des kleinen Orts aufgestiegen war. Seine Mutter hatte Ángel gute Manieren, Disziplin und Beharrlichkeit beigebracht; sein Stiefvater unterrichtete ihn in Mathematik, Geographie, Naturwissenschaften und Kommunismus.

Im Gegensatz zu den meisten anderen jungen Männern im Dorf war Ángel nie beim Militär gewesen. Don Misael hatte jemanden angerufen, der ihm einen Gefallen schuldete, worauf sich dieser wiederum mit jemand anderem in Verbindung gesetzt hatte, und nachdem sich unzählige Leute an unzählige geschuldete Gefallen erinnert hatten, drang Ángels Name schließlich zu einer einflussreichen Person durch, die ihn von seinem Dienst am Vaterland entband. Dann begann Don Misael, Ángel als seinen Nachfolger in Mariquitas Volksschule auszubilden. Nachdem er zwei Generationen Lesen und Schreiben, Addieren und Subtrahieren, Multiplizieren und Dividieren gelehrt hatte, war der alte Mann müde geworden. Seine Sehkraft ließ nach, und auch seine Arme und Beine wollten nicht mehr. Die verbliebenen Haare auf seinem glänzenden Schädel ließen sich problemlos zählen, und sein Kropf war inzwischen so groß geworden, dass er ihn Pepe nannte und überlegte, ihn auf seiner Steuererklärung als Familienangehörigen anzugeben.

Noch vor seinem achtzehnten Geburtstag war Ángel Alberto Tamacá sowohl Mariquitas jüngster Lehrer als auch sein Dorfagitator. Öffentlich schmähte er die beiden traditionellen politischen Parteien und verbreitete laut Parolen gegen die Regierung: »Kapitalistenschweine, Ausbeuter!« Für seine Schüler war er »El Profe«, für den Bürgermeister und den Dorfpolizisten »El Loco«. Der Priester nannte ihn »El Diablo«, und die meisten anderen Männer nannten ihn »El Comunista«. Die Frauen hingegen bedachten ihn mit den verschiedensten Kosenamen – »Papacito«, »Bomboncito«, »Bizcochito« und dergleichen mehr.

Die neue Arbeit gab Ángel Selbstvertrauen und unterstrich seine Führungsqualitäten. In seiner Freizeit ging er von Haus zu Haus und dozierte über *Das Kommunistische Manifest*. Bald darauf hob er »Die Stunde der Wahrheit« aus der Taufe, eine am Sonntagnachmittag stattfindende Versammlung auf der Plaza – bei Regen im Schulhaus –, bei der er über die Lehren von Marx und Lenin sprach, die berühmtesten Reden von Fidel Castro und Che Guevara verlas, Gedichte von Pablo Neruda rezitierte und die umstrittensten Songs von Mercedes Sosa, Silvio Rodríguez und Violeta Parra zum Besten gab.

Anfangs lockte die Stunde der Wahrheit nur eine Handvoll Leute an, doch als Don Misael schließlich Freibier ausgab, wurde die

Sache zum Renner der Woche. Innerhalb kürzester Zeit konnten die Dorfbewohner sozialistische Gedichte und kommunistische Reden auswendig. Sie sangen *La Maza, Si Se Calla El Cantor* und andere revolutionäre Lieder, für die sie lebhafte Schrittfolgen und Posen einstudierten und so einen unverwechselbaren Tanz erfanden, in dem sich Tango, Salsa und Sanjuanero vermischten. Fünf Neugeborene wurden nach legendären kommunistischen Theoretikern, Rebellen und Staaten benannt: Hochiminh Ospina, Che López, Vietnam Calderón, Trotsky und Cuba Sanchez. Kommunismus, einst ein Fremdwort für die meisten Dorfbewohner, wurde zum Synonym für gesellige Sonntagnachmittage.

Ángel war klar, dass die Dorfbewohner seine Glaubensbekenntnisse nicht besonders ernst nahmen; dennoch war er stolz darauf, ihr politisches Bewusstsein geweckt zu haben. Nichts erfreute ihn mehr als ein paar alte Männer, die über Karl Marx sprachen, so als wohnte der Philosoph gleich nebenan, so als wären sie gar nicht betrunken, sondern ganz und gar Herr ihrer Sinne und vollkommen im Einklang mit seinen Lehren. Andererseits konnte Ángel seine Enttäuschung nicht verhehlen, als die Mehrheit der Dorfbewohner trotz guter zwei Jahre Indoktrination in Sachen Marx und Lenin, Castro und Che Guevara am Wahltag vorübergehend vergaß und für die Kandidaten der beiden traditionellen Parteien stimmte.

Doch kommunistische Überzeugungen hin oder her, als sich herumsprach, dass Ángel sich den Rebellen angeschlossen hatte, war die Überraschung groß, schließlich hatte er in der Vergangenheit mehrmals Gelegenheit dazu gehabt, sie aber nie genutzt. Niemand in Mariquita hielt El Profe, El Loco, El Diablo, El Comunista oder El Bomboncito für mutig genug, einen so furchtlosen Schritt zu wagen. Allerdings wusste auch niemand, dass Ángel diesmal einen guten Grund hatte, das Dorf zu verlassen. Er hatte sich in Amorosa verliebt, eine Hure aus der Casa de Emilia, die Mariquita kürzlich sang- und klanglos den Rücken gekehrt hatte. Ángel kam nicht darüber hinweg, dass sie verschwunden war. Er konnte nicht mehr essen und nicht mehr schlafen, dachte nur noch an sie. Und so war ihm nichts anderes übrig geblieben, als sich den Guerilleros, dem nächsten Wanderzirkus oder den Kapuzinerbrüdern anzuschließen oder sich einfach von den Regenfluten des Novembers fortspülen zu lassen, ehe er völlig durchdrehte.

Die Guerilleros machten sich über das Essen und die Getränke her, die sie erbeutet hatten. Als sie damit fertig waren, schritt Comandante Pedro, ein hochgewachsener, sonnengebräunter Mann mit einer langen Narbe, die parallel zu seiner Halsschlagader verlief, langsam an seinen Männern vorbei und musterte dabei wortlos jeden einzelnen Rebellen. »Matamoros«, rief er schließlich. »Ich muss mit dir reden. Unter vier Augen.« Die beiden Männer verließen die Gruppe, gingen über die Plaza und blieben in der Mitte vor der verstümmelten Statue eines unbekannten Helden stehen. Leise redeten sie miteinander. Ihre angespannten Mienen ließen keinen Zweifel daran, dass sie über etwas Ernstes, vielleicht sogar Brandgefährliches sprachen. Feierlich schüttelten sie einander die Hände und marschierten zurück zu ihrer Truppe, wo Comandante Pedro sechs Rebellen auswählte, darunter auch Ángel Tamacá, und sie gehieß, sich zum Abmarsch bereit zu machen. »Ihr anderen steht unter dem Befehl von Matamoros«, sagte er. Fünf Minuten später verabschiedeten sich Comandante Pedro, Ángel und die anderen fünf Männer mit militärischem Gruß und marschierten in Richtung der Berge davon.

Matamoros war ein gutaussehender großer Mann Ende zwanzig, ihm fehlte nur das rechte Auge, das er drei Jahre zuvor bei einem Scharmützel mit der kolumbianischen Armee durch einen Schuss ins Gesicht verloren hatte. Seine vier oberen Schneidezähne waren aus Gold und wirkten, als wollte er mit ihnen seine ausdruckslose Mimik wettmachen; und da er so viel Gold im Mund hatte, schien jeder seiner Befehle besonders gewichtig zu

sein. Matamoros wartete fast eine Viertelstunde, bis er seine Truppe instruierte. Dann griff er zum Megaphon und brüllte: »Es ist eine Schande, wie wir hier empfangen worden sind...«
Die Guerilleros erhoben sich.
»Wir haben euch um Essen gebeten und nichts als Reste bekommen...«
Sie rückten ihre Rucksäcke zurecht.
»Wir haben um Geld gebeten, damit wir den Kampf für euch weiterführen können, aber nichts als ein paar wertlose Münzen erhalten...«
Sie überprüften, ob ihre alten Gewehre geladen waren.
»Wir hatten gehofft, hier junge Männer zu finden, die sich unserem Kampf gegen den Imperialismus anschließen würden, aber bis auf euren Lehrer seid ihr alle wie Kakerlaken in eure Häuser geflüchtet...«
Sie bildeten Gruppen zu je fünf Mann.
»Ihr egoistischen Feiglinge habt es nicht verdient, dass wir unser Leben für euch riskieren...«
Sie reihten sich auf und richteten ihre Gewehre in den bewölkten Himmel.
»Und jetzt hört gut zu, weil ich mich nicht wiederholen werde: Jeder von euch, der älter als zwölf ist und Eier zwischen den Beinen hat, wird sich noch heute der Revolution anschließen. Kommt sofort zur Plaza, oder ihr werdet standrechtlich erschossen!«
Die Revolutionäre warteten auf Matamoros' letztes Kommando.
»Kameraden! Im Namen der Kolumbianischen Revolution – nehmt euch, was euer ist!«
Die Rebellen feuerten mehrmals in die Luft; dann zogen sie los, traten Türen ein, stopften sich die Rucksäcke mit Geld und Essbarem voll, schleiften junge und alte Männer aus ihren Häusern, zerrten sie unter ihren Betten hervor, aus Schränken und Truhen, und erschossen jeden, der Widerstand leistete. Als Erster

fing sich Don Marco Tulio Cifuentes, der Besitzer der Dorfkneipe, eine Kugel ein, als er beim Versuch, über das Dach seines Hauses zu entkommen, ins Bein getroffen wurde. Was seine Frau Eloísa so erzürnte, dass sie sich auf den Schützen stürzte und mit bloßen Händen auf ihn einschlug. Das wiederum brachte den Rebellen derart in Rage, dass er Don Marco Tulio zwei Kopfschüsse verpasste, sobald er sich die Furie vom Leib geschafft hatte. Zwei Straßen weiter flüchteten der Polizeisergeant und seine beiden Hilfsgendarmen mit gezückten Pistolen aus dem Haus des Bürgermeisters (wo sie sich versteckt hatten). Als sie sich der Übermacht der Guerilla gegenübersahen, ließen die Gendarmen ihre Waffen fallen und hoben die Hände. Dem Sergeant hingegen gelang es, mit einem einzigen Schuss einen Rebellen zu töten. Seine heroische Tat wurde ihm mit neunzehn Schüssen von der Gegenseite vergolten, die seinen Körper aus allen Richtungen durchbohrten. Bevor er zusammenbrach, erstarrte sein Körper wie eine Statue in einem Brunnen; Ströme von Blut ergossen sich auf den Boden. Kurz darauf kamen die anderen Männer – sogar Padre Rafael – aus ihren Verstecken und marschierten mit gesenkten Köpfen und erhobenen Händen zur Plaza.

Die Witwe Morales ging in ihrem Wohnzimmer auf und ab. Mit halb geschlossenen Augen und hinter dem Rücken verschränkten Händen überlegte sie, wie sie verhindern konnte, dass die Rebellen ihren dreizehnjährigen Sohn Julio César verschleppten. Orquidea, Gardenia und Magnolia verharrten in der Ecke, hielten sich an den Händen und warteten darauf, dass ihre Mutter sich wieder beruhigte.

Plötzlich hatte die Witwe eine Idee. Sie weihte ihre Töchter ein und begann, nach dem alten Erstkommunionskleid zu suchen, das jede von ihnen an ihrem großen Festtag getragen hatte. Sie fand das Kleid in der Truhe unter ihrem Bett, leicht zerknittert, aber absolut zweckdienlich. Im selben Moment erinnerte sich die Witwe, dass es einen Gott und eine ganze Reihe von Heiligen gab, an die sie sich in Notsituationen wenden konnte, und obwohl die Zeit drängte, zündete sie Kerzen vor den verschiedenen Heiligenbildern an, die die Wände ihrer Wohnung schmückten. Dann begann sie, leise Gebete vor sich hin zu sprechen, während sie sich auf die Suche nach ihrem völlig verängstigten Sohn machte. »Padre nuestro que estás en el cielo ... Julio César! Santificado sea tu nombre ... Julio César! Venga a nosotros tu reino, hágase tu voluntad ... Julio César! Wo zum Teufel steckst du?« Sie fand den mageren Kleinen unter seinem Bett; er zitterte am ganzen Körper. »Zieh das an, aber schnell«, sagte sie und warf das weiche weiße Kleid aufs Bett. »Dádnos hoy nuestro pan de cada día ...« Mechanisch wiederholte sie die Worte, wobei sie sich alle paar Augenblicke unterbrach, um Julio César zur Eile anzutreiben. Sie half ihm, den Reißverschluss am Rücken hochzuziehen, hüllte seinen Kopf in ein weißes Seidenkopftuch und befestigte es mit einem Plastikstirnreif. Der sprachlose Junge deutete auf seine nackten Füße. »Mach dir keine Sorgen wegen der fehlenden Schuhe«, sagte die Witwe und stieß ihn ins Wohnzimmer.

Als Matamoros und vier seiner Männer ins Haus der Witwe marschierten, fanden sie Orquidea, Gardenia und Magnolia friedlich strickend im Wohnzimmer vor; ihre Mutter machte in der Küche Guavenmarmelade ein, während Julio César, eine Bibel in Händen, das Herz in der Hose, wie eine kleine Jungfrau Maria im Schaukelstuhl saß. Matamoros blieb in der Tür stehen, ein langläufiges Gewehr in der Hand; die Schritte der anderen vier Rebellen hallten durch die stillen Räume, während sie jeden Winkel des Hauses nach männlichen Personen durchkämmten, die alt genug waren, um eine Waffe zu halten.

»Der einzige Mann hier im Haus war Jacobo, mein Gatte«, erklärte die Witwe Matamoros und wies auf ein großes, gerahmtes Bild an der Wand, auf dem ein Mann zu sehen war, der Winston Churchill frappierend ähnlich sah. »Er ist vor zehn Jahren an Krebs gestorben.« Sie schlug sich die Hände vors Gesicht und begann laut zu weinen.

»Haben Sie keine Söhne, Señora?« Matamoros blickte aus dem Augenwinkel zu Julio César hinüber.

»Nein, Señor«, schluchzte sie. »Gott hat mir vier wunderschöne Töchter geschenkt.«

»Verstehe«, sagte er und begann auf und ab zu gehen, wobei er den Jungen genau ins Visier nahm. Die drei Mädchen gerieten mehr und mehr in Panik, und wie zu erwarten, begann Gardenia den üblichen Gestank auszudünsten. »Wie heißt du, Kleine?«, richtete Matamoros schließlich das Wort an Julio César. Der Junge wurde leichenblass und starrte ihn mit offenem Mund an. Im selben Moment betraten die anderen vier Guerilleros das Wohnzimmer.

»Negativo, Comandante«, sagte einer von ihnen. »Kein einziger Mann im Haus.«

»Dann lasst uns gehen«, sagte Matamoros und winkte die Burschen zur Tür.

»Comandante«, sagte einer der Rebellen mit lüsternem Grinsen. »Hätten Sie was dagegen, wenn wir die Mädels ficken?«

»Afirmativo, Kamerad«, gab Matamoros zurück. »Immer vorausgesetzt, dass euch der Gestank hier drin nicht stört.« Er spuckte aus. Plötzlich nahmen auch die anderen Rebellen den Geruch wahr und beeilten sich, das Haus zu verlassen – bis auf den jüngsten, der die rote Armbinde von seinem Bizeps löste, damit Mund und Nase bedeckte und sich vor den drei Mädchen aufbaute. Er wirkte nicht älter als fünfzehn, ein dunkelhäutiger Indianerjunge, dem einer der oberen Schneidezähne fehlte. Mit der einen Hand kniff er Orquidea in die Brustwarzen, in der anderen hielt er seine vorsintflutliche Flinte.

»Bitte nicht«, bettelte Orquidea und wich zurück. »Ich bin noch Jungfrau.«

»Umso besser.« Der Bursche grinste hämisch und ließ die Hand in Richtung ihres Unterleibs wandern. Gardenia schloss die Augen und senkte den Kopf. Magnolia lächelte und legte ihr Strickzeug beiseite, da sie hoffte, als Nächste an die Reihe zu kommen. Doch der lüsterne Blick des Guerilleros hatte sich bereits auf Julio César gerichtet, der immer schneller vor sich hin schaukelte. »Die ist doch bestimmt auch noch Jungfrau«, sagte der Rebell und trat auf den Jungen zu. Mit gellendem Kreischen sprangen die drei Schwestern auf, und ihre Mutter, die bis dahin stumme Stoßgebete gen Himmel geschickt hatte, schrie: »Fass meine Kleine nicht an!« Sie eilte zu ihrem Sohn. »Mit den anderen kannst du machen, was du willst. Du kannst sogar mich haben, aber bitte lass Julia in Ruhe.«

»Ach ja?«, fragte der Bursche mit zynischem Unterton. »Und warum?«

»Sie ist noch so klein. Sie hat noch nicht mal ihre erste Heilige Kommunion empfangen.«

Der Bursche lachte leise durch den Stoff vor seinem Mund. »Tja, die kriegt sie jetzt gleich«, sagte er und fasste sich an die Hose.

Plötzlich überkam die Witwe der unwiderstehliche Drang, dem unverschämten Drecksskerl eine schallende Ohrfeige zu verpassen. Beherzt stellte sie sich zwischen ihn und ihren Sohn. »Ich werde nicht zulassen, dass du ihr etwas antust!«

»Ich warne Sie, Señora. Gehen Sie mir aus dem Weg.«

»Ich dachte, ihr kämpft für unsere Rechte, statt sie mit Füßen zu treten«, sagte sie, die Hände in die Hüften gestemmt. »Wir Frauen haben ebensolche Rechte wie ihr Männer, und meine Töchter und ich werden alles in unserer Macht Stehende tun, um uns vor Schweinen wie dir zu schützen.«

»Das könnt ihr vergessen«, sagte der Bursche verächtlich. »Dieses Land wird von Männern regiert, und so wird es auch immer bleiben.« Mit einem Faustschlag ins Gesicht streckte er sie zu Boden und brüllte: »Rück mir noch mal auf die Pelle, und ich knall dich ab!« Er öffnete seinen Gürtel, knöpfte sich die dreckige Hose auf und ließ sie die Beine hinuntergleiten. Julio César schaukelte unablässig hin und her und weinte, während Orquidea und Magnolia sich in die nächstgelegene Zimmerecke zurückgezogen hatten und nervös an ihren Nägeln kauten. Gardenia, die sichtlich aufgewühlt war, setzte sich und fächelte sich mit dem unteren Teil ihres langen Rocks Luft zu, womit sie den Geruch ihrer Ausdünstungen im ganzen Raum verteilte. Der Gestank war schlicht unerträglich. Der Guerillero fiel auf die Knie und übergab sich. Während er noch versuchte, wieder zu Atem zu kommen, rappelte sich Doña Victoria auf, öffnete die Tür und traktierte den halbnackten Burschen so lange mit ihren nackten Füßen, bis sie ihn und sein Gewehr über die Schwelle befördert hatte. Sie widmete ihm einen letzten Blick, dann knallte sie die Haustür hinter ihm zu.

Als Gardenia sich langsam wieder beruhigte, verflüchtigte sich auch der Gestank. Die Witwe holte ein Fläschchen mit Franzbranntwein und ließ ihre Töchter und ihren Sohn daran riechen, bis sie sich alle einigermaßen von dem Schock erholt hatten. Zusammen setzten sie sich an den Esstisch und fassten einander an den Händen, während die Witwe, hin- und hergerissen zwischen Tränen und nervösem Gelächter, ein paar Gebete sprach.

Draußen ertönten unablässig Schüsse, immer wieder unterbrochen von den herzzerreißenden Schreien einer neuen Witwe, dem Weinen eines weiteren vaterlosen Kinds.

Als die Schüsse eine Stunde später verklangen, wagte sich die Witwe Morales nach draußen. Ihre linke Gesichtshälfte war bereits dick angeschwollen. Die Frauen von Mariquita hatten sich zu beiden Seiten der Hauptstraße aufgereiht und bildeten eine Gasse, die gerade groß genug für die Männer und Jungen war, die von den Rebellen weggeführt wurden. Es waren die Nachbarn und Freunde der Witwe Morales, Menschen, die sie, ihren Mann und ihre beiden älteren Töchter willkommen geheißen hatten, als sie damals, 1970, in Mariquita eingetroffen waren, Menschen, die ihr nach der Geburt ihrer beiden Jüngsten Blumen geschenkt und sie Jahre später nach dem Tod ihres Mannes getröstet hatten. Es waren die einzigen Menschen, zu denen sie in den vergangenen zweiundzwanzig Jahren Kontakt gehabt hatte. Und die halbwüchsigen Burschen, die neben ihnen marschierten, waren ihre jüngeren Söhne, die sonst jeden Nachmittag vorbeikamen, um zusammen mit Julio César die Hausaufgaben zu machen, die ihr den Gemüsekorb vom Markt nach Hause trugen und jeden Sonntagmorgen auf dem Acker gegenüber ihres Hauses Fußball spielten.

Die Witwe sah die anderen Frauen weinen, während ihre Männer mit gesenkten Köpfen an ihnen vorbeischlurften. Sie sah, wie Cecilia Guaraya ihrem in die Jahre gekommenen Mann seine Brille und Justina Pérez ihrem ebenso alten Gatten sein Gebiss reichte. Sie sah, wie Ubaldina Restrepo ihrem jüngsten Stiefsohn, Campo Elías Jr., ihren Rosenkranz in die Hand drückte. Sie sah andere Frauen, die ihren Männern Familienfotos, in Bananenblätter eingewickeltes Essen, Zahnbürsten, Wecker, Liebesbriefe und Geld zusteckten. Sie sah, wie die Frauen weinten, während sie ihre Männer fest an sich drückten und zum letzten Mal in ihrem Leben küssten. Sie wussten, dass sie sie niemals wiedersehen würden, dass ihre Ehemänner, ihre Söhne, Cousins, Neffen und Freunde dem Tod geweiht waren, dass dieser Augenblick der Anfang vom Ende war.

In traurigen Momenten erinnerte sich die Witwe stets an ihren verstorbenen Ehemann. Diesmal aber weinte sie nicht. In Gedanken dankte sie Gott für den Krebs, der Jacobo erlaubt hatte, zu Hause in ihren Armen zu sterben. Die anderen Frauen taten ihr unendlich Leid; unwillkürlich gab sie einen tiefen Seufzer von sich, als die beiden letzten Männer in den von ihren Füßen aufgewirbelten Staubwolken verschwanden.

Die Witwe Morales wandte sich langsam um. Und genauso langsam ging sie zu ihrem Haus zurück, das Wehklagen der anderen Frauen in den Ohren. Sie trat ein, umklammerte den Türknauf mit beiden Händen und lehnte sich mit der Stirn gegen die Tür. Eine kleine Ewigkeit lang verharrte sie so und weinte.

Ihr geliebtes Mariquita hatte sich in eine Stadt der Witwen verwandelt – in einem von Männern regierten Land.

GORDON SMITH, 28
Amerikanischer Reporter

»JOHN R.«, 13
Guerillakämpfer

Es war ein Sonntagnachmittag. Ich saß auf einer Lichtung unweit des Guerillacamps und wartete auf John. Er hatte sich bereit erklärt, mir ein Interview zu geben.
Das Guerillacamp war ein kleines Lager im Hochland, drei Tage Fußmarsch vom nächsten Ort entfernt.
Unvermittelt trat John aus dem Wald, ein halbwüchsiger Junge in einer viel zu großen, olivfarbenen Uniform und mit einem Gewehr über der Schulter. Sein kleines, von Sommersprossen übersätes Gesicht glänzte vor Schweiß. Ein Schatten von Flaum auf seiner Oberlippe ließ den künftigen Schnäuzer ahnen. Unter seinem Hut lugten schwarze Strähnen hervor. Er war nicht älter als zwölf, vielleicht dreizehn. Wir schüttelten uns die Hände und lächelten.
»Setz dich, Kleiner«, sagte ich und rückte ein Stück zur Seite, um ihm Platz auf meinem Baumstumpf zu machen.
»No, gracias«, erwiderte er kopfschüttelnd. »Ich stehe lieber. Und nennen Sie mich nicht ›Kleiner‹. Ich bin fünfzehn.«
Er war noch nicht im Stimmbruch, versuchte dies jedoch durch eine besonders laute Stimme wettzumachen.
Zuerst war mir John während des Fußballspiels aufgefallen, das nur zwei Stunden zuvor auf ebendieser Lichtung stattgefunden hatte. Er schien der Jüngste auf dem Platz zu sein – ein Kind, das seinen Kameraden einen Streich nach dem anderen spielte. *Der Kindersoldat*, dachte ich, das war ein guter Titel für meine Reportage.

Doch der Junge, der nun vor mir stand, war nicht derselbe John, den ich zuvor beobachtet hatte. Dieser hier gab vor, älter zu sein, als er tatsächlich war, und baute sich breitbeinig vor mir auf, um größer zu erscheinen. Er hob das eine Bein an und zog eine Packung Marlboros aus der Socke. Er stieß sie dreimal gegen die Handfläche seiner freien Hand, ehe er mir eine anbot. Ich hatte vor ungefähr einem Jahr mit dem Rauchen aufgehört, nahm aber doch eine, weil ich hoffte, so das Eis zwischen uns brechen zu können. Dann förderte er ein Feuerzeug zutage, das die Form eines Minihandys hatte.

»Gutes Feuerzeug«, sagte er und reichte es mir. »Hergestellt in den Estados Unidos.«

»Wie kommst du darauf?«, fragte ich. Auf dem Feuerzeug stand »Made in China«.

»Ein Gringo hat's mir geschenkt. Er war hier, um den Comandante zu interviewen.«

Ich war nicht der erste ausländische Reporter, der sich den Gefahren in Kolumbien aussetzte, um an eine gute Story zu kommen. In den zwei Jahren, die ich hier lebte, hatte ich eine ganze Reihe von Reportern aus aller Herren Länder kennengelernt, die hier Guerilleros und Paramilitärs, dort Armeesoldaten und Kokapflanzer interviewten – oder wie ich mit allen Gruppen sprachen.

»Und woher weißt du, dass er aus den Estados Unidos kam?«

»Weil er so blass und blond wie Sie war. Und genauso komisch dahergeredet hat.«

John und ich zogen an unseren Zigaretten, aber ich verschluckte mich am Rauch und begann zu husten.

Er brach in Gelächter aus. »Haha-haha-haha-haha...«

Das war wieder der John, den ich vorher beim Fußballspiel gesehen hatte, der Lausebengel, der sich schier kaputtlachen wollte; seine »Hahas« vergaß man nicht so schnell. Ich drückte meine Zigarette aus und sah ihm beim Lachen zu, bis ich wieder zu Atem gekommen war.

»Ich bin erst dreizehn«, sagte er plötzlich und sah zu Boden, als schäme er sich, ein Kind zu sein. »Das behalte ich sonst aber für mich. Einer aus unserer Truppe hat zugegeben, dass er erst vierzehn ist, und seitdem respektiert ihn keiner mehr. Als müsste man erwachsen sein, um töten zu können.«

Als ich den Wunsch geäußert hatte, John interviewen zu dürfen, hatte mir der Kommandant die Akte des Jungen gegeben. Der Akte zufolge war John bislang nicht in Kampfhandlungen verwickelt gewesen. Was ich bezweifelte. Ich wusste, dass es unter Guerillakommandanten gängige Praxis war, die Akten von Soldaten zu frisieren, speziell, wenn es sich um Minderjährige handelte.

»Wie viele Menschen hast du getötet?«, fragte ich ihn.

»Haha-haha. Als ob man da mitzählen würde«, sagte er. »Ich mache einfach die Augen zu und schieße so lange, bis keiner mehr zurückschießt.« Das entsprach offensichtlich der Wahrheit, so gerade heraus, wie er es sagte. »Und Sie?«, fragte er. »Haben Sie schon mal jemanden umgebracht?«

Ich schüttelte den Kopf.

»Echt?« Er schien wirklich überrascht. Er legte sein Gewehr ins Gras, hockte sich daneben und schlang die Arme um die Knie. Die Botschaft war klar: Er hatte es nicht länger nötig, sich vor mir aufzubauen oder einen auf älter zu machen. Er hatte getötet. Ich nicht.

»Woran denkst du so, wenn du im Gefecht bist?«, fuhr ich fort.

»Die meiste Zeit an überhaupt nichts, aber manchmal denke ich, dass ich letztlich bloß für mich selber kämpfe, verstehen Sie? Entweder die oder ich – na ja, und Gott will mich eben noch nicht zu sich holen.«

»Oh. Du glaubst also an Gott.«

»Na klar. Ich bete jeden Abend vorm Einschlafen – und natürlich auch, bevor ich ins Gefecht ziehe.«

»Und glaubst du, dass es Gott gefällt, wenn du jemanden umbringst?«

Er dachte eine Weile darüber nach. »Na ja«, sagte er schließlich, »wahrscheinlich will Gott weder, dass ich jemanden töte noch, dass ich von jemandem getötet werde.«

Dann stellte ich ihm Fragen über seinen Tagesablauf und erfuhr, dass die Truppe um vier Uhr morgens aufsteht und sich um fünf versammelt; um halb sechs werden die Tagesbefehle ausgegeben. Zwei Guerilleros sind als Köche für die drei Mahlzeiten zuständig, zwei Dreiergruppen gehen auf die Jagd, zwei Vierergruppen kundschaften die Gegend nach feindlichen Soldaten aus, und die übrige Mannschaft hält Wache. Nachmittags wird exerziert, Schießübungen eingeschlossen.

»Aber gegen das Ausbildungscamp ist das alles gar nichts«, versicherte er mir. »Da lernt man, mit Pistolen, Gewehren und Maschinengewehren zu schießen, und bekommt gezeigt, wohin man bei einem Flugzeug zielen muss – echt irre!« All das sagte er mit seiner Kinderstimme, und wieder kam mir die Akte in den Sinn, die mir der Kommandant gegeben hatte. Ich kramte sie aus meinem Rucksack und überflog den Schrieb, der aus einer einzelnen Seite bestand. Abermals las ich, dass John mit richtigem Namen Juan Carlos Ceballos Vargas hieß und sechzehn Jahre alt war; dass seine Eltern bei einem Autounfall ums Leben gekommen waren, als er noch ein Baby gewesen war, dass er seine gesamte Kindheit in einem Waisenhaus verbracht hatte, aus dem er an seinem fünfzehnten Geburtstag entlassen worden war, und dass er der Truppe im November 2000 freiwillig beigetreten war. Ich wollte wissen, inwieweit diese Angaben der Wahrheit entsprachen.

»Heißt du wirklich John?«

Er schüttelte den Kopf.

»Sondern?«

»Das verrate ich niemandem.«

»Auch egal«, sagte ich. »John gefällt mir.«

»Ich heiße nicht bloß John«, sagte er. »Sondern John R.«

»Klingt immer noch gut. Hast du dir den Namen selbst ausgedacht?«

Er nickte. »Haben Sie *Rambo* gesehen?« Die Frage klang, als sei der Film gerade erst angelaufen.

»Alle drei Teile«, gab ich zu.

»Ich auch. Irre, oder? Erinnern Sie sich an seinen Vornamen? Rambos Vornamen?«

Ich musste kurz überlegen. Es war Jahre her, dass ich *Rambo III* gesehen hatte. Ich wusste, dass es ein ganz normaler Name war. Michael? Robert? John?

»John!«, sagte ich. »Na klar! John R.«

Er lächelte. »Meine Großmutter hatte einen Fernseher, und manchmal durfte ich gucken, bis sie ihn irgendwann verkaufen musste. Sie hat nach und nach alles verkauft, damit wir etwas zu essen hatten – bis schließlich das ganze Haus leer war.«

»Und wo ist deine Großmutter jetzt?«

Er zuckte mit den Achseln.

»Und dein Vater?«

»Im Knast. Sie haben ihn zu zwanzig Jahren verurteilt. Ein Nachbar hat uns ein Schwein gestohlen, und dafür hat er ihn umgebracht.«

»Und deine Mutter?«

»Kopfschuss«, sagte er so nüchtern, als könne ein Leben ausschließlich auf diese eine Weise enden. »Der Sohn des Mannes, den mein Vater getötet hat, war Polizist. Er hat meinen Vater verhaftet und anschließend meine Mutter erschossen.«

»Ist er dafür belangt worden?«

»Haha-haha«, gab er zurück.

»Wie alt warst du, als das passiert ist?«

Er hielt mir die linke Hand vors Gesicht, so wie es kleine Jungen tun, wenn sie einem sagen, wie alt sie sind. Fünf Finger.

»Und wie alt warst du, als du dich der Guerilla angeschlossen hast?«

»Elf.«

»Weißt du, was das ist?«, fragte ich und hielt ihm die Akte hin.

Er warf einen Blick darauf und schüttelte den Kopf. »Ich kann nicht lesen. War nie auf einer Schule.«

»Ich kann dir ja sagen, was hier steht.« Langsam las ich Zeile für Zeile vor. Er hörte aufmerksam zu, sah mich aber weiter nur ausdruckslos an.

»Ich wünschte, das wäre wahr«, sagte er schließlich. »Klingt um einiges besser als mein wirkliches Leben.« Er musterte mich aus schwarzen, traurigen Augen. In ihnen erblickte ich einen kleinen Jungen, der gelernt hatte, mit Waffen umzugehen, der im Wald Vögel jagte, auf den Knien Gebete gen Himmel schickte, ehe er ins Gefecht zog, und mit fest geschlossenen Augen das Feuer auf einen Feind eröffnete, der gar nicht der seine war. Ich zerknüllte das Blatt Papier und warf es weg.

»Eine Frage noch«, sagte ich, als er einen Blick auf seine Uhr warf. »Wieso hast du dich überhaupt der Guerilla angeschlossen?«

»Ich hatte Hunger.«

John R. griff nach seinem Gewehr und erhob sich. Es war fast vier Uhr nachmittags, und er musste von vier bis acht Wache schieben.

»Versprechen Sie mir, dass ich in Ihrer Story nicht schlecht wegkomme«, sagte er.

»Versprochen«, sagte ich. Zum Beweis machte ich ein Kreuz mit Daumen und Zeigefinger und küsste es – eine Geste, mit der die Kolumbianer häufig ihr Ehrenwort geben.

Dann bat er mich um eine Kleinigkeit. »Was immer Sie übrig haben«, sagte er.

Ich warf einen Blick in meinen Rucksack. Darin befanden sich ein Satz Unterwäsche, eine Zahnbürste, eine Zahnpastatube im Reiseformat, zwei Packungen Batterien, Aspirin, Antibiotika, eine Rolle Toilettenpapier und ein zerfleddertes Exemplar von *Hundert Jahre Einsamkeit*. Nichts, worauf John R. scharf gewesen wäre. Aber dann fand ich in der Seitentasche einen durchsichtigen Weihnachts-Kugelschreiber, den ich bei meinem letzten Ausflug nach New York geschenkt bekommen hatte.

»Feliz Navidad, John R.«, sagte ich und reichte ihm den Kugelschreiber.

»Navidad? Aber wir haben doch erst April.«

»Weihnachten ist immer gut.«

Ich zeigte ihm, wie er den Stift hin und her bewegen musste. Fasziniert sah er zu, wie Santa und sein Rentier sanft über ein verschneites Miniaturdorf hinweg glitten.

»Haha-haha«. Seine Miene hellte sich auf. »Hergestellt in den Estados Unidos?«

»Keine Ahnung«, sagte ich.

Enttäuscht ließ er die Unterlippe hängen.

Ich nahm ihm den Kugelschreiber aus der Hand und besah ihn mir genauer. Auf dem kleinen silbernen Ring zwischen dem oberen und dem unteren Teil des Stifts fand ich schließlich die in winziger Schrift eingravierten Worte, die John R. hören wollte.

»Sí«, sagte ich. »Made in USA.«

Er bedankte sich vier oder fünf Mal und wandte sich um. Während er zum Camp zurückging, bewegte er den Kugelschreiber hin und her und lachte immer wieder sein »Haha-haha«, bis sein schmaler Körper im Wald verschwunden war.

Kapitel 2

DIE BÜRGERMEISTERIN, DIE NICHT MEHR WEITER WUSSTE

Mariquita, 29. Oktober 1993

Mehr als eine Woche lang hatte Rosalba den Himmel genau beobachtet. Jedes Mal, wenn sie hinaufsah, kam es ihr so vor, als entfernten sich Wolken und Sonne, Mond und Sterne weiter und weiter von ihrem Dorf. Als sie an diesem Tag aus dem Haus trat und erneut den Blick nach oben richtete, kam sie zu dem Schluss, dass ihre grünen Augen sie nicht trogen. Es stimmte: Mariquita sank tiefer und tiefer. Sie bekreuzigte sich und eilte die Straße hinunter in Richtung Plaza.

Rosalba viuda de Patiño, wie sie sich anderen gern vorstellte, war die Witwe des Polizeisergeanten. Sie war eine attraktive Frau mit blassem Teint, mageren Armen und Beinen und schmalen Hüften; obendrein hatte sie den ausladendsten Hintern von allen Frauen in Mariquita. Ihr langes kastanienbraunes Haar hatte sie kunstvoll zu einem Dutt nach hinten gebunden, und zwischen ihren Augenbrauen befand sich ein Muttermal, das aussah, als hätte sich eine Fliege auf ihrer Stirn niedergelassen. Wenn sie lachte – was seit dem Tod ihres Mannes allerdings nur noch selten vorkam –, zwinkerte sie und ihr Mund öffnete sich zu einem Oval, gerade weit genug, dass man die vielen silbernen Füllungen ihrer Backenzähne blitzen sah. Sie war sechsundvierzig, doch die tiefen Falten um ihre Augen – die sich inzwischen nicht wieder glätteten, wenn sie zu lachen aufhörte – und die dünne, fleckige Haut ihrer Hände ließen sie weit älter erscheinen.

Während sie die Hauptstraße hinunterging, fielen Rosalba ein paar neue Müllhaufen ins Auge. Überall stapelte sich der Unrat. So wie es mit dem Dorf bergab ging, war es nur noch eine Frage der Zeit, bis die Witwen und ihre Kinder im Müll versanken. Der klapprige alte Mann mit dem klapprigen Laster, der sonst einmal die Woche seine Runde durch Mariquita gedreht und den Abfall abgeholt hatte, war nicht mehr vorbeigekommen, seit die Männer verschleppt worden waren. Wer sollte ihn bezahlen, nun, nachdem der Stadtkämmerer und der Bürgermeister verschwunden waren? Die Witwen bestimmt nicht; die hatten genug damit zu tun, das Nötigste für sich und ihre Kinder zusammenzubringen.

»Der verdammte alte Knacker!«, stieß Rosalba im Gehen hervor. Sie bog links um die Ecke und stand vor einem weiteren verlassenen Haus, wo bis vor kurzem noch die Familie Cruz gewohnt hatte. Seit dem Verschwinden der Männer hatte eine ganze Reihe von Frauen das Dorf verlassen – mit ihren verbliebenen Kindern, ihren älteren Verwandten und allem, was ihre Maultiere und ihre Rücken tragen konnten. In kaum einem Jahr war die Zahl der Einwohner von Mariquita beträchtlich gesunken. In jedem Block gab es verlassene Häuser, die bald nach dem Wegzug der ehemaligen Bewohner restlos ausgeschlachtet worden waren. Dächer, Türen, Fenster, Fußböden – alles, was nicht niet- und nagelfest war, hatte man weggekarrt, bis jeweils nur noch vier Adobewände mit zwei oder drei Öffnungen verschiedener Größe übrig geblieben waren. Rosalba runzelte die Stirn und ging weiter.

Seit neuestem hatte sie sich angewöhnt, von einer Bank auf der Plaza die Dorfbewohner bei ihrem täglichen Einerlei zu beobachten – gleichgültig dreinschauende alte Frauen, die in schwarzen Spitzenkleidern zur Kirche gingen, junge Frauen, die lauthals frische Arepas, gebrauchte Kleidung, Seifen, Kerzen und anderen Kram anpriesen, halbnackte bettelnde Kinder, die ihnen hinterherliefen und darauf warteten, dass die Frauen nur einen Moment lang nicht aufpassten, damit sie etwas, irgendetwas stehlen konnten. Nach ein paar Minuten begann Rosalba sich wie immer tödlich zu langweilen, aber für gewöhnlich fand sie jemanden, mit dem sie eine Unterhaltung anfangen konnte. Sie setzte sich auf eine Bank, die halb mit Vogelkot bedeckt war. Sie blinzelte in die weit entfernte Sonne, die gerade durch die ebenso weit entfernten Morgenwolken brach.

Drei biblisch anmutende Frauen in langen Nachthemden bogen um eine Ecke, große Wasserkrüge in Händen. Die Morales-Schwestern Orquidea, Gardenia und Magnolia wollten offenbar zum fast eine Stunde Fußweg entfernten Fluss. Vor langer Zeit hatten die Männer von Mariquita einen nahegelegenen Ausläufer des Flusses eingedämmt und begradigt, um Küchen und Waschplätze mit fließend Wasser zu versorgen, doch waren mittlerweile nur noch ein paar Gräben übrig, in denen das Unkraut wucherte. Die ungewöhnliche Hitze eines Sommers hatte den Wasserlauf ausgetrocknet und die meisten Ernten verdorben, die Frauen und Kinder waren Hunger und Dürre ausgeliefert.

»Guten Morgen«, rief Rosalba den Morales-Schwestern zu.

Keine erwiderte den Gruß.

Rosalba blickte sich um, doch weit und breit war niemand zu sehen, bei dem sie sich über die schlechte Kinderstube der drei Schwestern hätte beschweren können – und über die anderen Dinge, die ihr auf der Seele lagen.

»Offenbar haben alle genug mit Däumchendrehen zu tun«, sagte sie in bitterem Ton zu einem neben ihr stehenden alten Mangobaum. »Eine saumseligere Bande als die Witwen in diesem Dorf ist mir noch nie unter die Augen gekommen. Wir haben immer weniger zu essen und nicht mal Dünger für unsere Äcker. Ja, es herrscht Dürre, aber wir können unser Elend nicht der Natur in die Schuhe schieben – nicht, wenn wir ohnehin keinen Finger rühren. Die ganze Zeit über sitzen wir nur herum, jammern ohne Unterlass und warten darauf, dass die Kunde von unserer misslichen Lage über die Berge dringt und dem Gouverneur zu Ohren kommt, warten darauf, dass der Gouverneur sich mit seinen Leuten berät, warten darauf, dass er die Regierung in Kenntnis setzt, warten darauf, dass der Präsident das Parlament einberuft, damit das Parlament dem Präsidenten die Befugnis erteilt, dem Gouverneur die Befugnis zu erteilen, wiederum jemand anderem die Befugnis zu erteilen, ein paar einfältigen Witwen in irgendeiner abgelegenen Dürreregion unter die Arme zu greifen...«

Eine kleine Herde halb verhungerter Schweine trabte vorbei, gefolgt von ihrer Hirtin, Ubaldina viuda de Restrepo, die lautstark hinter ihnen her keifte. Sie war die Witwe von Don Campo Elías de Restrepo, dem ehemals reichsten Mann im Dorf; sie hatte ihn und ihre sieben Stiefsöhne an die Rebellen verloren. Ubaldina hielt ihre Schweine in einem kleinen, mit Maschendraht eingezäunten Areal am hinteren Ende ihres Gartens. Zweimal am Tag trieb sie die Tiere durchs Dorf, damit sie auf der Straße im Müll wühlen konnten. Ihre linken Ohren hatte sie mit roter Farbe gekennzeichnet, und sie zählte sie mehrmals am Tag, um sicherzugehen, dass keines gestohlen worden war.

Die Schweine hielten alle paar Meter an, um einen Müllhaufen nach dem anderen zu plündern. »Weiter, du Mistvieh!«, brüllte sie das magerste Exemplar an, das hinter den anderen zurückgeblieben war.

»Wann kriege ich meine Koteletts, Ubaldina?«, rief Rosalba. Seit einem guten Vierteljahr hatte sie kein Fleisch mehr gegessen, obwohl sie das Geld für zwei große Koteletts schon vor einer kleinen Ewigkeit bezahlt hatte.

»Nächste Woche vielleicht«, gab Ubaldina zurück. »Ich habe die Ohren und die Füße noch nicht verkauft.«

Seit es in Mariquita keinen Strom mehr gab, waren Ubaldinas zwei Kühlschränke komplett nutzlos geworden, weshalb sie ihre Tiere nur noch dann schlachtete, wenn alle Teile verkauft waren.

»Das Elend der Armen ist die Gelegenheit der Reichen«, flüsterte Rosalba dem Baum zu. »Hast du eine Ahnung, was die gierige Kuh für ein Pfund Schweinefleisch nimmt? Dreitausend Pesos! Um mir das leisten zu können, musste ich ein Zimmer an Vaca vermieten – die Witwe des Schuhmachers, die Indianerin mit den großen Augen, die immer ihren Kautabak kaut. Und natürlich weiß Ubaldina das – klar, ich hab's ihr ja selbst erzählt. Nicht, dass es sie irgendwie kümmern würde, mal abgesehen davon, dass ich bei weitem nicht die Einzige bin, der es so geht. Kennst du Lucrecia Saavedra, die alte Näherin? Die Arme musste ihre Ersatzschere gegen ein paar Schweinskaldaunen eintauschen, um Suppe kochen zu können.«

Während Rosalba sich bei dem Baum beschwerte, fuhr ein kleiner Konvoi grüner, schlammbespritzter Jeeps über die Hauptstraße. In der Hoffnung, dass die Regierung endlich Hilfe geschickt hatte, eilten die Frauen aus ihren Häusern. Schweigend stiegen fünfzehn Fremde in Militäruniformen aus den Jeeps. Ebenso schweigend marschierten sie durch die schmutzigen Straßen, dicht gefolgt von unbekleideten Kindern und Müttern mit ausgestreckten Händen, die ein unablässiges »Bitte, bitte, bitte« skandierten. Die Soldaten fragten nach Padre Rafael (dem einzigen Mann, den die Rebellen nicht verschleppt hatten) und machten sich Notizen. Außerdem fotografierten sie die von Unrat übersäte Plaza und die große Gruppe von Frauen, die sich zum Betteln um die Jeeps versammelt hatten.

Der älteste der Soldaten stieg auf die Motorhaube seines Jeeps und versuchte, die Witwen zu beschwichtigen. Er war ein kleiner Kerl mit hellem Haar und ungesundem Äußeren. Sein schweißglänzendes Gesicht war von Narben verschiedenster Form und Größe übersät. »Mein Name ist Abraham«, sagte er sanft und mit einer Stimme, die nicht zu seiner Erscheinung passen wollte. »Wir sind nicht hier, um euch unser Beileid auszudrücken, obwohl ihr alle unser tiefes Mitgefühl habt. Wir sind hier, um die materiellen Verluste zu begutachten, damit ihr entsprechend entschädigt werden könnt.« Die kleinen Hände unterstrichen seine Sätze mit knappen Gesten. »Leider wird es einige Zeit dauern. Ihr wisst, dass sich unser Land wieder einmal im Bürgerkrieg befindet. Auch andere Dörfer wurden von Guerilleros und paramilitärischen Truppen heimgesucht, und daher...« Trotz der entmutigenden Nachrichten schien der kleine Mann die Frauen und Kinder geradezu hypnotisiert zu haben. Wie in Trance starrten sie ihn an, als würde er jede Sekunde Eier legen oder Milch ausschwitzen. Nur eine einzige Frau ließ sich nicht ihrer Sinne berauben: Rosalba viuda de Patiño.

»Wir wissen Ihre Ehrlichkeit zu schätzen, Señor«, unterbrach sie Abrahams Ansprache. »Aber wer versorgt uns und unsere Kinder mit Nahrungsmitteln, bis es wieder regnet?«

»Das weiß ich auch nicht, Señora, aber...«

»Und was sollen wir anziehen? Die Fetzen, die wir anhaben, fallen uns bald vom Leib.« Sie wandte sich zu den anderen Frauen. »Sollen wir für den Rest unseres Lebens wie Eingeborene herumlaufen?«

»Señora, hören Sie mir zu...«

»Nein«, unterbrach ihn Rosalba. »Jetzt hören Sie uns zu. Haben Sie auch Fotos von unseren leeren Brunnen und all dem Müll auf den Straßen gemacht? Haben Sie in Ihrem schlauen Buch vielleicht auch notiert, dass unser ganzes Dorf im Dreck versinkt?«

»Oder dass wir seit einem Jahr keinen Strom mehr haben?«, ertönte Ubaldinas Stimme wie ein Echo.

»Oder dass das einzige Telefon im Ort nicht funktioniert?«, ließ sich Magnolia Morales von ganz hinten vernehmen.

Weitere Frauen stimmten lauthals mit ein. Abraham wurde sichtlich nervös. Ihm war klar, dass sie auf verlorenem Posten standen, wenn sich der Proteststurm in einen Aufstand verwandelte. Nicht nur, weil die Frauen in der Überzahl waren, sondern weil sie und ihre Kinder Hunger litten. Und mit Leuten, die einen leeren Magen hatten, war nicht gut Kirschen essen.

Plötzlich brach Rosalba in Tränen aus. »Was sollen wir denn nur machen?«, stieß sie schluchzend hervor. »Wir werden alle verhungern und unter unserem eigenen Müll begraben liegen, und nur die Geier werden es bemerken.«

»Señora«, sagte Abraham, irritiert ob des jähen Stimmungswechsels. »Was dieser Ort braucht, ist eine starke Frau wie Sie. Warum übernehmen Sie nicht das Amt des Bürgermeisters, bis die Regierung sich zu einer Entscheidung durchringt?«

»Ich habe keine Ahnung von Gesetzen oder juristischen Vorgängen«, sagte Rosalba, während sie sich die Tränen mit den Handrücken aus den Augen wischte, »aber mein Mann war der hiesige Polizeisergeant – ein Held, der sein Leben im Kampf gegen die Rebellen geopfert hat.«

»Allein das«, erwiderte Abraham, »macht Sie schon zum perfekten Oberhaupt dieses Dorfes.«

Er meinte es keineswegs ernst; er wollte nur, dass das heulende Weibsstück endlich mit dem Gezeter aufhörte. Doch Rosalba, die Komplimente jedweder Art nicht gewohnt war, erklärte sich zu seiner Verblüffung unumwunden bereit, das Amt zu übernehmen. Abraham stieg von seinem Jeep herunter und stellte per Hand ein Dokument aus, das sie als neue Bürgermeisterin verpflichtete. Dann besiegelte er ihre Amtseinsetzung, indem er mit tonloser Stimme die kolumbianische Nationalhymne anstimmte; seine Männer fielen mit ein.

―――

An ihrem ersten Arbeitstag als Bürgermeisterin ging Rosalba um sieben in ihr Büro. Über ihrem schwarzen Kleid trug sie eine weiße Schürze; mit sich führte sie einen Besen, einen Mopp und einen Eimer mit Seifenlauge. Hinter das eine Ohr hatte sie sich einen Bleistiftstummel geklemmt, und in der Schürzentasche befanden sich ein kleines Notizbuch und ihre Pistole. Als sie die Hauptstraße hinunterging, stellte sie sich vor, wie Mariquita durch sie wieder aufblühen würde. Sobald ihr eine Idee kam, blieb sie stehen, stellte ihre Putzutensilien ab, förderte ihr Notizbuch zutage und schrieb auf, was ganz oben auf ihrer Agenda stehen sollte: *Die Wasserversorgung wiederherstellen. Ein Bewässerungssystem für die Felder anlegen. Jemanden in die Stadt schicken, um Dünger und Saatgut zu besorgen.*

Das Rathaus von Mariquita war ein kleines, an der Plaza gelegenes Gebäude. An der Hauswand befand sich ein Schild, auf dem immer noch der Name des früheren Bürgermeisters stand: Jacinto Jiménez. Die Guerilleros hatten ihn vor den Augen seiner völlig verängstigten Frau und Kinder hingerichtet und anschließend seinen achtzehnjährigen Sohn weggeschleift. Tagelang hatte die Witwe Jiménez geweint. Dann aber hatte sie eines Morgens ihre Sachen und ihre vielen Schuhe gepackt und war mit ihren beiden Töchtern nach Ibagué gezogen, wo sie bald darauf neues Glück fand und einen Schlachter heiratete. Vor ihrer Abreise hatte sie Rosalba (die beiden waren gute Freundinnen gewesen) den Schlüssel zum Rathaus übergeben.

Erstaunt registrierte die neue Bürgermeisterin, wie leicht sich der Schlüssel drehen ließ, nachdem fast ein Jahr vergangen war, seit zuletzt jemand das Rathaus betreten hatte. Als sie die Tür aufstieß, wurde sie von einer Anzahl kreischender Fledermäuse begrüßt, die sich hier häuslich eingerichtet hatten. Angeekelt wich sie zurück. Vom Tageslicht aufgescheucht, flatterten die widerlichen Biester wild herum und prallten gegen die Wände. Rosalba wartete, bis sie sich wieder beruhigt hatten. Dann trat sie entschlossen ein, entriegelte und öffnete das einzige Fenster und sah zu, wie der Schwarm Fledermäuse über ihren Kopf huschte und aus dem Büro flog. Sie begann die Möbel abzustauben, wobei sie dann und wann innehielt, um sich weitere Notizen zu machen. *Putzkolonnen organisieren, damit der Müll von den Straßen verschwindet.* Sie wischte die Spinnweben aus den Ecken der Zimmerdecke. *Eine Frauengruppe zusammenstellen, die Reis, Baumwolle und dürrebeständige Hirse sät.* Sie verrückte das Regal, stellte den verstaubten Garderobenständer um und schob den Schreibtisch von einer Ecke in die andere. *Die Stromversorgung wiederherstellen.* Sie fegte und wischte den Boden zweimal hintereinander. *Das Telefon instand setzen.* Sie trug eine wunderschöne Begonie in einem

Blumentopf herein und stellte sie in eine Ecke. *Die Schule wieder-eröffnen.* Zu guter Letzt verbrannte die Bürgermeisterin Eukalyptusblätter, um böse Geister zu vertreiben.

Als sie fertig war, stellte sich Rosalba hinter den alten Mahagonischreibtisch und ließ den Blick durch das Zimmer schweifen. Ihr Büro war nun der sauberste und aufgeräumteste Ort im ganzen Dorf. Sie war hochzufrieden, quetschte ihren ausladenden Hintern in den Sessel und fuhr mit den Händen über die glatte Schreibtischoberfläche. »Mit mir wird Mariquita wieder im alten Glanz erstrahlen«, sagte sie. »Ach, was rede ich da? Alles wird viel, viel besser werden, als es unter den Männern je war. Gar kein Problem. Ich bin schließlich das geborene Oberhaupt.«

Rosalba stammte aus dem Ort Honda am Río Magdalena. Sie war vierzehn gewesen, als ihre Mutter an einer Fischgräte erstickt war. Rosalba hatte sich fortan um das Haus und ihre vier jüngeren Brüder gekümmert, dabei jedem Familienmitglied Aufgaben übertragen, von einfachen Verrichtungen wie Kartoffelschälen bis zu schwierigeren Obliegenheiten wie Kornmahlen. Selbst ihr jüngster Bruder wurde eingespannt, obwohl er erst vier war; er musste am Fluss Wasser zum Kochen und Putzen holen. Rosalbas straffes Regiment trug ihr schnell den Unmut ihrer Brüder ein. Alle mussten um sechs Uhr morgens aufstehen und abends um acht wieder im Bett sein. Vor den Mahlzeiten und dem Zubettgehen wurde gebetet. Kochte sie eine Riesenschüssel Suppe, musste alles aufgegessen werden. Fortwährend hatten die Brüder »Por favor« und »Muchas gracias« zu sagen, während Gemecker, Streitereien und Kraftausdrücke umgehend bestraft wurden.

Am letzten Sonntag im Monat schnitt Rosalba ihren Geschwistern Haare und Nägel. Sie bereitete täglich drei Mahlzeiten, wusch die Kleidung ihrer Brüder und bestellte den kleinen Garten, in dem sie Kopfsalat, Koriander, Karotten und Zwiebeln anbaute. Samstags und sonntags besuchten sie und ihre Brüder die Volksschule, wo sie Lesen und Schreiben lernten. Sie übte und übte, bis ihre Handschrift Schwung und Akkuratesse aufwies.

Mit dem Geld, das sie von ihrem Vater erhielt, ging sie extrem sparsam um, doch der Rest der Familie wusste ihre Investitionen nicht zu würdigen. Während ihre Brüder jeden Tag in denselben alten Hemden und Jeans herumliefen, die stets von den Jüngeren aufgetragen werden mussten, ließ Rosalba den Boden des Gartenschuppens kacheln und zusätzliche Fenster in der Hausfront einbauen. Sie kaufte sich ein tragbares Transistorradio, um sich die Nachrichten und romantische Hörspiele anzuhören, in denen sich reiche Landbesitzer Hals über Kopf in schöne junge Dienstmädchen verliebten. Rosalba bevorzugte die Nachrichten. Eine ganze Reihe von Fischern machte ihr den Hof, von denen sie die besten Fänge des Tages, aber keine Einladungen zum Abendessen oder zum Sonntagstänzchen annahm. Sie hatte wahrlich Größeres vor, als sich mit einem dahergelaufenen Fischer einzulassen.

Ihre Herrschaft ging erst einige Jahre später zu Ende, als ihr Vater wieder heiratete. Doña Regina, ihre Stiefmutter, stellte ihre eigenen Regeln auf. Sie entband die Brüder von ihren Pflichten und ließ Rosalba den Haushalt allein erledigen – mit Ausnahme des Gartens, da Doña Regina selbst eine begeisterte Gärtnerin war. Rosalba hielt ihre Stiefmutter für eine Hexe. Wie konnte es diese abscheuliche Frau nur wagen, sich in ihrem erst kürzlich renovierten Haus breitzumachen und ihr Befehle zu erteilen? Und nun zeigte sich auch, wie gut sie ihre Brüder erzogen hatte, die weit bessere Manieren an den Tag legten als ihre Stiefmutter, die sich alle naselang über Rosalbas Kochkünste beschwerte, niemals »Por favor« oder »Gracias« sagte und in Anwesenheit der Geschwister fluchte wie ein Pferdekutscher. Rosalbas Lage verschlimmerte sich, als Doña Regina Rosalbas Vater hinter ihrem Rücken gegen sie aufzuhetzen begann.

»Das meiste Geld gibt sie für Lotterielose aus«, log Doña Regina. »Und wir müssen uns mit Reis und Hühnermägen begnügen. Sieh dir doch nur an, wie hungrig deine Söhne sind.« Sie zeigte auf den Jüngsten, der nackt auf dem Boden saß und Popelstückchen aus seiner Nase fraß. Angesichts der erdrückenden Beweislast bekam Doña Regina sofort die Verwaltung des Familienbudgets zugesprochen. Sie ging noch am selben Tag einkaufen und kam mit lauter Delikatessen zurück, die ihnen mehr als drei Jahre lang vorenthalten geblieben waren: Steaks, Koteletts, Käse und sogar einem Kuchen. Am nächsten Tag kaufte sie neue Hemden für die vier Jungen und ihren Mann, dazu ein Kleid für sich selbst. Rosalba bekam nichts, nicht einmal Batterien für ihr tragbares Radio, das Doña Regina als Luxus betrachtete.

Die Spannung zwischen den beiden Frauen nahm weiter zu. Nach unzähligen Wortgefechten und Streitereien packte Rosalba an einem sonnigen Montagmorgen schließlich ihre Sachen. Sie nahm nur ihr Radio und ein scharfes Messer mit und marschierte Richtung Süden, wobei sie die vielen Lastwagenfahrer ignorierte, die sie gegen einen kleinen Gunstbeweis mitnehmen wollten. Kurz vor Einbruch der Dunkelheit erblickte sie in der Ferne ein Dorf: Mariquita, wo damals weniger als hundert Menschen lebten. Rosalba fand keine Erklärung dafür, doch in genau jenem Moment wusste sie, dass sie dort, an diesem entlegenen Ort, den Rest ihres Lebens verbringen, dass sie dort nie eine Frau wie jede andere sein würde. Niemals.

Achtundzwanzig Jahre später fand Rosalba sich auf dem wichtigsten Stuhl von Mariquita wieder, umgeben von den altehrwürdigen Mauern des Rathauses. An der Wand zu ihrer Linken hing die kolumbianische Flagge, ausgefranst an den Kanten und die drei Farben fast gänzlich zu einer einzigen verblichen. An der rechten Wand prangte ein großes hölzernes Kruzifix mit einem Jesus, dem der Kopf fehlte (die Holzwürmer hatten sich schon länger daran gütlich getan). Die Wand vor ihr schmückte ein gerahmtes Bild des amtierenden Präsidenten, und hinter ihr hing eine Nachbildung des Nationalwappens, auf dem »Libertad y Orden« stand – Freiheit und Ordnung.

Rosalba erhob sich und ging zum Fenster. Der Ausblick war überaus entmutigend: ein völlig heruntergekommener, von halb verdorrten Mangobäumen umstandener Dorfplatz, von Vogelkot übersäte Steinbänke, ein paar ramponierte Laternen und ein Knäuel von Kabeln, die den Ort einst fünf Tage die Woche mit Strom versorgt hatten, nun aber nutzlos zwischen moosüberwucherten Masten herabhingen. Enttäuscht kehrte sie an den Schreibtisch zurück, wenn auch weniger über die desolate Aussicht als über sich selbst. Ein Jahr lang war sie täglich diesem Anblick ausgesetzt gewesen. Hatte sie wirklich erwartet, dass sich etwas daran ändern würde, nur weil sie aus ihrer neuen Amtsstube heraussah? Was war sie doch bloß für eine Närrin! In Mariquita würde sich nur dann etwas ändern, wenn sie, Rosalba, ihr Organisationstalent zum Einsatz brachte. Sie war eine starke, fähige Frau. *Bäume trimmen und bewässern.* Schon immer war sie diejenige gewesen, die die Entscheidungen traf. *Anschließend die Bänke reinigen.*

Eine Stimme von draußen riss sie aus ihren Gedanken. »Compañeras!«, hörte sie eine Frau rufen. »Wir alle leiden Hunger und trauern um unsere Männer und Söhne. Lasst uns unser Leben in die Hände Gottes legen. Nur er kann uns noch retten!«

Rosalba eilte zurück zum Fenster. Die Stimme gehörte der Witwe Jaramillo. Sie stand leicht gebückt an einer Ecke und forderte die Gemeinde auf, mit ihr zusammen einen öffentlichen Rosenkranz zu beten. Sie trug ein rotes Kleid und einen überdimensionalen Rosenkranz um die Taille. Die Bürgermeisterin war stocksauer. Wie konnte es die Jaramillo nur wagen, ein rotes Kleid anzuziehen, obwohl doch alle im Ort Trauer trugen? Und wie kam sie auf die Idee, irgendetwas von Gott zu erwarten? Was hatte er denn bislang für Mariquita getan? Sie alle waren bettelarm und dem Untergang geweiht, ebenso wie die

Witwe Jaramillo selbst. Was hatte diese fromme Frau ihrem Gott zu verdanken? Sie hatte ihre gesamte Familie verloren; ihr Mann und ihre beiden jüngeren Söhne waren von den Rebellen erschossen worden, als sie sich weigerten, der Revolution zu folgen, und Pablo, ihr Ältester, war vor langer Zeit in der Hoffnung auf ein besseres Leben nach New York gegangen und hatte nie wieder von sich hören lassen. Die Witwe Jaramillo sah dünner und elender aus als je zuvor, ja, es ging sogar das Gerücht, dass sie langsam verrückt wurde. Und trotzdem, da vorn stand sie und rief lauthals, nur der Herr könne Mariquita noch retten … Plötzlich ging der Bürgermeisterin auf, dass sie einen äußerst einflussreichen Rivalen hatte. Nein, nicht die Witwe Jaramillo. Der Allmächtige selbst stand bereit, um Rosalba die Butter vom Brot zu nehmen.

Ihre größte Herausforderung bestünde darin, den Frauen ihre Wundergläubigkeit auszutreiben und ihr Vertrauen auf eine Anführerin aus Fleisch und Blut zu festigen. Es würde ein hartes Stück Arbeit werden, die anderen davon zu überzeugen, dass nicht der Herr, sondern sie, Rosalba, dem Dorf wieder Elektrizität und fließend Wasser bringen würde. Dass sie, die Bürgermeisterin, die Schule wieder eröffnen und Saat und Dünger beschaffen würde, um die Versorgung mit Nahrungsmitteln wiederherzustellen. Rosalba ging zurück zum Schreibtisch; mit jedem Schritt strafften sich ihre Schultern ein wenig mehr. Sie nahm ihre Agenda zur Hand, und dann schrieb sie, während leise Furcht in ihr aufstieg: *Die anderen für mich gewinnen. Bunte Kleidung grundsätzlich verbieten.* Ganz zum Schluss setzte sie hinzu: *Schild an der Außenwand ändern – in »Rosalba viuda de Patiño, Bürgermeisterin«.*

Die Aussicht, gegen den Allmächtigen höchstselbst antreten zu müssen, war erschreckend. Bis zum heutigen Tag stand es um Rosalbas Beziehung zu ihm gar nicht so schlecht. So hatte sie sogar zuallererst in der Kirche gebetet, als sie 1964 nach Mariquita gekommen war. Sie erinnerte sich genau, wie Padre Bartolomé, dreiundneunzigjährig, geduldig ihrer traurigen Geschichte gelauscht und ihr gegen ein wenig Hilfe im Haushalt Obdach angeboten hatte. Rosalba hatte seine verdreckte Bude schnell auf Vordermann gebracht und herzhafte Mahlzeiten auf den Tisch gezaubert, die dem Priester stets höchstes Lob entlockten.

Gleichzeitig zogen ihre grünen Augen und ihr großzügiger Hintern die einzigen drei noch ledigen Männer des Ortes in den Bann. Jeden Sonntag saß sie allein auf einer Bank an der Plaza, las oder lauschte den Nachrichten aus ihrem tragbaren Radio. Sie wirkte unnahbar in ihrem luftigen weißen Kleid und dem Strohhut, den ihr der Priester geschenkt hatte, weshalb sich die drei jungen Männer darauf beschränkten, sie von der Eisdiele aus zu beobachten. Rosalba unternahm den ersten Schritt, indem sie ihnen ihre makellosen Zähne zeigte. Sie winkten. Sie schloss das Buch, in dem sie gerade las – ein Schmöker über das Leben der Johanna von Orléans –, und sah in die andere Richtung. Die nervösen Kerle warfen eine Münze, um zu entscheiden, wer als Erster mit ihr sprechen sollte.

Vicente Gómez war der Glückliche. Er strich seine buschigen Augenbrauen mit den Zeigefingern glatt und ging mutig auf sie zu. Nach der förmlichen Begrüßung fand sich Vicente mit einer endlosen Reihe von Fragen konfrontiert, auf die er nicht vorbereitet war: »Was willst du in fünf Jahren erreicht haben?« »Wie viele Kinder wünschst du dir?« »Hättest du ein Problem damit, wenn deine Frau sich ums Geld kümmern würde ?« »Bist du bereit, deine Frau alles Finanzielle regeln zu lassen?« »Was hältst du von Frauen, die zu Hause die Hosen anhaben?« »Wie oft badest du?« »Hörst du gern Radio?« Vicente verstand nicht, weshalb sie so viele Fragen stellte, beantwortete sie aber alle: Er wollte Friseur werden, sechs Kinder haben, in Geldsachen selbst entscheiden und seiner Frau den Haushalt überlassen. Er badete jeden zweiten Tag und fand, das Radio sei die größte Erfindung aller Zeiten.

Rosalba entließ ihn mit einem Kuss auf die Wange. Will ich die Frau eines Friseurs werden?, dachte sie.

Rómulo Villegas war als Nächster an der Reihe, kam aber nicht einmal dazu, die Inquisition vollständig hinter sich zu bringen. Er sagte, er wolle ein Café eröffnen, mindestens ein Dutzend Kinder haben, finanzielle Angelegenheiten eigenhändig regeln und zu Hause selbst den Daumen drauf haben. An diesem Punkt schaltete Rosalba ihr Radio ein, hielt es sich ans Ohr, schlug ihr Buch auf und tat so, als sei Rómulo gar nicht anwesend.

Als Letzter trat Napoleón Patiño zu ihr. Er war ein schlaksiger Jüngling mit langem, öligem Haar und hervorstehenden Augen. Mit den in den Hosentaschen vergrabenen Händen und dem eingezogenen Kopf sah er irgendwie verletzlich aus.

»Wie oft badest du?«, fragte Rosalba geradeheraus, als ihr ein eigenartiger Geruch in die Nase stieg.

»Jeden Montag.«

»Das wundert mich nicht.« Sie schnupperte noch einmal und runzelte die Stirn. »Und deine Fingernägel? Wie oft schneidest du sie?«

»Ich schneide sie nicht. Ich kaue sie ab.« Er sprach leise und vermied es, Rosalba in die Augen zu sehen. Sie machte weiter mit ihren Fragen und erfuhr, dass Napoleón Polizist werden wollte, sich ein Kind wünschte, seiner Frau in finanziellen Dingen und im Haushalt das Regiment überlassen wollte und darüber hinaus ein Radio besaß. So schlecht sieht er gar nicht aus, dachte sie, aber einfach nur Polizist ist zu wenig. Er muss der Polizeichef von Mariquita werden.

Nachdem sie drei Monate lang tiefe Blicke, Liebesbriefe und Gedichte ausgetauscht hatten, heirateten Napoleón und Rosalba und mieteten ein Haus nahe des Dorfplatzes, das sie viele Jahres später kauften und ratenweise abzahlten – bei Don Maximiliano Perdomo, einem reichen Großgrundbesitzer, dem die umliegenden Kaffeeplantagen und die Hälfte aller Häuser von Mariquita gehörten. Das junge Paar erlebte, wie Mariquita langsam wuchs:

1968 halfen sie bei der Errichtung der ersten Volksschule und 1969 beim Bau des Fernsprechamts. Sie ermutigten ihre Freunde Vicente Gómez und Rómulo Villegas, ihre Träume zu verwirklichen. Im Jahr 1970 war Napoleón der erste Mann, dem in der Barbería Gómez die Haare geschnitten wurden, und im Frühjahr 1971 waren sie die ersten Gäste in der neu eröffneten Cafetería d'Villegas. 1972 pflanzten sie zusammen mit Nachbarn und Freunden Mangobäumchen zu beiden Seiten der ungepflasterten Straßen, und im Jahr darauf verfolgten sie mit, wie die ersten Laternen rund um die Plaza aufgestellt wurden. Außerdem waren sie die ersten stolzen Besitzer eines Schwarzweißfernsehers – eines riesigen Apparats, der mit seinen vier klobigen Beinen an eine Kuh erinnerte, in der Mitte eine kleine Mattscheibe und an der rechten Seite drei runde Knöpfe hatte. Rosalba hatte ihn gekauft, als sie 1973 zum ersten Mal in Ibagué gewesen war. Und 1974 aßen Rosalba und Napoleón an einem Tisch mit dem damaligen Gouverneur zu Mittag; er war in den Ort gekommen, um eine Teerstraße einzuweihen, die Mariquita mit den größeren Städten des Südens verband.

Die neue Straße machte das Dorf zu einem beliebten Halt auf der Strecke zwischen Fresno und Ibagué. Reisende legten gern eine Pause ein, um frische Fruchtbatidos zu trinken, die öffentliche Toilette zu benutzen, die Beine zu strecken oder einfach nur den Anblick der mit Terrakottaziegeln gedeckten Häuser zu genießen, deren Fassaden in den Nationalfarben gelb, blau und rot gestrichen waren.

Dank seiner warmen Tage und kühlen Nächte und der aufrichtigen Gastfreundschaft seiner Bewohner war Mariquita ein Ort, an dem es sich ausgesprochen angenehm leben ließ – weshalb so manche Besucher kamen und blieben, so wie Don Jacobo Morales und seine schwangere Frau Doña Victoria im Jahr 1970. Sie waren unterwegs nach Ibagué, um ihr drittes Kind in einer Privatklinik zu entbinden, doch nach einem Guaven-Shake setzten bei Doña Victoria plötzlich die Wehen ein. Sie wurde umgehend zur Gemeindeschwester gebracht und gebar sieben Stunden später ein kleines Mädchen, das sie Magnolia nannte. Doña Victoria blieb während der traditionell fünfundvierzig Tage andauernden Rekonvaleszenz im Heim der Patiños und überzeugte schließlich ihren Mann, das Landhaus zu verkaufen und ganz nach Mariquita zu ziehen.

Die arme Victoria, dachte die Bürgermeisterin, während sie das gerahmte Porträt des Präsidenten abstaubte. Was hatte sie nicht alles auf sich genommen, um ihren Sohn Julio César vor den Rebellen zu retten – und nun gab er keinen Ton mehr von sich und lief nur noch in Mädchenkleidern herum. Zeit, dass ich ihr mal wieder einen Besuch abstatte, dachte sie. Als der schrille Schrei einer Katze an ihre Ohren drang, ging sie zum Fenster und spähte hinaus. Sie fragte sich, von welcher Ecke des Platzes der Schrei gekommen war. Abgemagerte Hunde und Katzen wühlten in den Müllhaufen, stritten sich mit Ubaldinas Schweinen und Perestroika, der Kuh der Witwe Solórzano, um verfaulende Essensreste, Maiskolben, Platanenblätter und menschlichen Kot. Der Anblick löste Übelkeit in der Bürgermeisterin aus. Vom Fenster ihres neuen Büros aus wirkte alles noch viel schlimmer.

Sie schwor sich, die Plaza vollständig zu sanieren. Schließlich war sie Rosalba viuda de Patiño: kompetent, effizient, einfallsreich. Ihr Leben lang hatte sie den Schlamassel anderer beseitigt, und das hier war letztlich nichts anderes. Außerdem hatte sie damit Gott gegenüber erst mal die Nase vorn.

Sie eilte zurück zum Schreibtisch. Als sie ihren Allerwertesten in den Sessel quetschte, riss der Reißverschluss ihres Kleids. Verärgert schüttelte sie den Kopf und ging abermals ihre Liste durch. *Putzkolonnen organisieren, damit der Müll von den Straßen verschwindet* war der vierte Punkt auf ihrer Agenda. Sie runzelte die Stirn. Mit Hilfe eines Radiergummis änderte sie penibel die Reihenfolge, so dass die Reinigung der Straßen nun ganz oben stand, ohne dass die Ästhetik der Liste unter der Änderung litt. Ihre Handschrift suchte wirklich ihresgleichen. Abermals drang der entfernte Schrei einer Katze an ihre Ohren. Sie verdrehte die Augen und fügte ihrer Liste zwei weitere Punkte hinzu: *Victoria viuda de Morales besuchen. Meine beiden schwarzen Kleider zur Schneiderin bringen.*

Rosalba besaß viele Kleider, aber nur zwei schwarze, die sie seit der Ermordung ihres Mannes getragen hatte und die mittlerweile an Kragen und Saum völlig abgewetzt waren. Zuvor hatte sie sich nie Gedanken darüber gemacht. Sie war in Trauer – was spielte es da für eine Rolle, ob ihre Kleider verschlissen waren? Nun aber war sie Bürgermeisterin von Mariquita und musste auf ihr Äußeres achten. Sie würde die alten Kleider so lange flicken lassen, bis nichts mehr zu machen war, erst dann ließe sie sich ein neues schneidern. Ein schwarzes natürlich. Das war das Mindeste, was sie tun konnte, um dem so außergewöhnlichen Gatten, der einst der ihre gewesen war, die gebührende Achtung zu erweisen.

Napoleón Patiño hatte alles getan, um Rosalba zufriedenzustellen. Ihm hätte es gereicht, sein Lebtag lang ein einfacher Gendarm zu sein, doch Rosalba hatte Höheres im Sinn, und so legte er sich mächtig ins Zeug, um den Respekt seines Vorgesetzten zu erlangen. Rosalba erinnerte sich noch lebhaft an den Stolz, der sich in seinem Blick gespiegelt hatte, als er nach zehn Jahren schließlich zum Sergeant befördert worden war.

Auch Rosalba genoss hohes Ansehen im Ort, und das Gehalt ihres Gatten erlaubte es ihr, neue Möbel und sogar einen Plattenspieler zu kaufen. Ihr Glück wurde lediglich durch den Umstand getrübt, dass Napoleón nach Ablauf des dritten Ehejahres keine Erektion mehr bekam. Er versuchte alles, probierte es mit Stierhodensuppe und Fischrogen und einem Getränk aus fermentiertem Mais mit Honig und Brandy. Zudem suchte er Ärzte in Fresno und Ibagué auf, doch trotz aller Bemühungen beschränkte sich Rosalbas Liebesleben fortan auf die sporadischen Zärtlichkeiten seiner Finger – oder eben ihrer eigenen. Sie tröstete sich aber mit dem Gedanken, dass er sie wenigstens über alles liebte.

Anfangs war es ein Klacks gewesen, als Polizeichef in Mariquita für Recht und Ordnung zu sorgen. Abgesehen von gelegentlichen Schlägereien unter Betrunkenen im Rincón de Gardel – der Dorfkneipe – und dem üblichen Gezänk um die reichsten Freier in Doña Emilias Bordell, war Mariquita ein friedlicher Ort. Niemand war je ermordet oder auch nur schwer verletzt worden. Überall standen Türen und Fenster weit offen, außer bei Regen und nachts, damit keine umherflatternden Fledermäuse in den Betten landeten. Niemand stritt über Politik, da der Bürgermeister von der Regierung bestimmt wurde, und egal, welcher Partei er gerade angehörte, betrank er sich unterschiedslos mit den Anhängern der Partido Liberal wie mit denen der Partido Conservador. Natürlich gab es auch Neid und Missgunst in Mariquita, besonders unter den unverheirateten Frauen. An warmen Abenden versammelten sie sich in kleinen Gruppen auf der Plaza und ließen kein gutes Haar an Frisuren, Aufmachung und Leumund der anderen. Aber wie der alte Padre Bartolomé mit seiner tonlosen Stimme zu sagen pflegte: »Alles in allem halten sich die braven Männer und Frauen von Mariquita an jedes einzelne der Zehn Gebote.«

»Was für eine Seele von Mensch der Padre doch gewesen ist«, sagte Rosalba mit wachsamem Blick auf das Kruzifix an der Wand. Sie erinnerte sich, wie friedlich der alte Priester gestorben war; während einer Messe war er einfach eingeschlafen und nicht mehr aufgewacht.

Und dann hatte Padre Rafael seinen Platz eingenommen. Als

sie ihm zum ersten Mal begegnete, hielt Rosalba ihn für einen tugendhaften und gelehrten Mann mit geradezu überirdischen Fähigkeiten. Im Lauf der Jahre aber wurde ihr klar, dass der Padre weniger tugendhaft und gelehrt als vielmehr ein ziemlich gerissener Hund war. Sie mochte ihn nicht, respektierte ihn aber, insbesondere da er nun der letzte »richtige« Mann im Dorf war. Ein »richtiger« Mann und weiß Gott wie viele Frauen. Sollte sie als Bürgermeisterin nicht wissen, wie viele Männer verschleppt worden und wie viele Frauen zurückgeblieben waren? Ihrer Meinung nach schon. Die Regierung musste informiert werden; vielleicht würde dann auch schneller finanzielle Hilfe kommen. *Eine Volkszählung durchführen* notierte sie. Sie würde Padre Rafael bitten, die Kirchenglocke länger als üblich zu läuten – und wenn die Einwohner Mariquitas dann zur Plaza eilten, konnte sie sie in aller Ruhe zählen.

In genau diesem Augenblick läutete Padre Rafael die Kirchenglocke und rief die Gläubigen zur Frühmesse. Seit die Männer verschwunden waren, lag er auf der faulen Haut. Er stand spät auf und hielt nur noch zwei statt der sonst üblichen drei Messen am Tag ab. Feste Zeiten passten ihm nicht mehr in den Kram – »Dem Herrn ist jede Stunde recht«, pflegte er zu sagen. Und so hielt er die Messe, wann immer es ihm gerade beliebte, der Mittag war im Übrigen die einzige Tageszeit, die er mit zwölf lauten Glockenschlägen ankündigte. Da Rosalba inzwischen mit dem Allmächtigen über Kreuz stand, hätte sie die Messen per Beschluss ganz abschaffen, ja, den faulen Priester sogar aus der Stadt jagen können. Aber das wäre nicht recht gewesen, und sie wollte mit fairen Mitteln kämpfen. Daher schrieb sie: *Mit dem Padre reden. Die Messe muss morgens und abends um sechs stattfinden, sieben Tage die Woche.*

»Rosalba«, rief eine Frau durch das Fenster.

Wer störte sie in aller Herrgottsfrühe? Und warum klopfte sie nicht einfach an? *Termine nur noch nach Vereinbarung* notierte sie.

»Rosalba, bist du da?«, rief eine andere Stimme.

Sie ging zum Fenster. Draußen vor dem Rathaus hatten sich

etwa ein Dutzend schwarz gekleideter Frauen und ein paar nackte, verlauste Kinder mit rotzverschmierten Nasen versammelt, hielten der Bürgermeisterin ihre ausgestreckten Hände, leere Körbe, Töpfe und Kalebassen hin. Sie blickten derart gepeinigt drein, als litten sie unter grauenhaften Schmerzen, die nur Rosalba lindern konnte.

»Was ist denn hier los?«, fragte Rosalba, die über den unerwarteten Besuch alles andere als erfreut war. »Was wollt ihr von mir?«

»Hilf uns, Rosalba«, flehte die alte Witwe Pérez und hielt ihren Korb in die Höhe.

Die anderen stimmten mit ein. »Hilf uns. Hilf uns.«

»Wenn ihr mit mir reden wollt, müsst ihr euch ordentlich hintereinander anstellen«, verlangte die Bürgermeisterin.

Der Anblick war überwältigend, selbst für eine so mutige und unverzagte Frau wie Rosalba. Ich sollte sie alle wegen Bettelns verhaften lassen, dachte sie. Aber wer sollte das übernehmen? Seit dem Tod ihres Mannes hatte sich niemand mehr um Recht und Ordnung in Mariquita gekümmert.

»Du bist die Bürgermeisterin, Rosalba. Du musst uns helfen«, rief die Witwe Jaramillo.

Am liebsten hätte sie die Versammelten angebrüllt, dass sie den Mund halten und sie in Ruhe lassen sollten.

»Wir haben Hunger«, rief eine andere Frau.

Nun hätte sie ihnen gern ins Gesicht geschrieben, dass sie nicht Jesus sei und mal so eben für die Speisung der Zehntausend sorgen könne.

»Hilf uns. Hilf uns.«

Die Körbe, Töpfe und Kalebassen rückten Rosalba entschieden zu nahe. Gleichzeitig überkam sie die dunkle Ahnung, dass die knochigen Frauenhände sie gleich erdrosseln würden. Ein Gefühl der Angst überkam sie und schnürte ihr die Kehle zu. Rosalba trat zwei Schritte zurück, schlug das Fenster zu, verriegelte es mit einem Vorhängeschloss und warf den Schlüssel in den Papierkorb. Die Frauen da draußen waren einfach zu ungeduldig. Konnten sie denn nicht warten, bis sie sich einigermaßen mit ihrem Amt vertraut gemacht hatte? Völlig erschöpft lehnte sie sich mit dem Rücken gegen das Fenster und ließ sich langsam herabsinken, bis ihr Hintern sanft auf dem makellos gereinigten Boden ihres Büros landete. Am liebsten hätte sie geweint, tat es aber nicht. Wenn ein Mann dieses Amt ausfüllen konnte, dann konnte sie es auch. Es gab kein schwächeres Geschlecht. Auch Frauen waren aus Fleisch und Blut, genau wie die Männer. Eine Frau, die ihre beiden Beine dort hatte, wo sie hingehörten, nämlich auf der Erde, konnte arbeiten wie ein Mann, wenn nicht sogar besser. Sie versuchte sich vorzustellen, wie ein Mann in ihrer Situation handeln würde. Ein richtiger Mann würde sich niemals von einer Schar hungernder Frauen einschüchtern lassen und sich schon gar nicht vor ihnen verstecken. Ein Mann würde nach draußen gehen und ihnen die Stirn bieten, ihnen die Meinung geigen und drohen, sie ins Gefängnis zu stecken. Und ein aalglatter Politiker würde ihnen das Blaue vom Himmel versprechen. Ja, das konnte sie machen. Sie würde hinausgehen und ihnen gegenübertreten, ihnen klarmachen, dass sie sich gedulden mussten, bis sie eine Lösung für ihre Probleme gefunden hatte. Vielleicht würde sie ihnen Nahrung und sauberes Wasser versprechen, vielleicht sogar Elektrizität. Obwohl sie nur allzu genau wusste, dass sie kaum eine Chance hatte, auch nur das kleinste Versprechen halten zu können.

Energisch erhob sie sich und ging zur Tür, doch ihre Hand verharrte am Türknauf, als sie sich an die letzten Worte ihres Gatten erinnerte. »Geh nie ohne Waffe aus dem Haus«, hatte er gesagt. Dann hatte er seinen Sombrero aufgesetzt, sie auf die Wange geküsst und Stühle und Tisch nach draußen gebracht, um mit seinen Freunden ein paar Runden Parcheesi zu spielen. Monate später hatte Rosalba von einer Nachbarin erfahren, dass ihr Mann das erste Spiel gewonnen hatte, bevor er erschossen wurde.

Die Bürgermeisterin öffnete die oberste rechte Schublade des Schreibtischs, griff nach ihrer Pistole und überprüfte, ob sie geladen war. Drei Patronen steckten im Magazin; das war alles, was von der Munition ihres verstorbenen Mannes übrig geblieben war. Sie hielt die Waffe mit beiden Händen und sah sich nach einem passenden Ziel um. Ihr Blick blieb am Bild des Präsidenten an der Wand hängen. Er saß an seinem Schreibtisch, die Hände vor der Brust verschränkt, den Kopf leicht zur Seite geneigt. Seine ehrwürdige Pose und das selbstsichere, fast sardonische Lächeln verunsicherten sie. »Worüber amüsieren Sie sich, Mr President?«, fragte sie laut. »Machen Sie sich über eine arme Frau lustig, die keine Ahnung hat, wie sie ein Dorf voller Witwen zufriedenstellen soll? Und wo waren Sie, als unsere Männer verschleppt wurden?« Sie hielt inne, als wartete sie auf eine Antwort. »Die ganze Zeit über haben Sie sich bloß Ihren Arsch in Ihrem Luxussessel platt gesessen und hinter Ihrem Schreibtisch blöde gegrinst.« Ihr Blick wanderte nach rechts. »Und du?«, sagte sie zu dem Kruzifix an der Wand. »Wo warst du am Abend danach, als wir zu Bett gingen und uns klar wurde, dass unsere Männer nie wieder neben uns schlafen würden? Wo warst du, als wir hier durch die Straßen irrten, das ganze verdammte Dorf nach Essbarem absuchten?« Sie kam zu dem Schluss, dass es wenig brachte, auf einen kopflosen Jesus einzureden, fasste erneut das Bild ins Auge und richtete den Blick auf den kleinen weißen Fleck zwischen den Augenbrauen des Präsidenten. »Du Dreckskerl!« Langsam hob sie die Waffe. »Du mieses Schwein!« Gedankenverloren starrte sie vor sich hin, als sie plötzlich aus dem Augenwinkel eine träge herumflatternde Fledermaus wahrnahm. Aber noch war sie nicht fertig mit ihrer Tirade: »Herr Präsident, Sie sind nicht mal eine meiner Kugeln wert.« Sie wartete, bis die Fledermaus auf dem obersten Regalbrett gelandet war. Dann zielte sie und schoss.

Der laute Knall vertrieb die Frauen und Kinder, die sich draußen versammelt hatten, während Rosalba sich erst einmal wieder sammeln musste. Sie griff nach ihrer Liste und fügte folgende Obliegenheiten hinzu:

Eine Polizistin ernennen. Ubaldina viuda de Restrepo?
Cecilia Guaraya?
Das ganze Gejammer ein für alle Mal abstellen.
Versammlungen von mehr als zwei Leuten verbieten.
Das Wörtchen »Hilfe« untersagen.

Von weitem drang das Läuten der Kirchenglocke an ihre Ohren; es war Mittag. Bis jetzt hatte sie schon einiges erledigt: ihr Amtszimmer gründlich auf Vordermann gebracht, jedes einzelne Möbelstück verrückt, eine durchdachte und zielgerichtete Agenda erstellt und das verdammte Fenster ein für alle Mal verriegelt.

Aber trotzdem war sie nicht ganz zufrieden.

Sie schloss die Augen und versuchte sich vorzustellen, wie ein ideales Mariquita durch ebendieses Fenster aussehen würde – den klaren blauen Himmel, die von Magnolien- und Geißblattduft erfüllte Luft, Nachtigallen und Kanarienvögel, die auf den Fensterbänken sangen, die belebte Plaza, umstanden von hoch aufragenden Mangobäumen mit reifen Früchten, kleine Mädchen, die auf dem Pflaster Seilchen sprangen, kerngesunde Jungen, die auf dem gepflegten Pflaster Fußball spielten, junge Männer und Frauen, die Hand in Hand durch die Straßen flanierten, und ältere Paare, die auf blitzblanken Bänken saßen und einander gegenseitig mit ihrem Lieblingseis fütterten.

Die Bürgermeisterin schlug die grünen Augen auf und gab einen resignierten Seufzer von sich. Nun war sie bereit, sich endlich einzugestehen, was sie im Grunde ihres Herzens von Anfang an gewusst hatte. Sie hatte erkannt, welche ihre höchste Priorität sein musste und auch, wie sie zu erfüllen war.

Sie griff nach Notizbuch und Bleistift und schrieb entschlossen ganz oben über ihre Liste:

Gott bitten, uns eine Wagenladung Männer zu schicken.

JAVIER VANEGAS, 17
Heimatlos

Als kleiner Junge habe ich immer davon geträumt, ein professioneller Magier zu werden. Ich lernte sogar ein paar coole Tricks. Meine beiden besten waren die Nummer mit dem Blumenstrauß, den ich wie aus dem Nichts aus meinem Sombrero zauberte, und der Dreh mit der Münze, die ich von meiner offenen Hand verschwinden ließ. Ich habe sie meinen Freunden oft vorgeführt; unser Dorf hatte an Unterhaltung sonst nicht viel zu bieten. Ich nannte sie immer »Tricks zum Spaßhaben«.

Aber als ich dann dreizehn wurde, war es Essig mit meinem Traum, weil ich meinem Vater helfen musste, unser kleines Stück Land zu bestellen. Wir betrieben Hühner- und Schweinezucht und bauten Koka an, so wie alle in unserer Gegend. Meine beiden kleinen Schwestern und ich pflückten die Kokablätter, und mein Vater verarbeitete sie dann zu Kokabase. Unser Dorf wurde schon lange von der Guerilla überwacht, daher durften wir unsere Ware nur an sie verkaufen, obwohl die paramilitärischen Gruppen, die das Dorf auf der anderen Flussseite kontrollierten, viel besser zahlten.

Eines Tages hatte mein Vater die Nase voll davon, dass die Guerilla ihn immer nur mit einem Hungerlohn abspeiste; er stopfte sich Kokabase in die Stiefel und versteckte einen weiteren Teil in meinem Sombrero, dann paddelten wir mit dem Kanu rüber zu dem verbotenen Dorf und verkauften unsere Ware. Am Abend darauf stürmten fünf bewaffnete Guerilleros unser Haus. Meine

Schwestern begannen zu weinen, meine Mutter schrie. Einer der Männer rammte meiner Mutter den Kolben seines Gewehrs in den Bauch.

Sie zerrten meinen Vater und mich nach draußen und führten uns zu einem nahegelegenen Hügel; es war stockfinster. »Du hast Koka an die Paras verkauft«, sagte einer der Männer zu meinem Vater. »Du hast die Regeln gebrochen, und dafür werden wir dich bestrafen.« Vater, der bis dahin keinen Ton von sich gegeben hatte, begann zu weinen und um Gnade zu flehen. Dann hörte ich einen Knall, der mir schier die Ohren zerriss, und Vater sackte zu Boden. »Du kannst deiner Mama ausrichten, dass sie bis morgen Abend Zeit hat, das Dorf zu verlassen«, sagte der Mann, der meinen Vater erschossen hatte. Dann waren sie auch schon verschwunden. Wir packten unsere Sachen und machten uns noch am selben Abend auf in die Stadt.

Das ist jetzt vier Jahre her. Seitdem leben wir in einem Slum, zusammengepfercht in einem Schuppen ohne Strom und Wasser, mit nichts als zwei grob aus Brettern zusammengezimmerten Betten. Weil wir nirgends Arbeit finden, hocken meine Mutter und meine Schwestern jeden Tag mit ausgestreckten Händen auf dem Bürgersteig vor einer großen Kirche. Tja, und ich bin tatsächlich so etwas wie ein Magier geworden. Meine besten Tricks bestehen inzwischen darin, Essbares aus dem Müll anderer Leute zu zaubern und Geld aus Männerhosentaschen und Frauenhandtaschen verschwinden zu lassen.

Meine Nummern nenne ich »Tricks zum Überleben«.

Kapitel 3

AUFSTIEG UND FALL DER CASA DE EMILIA

Mariquita, 12. Mai 1994

Doña Emilia erwachte, als ein Sonnenstrahl auf ihr hageres Gesicht fiel. Einen Augenblick lang blendete sie das grelle Morgenlicht so sehr, dass sie nichts sehen konnte; als ihre Augen sich an die Helligkeit gewöhnt hatten, sah sie nichts als roten Himmel. Einen Moment lang dachte sie, dass sie vielleicht tot und ihre Seele auf dem Weg zur Hölle sei, doch dann spürte sie die schleimige Zunge eines Hundes an ihrer Wange, seinen fauligen Atem am Ohr. Wieder hatte sie eine Nacht auf der Plaza von Mariquita zugebracht. Neben ihr auf dem Boden lagen die Platanenblätter, in die ihr Abendessen eingewickelt gewesen war. Die streunenden Hunde und Katzen hatten sie sauber abgeleckt.

Fünf Tage zuvor hatte Doña Emilia beschlossen, dass es an der Zeit sei zu sterben. Sie war zweiundsiebzig, und während der letzten achtzehn Monate – seit dem Tag, an dem die Männer verschwunden waren – hatte sie ausschließlich von ihrem Ersparten gelebt, bis auch der letzte Cent aufgebraucht gewesen war. Ihren Entschluss, sterben zu wollen, hatte sie öffentlich angekündigt, mit der Begründung, dass Alter, Armut und Einsamkeit keine gute Mischung darstellten. Sie hatte sich auf eine Bank mit Blick auf die kaputte Statue gesetzt und darauf gewartet, dass der Tod kommen und sie zu sich nehmen würde. Rosalba, Ubaldina (die Schweinezüchterin und neu ernannte Dorfpolizistin) und die Witwe Solórzano (die stolze Besitzerin der Dorfkuh) hatten Mitleid mit der armen Frau. Sie glaubten, Doña Emilia habe den Verstand verloren. Am ersten Abend gaben sie ihr ein paar Decken und verständigten sich darauf, ihr abwechselnd Essen und frische Milch von Perestroika zu bringen. Am ersten Tag verfütterte Doña Emilia die Hälfte des Essens an die Hunde und Katzen, am zweiten aber kam sie zu dem Schluss, dass der Tod sie nicht schnell genug ereilen würde, wenn sie weiter Nahrung zu sich nahm, weshalb sie von nun an alles der stetig wachsenden Tiermeute zum Fraß vorwarf. Sie trank täglich nur noch einen Schluck Milch. Und so begann sie langsam zu sterben, jeden Tag ein Teil von ihr. Zuerst schlossen sich ihre Hände zu fest verkrampften Fäusten, die sich nicht mehr öffnen ließen; bald darauf konnte sie ihre Füße und Knöchel nicht mehr fühlen; dann versanken ihre Augen in den Höhlen, und ihre runzelige Gesichtshaut wurde durchsichtig. Ihr Sehvermögen und ihr Gehör funktionierten allerdings immer noch einwandfrei, ebenso wie ihr Verstand, der ihr klar und deutlich sagte, dass eine übel beleumundete Greisin ohne Familie oder Geld nicht die geringste Chance besaß, in einem Ort voller Witwen und lediger Frauen zu überleben.

Doña Emilia rappelte sich mühsam auf. Als sie sich umsah, nahm sie zum ersten Mal wahr, dass die alten Mangobäume kürzlich von einer Gruppe Witwen im Auftrag der Bürgermeisterin Rosalba aufgepäppelt worden und nun wieder dicht belaubt und voller Früchte waren. Sie richtete den Blick auf eine reife Mango, die vom dicksten Ast des Baumes hing. Es handelte sich um keine gewöhnliche Mango; sie war größer als die meisten anderen und von einem so kräftigen Orangegelb, wie Doña Emilia es nur an Sommerabenden gesehen hatte, wenn die Sonne unterging und der Himmel in Flammen stand. Sie hatte keinen Appetit auf die Frucht, doch gefiel ihr die Vorstellung, sich für den Rest ihres Lebens im Anblick dieser ausnehmend schönen Mango zu verlieren. Ohne auch nur einmal zu zwinkern, betrachtete sie die Frucht eine kleine Ewigkeit, bis ihre Augen sich träge zu schließen begannen, so als ereilte sie nun wirklich der Tod.

Noch einmal erinnerte sie sich an die Zeit, bevor die Männer von Mariquita verschwunden waren.

Zwei Jahre zuvor war sie noch die erfolgreiche Betreiberin der Casa de Emilia gewesen. Das Bordell von Mariquita war ein großes altes Haus mit dreizehn Zimmern, sechs Bädern, zwei Erholungsräumen, einem Innenhof sowie vierundzwanzig Fenstern und dreiundzwanzig Türen, die allesamt nach außen aufgingen. »Immer vorwärts gehen«, pflegte sie zu sagen. »Mit jeder neuen Tür, die man nach außen öffnet, macht man einen weiteren Schritt nach vorn.« Besucher des Bordells traten zuerst durch die Eingangstür und gelangten so in einen schmalen Flur, der zu einer weiteren Tür und einem samtenen Vorhang führte, hinter dem sich ein geräumiger, heller Raum mit Klappstühlen und an den Wänden aufgereihten Tischen befand. Ein Eckschrank und ein kleiner Tresen dienten als Bar der Casa de Emilia, hinter der Doña Emilia ausschließlich flaschenweise Aguardiente und Rum verkaufte, manchmal auch Schmuggelwhiskey, den sie auf dem Schwarzmarkt besorgt hatte. Die Musik kam von einem alten Toshiba-Plattenspieler, auf dem sich ununterbrochen und lautstark Schallplatten drehten, die Madame je nach Laune aussuchte: Boleros, wenn sie deprimiert war, Tangos, wenn sie nostalgische Sehnsucht nach ihrer Jugend ergriff, Salsa, wenn sie gut aufgelegt war, und so weiter. An den Schankraum schloss sich das rote Zimmer an, das so genannt wurde, weil es allein von dicken roten Kerzen erhellt wurde, die auf Sockeln an der Wand standen. Das rote Zimmer war mit Korbstühlen, bunten Sitzkissen und einer Hängematte ausstaffiert und für die Kunden reserviert, die ein etwas geruhsameres Ambiente bevorzugten. Zugang zum Rest des Hauses – den dreizehn anderen Zimmern, der Küche und dem

Speisesaal – erhielt man durch ein verschlossenes Tor. Alle Mädchen trugen ein Duplikat des Schlüssels an einer Schnur um den Hals.

Mit seinen zwölf willigen Mädchen, dem nie versiegenden Alkoholstrom, dem allgegenwärtigen Duft von Räucherstäbchen, der immerwährenden Musik, den gepflegten Zimmern, sauberen Bädern und Duschen war die Casa das feinste und angenehmste Bordell weit und breit.

Doña Emilia war in ebendiesem Haus geboren worden. Ihre Mutter, eine Prostituierte, war kurz nach der Geburt verblutet. Die damalige Besitzerin, eine alte Jungfer namens Matilde, die so dick war, dass sie aus allen Nähten zu platzen drohte, hasste Babys. Eigentlich wollte sie das Kind ins nächste Kloster geben. »Aus der Kleinen wird bestimmt eine gute Nonne«, sagte sie, doch die elf Mädchen, die für sie arbeiteten, kamen überein, sich abwechselnd um das Kind zu kümmern und es gemeinsam aufzuziehen, da sie allesamt von Babys träumten, auch wenn ihnen die Vorstellung nicht gefiel, so lange mit einem dicken Bauch herumzulaufen. Matilde lenkte unter einer Bedingung ein: dass sie das Baby nicht schreien hören wollte. Niemals. Und so hatte Emilia – benannt nach Emilio Bocanegra, dem ersten Kunden, der nach ihrer Geburt ins Bordell gekommen war – elf Mütter, aber keinen Vater und keinen Familiennamen; sie war schlicht Mariquitas uneheliche Tochter Emilia. Ihre Mütter girrten und gurrten, spielten mit ihr und ließen sie ihre ganze Liebe spüren, jede auf ihre ureigene Weise. Und wenn Emilia weinte, wurde sie sofort mit dem einzigen Wiegenlied in den Schlaf gesungen, das die Mädchen kannten – irgendetwas mit Hühnern, die immer pio, pio, pio machten.

Im Lauf der Jahre wurden die elf Mädchen der Reihe nach ersetzt. Drei wurden schlicht zu alt für ihren Beruf. Vier gingen zurück in ihre Heimatdörfer, um Jugendfreunde zu heiraten, die geduldig auf ihre Rückkehr gewartet hatten, ohne auch nur im Mindesten zu ahnen, welchem Gewerbe die Mädchen nachgegangen waren. Drei weitere erkannten, dass sie nicht für die

Prostitution geschaffen waren, und machten sich auf den Weg in die Stadt, um eine Anstellung als Hausmädchen zu finden. Die Letzte glaubte, von Gott höchstselbst berufen worden zu sein, und erbot sich, die zehnjährige Emilia mit sich ins Kloster zu nehmen, doch Matilde, älter, einsamer und noch dicker geworden, wollte das Mädchen lieber bei sich behalten.

Matilde wollte jedoch nicht, dass das junge Mädchen in ihre Fußstapfen trat. Jeden Morgen schickte sie Emilia mit einem Korb voller Früchte auf die Straße, nur um sie vom Bordellbetrieb fernzuhalten. Und so marschierte Emilia in ihren rosafarbenen Kleidern, das schwarze Haar zu Zöpfchen geflochten, durch die Straßen Mariquitas und bot ihre Früchte feil – »Guabayas! Naranjas! Mandarinas!« –, während ihre Arme hin und her schlenkerten und sie den Korb graziös auf dem Kopf balancierte.

Und trotzdem war sie dazu verurteilt, Prostituierte zu werden.

Eines windigen Morgens brachte eine Bö den Korb aus dem Gleichgewicht; die Früchte kullerten in alle Richtungen davon, vor den Augen einer Gruppe Jungen, die auf der Straße Fußball spielten. Sie wollten sich schier ausschütten vor Lachen, zeigten mit den Fingern auf sie und zogen lautstark über sie her. Emilia begann zu weinen, während die Jungs das Obst aufklaubten und aufaßen. Die Kleine lief zurück zu Matilde und erklärte, das tun zu wollen, womit bereits ihre Mütter ihr Geld verdient hatten.

Beim ersten Mal bekam sie kein Geld. Sie war dreizehn und noch Jungfrau, und es tat so weh, dass sie den Freier von sich stieß und sich unter dem Bett versteckte. Ihrem letzten Freier hingegen gab sie das Geld zurück. Sie war achtundsechzig, und während ihr Mund sein Bestes gab, fiel ihr das Gebiss heraus. Der Freier, ein pickelgesichtiger Jüngling, beschwerte sich zwar nicht, doch die alte Dame erachtete ihre Dienstleistung als unprofessionell und bestand darauf, dass der junge Mann sein Geld zurücknahm. Doña Emilias lange Karriere war gespickt mit tausend Anekdoten. An weniger betriebsamen Abenden pflegte sie sich mit einem Glas Apfelwein und einer dünnen Zigarre im roten Zimmer niederzulassen und im Kreis der Mädchen die alten Zeiten Revue passieren zu lassen, ohne je einen Freier namentlich zu erwähnen.

Nachdem die Männer von Mariquita verschleppt worden waren, herrschte Flaute in der Casa de Emilia. Wenn die alte Madame nun am Abend die alten Geschichten zum Besten gab, ermunterte sie die Mädchen außerdem, an ihrem Beruf festzuhalten und nicht den Mut zu verlieren. »Wir haben viel zusammen erlebt, meine Lieben«, sagte sie dann. »Ja, es stimmt, dass wir schon seit Tagen keine Freier mehr hatten, aber ich habe es irgendwie im Gefühl, dass es nicht mehr lange dauern wird, bis die Rebellen unsere Männer zurückbringen.« Doch als weiter Nacht um Nacht verging, ohne dass auch nur ein zahlender Kunde auftauchte, verloren die Mädchen allmählich die Geduld. Drei Wochen später beschlossen sie, offen mit der alten Dame zu reden.

»Doña Emilia«, sagte Viviana, die Eloquenteste von ihnen. »Es ist nun fast einen Monat her, dass zuletzt ein Mann unser Etablissement besucht hat. Wir kommen jedenfalls nicht umhin, den Tatsachen ins Auge zu sehen: Die Männer werden nicht zurückkommen.« Die anderen elf Mädchen nickten schweigend. »Und wir können hier nicht bloß Däumchen drehen und darauf warten, dass ein Wunder geschieht. Wir haben alle Familien, die auf unsere Unterstützung angewiesen sind.« Sie hielt kurz inne, als müsse sie erst überlegen, was sie nun sagen wollte, und fuhr dann fort: »Wir haben beschlossen, uns auf den umliegenden Farmen umzusehen. Es muss Farmer und Kaffeepflücker geben, die unsere Dienste benötigen.«

Schweigen.

»Vielleicht können wir ja einen Handel abschließen«, fuhr Viviana nach einer Pause fort. »Wie wäre es, wenn wir bei Ihnen Zimmer mieten würden? So könnten wir mit unserer Arbeit weitermachen, und Sie wären ... nun ja, unsere Wirtin. Wir verdienen Geld, Sie verdienen Geld, und alle sind zufrieden. Was meinen Sie?«

Zwölf Paar Augen richteten sich auf Doña Emilia.

Die alte Dame wirkte ganz ruhig, nur ihre Hände zitterten und der Wein in ihrem Glas schaukelte sacht hin und her. Sie stellte es auf den Tisch, legte die Hände in den Schoß und umklammerte ihre Finger. »Eine Frau darf alles verlieren, nur eines nicht«, sagte sie mit leiser Herablassung. »Und zwar ihre Würde. Jede Einzelne von euch habe ich eingestellt, weil ihr die Voraussetzungen mitbringt, reichen Geschäftsleuten und Landbesitzern zu Willen zu sein. Die Knechte und Pflücker, die du gerade erwähnt hast, meine Liebe« – sie wandte sich nun allein an Viviana –, »sind durchaus anständige Leute. Tatsächlich zähle ich sogar einige von ihnen zu meinen Bekannten. Trotzdem sind es einfache Arbeiter, eine völlig andere Klientel – ungewaschene Kerle, die nach Ackerboden riechen.« Dann, an die ganze Gruppe gerichtet, fuhr sie fort. »Wollt ihr euch wirklich derart erniedrigen?«

»Sie haben gut reden«, sagte La Gringa, so genannt wegen ihres gefärbten blonden Haars. »Sie haben schließlich Geld auf die Seite gebracht und müssen niemanden finanziell unterstützen.«

»In unserem Job sind Männer bloß Männer, egal welcher Schicht sie angehören«, sagte Negrita mit bockigem Unterton.

Auch die anderen Mädchen stimmten ein, rückten und machten ihrem Unmut lautstark Luft. Doña Emilia war klar, dass sie schleunigst eine Lösung finden musste, ehe die Sache völlig aus dem Ruder lief. »Jetzt aber mal ganz mit der Ruhe«, sagte sie. »Ich verstehe ja, dass ihr verstimmt seid, aber ihr müsst an mich glauben. Solange die Casa de Emilia existiert, gibt es für euch alle einen Schlafplatz und genug zu essen.« Sie klang beinahe mütterlich.

»Wir wollen kein verdammtes Essen!«, fuhr Zulia sie an.

»Kein Grund zu fluchen, Schätzchen«, sagte Doña Emilia sanft. »Ja, wir machen schwierige Zeiten durch, aber wenn wir zusammenhalten, können wir jedes Problem bewältigen, davon bin ich fest überzeugt. Lasst mich eine Nacht darüber schlafen, vielleicht fällt mir ja eine andere Lösung ein.« Die alte Dame wusste, wie sie die Mädchen beschwichtigen konnte. Sie lenkten ein und gingen schlafen.

Am Abend darauf trafen sie sich erneut im roten Zimmer. Mit zuversichtlichem Lächeln begann Doña Emilia: »Ich bin bereit, euch allen von jetzt an ein Grundgehalt zu zahlen, bis das Geschäft wieder besser läuft.« Sie hatte beschlossen, ihre kompletten Ersparnisse zu investieren, und verlangte nur eine Gegenleistung: »Da ihr augenblicklich ja nichts zu tun habt, könnt ihr genauso gut an euren Künsten feilen. Gerade im Geschäft mit der Lust ist man nie zu alt, um etwas dazuzulernen.«

Die Übungsstunden mit den Mädchen leitete Doña Emilia höchstpersönlich. Sie brachte ihnen alles bei, was sie im Lauf ihrer fünfzigjährigen Karriere an Erfahrung gewonnen hatte: einzigartige Stellungen und Techniken, aber auch Körperpflege und Umgangsformen, Rollenspiele und mündliche Tests eingeschlossen.

Außerdem plante Doña Emilia eine Werbeaktion in ausgewählten Orten, deren männliche Bewohner nicht von Rebellen verschleppt worden waren. Des Weiteren wollte sie einen Fotografen aus der Stadt Honda kommen lassen, der eine Fotomappe von den Mädchen zusammenstellen sollte. Die Mappe war für potentielle Kunden in anderen Orten bestimmt, die sich so ein detailliertes Bild davon machen konnten, was die Casa alles zu bieten hatte.

Als die Madame ihre improvisierte Rede beendet hatte, klatschten die Mädchen stehend Beifall. Obwohl es den meisten schlicht ums Geld ging, schmeichelte es doch ihrer Eitelkeit, dass Fotos von ihnen gemacht werden sollten, von einigen sogar zum ersten Mal. Sie verfügten über keinerlei Bildung, und in ihren Papieren befand sich der Vermerk »Keine Unterschrift/Ausweisinhaber Analphabet«. Fast alle von ihnen waren bereits als Halbwüchsige von männlichen Verwandten brutal vergewaltigt worden. Drei von ihnen hatten Kinder zur Welt gebracht, diese aber bei ihren Müttern zurückgelassen, als sie schließlich geflohen waren. Sie hatten ihre Jugend und einen Teil ihres Erwachsenenlebens damit verbracht, von Ort zu Ort zu ziehen, immer in der Hoffnung, die nächste Stadt würde den großen Umschwung bringen, ohne dass sich je etwas änderte.

Doña Emilia hatte sie stets freundlich und respektvoll behandelt. Im Grunde ihres Herzens waren sie ihr treu ergeben und bewunderten ihren Erfolg. Mehr als nur eines der Mädchen sah sich selbst in der kleinen alten Dame.

Die einstündigen Trainingseinheiten begannen am Tag darauf: sechs Mädchen morgens, sechs Mädchen nachmittags plus zwei Stunden Rollenspiel am Abend. »Der Unterschied zwischen einer Prostituierten und einem Mädchen aus der Casa de Emilia«, dozierte die Madame, »besteht darin, dass eine Prostituierte die Beine breit macht und den Mann die Arbeit erledigen lässt, ein Emilia-Mädchen hingegen arbeitet von Anfang bis Ende selbst.« Jede Stunde war einer anderen Technik gewidmet, mit der man Männer befriedigen konnte, zum Beispiel ging es darum, welche Bereiche des männlichen Körpers auf sexuelle Stimulation besonders ansprachen. Wie Doña Emilia erklärte, stand der Anus dabei an erster Stelle, auch wenn sich die meisten Männer derartige Genüsse versagten. Bei einer anderen Lektion ging es darum, wie man die Scheidenmuskulatur zusammenzieht, um den Penis während des Verkehrs zu stimulieren; die meisten Mädchen wussten gar nicht, dass sie solche Muskeln besaßen. Doña Emilia behauptete, diese Technik in jüngeren Jahren so weit verfeinert zu haben, dass sie ihre Freier zum Orgasmus bringen konnte, ohne ihren restlichen Körper auch nur einen Millimeter zu bewegen. Nicht zuletzt sprach sie mit den Mädchen darüber, wie wichtig Selbstvertrauen war: »Nur eine Frau, die mit sich selbst zufrieden ist, kann einen Mann auch wirklich zufriedenstellen.« Nicht zuletzt brachte sie ihren Schülerinnen zehn der ungewöhnlichsten Stellungen bei, die Männer überaus schätzten, auch wenn sie es nicht wagten, sie mit den Müttern ihrer Kinder auszuprobieren. Diesen akrobatischen Herausforderungen gab sie eigene Namen: die Gefräßige Kuh, die Kolumbianische Achterbahn, die Kuckucksuhr, und so weiter. Jede Stunde wurde von Doña Emilia mit demselben Ratschlag beendet: »Begegnet den Ehefrauen eurer Freier stets mit Respekt, wenn ihr sie auf der Straße seht. Immerhin verdanken wir es ihnen, dass wir im Geschäft sind.«

Dann kam auch der Fotograf aus Honda, um an der Fotomappe der Casa de Emilia zu arbeiten. Von jedem Mädchen fertigte er drei Porträts an: eines in Bekleidung, eines in Unterwäsche, und eines, auf dem es nackt zu sehen war, die Hände züchtig über die Geschlechtsteile gelegt. Auf ihren eigenen Fotos trug Doña Emilia ein konservatives dunkles Kostüm, wie es der Fotograf vorgeschlagen hatte.

Mit der Mappe unterm Arm begann die Madame ihre Werbeaktion. Jedes Mal nahm sie ein anderes Mädchen mit; sie besuchten Städte wie das sechzig Meilen westlich gelegene Fresno, aber auch weiter entfernte Orte wie Dorada, das hundertzwanzig Meilen nördlich lag. Sie zogen von Firma zu Firma und baten um ein persönliches Gespräch mit dem jeweiligen Inhaber. Sobald Doña Emilia zum Chef vorgedrungen war, hielt sie mit ihren Absichten nicht lange hinter dem Berg. »Stehen Sie auf Frauen?«, fragte sie frei heraus, und wurde die Frage bejaht, präsentierte sie prompt die Fotomappe und fuhr im Flüsterton fort: »Dann sollten Sie sich mal meine Mädchen ansehen.« Sie drängte die Männer, sich gleich einen Termin zu sichern, den sie dann in ihrem Kalender notierte, ehe sie abschließend ihre Visitenkarte überreichte, auf der zu lesen war: »Wann waren Sie zuletzt mit zwölf nackten Frauen in einem Haus? Willkommen in der Casa de Emilia.«

In Lérida und Líbano fand die Kunde von den neu geschulten Liebedienerinnen regen Anklang und verbreitete sich wie ein Lauffeuer unter der männlichen Bevölkerung, nicht zuletzt, weil man kein Risiko einging, von Frau und Nachbarn gesehen zu werden, wenn man sich in einem anderen Ort verlustierte.

Auch in Honda und Dorada war die Freude groß. So groß, dass die Männer sich am Wochenende Busse und Jeeps mieteten, um einen Ausflug in die Casa zu machen.

In den Wochen darauf erlebte die Casa de Emilia einen deutlichen Aufschwung. Gleichzeitig wollte Doña Emilia endlich die Früchte ihrer Mühen ernten. Sie ergriff radikale Maßnahmen, um den Profit zu steigern. Bevor die Mädchen mit einem Mann aufs Zimmer gehen durften, musste sie ihn dazu bringen, eine Flasche Schnaps zu spendieren. Die Zeit für das Tête-à-Tête mit dem Freier wurde von zwanzig auf fünfzehn Minuten gekürzt, egal, um wen es sich handelte. Die unter der Woche geltenden Geschäftszeiten wurden verlängert, und am Wochenende war das Bordell rund um die Uhr geöffnet; nur jeweils vier Mädchen durften gleichzeitig ein Nickerchen machen. Überstunden waren gern gesehen, wenn auch nicht zwingend vorgeschrieben. Zigarettenpausen gab es nicht mehr. Die Pausen zwischen den Freiern wurden auf fünf Minuten verkürzt, und der Kunde konnte nur dann verlängern, wenn das jeweilige Mädchen keine Warteliste hatte. Nicht zuletzt hatten Stammgäste, Senioren und Behinderte grundsätzlich Vorrang. Bei den Mädchen stieß der Maßnahmenkatalog auf ein geteiltes Echo, doch die Madame duldete keine Diskussionen.

Doña Emilias Umfragen unter den Kunden ließen nichts zu wünschen übrig. Ihrer letzten Erhebung zufolge waren neunzig Prozent der Befragten höchst angetan vom Service des Hauses; in der Woche, bevor die Männer von Mariquita verschleppt worden waren, hatten sich nur magere sechzig Prozent positiv geäußert. Um an diese Angaben zu kommen, machte es sich die alte Dame zur Gewohnheit, ihre Gäste persönlich zu verabschieden, sie zu fragen, wie ihnen das Schäferstündchen gefallen hatte, und ihnen eine rote Rose zu überreichen. »Für Ihre Frau oder Freundin«, sagte sie dann.

Weiß Gott, ich war eine echte Unternehmerin!, sagte Doña Emilia zu sich selbst, als sie die Augen öffnete. Erleichtert sah sie, dass die große Mango nach wie vor an ihrem Ast hing, und fragte sich, welcher Glückliche wohl in ihren Genuss kommen würde. Wahrscheinlich ein paar Vögel, dachte sie. Ja, ein Schwarm hübscher weißer Vögel würde sich über das feste, süße Fruchtfleisch hermachen. Ein entrücktes Lächeln erschien auf ihrem Gesicht. Oder vielleicht ein Hund ... Zu ihren Füßen schliefen einige von ihnen. Nein, Hunde schlangen bloß alles hinunter, ohne irgendetwas zu genießen. Reine Verschwendung für eine so schöne Mango.

Laute Frauenstimmen rissen sie aus ihren Gedanken. Vier Mädchen kamen auf sie zu, unter ihnen Magnolia Morales, deren schrille Stimme sie überall wiedererkannt hätte; in einem Spielzeugladen hatte sie einmal eine sprechende Puppe mit einer ebensolchen Kreischstimme gesehen. Die Mädchen blieben vor der alten Frau stehen und tuschelten miteinander; dann brachen sie in lautes Gelächter aus, dessen Klang noch lange, nachdem sie wieder verschwunden waren, in den Ohren von Doña Emilia verharrte. Bleibt nur zu hoffen, dass keine dieser Frauen die Mango bekommt, dachte sie. Diese jämmerlichen alten Mädchen hatten derartige Genüsse nicht verdient. Ihre Augen verengten sich zu hasserfüllten Schlitzen, und sie biss sich mit ihren falschen Zähnen auf die Unterlippe.

Die einstige Madame hatte guten Grund, die Jungfern von Mariquita zu verachten. Immerhin hatte sie es ihnen zu verdanken, dass die Casa am Ende schließen musste.

Fast zwei Monate waren seit dem Verschwinden der Männer vergangen, und während die Witwen noch ihren Gatten hinterhertrauerten, wurden die jungen Frauen unruhig. Die Vorstellung, weiter in einem Dorf voller Witwen und alter Jungfern leben zu müssen, war ihnen unerträglich, ebenso wie der Gedanke, selbst für immer ledig bleiben zu müssen.

Magnolia Morales organisierte eine kleine Selbsthilfegruppe für junge Frauen, die sich jeden Abend nach dem öffentlichen Rosenkranzgebet auf dem Dorfplatz traf. Sie sprachen ausschließlich über Männer, wenn auch nicht über männliche Verwandte, sondern über ihre Freunde, Verehrer oder heimlichen Lieben. Themen wie die weiter grassierende Dürre, die Auswirkungen auf die Ernte und der allgemeine Nahrungsmangel wurden einvernehmlich ausgeklammert. Stattdessen erzählten sich die jungen Frauen romantische Anekdoten, redeten über ihre sexuellen Erfahrungen und zeigten sich gegenseitig sowohl Fotos ihrer verschleppten Männer als auch Geschenke, die sie von ihnen erhalten hatten: Blumen, die sie zwischen Buchseiten gepresst hatten, Haarlocken, sogar Männerunterwäsche. Abend für Abend träumten die Mädchen von jenem glorreichen Tag, an dem ihre Geliebten zurückkehren würden.

Eines Abends hörten die Mädchen das Motorengeräusch eines Wagens, der sich der Plaza näherte. Gespannt sprangen sie auf. Seit einer kleinen Ewigkeit war kein Auto mehr durch die staubigen Straßen von Mariquita gefahren. Vier Männer in einem verbeulten grünen Jeep fuhren an ihnen vorbei, ohne zu hupen oder auch nur zu winken. Magnolia wedelte mit den Armen und einem Taschentuch, während sie zur Straße lief und laut nach den Männern rief, die aber schienen sie überhaupt nicht zu bemerken. Magnolia war enttäuscht und sauer, ließ sich jedoch den Schneid nicht so schnell abkaufen. Sie wartete ab, bis das Motorengeräusch eines weiteren Wagens zu vernehmen war. Dann gehieß sie die anderen Mädchen, sich an den Händen zu fassen und nebeneinander auf der Straße aufzureihen. Der Fahrer, fast ergraut und in mittleren Jahren, hielt an und kurbelte das Fenster seines roten Jeeps herunter. Im Wagen saßen drei weitere Männer.

»Guten Abend, Gentlemen«, sagte Magnolia, den Blick auf den Fahrer gerichtet.

»Können wir irgendwas für euch tun, ihr Süßen?«

»Wir haben uns nur gerade gefragt, wohin ihr wollt. Unser Dorf liegt ja nun ziemlich abseits der Landstraße, und ...«

»Wir kommen aus Honda, Muñeca, und sind auf dem Weg zu Doña Emilia und ihren Mädchen«, sagte der Fahrer und hielt ihr die Visitenkarte hin, die er von der Madame bekommen hatte.

»Doña Emilia hat gesagt, sie habe zwölf hübsche Mädchen im Angebot«, ließ sich eine raue Stimme vom Rücksitz vernehmen. »Aber soweit ich sehe, seid ihr bloß neun.«

»Tut mir Leid, wenn ich Sie enttäuschen muss«, erwiderte Magnolia, »aber wir sind keine Bordsteinschwalben. Mit der Frau, von der Sie reden, haben wir nichts zu tun.«

»Tja, wenn das so ist, dann räumt mal schön das Feld, ihr Süßen«, sagte der Fahrer. »Wir haben nämlich noch was vor.«

Die anderen Männer lachten.

Magnolia bedeutete den Mädchen, den Weg freizugeben, und kurz darauf waren die Männer verschwunden.

Die Mädchen gingen zurück zur Plaza und hockten sich auf den Boden, um mit ihrem abendlichen Treffen fortzufahren, doch der starke, virile Geruch hing noch in der Luft, und die Stimmen der Männer hallten in den Ohren der jungen Frauen.

»Das ist nicht fair«, sagte Sandra Villegas. »Ich sitze hier und verzehre mich nach einem Mann, und diese Huren kriegen auch noch Geld dafür, dass sie es jede Nacht gleich mit mehreren treiben. Ich hab's satt, irgendwelchen Erinnerungen nachzuhängen, die sowieso immer weiter verblassen.«

»Aber es sind doch gerade mal zwei Monate vergangen«, sagte Marcela López, die mit Jacinto Jiménez jr., dem Sohn des früheren Bürgermeisters, verlobt gewesen war. »Wir müssen unseren Männern treu bleiben.«

»Ich habe keinen Mann, dem ich treu bleiben müsste«, erwiderte Magnolia, die Erfahrenste der Gruppe, und deutete mit dem Kinn auf Pilar Villegas. »Wir beide könnten uns zusammentun und Doña Emilias Mädchen Konkurrenz machen. Na, wie wär's?« Die Mädchen lachten hysterisch, und kurz darauf löste sich die Versammlung auf.

Am folgenden Abend blies Magnolia das Treffen ab und machte sich mit Pilar zum Ortsrand auf. Die beiden trugen enge, ärmellose Kleider, hatten reichlich Make-up aufgelegt und die Haare offen. Sie rochen die Männer bereits, noch bevor Motorengeräusch an ihre Ohren drang. Als der Fahrer des Wagens sie erblickte, trat er abrupt auf die Bremse und hupte. Magnolia blieb stehen, winkte und ging langsam weiter. Pilar setzte mit zitternden Beinen ihren Weg fort, ohne sich umzudrehen. Die Männer wandten die Köpfe: elegante junge Kerle mit frisch rasierten Gesichtern, der Duft von Kölnischwasser wehte zu den Mädchen herüber. »He, wartet mal«, rief einer von ihnen durchs Autofenster. Die Burschen sprangen aus dem Jeep und liefen auf die Mädchen zu.

»Na, was sind denn da für hübsche Blüten vom Himmel gefallen!«, rief einer von ihnen. »Darf man fragen, wohin ihr zu so später Stunde unterwegs seid?«

»Wir wollten nur ein bisschen frische Luft schnappen«, sagte Magnolia.

»Ah, ja«, sagte derselbe Bursche. »Seid ihr beiden von der Casa de Emilia?«

»Nicht direkt«, gab Magnolia zurück. »Einige von uns arbeiten selbstständig.« Sie fuhr sich lasziv mit der Zunge über die Lippen und erklärte, sie und Pilar seien bereit, jeweils einem von ihnen gratis zu Diensten zu sein, unter zwei Bedingungen.

»Was immer ihr wollt, Muñequita«, sagte der Jüngste der Männer und fasste sich an den Hosenlatz.

»Erstens müsst ihr versprechen, dass ihr uns behandelt, als wären wir zerbrechlich. Und zweitens, dass keiner von euch je wieder die Casa de Emilia betreten wird.«

»Das schwöre ich bei Gott!«, erwiderte der Jüngste. Mit Daumen und Zeigefinger formte er ein Kreuz und küsste es. Die anderen drei ahmten die Geste nach und besiegelten den Handel, indem sie ebenfalls hoch und heilig schworen, nie wieder einen Fuß in die Casa de Emilia zu setzen.

Die Männer warfen eine Münze, um zu entscheiden, welcher der beiden zuerst die Ehre haben sollten, mit den Mädchen intim zu werden. Die Verlierer, so kamen sie überein, würden im Wagen warten, rauchen und billigen Schnaps trinken. Der Jüngere durfte als Erster wählen und führte Magnolia hinter einen großen Kautschukbaum. Rasch entkleideten sie sich. Magnolia küsste ihn leidenschaftlich, als er langsam in sie eindrang. Eng umschlungen liebten sie sich auf den dicken, wächsernen Kautschukblättern, die ringsherum zu Boden gefallen waren. Der andere Gewinner, ein ziemlich kleiner Kerl mit reichlich Pomade im Haar, verschwand mit Pilar hinter ein paar Büschen. Sie ließ ihn erst einmal den Boden nach Ameisen und Skorpionen absuchen; dann breiteten sie ihre Sachen aus. Er begann ihr Gesicht, ihr Haar und ihre Brüste zu streicheln. »Du bist die schönste Frau, die ich je gesehen habe«, sagte er und drang sanft in sie ein. Einen Augenblick lang kam es ihr vor, als würden sie sich auf einer Wolke lieben, hoch oben in der Luft schweben. Und dann fühlte sie sich plötzlich, als würde sie explodieren.

Der Himmel war mit Tausenden von Sternen übersät.

In der Woche darauf schlossen sich Luisa und Sandra Villegas den beiden an. Sie trafen sich in der verlassenen Schule, um die engen Kleider anzuziehen und Make-up aufzulegen.

»Bloß nicht schwanger werden«, wies Magnolia ihre Schülerinnen an. »Bei manchen Männern geht es schneller als bei anderen. Ihr müsst genau auf ihre Gesichter achten, und wenn die Augen kleiner werden und sie den Mund aufreißen, bedeutet das, dass sie kurz davor sind. Und genau in dem Moment müsst ihr sie von euch runterschubsen.«

»Und wenn sie zu schwer sind?«, fragte Sandra.

»Dann solltest du besser oben liegen«, gab Magnolia zurück.

Sie schlug vor, jeweils zu zweit die Straße entlangzuflanieren und dabei voneinander Abstand zu halten. Außerdem gab sie jedem der Mädchen eine Trillerpfeife, die sie die ganze Zeit um den Hals tragen sollten. »Aber nur pfeifen, wenn ihr euch in Gefahr befindet.«

In den folgenden zwei Wochen überredeten Magnolia und Pilar acht weitere Mädchen, sich ihnen anzuschließen, und organisierten vier Dreierteams. Sie halfen den Neuen bei der Wahl von Kleidung und Make-up und gaben ihre Erfahrungen weiter. Sie kamen überein, ihre abendlichen Ausflüge vor den anderen Dorfbewohnern geheim zu halten, insbesondere vor dem Priester und ihren Müttern – die armen Frauen hatten weiß Gott schon genug Sorgen. Außerdem behielten sie sich vor, jedem Mann einen Korb geben zu können, aus welchen Gründen auch immer. Geld verlangten sie nicht für ihre Gefälligkeiten, sie überließen es den Männern, sich auf ihre Weise erkenntlich zu zeigen. »So behalten wir unsere Würde«, sagte Pilar. Jedes Mädchen suchte sich ein eigenes Plätzchen fürs Stelldichein und hielt es frei von Ungeziefer, Unkraut und anderen unerwünschten Gewächsen. Einige pflanzten sogar Blumen und hielten Brot und Süßigkeiten bereit, für den Fall, dass ein Kunde Hunger bekam. Und einen Monat später, als die Regenzeit kam, halfen sie einander, mit Bambusstäben und Plastikplanen Zelte zu bauen.

Unterdessen verzeichnete Doña Emilia drüben in der Casa einen merklichen Geschäftsrückgang. Sie bat ihre Mädchen, für die vollkommene Zufriedenheit der Freier zu sorgen, ihnen stets für den Besuch zu danken und eine Einladung fürs nächste Mal auszusprechen.

»Vergesst nicht, sie kommen von weit her«, sagte sie. »Ihr Besuch bei uns muss sich lohnen.«

Doch die Konkurrenz war übermächtig.

Der Verzweiflung nahe, unternahm Doña Emilia weitere Fahrten in die umliegenden Orte. In Honda erfuhr sie von einer

Gruppe schöner junger Frauen, die sich an der Straße feilboten und für ihre Dienste mit Geschenken entlohnen ließen – Parfum, Schmuck, Kleidung und Haushaltsutensilien. Doña Emilia hörte, dass sich die meisten von ihnen mit einer Tafel Schokolade, einem Strauß roter Rosen oder einem handschriftlichen Liebesgedicht zufriedengaben. Inzwischen hatten Magnolia und ihre Freundinnen sogar ein Zeltlager improvisiert, das die Mädchen aber immer wieder verlegten, um nicht von Padre Rafael oder den Witwen erwischt zu werden.

Die Männer bezeichneten das Zeltlager als »magischen Puff«, als einen, der wie von Zauberhand an manchen Tagen zu finden, an anderen hingegen wie vom Erdboden verschluckt war. Die Suche entlang der gewundenen Straßen, in den Wäldern und in den kargen Hügeln machte die Männer nur noch heißer. Sie durchforsteten Berge und Täler, stundenlang, wenn es sein musste, und immer fanden sie ihr Ziel. Und sobald es gefunden war, verschwanden sie erst in den Armen, dann zwischen den Schenkeln einer leidenschaftlichen Frau. Mondlicht schimmerte auf nackter Haut, Schenkel spreizten, Hüften wiegten, Herzschläge beschleunigten sich, Schweiß floss in Strömen, Körper verloren die Kontrolle, sanfte Laute durchdrangen die Nacht, Seufzer, Schreie – ein Mann, eine Frau, loderndes Feuer unter dem dunklen Himmel.

Um ihre Kunden zurückzugewinnen, beschlossen Doña Emilia und ihre Mädchen, die Preise zu senken und mehr Anreize zu schaffen. Von Sonntag bis Mittwoch kamen zwei Freier zum Preis von einem zum Zuge. Freitags zahlten Gäste zur Happy Hour nur die Hälfte, und samstags sollte die große Fiesta stattfinden, eine dreistündige Party inklusive Buffet, Getränken und dem Anrecht auf alle zwölf Mädchen, die nackt im roten Zimmer warteten – alles zum Fixpreis.

Doña Emilia fuhr nach Fresno, ließ Handzettel mit den neuen

Attraktionen der Casa drucken und verteilte sie höchstpersönlich in den umliegenden Dörfern. Die alte Dame hatte sich in eine waschechte Handlungsreisende verwandelt, die eden Tag von Ort zu Ort fuhr, ihre Fotomappe unter dem Arm, eine Tüte voller Werbezettel in der Hand. Sie verbrachte ganze Nächte allein in der Bar der Casa, rauchte ihre dünnen Zigarren, trank Apfelwein aus der Flasche und überlegte fieberhaft, wie sie ihr Geschäft über Wasser halten konnte. Doch es gab nichts, was sie unternehmen konnte. Wie sollte sie es mit einer Gruppe nicht greifbarer lüsterner Frauen aufnehmen, romantischen Gespenstern, die bereit waren, für ein wenig männliche Aufmerksamkeit mit Sex zu bezahlen? Sie verfluchte die Rebellen dafür, dass sie ihre Kunden verschleppt hatten, und weinte jedem einzelnen Freier heiße Zähren hinterher.

Bald begannen sich ihre Lungen gegen den Zigarrenrauch zu wehren. Sie bekam einen bösen Husten, der sich nicht länger mit der üblichen Mixtur aus Milch und Meerrettich kurieren ließ. Sie nahm rapide ab und wurde schon nach ein paar Schluck Wein betrunken. Und so kam es, dass sie die Mädchen nicht einmal aufzuhalten versuchte, als diese eines Morgens ihre Sachen packten. Stattdessen stand sie auf, spritzte sich kaltes Wasser ins Gesicht und ging in die Küche, um das letzte gemeinsames Mahl zuzubereiten.

Als die Mädchen ein paar Stunden später, ausnahmsweise konservativ gekleidet, mit gepackten Koffern aus ihren Zimmern kamen, fanden sie die alte Madame mit gefalteten Händen am Kopfende des Tisches im Speisesaal vor. Sie trug ein schickes, hochgeschlossenes weißes Seidenkleid. Das graue Haar hing ihr offen über die Schultern, und auf ihrem Gesicht lag ein seliger Ausdruck, irgendwie entrückt und träumerisch. Der große Esstisch war mit einem weißen Tischtuch, Stoffservietten, silbernen Tellern, Kasserollen und kristallenen, bereits gefüllten Weingläsern gedeckt. Über den Tisch verteilten sich Körbchen mit frisch gebackenem Brot, Platten mit Früchten und Käse, eine große Schüssel mit dampfender Tomatensuppe und ovale Schalen mit gebratener Pute, weißem Reis und roten Bohnen.

»Nun denn, meine Lieben«, sagte Doña Emilia. »Es ist an der Zeit, Lebewohl zu sagen.« Sie senkte den Blick und sah auf ihre fast durchsichtigen Hände, als ihr Tränen in die Augen stiegen. Viviana umarmte sie als Erste, dann traten nacheinander die anderen Mädchen zu ihr. Sie wischten ihr die Tränen von den Wangen, küssten ihre zitternden kleinen Hände und strichen ihr über das Haar. Als die Mädchen sich schließlich setzten, stand Doña Emilia auf und hob ihr Glas. Mit gebrochener Stimme begann sie zu sprechen.

»Auf euch, meine wackeren Mädchen und Schülerinnen, die ihr euch lange genug mit den Männern von Mariquita herumschlagen musstet − manchmal ganz schön rau und ungehobelt, aber insgesamt doch wirklich prächtige Burschen. Also lasst uns auch auf Mariquitas Männer trinken, unsere Männer, und auf die Casa de Emilia, wo man sie am meisten vermisst hat.«

Alle dreizehn Frauen tranken von ihrem Wein und begannen schweigend zu essen. Als sie fertig waren, schlug Viviana ihnen vor, sie sollten ein letztes Mal ihre Arbeitskleidung anziehen. Sie schlüpften also in ihre auffallendsten Kleider und halfen sich gegenseitig, Make-up aufzutragen. Dann führte Doña Emilia die Mädchen in die Bar und legte festliche Musik auf. Sie tanzten und tranken die ganze Nacht, schwelgten in den amüsantesten Anekdoten, erzählten sich Witze, brachten weitere Trinksprüche aus, lachten und weinten und lachten noch ein wenig mehr.

Als Doña Emilia am nächsten Tag erwachte, fand sie sich, umgeben von schmutzigen Gläsern und leeren Weinflaschen, allein in der Bar wieder. Vor ihrem inneren Auge sah sie die Mädchen, wie sie, die Sonne auf ihren verschmierten Gesichtern, die Straße hinuntermarschierten und vielleicht von jenem Tag träumten, an dem sie sich im Austausch für ihre Gunst ebenfalls mit einem Strauß roter Rosen oder einem Liebesgedicht zufriedengeben würden. Doña Emilia hoffte, dass ihre Träume sich erfüllten, schloss die Augen und wünschte sich, sie nie wieder öffnen zu müssen. Sie hatte entschieden, die Casa zu schließen und so lange wie möglich von ihren Ersparnissen zu leben.

Der magische Puff, der an manchen Tagen problemlos zu finden und an anderen wie vom Erdboden verschluckt war, verschwand eines Tages für immer – und allein die Liebe war schuld. Die zwölf jungen Frauen hatten sich verliebt, jede in einen anderen Mann. Magnolia hatte ihr Herz an einen verheirateten Friseur namens Valentín verloren, einen dunkelhäutigen Mann in mittleren Jahren mit einem widerspenstigen Toupet, das sich mal hier, mal dort auf seinem Kopf befand. Als er zu ihr ins Zelt kam, redete Magnolia unaufhörlich über seidene Hochzeitskleider und herzförmige Verlobungsringe. Außerdem bestand sie darauf, ihm bei Kerzenschein eine Liebesgeschichte vorzulesen. Valentín hielt das Mädchen für leicht meschugge und ließ sich nicht wieder blicken. Nacht für Nacht wartete Magnolia auf ihn. Sie wies alle anderen ab, nahm von keinem mehr Geschenke an. Die meiste Zeit über weinte sie in ihrem Zelt. Gelegentlich kümmerte sie sich um ihre Proviantvorräte, jätete Unkraut oder goss ihre Pflanzen. Meist aber las sie nur immer dieselben alten Liebesgeschichten und weinte.

Am Ende gelangten die zwölf Mädchen zu dem Schluss, dass Gott ihnen zwei Augen gegeben hatte, damit sie die Männer besser betrachten konnten, zwei Ohren, damit sie besser verstehen konnten, was sie zu sagen versuchten, zwei Arme, sie zu umarmen, und zwei Beine, sie zu umschlingen, aber eben nur ein Herz, das sie verschenken konnten. Männer hingegen liebten mit ihren Hoden, von denen Gott ihnen gleich zwei gegeben hatte.

Und so konnten die Männer den magischen Puff eines Tages nicht mehr finden. Sie suchten entlang der gewundenen Straßen, in den Wäldern und in den kargen Hügeln. Wochenlang durchforsteten sie Berge und Täler, ohne die Mädchen jemals wiederzufinden. Die Frauen waren in ihr Dorf zurückgekehrt, zu ihrem Jungferndasein und den traurigen abendlichen Treffs, während derer sie sich von neuem ihren Erinnerungen hingaben und von jenem glorreichen Tag träumten, an dem sie die Junggesellen des Ortes wieder in die Arme schließen konnten.

<hr />

Für nichts und wieder nichts haben sie mein Geschäft ruiniert!, dachte Doña Emilia. Plötzlich drang von ferne die nahezu zarte Stimme einer Straßenverkäuferin an ihre Ohren, die ihre Waren feilbot: »Guabayas! Naranjas! Mandarinas!« Dann sah sie ein junges Mädchen, das sich anmutigen Schrittes näherte und dabei einen großen Korb auf dem Kopf balancierte. Sorgfältig betrachtete die alte Frau das Mädchen, das nicht älter als zwölf sein konnte: ihr rosafarbenes Kleid, das zu Zöpfen geflochtene schwarze Haar, die langen Arme und die schmalen Hüften – und mit einem Mal überkam sie das seltsame Gefühl, die Kleine schon seit Ewigkeiten zu kennen. Auch das Mädchen bemerkte die alte Frau. Es lächelte und winkte sachte. Doña Emilia erwiderte das Lächeln. Sie wollte es gerade fragen, ob es sich nicht zu ihr auf die Bank setzen mochte, als ein Windstoß den Korb aus dem Gleichgewicht brachte. Guaven, Orangen und Mandarinen kullerten über den Boden. Das Mädchen kniete sich nieder und begann schweigend, die Früchte einzusammeln. Doña Emilia hätte gern geholfen, doch als sie von der Bank aufstehen wollte, konnte sie ihre Beine nicht mehr fühlen.

Und dann kam ein noch stärkerer Windstoß, und die Mango, die inzwischen die Farbe des Sonnenuntergangs angenommen hatte, fiel direkt neben dem Mädchen zu Boden. Doña Emilia sah, wie das Mädchen lächelte, die Mango in die Hand nahm und in den Korb legte, bevor es, den Korb wieder auf dem Kopf, die Straße hinunterging und langsam im Wind verschwand.

Überglücklich lehnte sich Doña Emilia zurück und richtete den Blick gen Himmel, nur dass sie diesmal nicht mehr sehen konnte, wie blau er war.

José L. Mendoza, 32
Oberstleutnant, Kolumbianische Regierungsarmee

Eins habe ich bei der Armee gelernt: Je weniger Kontakt man mit seinem Opfer hat, desto leichter kann man es töten. Ich habe mal einen Mann zu lange reden lassen, bevor ich ihn erschossen habe, und das bereue ich bis heute. Wir hatten einen Notruf von einer Polizeiwache aus einem kleinen Dorf in den Bergen erhalten. Sie wurden von Guerilleros belagert und brauchten Verstärkung. Die Straßenverhältnisse waren grauenhaft, weshalb wir erst am folgenden Morgen eintrafen und eigentlich davon ausgingen, dass die Rebellen den Ort komplett ausgeplündert hatten und längst über alle Berge waren. Ich ging durch den Ort und zählte die Leichen, ohne zu bemerken, dass ein Rebell von einem Baum aus mit seiner Galil auf mich zielte, um mir die Rübe wegzublasen. Einer meiner Offiziere erspähte ihn gerade noch rechtzeitig und schoss ihn in den Arm. Er war dunkelhäutig, ein Indianer mit schmalen Augen. Wir setzten ihn und drei weitere Rebellen in einer Entwässerungsgrube fest.

Als wir die Lage unter Kontrolle hatten, bat ich den Indianer, aus der Grube zu steigen – ich wollte ihn nicht vor den drei anderen erschießen. Er wusste, was ich vorhatte, und gab vor, der Blutverlust habe ihn zu sehr geschwächt; ich solle ihn einfach in der Grube sterben lassen. Ich schrie ihn an, er solle sofort herauskommen, und er flehte mich an, ihn nicht zu erschießen. Er sagte, seine Mutter habe einen Schlaganfall gehabt, und seine beiden jüngeren Schwestern hätten bei einem Brand schwerste Verletzungen davongetragen, sodass sie noch am Leben seien, aber nicht mehr gehen könnten. Sie seien völlig entstellt und auf ihn angewiesen, und er sei ein guter Mensch, den man zum Kampf gezwungen habe. Er wolle den Rebellen den Rücken kehren und der Regierungsarmee beitreten, wenn ich nur Gnade vor Recht ergehen ließe ... Es klang, als hätte er seine ganze Rede von vorn bis hinten auswendig gelernt. Und ich weiß nicht warum, aber ich hörte mir alles von Anfang bis Ende an und sah ihm dabei genau in die Augen, die vor Angst weiter und weiter wurden. Ich ließ ihn weiterreden, bis er müde wurde und ihm die Worte ausgingen. Dann kniete ich mich vor ihn hin, hielt ihm den Lauf meines Revolvers an die Stirn und sagte den anderen Kerlen in der Grube, dass er versucht habe, mich von hinten zu erschießen und dass dies eines Mannes nicht würdig sei. »Ich werde euch zeigen, wie man einen Mann tötet«, sagte ich und schoss. Der Knall ließ mich unwillkürlich die Augen schließen. Als ich sie wieder öffnete, stand der Körper des Indianers noch aufrecht in der Grube, aber von der Nase aufwärts war nichts von seinem Kopf übrig geblieben. Seine Haare, sein Gehirn, die schmalen Augen ... sie waren einfach weg. Sein Mund war allerdings noch da, und die Muskeln um seine Lippen zitterten, als wollten sie noch etwas in Worte fassen, das er mir zu sagen vergessen hatte.

Kapitel 4

Die Lehrerin, die keine Geschichtsstunden geben wollte

Mariquita, 11. Februar 1995

Cleotilde Guarnizo war eine siebenundsechzig Jahre alte Jungfer. Sie hatte kurzes graues Haar, einen weichen Damenbart und weiße Stoppeln am Kinn. Eine dicke Brille saß auf ihrer runden Nase, die wie ein umgekehrtes Fragezeichen aussah und ihr eine leicht rätselhafte Aura verlieh. Ihr Auftreten wirkte irgendwie männlich: die Art, wie sie breitbeinig dazusitzen pflegte, ihr entschlossener, stampfender Gang und ihre Gewohnheit, instinktiv die Faust zu ballen, wenn sie sich angegriffen fühlte, als wollte sie auf der Stelle auf etwas oder jemanden einschlagen. Abgerundet wurde ihr Erscheinungsbild von einem Stirnrunzeln, das sich nur selten entspannte. Sie war, kurz gesagt, die Fleisch gewordene, in die Jahre gekommene Unnachsichtigkeit.

Cleotilde war auf einer ziellosen Fahrt durchs Land gewesen, als der Reisebus plötzlich den Geist aufgegeben hatte. Es wurde allmählich dunkel, und Cleotilde hatte Angst. Sie gab einem Bauernjungen Geld, damit der sie auf einem Maulesel ins nächste Dorf brachte, wo sie übernachten und dann im Morgengrauen wieder aufbrechen wollte.

Der Junge setzte sie samt Koffer am Dorfplatz von Mariquita ab. Zu jener späten Stunde war es besonders still und so stockfinster, dass das Dorf wie eine Geisterstadt wirkte. Cleotilde bekam weiche Knie. Schwerfällig ging sie ein paar Häuserblocks entlang, ohne so recht zu wissen, wohin sie überhaupt wollte, bis sie einen Lichtschimmer in einem kleinen Fenster sah. Sie eilte zu dem Haus und klopfte an der offenen Tür. Kurz darauf erschien ein junges, in ein schwarzes Umhängetuch gehülltes Mädchen mit einer Kerze in der Hand. Sie war vielleicht zehn, höchstens elf Jahre alt.

»Kommen Sie herein«, sagte sie mit honigsüßer Stimme. Der Kerzenschein erleuchtete eine lange, schmale Diele, als sie vorausging. »Ich heiße Virgelina Saavedra, und das ist meine Großmutter, Lucrecia viuda de Saavedra.« Die Kleine wies auf eine blasse alte Frau in einem Schaukelstuhl.

»Ich bin Señorita Cleotilde Guarnizo. Sehr erfreut.« Dann richtete sie das Wort direkt an die alte Lucrecia. »Ich bin auf der Suche nach einem warmen Plätzchen für die Nacht.«

»Wenn Sie wollen, können Sie hier schlafen«, gab Lucrecia gleichgültig zurück. »Irgendwo müssen wir noch eine Hängematte und ein paar Decken haben.«

Cleotilde hasste Hängematten. Es ging ihr schlicht nicht in den Kopf, wie man schlafen konnte, wenn man wie ein Faultier in der Luft hing. Nun ja, das würde sie diesen freundlichen Landpomeranzen bestimmt nicht unter die Nase reiben. »Sehr nett von Ihnen«, sagte sie.

Lucrecia bedeutete ihr, sich zu setzen. Es war nur ein Stuhl verfügbar, was Cleotilde die Wahl erleichterte. Sie stellte den Koffer ab, nahm Platz, setzte ein zaghaftes Lächeln auf und ließ den Blick über die Wände schweifen. Das Zimmer roch muffig, war dunkel und nur spärlich eingerichtet; in der einen Ecke lag ein Stapel Feuerholz für den Küchenherd, in der anderen hatten sich zwei struppige Katzen häuslich eingerichtet. Cleotilde hasste Katzen noch mehr als Hängematten und fragte sich unwillkürlich, ob die Biester lebendig oder ausgestopft waren. Sie konnten ebenso gut zum dürftigen Mobiliar des Hauses gehören.

»Fidel und Castro«, sagte Lucrecia plötzlich. Mit prüfendem Blick musterte sie Cleotilde, um herauszufinden, ob diese Geld hatte. Vielleicht konnte sie den späten Besuch ja morgen früh um eine kleine Spende bitten. Den Großteil ihrer Nähutensilien hatte Lucrecia bereits gegen Essbares eingetauscht.

»Wie bitte?«, gab Cleotilde zurück. Irgendwie kam es ihr vor, als wolle die Alte herausfinden, ob sie Geld hatte. Sie hoffte nur, dass Lucrecia nicht von ihr erwartete, für die Übernachtung zu bezahlen. Cleotilde hatte kaum genug in ihrer Handtasche, um für die Busfahrkarte aufzukommen, die sie von diesem gottverlassenen Kaff hoffentlich weit, weit fortbringen würde.

»Fidel und Castro«, sagte ich. »So heißen die Katzen.«

»Oh«, erwiderte Cleotilde. »Wie ungewöhnlich. Sind sie lebendig?«

»Hmm-mm«, murmelte Lucrecia. Sie hielt einen Augenblick inne, wie um einen Themenwechsel anzukündigen, und fuhr dann fort: »Wie Sie sehen, sind wir sehr arm.«

»Ach, sind wir das nicht alle?«, erwiderte Cleotilde. »Der Krieg hat uns doch alle miteinander in die Bredouille gebracht.« Sie fragte sich, ob Lucrecia das Wort *Bredouille* überhaupt kannte. »Und dabei lässt sich nicht mal sagen, wer es am schlimmsten treibt – die Guerilleros, die paramilitärischen Verbände oder die Regierungstruppen ... Ernstlich, wie soll eine alte Frau wie ich bei diesen politischen Verhältnissen Arbeit finden?«

»Keine Chance«, antwortete Lucrecia, ein wenig enttäuscht, dass Cleotildes Suada jede Möglichkeit ausgeschlossen hatte, zu ein paar Pesos zu kommen. »Leider haben wir außer Kaffee nichts im Haus, was wir Ihnen anbieten könnten. Wollen Sie eine Tasse?«

Cleotilde lehnte dankend ab; für Kaffee sei es zu spät, mit einem Schlafplatz und einer Kerze sei sie vollauf zufrieden. »Lesen Sie auch so gern vor dem Einschlafen?«

»Ich kann weder lesen noch schreiben«, entgegnete die alte Frau entschieden, als sei sie stolz darauf.

»Du lieber Gott! Für mich wäre das unvorstellbar.« Cleotilde richtete das Wort an Virgelina, die gerade damit beschäftigt war, den Docht einer frischen Kerze mit den Zähnen freizulegen. »Kannst du denn lesen?«

Das Mädchen schüttelte den Kopf.

»Aber, aber, meine Kleine«, sagte Cleotilde mit erhobenem Zeigefinger. »Dir sollte bekannt sein, dass Bildung der Schlüssel zum Erfolg ist.«

»Die Frauen hier brauchen keine Bildung«, sagte Lucrecia bitter. »Außerdem hat die Schule schon seit über zwei Jahren geschlossen.«

»Seit über zwei Jahren? Wie furchtbar!«

Virgelina reichte Cleotilde die Kerze und eine leere Coca-Cola-Dose, die als Kerzenhalter dienen sollte. »Die Bürgermeisterin hat uns versprochen, dass die Schule bald wieder geöffnet wird«, sagte das Mädchen leise. »Sobald ein neuer Lehrer gefunden ist.«

»Ein Lehrer?«, sagte Cleotilde und stand auf. »Na, wenn das kein Zufall ist! Ich bin nämlich Lehrerin von Beruf.«

»Wenn Sie Interesse haben, können Sie ja morgen im Rathaus vorbeisehen«, schlug Lucrecia vor. »Die Bürgermeisterin spricht schon die ganze Woche mit allen möglichen Bewerbern.«

»Sie wissen nicht zufällig etwas über das Gehalt? Obwohl das bei einer alleinstehenden Frau ohne finanzielle Verpflichtungen eigentlich sowieso keine Rolle spielt. Natürlich müsste ich ein Zimmer mieten, und ganz ohne Essen kommt man schließlich auch nicht aus, aber sonst gibt man in einem Dorf wie diesem ja bestimmt nicht viel Geld aus, oder? Was? So viel für ein Schweinekotelett? Na ja, ich mache mir sowieso nichts aus Fleisch. Davon kriegt man bloß Arthritis. Wie, genau Ihr Leiden? Dann kann ich Ihnen ein hervorragendes Rezept verraten: Zerstoßen Sie einen lebenden Skorpion und geben Sie die Überreste für einen Monat in eine Flasche mit Franzbranntwein. Dann reiben Sie sich jeden Abend vor dem Zubettgehen die schmerzenden Glieder damit ein. Eine wahre Gottesgabe. Ein Indianer hat mir davon erzählt, nun ja, genau genommen eine Indianerin, Männer haben ja keine Ahnung von Frauenleiden. Im Grunde haben sie überhaupt keine Ahnung von Frauen, nicht den kleinsten Schimmer. Nein, ich bin nicht verheiratet. Alle Männer, die ich in meinem Leben kennengelernt habe, waren Schweine. Aber vielleicht sind die Männer hier ja anders ... Wie, hier gibt's keine Männer? Nur den Priester? Wirklich? Kommunistische Rebellen? Also, das ist ja wunderbar. Na ja, schrecklich, aber eben auch wunderbar. Ich habe von Dörfern gehört, in denen nur noch Witwen leben, aber ich selbst bin noch nie in einem solchen Ort gewesen. Ja, ja, der Krieg, immer der Krieg. Männer führen dauernd Krieg, und wir Frauen müssen die Konsequenzen tragen. Zumindest mussten Sie nicht fliehen und alles zurücklassen, wie so viele andere Menschen ... Nun ja, erzählen Sie mir doch mal was über Ihre Bürgermeisterin? Ist sie nett? Ach, tatsächlich? Tja, wer ist schon perfekt? Ja, ich denke schon, dass ich mich bewerben werde. Und sei es nur aus Spaß an der Freud, weil ich mir kaum vorstellen kann, hier zu bleiben. Na gut, wenn Sie darauf bestehen, trinke ich doch einen Kaffee. Aber nur eine halbe Tasse. Danke.«

Am folgenden Morgen stand Cleotilde wie gewöhnlich um fünf Uhr auf; sie stieg jeden Tag um die gleiche Uhrzeit aus den Federn, egal wo sie schlief oder wie spät sie zu Bett gegangen war. Sie kleidete sich im Halbdunkel des Wohnzimmers an, wo Virgelina die Hängematte für sie eingerichtet hatte: einen schwarzen Hosenanzug und schwarze Sportschuhe. Dann ging sie hinaus in den diesigen Morgen, in der Hand einen alten schwarzen Aktenkoffer, in dem sie Zeugnisse und Empfehlungsschreiben aufbewahrte. Da Cleotilde davon ausging, dass an jenem Morgen noch andere Bewerber vorsprechen würden, wollte sie auf jeden Fall die Erste sein. Sie war zuversichtlich, dass sie die Stelle kriegen würde. In ihrer langen Laufbahn als Lehrerin hatte sie noch jeden Posten bekommen, auf den sie sich beworben hatte. Doch bevor sie die Stelle annahm, musste sie sich davon überzeugen, dass Mariquita ein Ort des Friedens war, wo sie den Rest ihrer Tage verbringen konnte, ein Ort, an dem sie sich sicher fühlen und, wie sie gern zu sagen pflegte, dem Himmel nah sein konnte.

Einen Moment lang fühlte sich der Aktenkoffer schwerer an als sonst. Aber was versuchte sie sich eigentlich weiszumachen? Das Köfferchen beherbergte seit Jahren dieselben Unterlagen; nur sie war eben nicht mehr dieselbe. Sie war alt geworden, alt und gebrechlich, egal wie aufrecht sie sich hielt oder wie autoritär ihre Stimme klingen mochte, wenn sie ungezogene Kinder zurechtwies – sie war nichts weiter als eine gebrechliche alte Frau, die Angst vor tausend Dingen hatte. Am meisten fürchtete sie sich vor der Nacht, vor dem undurchdringlichen Dunkel, in dem so viel Grässliches geschah, vor der anhaltenden Stille, dieser grauenhaften Abwesenheit aller Geräusche, vor den weinenden Geistern, die sie in jeder Ecke sah, und vor dem furchtbaren Traum, der sie ständig verfolgte und Nacht für Nacht quälte: ein Traum von Männern, Blut und roten Samtvorhängen.

Die Sonne begann zu scheinen, fiel auf die Terrakottaziegel, mit denen die meisten Häuser gedeckt waren, die Regenpfützen auf den ungepflasterten Straßen und die langen dunklen Haare einer kleinen Gruppe junger Frauen, die große Körbe mit schmutziger Wäsche auf ihren Köpfen transportierten, sangen und lachten. Neugierig musterten sie Cleotilde im Vorübergehen. Die einzigen Besucher, die dieser Tage in Mariquita haltmachten, waren Wahrsagerinnen, Quacksalber, Flüchtlinge, heimatlose Familien und Leute, die sich verfahren hatten. Gelegentlich kam eine Karawane fahrender Händler durch den Ort. Ihre Maultiere schleppten Waren, die sich die Dorfbewohner entweder nicht leisten oder die sie schlicht nicht gebrauchen konnten – Parfüm, Coca-Cola, Rasierzeug –, aber doch auch so manch Unentbehrliches: Kohle,

Kerzen, Petroleum, Bohnerwachs für die Bürgermeisterin sowie Hostien und Wein für den Priester.

»Guten Morgen, Señora«, rief eine der Frauen.

»Señorita«, berichtigte Cleotilde, aber sie sprach so leise, dass die Frauen es nicht mitbekamen. Dennoch kam Cleotilde erneut zu dem Schluss, dass die Bewohnerinnen von Mariquita anständige und nette Menschen waren. An der nächsten Straßenecke bog sie links ab; ein Stück weiter vor sich sah sie einen Jungen und ein Mädchen mit einem laut fiependen Hund. Sie beschloss, ihre künftigen Schüler zu grüßen. Bestimmt waren sie scheu und zurückhaltend, wie so viele Dorfkinder; sie würde die beiden mit Samthandschuhen anfassen. Als sie nahe genug herangekommen war, schob sie die Brille auf die Nasenspitze und erkannte, dass die beiden barfuß waren und nichts als Lumpen am Leib trugen. Außerdem sah sie zu ihrem Schrecken, dass die Kleine dem Hund die Schnauze zuhielt, während ihm der Junge einen Stock in den Hintern zwang.

»He, was macht ihr denn da?«, schrie Cleotilde und versetzte dem Jungen einen Schlag auf den Rücken. Der Junge ließ den Hund los und trat Cleotilde hart vors Schienbein. »Blöde alte Kuh!«, brüllte er. Dann rannten er und das Mädchen lachend davon, so wie auch der Hund, dem der Stock nach wie vor aus dem Hinterteil ragte. Cleotilde war außer sich vor Wut. Sie hockte sich auf den Bordstein und sah nach ihrem Bein. Nur eine kleine rote Stelle. Nichts Schlimmes, und für gewöhnlich bekam sie auch nicht so schnell blaue Flecken wie andere alte Frauen.

Sie nahm ihren Aktenkoffer und hinkte zwei Häuserblocks weiter, wobei sie alle Hände voll damit zu tun hatte, die Hunde und Katzen zu verscheuchen, die sie um Futter anbettelten. An der nächsten Ecke wandte sie sich nach rechts und stieß auf eine Horde halbnackter Kinder, die sich unter einem Mangobaum versammelt hatten und auf Cleotilde einen zivilisierteren Eindruck machten als die beiden anderen. »Guten Morgen, Kinder!«, flötete sie. »Wie geht es euch?«

Die Kinder lachten und begannen, miteinander zu tuscheln.

»Ist das nicht ein wunderschöner Morgen?« Cleotilde sah zum Himmel auf und lächelte erfreut. Es war wirklich ein wunderschöner Morgen. »Wie heißt du, Junge?«, fragte sie einen schlaksigen Burschen, der sich in der Armbeuge kratzte.

Der Junge warf seinen Freunden einen raschen Blick zu, als warte er auf ihre Genehmigung, und sagte dann grinsend: »Ich heiße Vietnam Calderón, aber alle nennen mich El Diablo.« Er zog eine Fratze und machte: »Buuuuuuhhh!« Seine Freunde lachten.

»Das ist aber nicht besonders höflich von dir«, sagte Cleotilde ruhig. Unter anderen Umständen hätte sie den Burschen blitzschnell am Ohr gepackt, ihm eine Ohrfeige verpasst und ihn gezwungen, sich auf den Knien bei ihr zu entschuldigen – und anschließend hätte er hundert Mal »Ich muss Erwachsenen mit Respekt begegnen« schreiben dürfen. Aber sie war gerade erst in Mariquita angekommen und kannte weder die Jungen noch ihre Mütter. Sie musterte ihn mit Adleraugen, um sich genau an ihn zu erinnern, falls er ihr wieder über den Weg laufen sollte.

»Ich bin Señorita Cleotilde Guarnizo«, sagte sie streng. »Sieh dich bloß vor – ich könnte deine neue Lehrerin sein!«

»Wir wollen keine Lehrerin!«, rief ein kleines Mädchen.

»Hauen Sie ab«, ertönte die Stimme eines anderen Jungen. Kurz darauf riefen alle zusammen: »Hauen Sie ab! Hauen Sie ab!«

Na wartet! Hätte ich bloß ein Lineal dabei, dachte Cleotilde.

»Hauen Sie ab! Hauen Sie ab!«

Sie warf ihnen einen missbilligenden Blick zu, wandte sich um und ging weiter in Richtung Dorfplatz. Sie hatte kaum mehr als ein paar Schritte getan, als sie am Rücken von einem Kieselstein getroffen wurde. Ihre rechte Hand ballte sich zur Faust; abrupt drehte sie sich den Kindern zu, während sich ihre Wangen zornrot verfärbten. Die Kinder musterten sie herausfordernd, plötzlich allesamt mit Schleudern bewaffnet, deren Gummibänder sie weit zurückgezogen hatten, bereit, die alte Frau mit einem Hagel aus Kieselsteinen zu bombardieren.

»Ihr kleinen Dreckskerle!«, brüllte sie und hielt den Aktenkoffer schützend vor sich – eine Maßnahme zur rechten Zeit, da im selben Moment Dutzende von Kieseln auf sie zuflogen. Die meisten trafen sie an den Beinen, aber auch an den Fingern, die den Aktenkoffer hielten. »Ihr Nichtsnutze!«, schrie sie. »Elendes Lumpenpack!« Die Kinder rannten lachend weg und gratulierten sich gegenseitig zu ihrer Treffsicherheit.

Cleotilde zitterte vor Wut. Falls sie tatsächlich in Mariquita bleiben sollte – was sie nach dem Vorfall ernsthaft bezweifelte –, würde sie diese Herabsetzung ihrer Person gehörig bestrafen. Sie überlegte gerade, wie die Bestrafung aussehen sollte, als fünf schwarz gekleidete Frauen um die Ecke bogen, mit leicht gesenkten Köpfen und vor der Brust gefalteten Händen. Im Gehen sangen die Frauen inbrünstig eine einheimische Version des Halleluja. Wahrscheinlich die Mütter von einigen der Gören, dachte Cleotilde im Vorübergehen. Sie folgte der ungepflasterten Straße, bis sich das Gespött der Kinder und der Gesang ihrer gleichgültigen Mütter in der Ferne verloren.

───────

Cleotilde war die erste und einzige Bewerberin an diesem Tag. Den Aktenkoffer auf dem Schoß, saß sie schweigend im Wartezimmer vor dem Büro der Bürgermeisterin. Sie faltete die zitternden Hände und beschloss, den Vorfall mit den Kindern zu vergessen und sich ganz auf das Bewerbungsgespräch zu konzentrieren. Was ihr aber nicht gelang, da Cecilia Guaraya, die Sekretärin der Bürgermeisterin, auf eine rostige alte Schreibmaschine einhämmerte, deren Farbband immer wieder heraussprang, und dabei lautstark vor sich hin fluchte. »Verdammt noch mal, du vermaledeites Rabenaas! Verdammter Haufen Schweinescheiße!«, keifte sie.

Nach einer kleinen Ewigkeit trat eine breithüftige Frau aus dem Büro der Bürgermeisterin, in der einen Hand einen Eimer, in der anderen einen Reisigbesen. Sie trug ein farbenfrohes Kopftuch und eine Schürze über ihrem schwarzen Kleid. Cleotilde war verblüfft. Wenn die Bürgermeisterin sich eine Putzfrau leisten kann, dann ja wohl auch eine Spitzenpädagogin wie mich, dachte sie. Währenddessen hatte die Frau ihr Putzzeug neben Cecilias Schreibtisch abgestellt und wischte sich nun die Hände an der Schürze ab. Die Schürze war völlig verschlissen, und auch die komplett abgetretenen Schuhe gaben Cleotilde schwer zu denken. Vielleicht lag sie ja falsch, und die Ärmste wurde mit einem Hungerlohn abgespeist. Dann hatte sie eine Idee – eine ausgesprochen schlechte Idee. Sie wartete, bis die Frau in ihre Richtung sah und winkte sie zu sich.

Die Frau musterte sie irritiert. Dann sah sie stirnrunzelnd zu Cecilia hinüber, doch diese war ganz und gar in ihre Arbeit vertieft. Zögernd näherte sie sich Cleotilde.

»Was zahlt sie Ihnen fürs Putzen?«, flüsterte Cleotilde und deutete zum Büro der Bürgermeisterin.

»Wie bitte?«, fragte die Frau mit beleidigter Miene.

»Was zahlt Ihnen die Bürgermeisterin?«, wiederholte Cleotilde leise.

»Ich bin die Bürgermeisterin«, sagte die Frau.

Cleotilde bedeckte den Mund mit den Fingerspitzen und lachte nervös. »Verzeihen Sie mir«, brachte sie hervor. Sie erhob sich von ihrem Stuhl. »Cleotilde Guarnizo, Ihre ergebenste Dienerin.«

»Rosalba viuda de Patiño«, gab die andere barsch zurück. »Bürgermeisterin von Mariquita.«

Keine von beiden unternahm auch nur den geringsten Versuch, der anderen die Hand zu schütteln.

Die Bürgermeisterin war außer sich vor Wut. Ihre Sekretärin hatte sie bereits über die wartende Fremde unterrichtet und vorgewarnt. »Sonderbare Frau«, hatte Cecilia gesagt, und nun, während Rosalba der Alten von Angesicht zu Angesicht gegenüberstand, kam sie zu dem Schluss, dass die Dame in der Tat sonderbar war. »Treten Sie ein«, sagte sie und fragte sich, wann die Fremde im Dorf angekommen war, woher sie kam, bei wem sie wohnte und vor allem, warum sie, die Bürgermeisterin, nicht darüber informiert worden war. Was, wenn sie von der Regierung geschickt worden war? Was, wenn irgendein Regierungsbeamter endlich den offiziellen Bericht zur Volkszählung erhalten hatte, der schon vor einer Ewigkeit erledigt, von Cecilia abgetippt und abgeschickt worden war?

»Danke«, antwortete Cleotilde und betrat Rosalbas Büro. Die Lehrerin war mittlerweile zu der Überzeugung gelangt, dass der Irrtum auf die Kappe der Bürgermeisterin ging. Ja, sie hatte durchaus schon mit dem einen oder anderen Bürgermeister, sogar mit Gouverneuren zu tun gehabt, war aber noch nie von einer Würdenträgerin empfangen worden, die sich als Reinemachefrau verkleidete – absolut unschicklich für jemanden in derartiger Position! Und was, bitte schön, hatten die Stapel von Putzlappen auf dem Fensterbrett zu suchen? Und dieser Geruch! Die Gute musste Unmengen Bohnerwachs auf den Boden gekippt haben!

»Nehmen Sie doch bitte Platz.« Rosalba wies auf einen armseligen Sessel, durch dessen Risse und Löcher die Polsterung quoll. »Meine Sekretärin sagte, Sie wollen sich hier als Lehrerin bewerben.«

»Das ist korrekt.«

»Gut. Dann fangen wir doch einfach an. Haben Sie denn Erfahrung in diesem Beruf, Señora Guarnizo?«

»Señorita, Frau Bürgermeisterin«, berichtigte die alte Frau. »Ja, ich blicke auf fast fünfzig Jahre Unterrichtserfahrung zurück, von denen siebenundzwanzig durch die Cartas de Recomendación beglaubigt sind, die meinem Lebenslauf beiliegen.«

»Sehr gut, Señorita Guarnizo, sehr gut«, sagte Rosalba, ein wenig eingeschüchtert von der Reibeisenstimme der Lehrerin und dem akribisch organisierten Inhalt des voluminösen Aktenkoffers, den Cleotilde sorgfältig auf dem Schreibtisch auszubreiten begann. Die Unterlagen steckten in diversen beschrifteten Fächern, die penibel nach Schulen, Fächern, Beschäftigungszeiträumen, Auszeichnungen und Empfehlungsschreiben geordnet waren. Es gab sogar ein Fach mit Fotos und Lebensläufen von angesehenen Bürgern, die sie in den vergangenen siebenundzwanzig Jahren unterrichtet hatte: von Ärzten, Anwälten, Architekten und Schönheitsköniginnen.

»Ich bin beeindruckt, Señora Guarnizo, aber ...«

»Señorita, Frau Bürgermeisterin!«, unterbrach sie die Lehrerin. »Wenn man siebenundsechzig Jahre in Keuschheit gelebt hat, möchte man auch entsprechend angeredet werden.«

»Vergeben Sie mir, Señorita Guarnizo. Irgendwie fühle ich mich ein wenig gehemmt, jemanden mit ›Señorita‹ anzusprechen, der älter ist als ich. Das kommt mir schon fast impertinent vor.« Völlig perplex über das selbstbewusste Auftreten der alten Dame, gab Rosalba sich alle Mühe, einen ähnlich gewählten Tonfall anzuschlagen. »Nun ja, wie gesagt, ich bin ausgesprochen beeindruckt von Ihren Zeugnissen aus den letzten siebenundzwanzig Jahren – aber wo haben Sie denn vorher gearbeitet?«

»Tut mir Leid, Frau Bürgermeisterin, aber die Frage kann ich aus persönlichen Gründen nicht beantworten.« Cleotildes Antwort zog ein langes, unangenehmes Schweigen nach sich, das sie selbst brechen musste, da Rosalba so tat, als würde sie die Bewerbungsunterlagen der Lehrerin Wort für Wort durchlesen. »Haben Sie noch weitere Fragen, Frau Bürgermeisterin? Was meine aktuellere Laufbahn betrifft, stehe ich Ihnen selbstverständlich gern Rede und Antwort.«

»Tja«, sagte Rosalba und schloss die Bewerbungsmappe. Sie wog sorgfältig ab, was sie fragen sollte. Schlau musste es klingen. »Haben Sie sich denn schon ein Konzept zurechtgelegt, Señorita Guarnizo?«

»Wenn Sie mir die Stelle anbieten, werde ich umgehend eines entwickeln. In dem Fall werde ich zuerst mit meinen künftigen

Schülern sprechen, um mich über ihren derzeitigen Wissensstand zu informieren.«

»Sehr gut. Aber wissen Sie auch schon, welche Fächer Sie unterrichten wollen? Nun ja, meine eigene Schulzeit ist schon Ewigkeiten her. Ich weiß nicht mal, was heute überhaupt auf dem Lehrplan steht.«

»Lesen und Schreiben verstehen sich von selbst. Darüber hinaus kann ich Hauswirtschaft, Mathematik, Gemeinschaftskunde, Geografie und Ethik unterrichten.«

»Und was ist mit kolumbianischer Geschichte? Das war immer mein Lieblingsfach.«

»Auch dieses Fach könnte ich geben, Frau Bürgermeisterin«, sagte Cleotilde. »Ich werde es aber nicht tun.« Mit dem Zeigefinger schob sie ihre Brille zurück. »Und falls Sie vorhaben, mich nach dem Anlass zu fragen, muss ich Ihnen mitteilen, dass auch hier persönliche Gründe vorliegen.«

Rosalba fragte sich, ob Cleotilde zwanzig Jahre lang im Gefängnis gewesen war. *Wer zwanzig Jahre lang sitzt, muss jemanden umgebracht haben.* Oder sie hatte die Zeit im Irrenhaus zugebracht. *Ja, sie sieht wirklich so aus, als hätte sie nicht alle Tassen im Schrank.* Oder die Señorita war vorher ein Señor gewesen. *Ein derartiger Damenbart ist doch nicht normal.*

»Schon gut.« Die Bürgermeisterin wich dem stechenden Blick der Lehrerin aus. »Unsere Kinder verfügen über Kenntnisse aus erster Hand, was Bürgerkriege und Massaker angeht. Damit hätten wir schon mal die halbe Geschichte unseres Landes abgehandelt.«

»Von wie vielen Schülern sprechen wir eigentlich, Frau Bürgermeisterin?«

Wie aufs Stichwort öffnete Rosalba eine Schublade und förderte ein Blatt Papier zutage. »Unserer letzten Volkszählung zufolge leben in unserem Dorf neunundneunzig Menschen, davon ... nun ja, Kinder werden so schnell groß, dass ich immer mal wieder ein oder zwei zu den Erwachsenen rechnen muss. Also: siebenunddreißig Witwen plus fünfundvierzig unverheiratete

Frauen, minus ...« Sie senkte die Stimme und rechnete im Kopf weiter. »Fünfzehn Kinder!«, verkündete sie schließlich. »Aber ein paar von unseren jungen Frauen werden bestimmt ebenfalls das eine oder andere lernen wollen. Alles in allem also etwa zwanzig Schüler, würde ich sagen.«

»Genau die richtige Anzahl«, erwiderte Cleotilde.

Plötzlich stach der Bürgermeisterin eine Wollmaus auf dem Fußboden ins Auge. Sie verstand beim besten Willen nicht, wie es der Staubflocke gelungen war, Besen und Mopp zu entkommen. Im ersten Moment wollte sie die Wollmaus aufklauben, doch in der dräuenden Gegenwart Cleotildes fühlte sie sich befangen und unsicher.

»Tja, Sie scheinen ja alle Anforderungen zu erfüllen.« Rosalba sah wieder zur Wand. Diesmal wich sie nicht nur Cleotildes Blick aus, sondern vermied es obendrein, die Wollmaus anzusehen, die sie gleichermaßen anzustarren schien. »Ich werde in den nächsten zwei Tagen eine Entscheidung treffen und sie dann öffentlich bekannt geben.«

»Ich werde Ihre Entscheidung abwarten, Frau Bürgermeisterin«, gab Cleotilde zurück. »Sicher werden Sie dabei auch die mannigfachen Vorteile berücksichtigen, die eine Person mitbringt, die nicht bloß über beträchtliche Kenntnisse verfügt, sondern obendrein Disziplin und gutes Betragen vermitteln kann – Tugenden, die den Kindern dieses Ortes offenbar abhanden gekommen sind, und ...«

»Oh, glauben Sie mir, Señorita Guarnizo, die Polizei und ich sind uns der momentanen Situation sehr wohl bewusst. Tatsächlich ist das sogar der Hauptgrund, weshalb wir die Schule wiedereröffnen wollen. Selbstverständlich werde ich die von Ihnen erwähnten Punkte bei der Besetzung der Stelle berücksichtigen. Wenn Sie mich jetzt entschuldigen würden – mein Terminplan ist randvoll.«

Beide Frauen setzten ein gekünsteltes Lächeln auf.

Dann geschah etwas Seltsames. Als Cleotilde sich von dem

ramponierten Sessel erhob und ihr Gesicht auf gleicher Höhe mit dem gerahmten Porträt des Präsidenten war, stach der Bürgermeisterin jäh ins Auge, dass beide auf die gleiche Weise lächelten. Außerdem schien Cleotilde während des Bewerbungsgesprächs mehrere Zentimeter gewachsen zu sein; tatsächlich wirkte die Lehrerin größer als jede Frau, die Rosalba bisher gesehen hatte.
»Einen schönen Tag noch, Señorita Guarnizo«, brachte sie hervor, während sie so tat, als würde sie etwas in ihr Notizbuch schreiben, das falsch herum vor ihr lag.

Sobald Cleotilde das Amtszimmer verlassen hatte, klaubte die Bürgermeisterin die Wollmaus vom Boden auf und warf sie in den Papierkorb. »Was ist bloß los mit mir?«, fragte sie sich. »Ich kann mich doch nicht so einfach von einer alten Jungfer einschüchtern lassen, und dann auch noch in meinem eigenen Büro!« Zuletzt hatte sie sich mit sechzehn so gefühlt, als ihre böse Stiefmutter ihr das Leben schwer gemacht hatte.

Doch Rosalba war kein naives junges Mädchen mehr. »Ich bin doch kein naives junges Mädchen mehr.« Sie war eine kluge, gewitzte und erfahrene Frau. »Ich bin eine kluge, gewitzte und erfahrene Frau.« Unmöglich, dass sie sich von einer verrückten alten Jungfer den Schneid abkaufen ließ, die in ihr Büro kam, sie von oben herab behandelte, einen auf oberschlau machte und so tat, als sei sie gebildeter und qualifizierter als die Bürgermeisterin selbst. »Wie kann sie nur ganz in Schwarz hierher kommen, obwohl sie gar keine Witwe ist, und dann auch noch in Sportschuhen, obwohl sie kaum laufen kann?«

Rosalba gab Cecilia den Auftrag, sich umzuhören und so schnell wie möglich herauszufinden, was es mit der mysteriösen Fremden auf sich hatte.

Nach dem Bewerbungsgespräch begab sich Cleotilde zum Markt. Sie setzte sich an einen rustikalen Tisch unter einer Zeltplane, wo die Witwe Morales und ihre Tochter Julia – früher ihr Sohn Julio César – Essen zubereiteten. Cleotilde ignorierte die forschenden Blicke der beiden und bestellte ein Frühstück. Während sie darauf wartete, erinnerte sie sich an ihren Zusammenstoß mit den Kindern und fragte sich, ob sie – sie war felsenfest davon überzeugt, dass die Bürgermeisterin sich für sie entscheiden würde – die Stelle annehmen und bleiben sollte. Der Gedanke, in einem abgelegenen Dorf ohne Männer zu leben, war sehr verlockend, doch das Verhalten der Kinder behagte ihr ganz und gar nicht, ebenso wie die Einstellung der Mütter, denen es völlig egal zu sein schien, wie ihre Rangen sich aufführten.

Julia Morales stellte eine Tasse mit dampfendem schwarzen Kaffee vor Cleotilde hin, ging zum Grill und legte einen vorgebackenen Arepa auf die schwache Glut. Die alte Frau blickte ihr hinterher und dachte, dass das Mädchen irgendwie merkwürdig aussah. Vielleicht war es das auffällige Make-up, das die Kleine leicht tuntenhaft wirken ließ. Sie nippte an ihrem Kaffee und ließ den Blick über den Marktplatz schweifen, in der Hoffnung, irgendetwas zu erblicken, das ihre Meinung über Mariquita ändern möchte. Ein halbes Dutzend Stände verteilte sich über den Platz. Unter verblichenen Zeltplanen verkauften oder tauschten die Dorfbewohner Kerzen, Kohle, Petroleum, Essen und Getränke. Auf leeren Säcken lagen Kartoffeln, Zwiebeln, Maiskolben und Orangen. Keine besonders große Auswahl, dachte Cleotilde, aber sie hatte schon Schlimmeres gesehen. Im Zentrum des Marktplatzes befand sich eine offene Feuerstelle, vor der eine verwirrt aussehende alte Frau hockte und schwitzend in einem Topf mit Wasser rührte; etwas weiter abseits fraß ein Burro an einem Bündel Platanenblätter, während Hunde und Katzen auf der Suche nach etwas Essbarem herumstreunten. Unvermittelt kamen ein paar kaum voneinander unterscheidbare Jungen um eine Ecke gerannt. Einen von ihnen aber erkannte Cleotilde sofort wieder: Vietnam Calderón, »El Diablo«.

»Wir haben einen! Wir haben einen!«, riefen die Jungs aufgeregt. Sie versammelten sich um die augenscheinlich Verrückte und reichten ihr den Vogel, den sie mit ihren Schleudern getötet hatten. Mit zahnlosem Lächeln tauchte die Frau den Vogel in das heiße Wasser, nahm ihn wieder heraus und begann das Tier zu rupfen, während die Jungen wild durcheinander erzählten, wie sie den Vogel erbeutet hatten.

»Das sind prächtige Jungs«, sagte die Witwe Morales, die den geringschätzigen Blick Cleotildes bemerkt hatte. »Machen sich extra die Mühe, der Witwe Jaramillo etwas zum Beißen zu bringen. Die arme Frau ist geistesgestört und hat niemanden, der sich um sie kümmert.« Sie nickte nachdrücklich. »Ja, wirklich prächtige Jungs.«

»Wilde Bestien sind das«, gab Cleotilde barsch zurück. Sie hoffte, dass die Witwe die Mutter von einem der Bengel war. Dann würde sie ihr ordentlich die Meinung geigen.

Die Witwe Morales trat näher und flüsterte: »Sehen Sie die beiden Jungs da drüben, rechts neben dem Burro? Der Größere heißt Trotsky, der andere Vietnam. Die armen Kerle wurden gezwungen, bei der Hinrichtung ihrer Väter zuzusehen «

Die Eröffnung der Witwe traf Cleotilde wie ein Faustschlag. Sie runzelte die Stirn und biss sich auf die Nägel. »Kann ich jetzt endlich meinen Arepa haben?«, sagte sie.

Julia wandte sich um und bedeutete ihrer Mutter, dass der Maisfladen noch nicht gar war. »Noch nicht fertig«, sagte die Witwe.

»Macht nichts«, sagte Cleotilde. »Dann nehme ich ihn eben so!« Julia drehte den Fladen um und zog eine abfällige Miene, was Cleotilde aber nicht mitbekam, da sie sich wieder auf die Kinder konzentrierte. »Ihre Mütter scheinen sich ja nicht sonderlich um sie zu kümmern.«

»Mag schon sein, werte Dame«, gab die Witwe Morales zurück.

»Aber die armen Frauen haben weiß Gott genug zu tun, um ein Stück Brot auf den Tisch zu zaubern.« Sie seufzte. »Als Witwe hat man's nicht leicht. Aber das ist Ihnen ja sicher bekannt.«

»Ach ja? Woher denn?«, schnauzte Cleotilde sie an. »Kann ich jetzt endlich mein Essen haben, bevor mir der Kragen platzt?«

Die Witwe ging zum Grill, fuhr ihre Tochter an, warum sie sich taub gestellt hatte, beförderte den Maisfladen auf einen Teller und setzte ihn der alten Frau vor. »Ich bin Victoria viuda de Morales«, sagte sie und hielt ihr die Hand hin.

»Mehr Kaffee«, erwiderte Cleotilde schroff und drückte der Witwe die leere Tasse in die ausgestreckte Hand.

Während sie ihr Frühstück aß, dachte Cleotilde über die Worte der Witwe Morales nach. Vielleicht waren die Kinder von Mariquita ja gar nicht mit Absicht böse. Vielleicht hatten der Krieg und die erlebte Gewalt sie so abgestumpft, dass sie es überhaupt nicht merkten, wenn sie anderen etwas antaten. Die meisten Mörder fingen ebenso an, quälten Tiere und schossen mit Schleudern auf wehrlose alte Frauen, und kaum hatte man sich versehen, trugen sie bereits Waffen und brachten andere Menschen um – auf denkbar abscheulichste Art und Weise, da die Dreckskerle sich nicht mal die Mühe machten, wenigstens das Töten richtig zu lernen. Aber so düster die Zukunft auch aussehen mochte, Cleotilde konnte sie davor retten. Wenn sie die Stelle annahm, konnte sie ihnen Disziplin und Manieren beibringen und anständige Burschen aus ihnen machen. Was die Mütter anging, so kam sie zu dem Schluss, dass diese bloß beschränkte Bauernweiber waren, die ihre einzige Verantwortung darin sahen, ihre Kinder irgendwie satt zu kriegen. Sollte Cleotilde in Mariquita bleiben, würde sie das eine oder andere Wort mit ihnen reden müssen.

Als Cleotilde ihr Frühstück beendet hatte, war die Witwe Morales gegangen. Julia saß allein an einem kleinen Tisch und schälte dicke rote Kartoffeln. »Was macht es denn?«, fragte Cleotilde. Sie hoffte, es würde nicht mehr als fünfhundert Pesos kosten. Ihr ging nämlich langsam das Geld aus.

Doch Julia war gar nicht auf Geld aus. Das Mädchen kam an Cleotildes Tisch und musterte sie unverblümt von oben bis unten. Sie deutete auf den goldenen Ring, den die alte Frau an der rechten Hand trug.

»Wie bitte?«, entfuhr es der Lehrerin. »Der Ring ist unverkäuflich, Kleine. Meine Mutter hat ihn mir einst geschenkt, und ich habe ihn noch nie abgenommen.«

Julia senkte den Kopf, begann mit den Fingern zu zählen und gab Cleotilde schließlich zu verstehen, dass sie ihr für das Schmuckstück fünfzehn Tage lang je drei Mahlzeiten bereiten würde.

Cleotilde warf einen Blick auf den Ring. Sollte sie tatsächlich in Mariquita bleiben, war das ein durchaus diskutables Angebot. Andererseits stellte der Ring die einzige Verbindung zu ihrer Vergangenheit dar. Außerdem war er untrennbar mit ihrem grauenhaften, unaufhörlich wiederkehrenden Traum verbunden, jenem Traum von Männern, Blut und roten Samtvorhängen. »Drei Mahlzeiten am Tag für zwei Monate, und der Ring gehört dir«, sagte sie. »Er ist aus 24 Karat Gold!«

Julia trat ein Stück näher und beugte sich vor, um den Ring genauer zu begutachten. Er war wie eine Python geformt; zwei winzige rote Steine bildeten die Augen. Julia hatte noch nie so etwas gesehen. Na gut, dann eben zwei Monate, signalisierte sie mit einem tiefen Seufzer.

Nachdem sie das Geschäft mit einem Handschlag besiegelt hatten, versuchte Cleotilde, den Ring von ihrem Finger zu ziehen, doch gelang es ihr einfach nicht, ihn zu lösen, weshalb Julia – die überaus gewissenhaft sein konnte, wenn es darauf ankam – eine Blechdose mit altem, stinkenden Fett herbeiholte, das zum Braten wiederverwendet werden sollte. Sie nahm ein wenig Fett heraus, schmierte Cleotildes Finger ein und versuchte, den Ring zu entfernen. In dem Augenblick, als Julia zu ziehen und zerren begann, fühlte Cleotilde sich, als würde ihr Gedächtnis zusammengequetscht, und ein Wirrwarr verschiedenster Erinnerungsfetzen stürmte auf sie ein – zornige Männer, Macheten, ein goldener Ring, Ringelblumen, Blut, Schreie. Und dann fügte sich langsam alles zusammen, und sie durchlebte noch einmal das furchtbarste Ereignis ihres Lebens.

Als würde vor ihrem inneren Auge ein Film abgespult, sah Cleotilde plötzlich die weißen, mit Terrakottaziegeln gedeckten Häuser eines kleinen Dorfs vor sich, Vorgärten, in denen goldfarbene Ringelblumen blühten. Das Dorf hieß San Gil, wie sie sich erinnerte. Dort lebte in einem kleinen Haus eine junge Frau namens Milagro, zusammen mit ihren Eltern und ihren Brüdern. Sie unterrichtete Geschichte an der Schule; sie war eine gute Lehrerin, die jeden der vielen Bürgerkriege des Landes so anschaulich schildern konnte, als sei sie selbst dabei gewesen, und Jahr für Jahr berichtete sie von den Streitigkeiten der beiden angestammten Parteien, die ohnehin zu keinem Ergebnis führten.

Eines Abends saß sie auf den Stufen vor ihrem Haus, als eine große Gruppe machetenbewaffneter Männer die Straße hinaufstürmte und antiliberale Parolen brüllte. Sie lief nach drinnen und versteckte sich hinter einem roten Samtvorhang. Von ihrem Versteck aus beobachtete Milagro, wie die Männer ihrem Vater die Augen ausstachen und ihrer Mutter die Fingernägel ausrissen, bevor sie sie mit ihren Macheten in Stücke hackten. Danach köpften die Männer ihre jüngeren Brüder und verstümmelten ihre Leichen. Ehe sie das Haus verließen, hörte einer der Männer Milagros Schluchzen. Er fand die zitternde junge Frau hinter dem Vorhang; mit beiden Händen hielt sie den Mund bedeckt. Er lachte und zwang sie zu Boden. Milagro leistete keinen Widerstand, starrte an ihm vorbei ins Leere und biss die Zähne zusammen. Als er ihr Kleid zerriss, presste sie die Beine fest zusammen. Er schlug sie mitten ins Gesicht, und sie spannte jede Faser ihres Körpers an. Er presste seinen Mund auf ihren, drang gewaltsam in sie ein, und sie lag einfach nur da, biss weiter die Zähne zusammen. Als er fertig war, bemerkte er den goldenen Ring an ihrem Finger. Er packte ihre Hand, doch der Ring wollte sich nicht von ihrem Finger lösen, so fest er auch daran zog. Er wurde sauer, beschimpfte sie und zerrte weiter – ohne Erfolg. Er verfluchte sie, zog und riss und zerrte ...

»Hör auf!«, schrie Cleotilde die nichts ahnende Julia an, die immer noch versuchte, den Ring von ihrem Finger zu lösen. Cleotilde zitterte am ganzen Leib. Abrupt stand sie auf, blickte sich um und versuchte, in die Wirklichkeit zurückzufinden. Sie nahm die Leute um sich herum wahr, die Farbe des Himmels, die Formen der Dinge. Sie lauschte ihrem eigenen schweren Atem, dem Zwitschern der Vögel und dem Bellen der Hunde. Sie tastete ihre Arme, ihr Gesicht und ihre Haare ab und rieb sich die Oberschenkel, um ihr Kleid zu fühlen. Urplötzlich stampfte sie mit beiden Füßen auf und rief, an niemanden im Besonderen gerichtet: »Das ist doch schon ewig her, und sie hat überlebt! Milagro hat überlebt!«

Im Glauben, eine Verrückte vor sich zu haben, wich Julia zurück, ohne Cleotilde auch nur eine Sekunde aus den Augen zu lassen. Cleotilde sank wieder auf den Stuhl und gab sich dem Rest ihrer Erinnerungen hin, schloss die Augen und ließ Bilder und Geräusche, Gerüche und Empfindungen aus ihrem tiefsten Inneren an die Oberfläche dringen.

Sie sah Milagro weinen, als sie die Leichen ihrer Angehörigen hinter dem Haus vergrub. Sie sah, wie sie sich Hunderten anderer Flüchtlinge anschloss, die sich ebenfalls in Sicherheit zu bringen versuchten. Dann sah sie, wie Milagro sich die Haare abschnitt und ihren Namen in Cleotilde Guarnizo änderte. Ihr unbändiger Hass auf Männer ließ sie nie mehr los. Unter ihrem neuen Namen zog sie von Ort zu Ort und unterrichtete ihre Schüler über die Geschichte des Landes, die sie auswendig herbeten konnte. Sie hatte ein erstaunliches Gedächtnis. Fragte sie aber jemand nach ihrem Geburtstag, ihrer Familie oder nach dem Grund, warum sie Männer so abgrundtief hasste, funktionierte Cleotildes Gedächtnis lange nicht so gut. An ihre eigene Vergangenheit konnte sie sich überhaupt nicht erinnern.

»*Sie ist ja leichenblass.*«
»*Sie zittert.*«
»*Vielleicht sollten wir Schwester Ramírez holen.*«
Wie von fern drangen leise Stimmen an die Ohren der alten Dame, geflüsterte Worte, die aus dem Nichts zu kommen schienen.
»*Ich glaube, sie träumt nur.*«
»*Werteste, wachen Sie auf!*«
Waren es Stimmen aus der Vergangenheit oder aus der Gegenwart?
»*Wer ist das überhaupt?*«
»*Sie ist auf der Durchreise. Wohnt bei den Saavedras.*«
»*Ich glaube, sie will weiter nach Dorada. Oder vielleicht nach Honda.*«
Im selben Moment fiel Cleotilde ein, wie sie mit siebenunddreißig (oder vielleicht achtunddreißig) beschlossen hatte, sich in Dorada niederzulassen (womöglich war es auch Honda gewesen). Bald darauf hatte sie eine Stelle an einer angesehenen Schule gefunden, wo sie ein auf den neuesten Stand gebrachtes Geschichtslehrbuch erhielt. Als sie ihren Unterricht vorzubereiten begann, fiel Cleotilde auf, dass sie ein paar der tragischen historischen Ereignisse, die dort geschildert waren, selbst erlebt hatte: den Bürgerkrieg von 1948, auch als *La Violencia* bekannt, in dem, aufgehetzt von den herrschenden Klassen, Tausende von mit Macheten bewaffneten Bauern andere Bauern abgeschlachtet hatten (Liberale schlugen Konservativen die Köpfe ab, und Konservative massakrierten Liberale), und die Militärdiktatur, die darauf gefolgt war. Die Berichte von Chaos, Leid, Hunger und Verwüstung wurden ergänzt von schreckenerregenden Fotos und Aussagen von Menschen, die wie Cleotilde hatten mit ansehen müssen, wie ihre Angehörigen und Freunde gefoltert und ermordet worden waren. Von einem Tag auf den anderen hörte Cleotilde auf, kolumbianische Geschichte zu unterrichten, und bald darauf war sie wieder unterwegs, zog auf der Flucht vor ihrer Vergangenheit von Dorf zu Dorf, immer in der Angst, in neue Bürgerkriege hinein-

zugeraten, die in diesem Land niemals endeten, zog weiter und weiter, beseelt von ihrem Hass auf die Männer, verfolgt von jenem grauenhaften Traum. Und dann war sie eines Abends schließlich in Mariquita angekommen.

Doch obwohl immer noch machtvoll, flößten ihr die Erinnerungen keine Angst mehr ein. Cleotilde atmete wieder ruhig und regelmäßig, und ihr Teint färbte sich wieder mit einem gesunden, rosigen Ton. Als sie die Augen aufschlug, sah sie in die Gesichter der Frauen, die sich um sie herum versammelt hatten.

»Geht es Ihnen besser?«, fragte die Witwe Morales. »Sie haben am ganzen Leib gezittert.«

»Und nach Luft gerungen«, fügte Francisca viuda de Gómez hinzu. Die anderen Frauen nickten.

Cleotilde erhob sich und sah mit leerem Blick in die Runde. »Mir geht es gut«, sagte sie. »Bestens sogar. Danke der Nachfrage.«

Als die anderen Frauen dies hörten, kehrten sie zu ihren Ständen zurück.

»Wo ist denn die Kleine?«, fragte Cleotilde die Witwe Morales. »Ihre Tochter. Wo ist sie?« Die Witwe deutete zu einem Tisch, an dem Julia Kartoffeln schälte. Cleotilde ging zu ihr. »Ich habe hier etwas, das dir gehört.« Sie zog den Ring in einer Bewegung vom Finger und legte ihn neben die Hand des Mädchens. »Es war die Hitze«, flüsterte sie. »Wenn es warm ist, schwellen meine Finger immer an.«

Julia steckte sich den Ring an den Mittelfinger und hielt die Hand hoch, um Cleotilde zu zeigen, wie gut ihr der Ring gefiel. Cleotilde lächelte. Dann wandte sie sich ab und ging die im Schatten der Mangobäume liegende Straße hinunter, verfolgt von den argwöhnischen Blicken der vielen Augenpaare an Ständen und Ecken.

Unterdessen befand sich Rosalba in ihrem Büro und überlegte, ob sie Cleotilde die Stelle anbieten sollte. In den letzten Tagen hatte sie vier weitere Kandidatinnen unter die Lupe genommen, von denen keine eine Bewerbungsmappe, Empfehlungsschreiben oder auch nur Berufserfahrung vorweisen konnte. Eine von ihnen, Magnolia Morales, war in Shorts und Hausschuhen und mit Lockenwicklern im Haar zum Bewerbungsgespräch erschienen. Als Rosalba sie gefragt hatte, inwiefern sie sich denn für die Stelle qualifiziert fühle, hatte Magnolia erwidert: »Weil ich lesen und schreiben und das Alphabet schneller rückwärts aufsagen kann als irgendwer sonst.« Eine andere Kandidatin, Francisca viuda de Gómez, hatte ein lebendiges, ausgesprochen mageres Schwein mitgebracht. Nach einer heftigen verbalen Auseinandersetzung mit Rosalbas Sekretärin hatte Francisca das laut grunzende Tier mit in das Amtszimmer der Bürgermeisterin geschleppt und es im Tausch gegen die Stelle angeboten.

Für die Bürgermeisterin bestand nicht der geringste Zweifel, dass Señorita Guarnizo die einzige fähige Bewerberin auf die Stelle war. Sie hatte Selbstbewusstsein und Erfahrung vorzuweisen; vielleicht ein bisschen zu viel von beidem. Was, wenn sie ihre eigenen Regeln durchsetzen wollte? Was, wenn sie heimlich auf das Amt der Bürgermeisterin schielte? Davon abgesehen wusste Rosalba nicht das Geringste von ihrem Leben vor 1973, geschweige denn, was sie dagegen hatte, kolumbianische Geschichte zu unterrichten. Rosalba war derart eingeschüchtert gewesen, dass sie völlig vergessen hatte, Cleotilde die einfachsten Fragen zu stellen, zum Beispiel »Woher kommen Sie?«, »Haben Sie noch lebende Verwandte?« oder »Sind Sie ein Hermaphrodit?«.

Am nächsten Morgen ging Rosalba früher als gewöhnlich ins Büro und begann sofort mit dem Putzen. Von ihrer geschwätzigen Sekretärin hatte sie erfahren, dass Cleotilde Guarnizo zwei

Tage zuvor in Mariquita eingetroffen und bei Lucrecia und Virgelina Saavedra untergekommen war. Woher die Frau kam, wusste niemand, doch Rosalba war fest entschlossen, es selbst herauszufinden. Mit diesem Hintergedanken hatte sie Cleotilde zu einem zweiten Gespräch eingeladen, und diesmal würde sie sich nicht die Butter vom Brot nehmen lassen. Sie würde die Oberhand behalten, Fragen stellen und darauf bestehen, Antworten zu bekommen. Die einleitenden Worte hatte sie zu Hause vor dem großen Spiegel in ihrem Schlafzimmer geübt und dann noch einmal im Büro mit Cecilia geprobt.

Als Cleotilde schließlich erschien, war Rosalbas Büro nicht nur sauber, sondern rein, und das Bild des Präsidenten von der Wand verschwunden. Die Bürgermeisterin trug ein elegantes, langärmliges Kleid mit spitzenbesetztem Kragen. Selbst ihr Haar, das sie wie üblich am Hinterkopf zu einem Dutt geknotet hatte, wirkte gepflegter und glatter als sonst. Cleotilde, angetan mit einem marineblauen Hosenanzug und spitzen Lederpumps, marschierte energischen Schrittes in das Amtszimmer. Steif nahm sie gegenüber der Bürgermeisterin Platz, die Beine leicht auseinander gestellt.

Rosalba begann mit Aplomb: »Sie sind in der Endrunde für unsere Stellenausschreibung, Señorita Guarnizo. Ich muss zugeben, dass mich Ihre Bewerbungsmappe ziemlich beeindruckt hat. Und eigentlich kann ich mir keine geeignetere Kandidatin für den Posten vorstellen. Dennoch bin ich mir nicht ganz sicher, da Sie sich nicht offiziell in Mariquita niedergelassen haben und wir kaum etwas über Ihr Vorleben wissen …« Sie hielt inne, um Cleotilde Gelegenheit zu geben, ein paar Einzelheiten ihres geheimnisvollen Lebens zu enthüllen.

Was Cleotilde aber nicht tat. Stattdessen musterte sie die Bürgermeisterin so lange ohne ein Wort zu sagen, bis Rosalba den Blick auf ihre ruhelosen Hände senkte. Schweigend saßen sie da, bis Rosalba schließlich fortfuhr: »Wie Sie sicher verstehen, ist die Erziehung unserer Kinder für uns von entscheidender Bedeutung.« Sie konnte sich nicht mehr erinnern, welche Fragen sie sich überhaupt zurechtgelegt hatte. »An Ihrer Bildung und Berufserfahrung zweifle ich keine Sekunde, aber, nun ja, ich frage mich eben, nicht zuletzt als Sprachrohr meiner Mitbürger, was sich hier im Dorf alle fragen ...«

In jenem Moment fiel ein Sonnenstrahl durch das Fenster, erhellte und betonte Cleotildes Züge. Diesmal sah die Bürgermeisterin eine siebenundsechzigjährige Frau von erhabener Ausstrahlung. Das graue Haar, der weiche Damenbart und die weißen Stoppeln, die geballte Faust und der verkniffene Gesichtsausdruck, all das gehörte zu ihrer unausgesprochenen Vergangenheit, einer Vergangenheit, die nichts als höchsten Respekt verdiente.

»Nun ja, wir haben uns gefragt, ob ... ob Sie den Posten annehmen würden. Wollen Sie die Stelle, Señorita Guarnizo?«, fragte Rosalba.

Das ganze bisherige Leben hatte es Cleotilde gekostet, ihren Ängsten ins Auge zu sehen, doch nur zwei Tage, um zu erkennen, dass Mariquita trotz Chaos und Armut, den wilden Kindern, den gleichgültigen Müttern und der inkompetenten Bürgermeisterin, dem Himmel näher war als alle anderen Orte, in die sie je gelangen mochte. Zum ersten Mal in ihrem Leben war sie bereit, sich ganz und gar auf etwas einzulassen, sich einer Sache mit Haut und Haar zu verschreiben.

»Ich will«, sagte sie.

Ángel Alberto Tamacá, 35
Guerillakommandant

Wir waren tagelang marschiert und hatten unseren gesamten Proviant aufgebraucht. Kurz vor Sonnenuntergang erreichten wir eine kleine, strohgedeckte Hütte. Ich beschloss, dass wir uns dort versorgen würden. Eine untersetzte Frau in mittleren Jahren öffnete, noch bevor wir angeklopft hatten, so, als hätte sie uns bereits erwartet, und ging wortlos wieder hinein. Das Häuschen bestand nur aus einem Raum, der klein und dunkel war. Es stank nach totem Tier. An der Wand lag ein Mann auf dem Boden, halb von einem weißen Laken, halb von einem Schwarm grüner Fliegen bedeckt. Die Frau tupfte sein Gesicht mit einer Kompresse ab. Er war schwer misshandelt worden.

»Sie haben die Schweine und die Hühner geschlachtet«, sagte sie, ohne dass auch nur ein Anflug von Unmut auf ihre Miene trat. »Und all unsere Vorräte mitgenommen.«

»Wer?«, fragte ich.

»Die Paras. Wer sonst? Sie haben meinen Mann beschuldigt, die Guerillas zu unterstützen. Sehen Sie sich nur an, was sie mit ihm gemacht haben.« Sie lüftete das Laken. Die Arme des Mannes lagen gekreuzt auf seinem Bauch. Man hatte ihm die Hände abgehackt; die Stümpfe steckten in blutigen, mit Schnüren festgebundenen Fetzen.

»Schsch«, sagte sie leise zu der auf dem Boden liegenden Gestalt. »Alles wird wieder gut.« Sanft bedeckte sie seine Arme mit dem Laken.

Ich trat näher heran und legte die Hand an seinen Hals, um den Puls zu fühlen. Er war tot, seit Stunden schon. »Señora«, sagte ich, »es tut mir Leid, aber er ist von uns gegangen.«

Die Frau tauchte den Verband in eine mit Wasser gefüllte Schale, wrang ihn aus und tupfte das Gesicht des Mannes abermals ab. »Alles wird gut«, wiederholte sie mit sanftem Lächeln, während sie die Fliegen fortscheuchte.

»Señora«, versuchte ich es noch einmal. »Haben Sie gehört, was ich gerade gesagt habe?«

»Es tut mir Leid, aber ich kann Ihnen nicht mal einen Kaffee anbieten«, richtete sie das Wort an meine hinter mir stehenden Männer. »Sie haben die Schweine und die Hühner geschlachtet. Und all unsere Vorräte mitgenommen.«

Wir bekreuzigten uns und verließen schweigend die Hütte.

Kapitel 5

Die Witwe, die ein Vermögen unter ihrem Bett fand

Mariquita, 1. August 1996

Der Traum war so überaus lebhaft, dass maßlose Enttäuschung Besitz von Francisca viuda de Gómez ergriff, als sie plötzlich erwachte. In ihrem Traum war sie in der Küche gewesen und hatte gerade Schmalzsuppe für das Abendessen zubereitet, als die Kirchenglocke auf einmal hartnäckig zu läuten begann. Sie eilte zum Fenster und erspähte in der Ferne eine endlose Reihe männlicher Gestalten, die sich von den Bergen her auf das Dorf zu bewegte. Die Männer von Mariquita kehrten aus dem Krieg zurück!

Francisca begab sich auf die Straße, um ihren Mann zu empfangen, auch wenn sie dabei eher von moralischem Pflichtgefühl als von echter Wiedersehensfreude angetrieben wurde. Sie stellte sich unter den Mangobaum auf der gegenüberliegenden Straßenseite und wartete. Als die Gestalten näherkamen, fielen Francisca zwei Dinge ins Auge: Die ehemaligen Guerilleros hatten alle keine Gesichter mehr, und abgesehen von den schmutziggrünen Käppis und den kniehohen Stiefeln waren sie nackt, hatten kleine Glieder und riesige Hoden. Tja, wie sollte sie nun bloß Vicente erkennen, ihren Ehemann? Sie erinnerte sich, dass er auf der rechten Stirnseite eine auffällige Narbe trug, die wie ein fünfzackiger Stern aussah. Doch anstelle von Gesichtern erblickte sie nichts als fahle, konturlose Flächen. Langsam ging die Sonne unter, während sie dort stand, den geheimnisvollen Gestalten entgegensah und nervös kicherte.

Die Regenzeit hatte begonnen, und Franciscas Dach leckte. Sie zog den Nachttopf unter ihrem Bett hervor, stellte ihn an die Stelle neben dem Schrank, wo es durch die Decke tropfte, und sah zu, wie kleine Blasen entstanden, während sich das Regenwasser mit ihrem Urin vermischte. Als sie sich erinnerte, dass es der Monatserste war, trat ein Lächeln auf ihr Gesicht. Aufgeregt kramte sie ein Stoffsäckchen und ein altes Weissagungsbuch mit der Aufschrift *Veritas* aus der Nachttischschublade. Das Buch, das eintausend Orakelsprüche enthielt, konnte nur jeweils am Ersten jedes Monats zu Rate gezogen werden, und zwar folgendermaßen: Zuerst musste man eine eindeutige Frage an das Buch richten und dann in das Säckchen greifen und aufs Geratewohl eine der darin befindlichen nummerierten Kugeln herausholen. Die gezogene Zahl bezog sich auf den jeweiligen Spruch, der die Frage beantworten würde. Francisca transportierte Buch und Säckchen zu ihrem Schaukelstuhl und setzte sich. Mit beiden Händen hob sie das Buch von ihrem Schoß und sagte laut: »Veritas, sag mir, was ist das Geheimnis des Glücks?« Genau diese Frage hatte sie dem Buch während der letzten Jahre jeden Monat erneut gestellt. Die Antworten waren nicht nur vage und dehnbar, sondern zudem in einem altmodischen, nur schwer verständlichen Spanisch verfasst. Trotzdem fand Francisca die *Veritas* überaus unterhaltsam und freute sich stets auf den nächsten Monatsanfang.

Sie steckte die Hand in den Beutel und wühlte energisch darin herum, ehe sie die Kugel mit der Zahl 739 zutage förderte.

739. VERÄNDERUNG

ARKANUM: Und das verströmte Licht war gleißend hell, die Hitze glutheiß und die Flammen turmhoch, dennoch wollten sich Feuer und Firmament nicht vereinen.
EXEGESIS: Alle Übergänge im Leben sind untrennbar mit ihren Folgen verbunden.
SCHLUSSFOLGERUNG: Wenn etwas Kummer und Sorgen bereitet, muss man sich davon befreien.

Wie eine Litanei wiederholte Francisca die prophetische Botschaft; irgendwie ahnte sie, dass die *Veritas* ihre Frage diesmal beantwortet hatte und die Antwort ihr Leben nachhaltig beeinflussen würde. Sie verstaute Buch und Säckchen wieder in ihrem Nachttisch und ließ den Blick nachdenklich durch das Zimmer schweifen. Am meisten Kümmernis bereitete ihr der Gedanke an Vicente, ihren Mann. Doch wie sollte sie sich von jemandem befreien, der ihr einfach nicht aus dem Kopf gehen wollte? Wie sie es auch drehte und wendete, sie fand einfach keine Lösung. Sie ließ sich wieder in den Schaukelstuhl zurücksinken.

Fast vier Jahre waren seit dem Fortgang der Männer vergangen; vier Jahre, seit Vicente Gómez, der Barbier von Mariquita, von Guerilleros aus seinem Haus geschleift, brutal zusammengeschlagen und verschleppt worden war. Die ganze Zeit über hatte Francisca insgeheim gehofft, seine Häscher würden ihn schließlich töten, wenn sie erst eingesehen hatten, dass Vicente außer zum Haareschneiden und Rasieren für die Revolution beim besten Willen nicht zu gebrauchen war. Sie schloss die Augen und versuchte sich zu erinnern, wie Vicente sonst auf dem Klo gesessen hatte – eine harmlose Gedächtnisübung, die sie so gut wie jeden Morgen durchexerzierte und deren einziger Zweck darin bestand, ihren jahrelang aufgestauten Frust zu kanalisieren. Zu ihrem Erstaunen konnte sie sich diesmal nur die Toilette vorstellen – die weiße Keramikschüssel, den hochklappbaren Plastiksitz, ja, sogar den silbern schimmernden Spülungshebel. Sie versuchte es abermals, und wieder sah sie nichts weiter als das verwaiste Klo vor ihrem inneren Auge. Erfreut stellte sie fest, dass sie sich ohne Zuhilfenahme eines Fotos nicht mehr an das Gesicht ihres Mannes erinnern konnte. Vicentes Gesicht war nur noch eine fahle, konturlose Fläche ohne jedes erkennbare Merkmal, so wie die Gesichter der Männer in ihrem Traum. Womöglich war es doch einfacher als erwartet, sich von ihrem größten Kümmernis zu befreien.

In dem Orakelspruch war von Veränderung die Rede gewesen, und so beschloss Francisca, ihr Leben zu ändern. Sie nahm sich vor, dies schrittweise zu tun, um den Priester und die puritanischen alten Jungfern nicht gegen sich aufzubringen. Zunächst würde sie ihr langes Haar wieder offen tragen, das, kohlrabenschwarz, viel zu schön war, um zu einem schmucklosen Knoten gezähmt zu werden. Zweitens würde sie die Bürgermeisterin um Erlaubnis bitten, nicht mehr ausschließlich schwarze Kleidung tragen zu müssen; schließlich hatte sie erst gestern Cleotilde Guarnizo, die neue Lehrerin, in einem Kleid mit gelben Knöpfen gesehen. Nicht zuletzt würde sie ihr marodes Haus endlich wieder auf Vordermann bringen, die Löcher im Dach und die Risse in den Wänden ausbessern. Am liebsten hätte sie alle Zimmer knallrot streichen lassen, doch das konnte sie sich nicht leisten. Erst einmal würde sie sich damit begnügen müssen, ihr ramponiertes Mobiliar zu verrücken.

Dieser Aufgabe widmete sie sich, indem sie den alten, aus Zedernholz gefertigten Schrank von einer Ecke in die andere schob. Dort, wo der Schrank gestanden hatte, war der Holzboden zwar staubig und voller Spinnweben, schimmerte darunter aber wie neu. Zwei Jahre lang hatte sie auf ihren Geizhals von Ehemann einreden müssen, bis dieser endlich zugestimmt hatte, einen Pinienholzboden verlegen zu lassen. Er hatte eingewandt, es handele sich um eine völlig unnötige Ausgabe, und sie hatte erwidert, all der Staub und Dreck auf dem nackten Boden würde ihr über kurz oder lang den Rest geben. Sie schützte sogar vor, an einem hartnäckigen Husten, Allergien, Asthma und anderen Erkrankungen der

Atemwege zu leiden, doch erst als sie behauptete, dass sie nur deshalb nicht schwanger wurde, weil sie pausenlos Staub einatmen musste, ließ sich Vicente dazu bewegen, einen Tischler kommen zu lassen, der nicht nur einen Holzboden der Extraklasse verlegen, sondern diesen obendrein auf Hochglanz polieren sollte, drei-, vier-, fünfmal, jedenfalls so lange, »bis ich die Unterwäsche meiner Frau darin sehen kann«, wie Vicente den Handwerker instruierte.

Ihre Ehe war nicht immer schlecht gewesen. Francisca erinnerte sich noch genau, wie viel Spaß es ihrem Mann bereitet hatte, sie glauben zu machen, er würde tatsächlich versuchen, die Farbe ihrer Unterwäsche zu erraten. Schließlich entwickelte sich daraus ein Spiel, das tagtäglich den gleichen Verlauf nahm. Das glückliche Paar einigte sich auf folgende Regeln: Wenn Vicente die richtige Farbe erriet, bekam er einen langen Kuss, lag er daneben, musste er Francisca fünfhundert Pesos geben. Da sie das Spiel erotisch fand, kaufte sie sich aufreizende Dessous in den ungewöhnlichsten Farben. Er riet natürlich jedes Mal richtig, und sie belohnte ihn stets mit dem ihm zustehenden Kuss. Anschließend hatten sie für gewöhnlich leidenschaftlichen Sex. Was dazu führte, dass die Barbería Gómez häufig erst später am Morgen öffnete. Francisca war von Anfang an klar gewesen, dass der glänzende Fußboden die Farbe ihrer Unterwäsche preisgab, doch weihte sie ihn erst sieben Monate später in ihr kleines Geheimnis ein. Und selbst dann hatten sie herzlich zusammen darüber gelacht und sich noch länger geküsst als sonst, während Vicente zärtlich ihren Bauch gestreichelt hatte, völlig von den Socken, dass kaum etwas zu sehen war. Sie war im sechsten Monat schwanger gewesen.

Doch außer einem kleinen, schimmernden Rechteck im Erdgeschoss ihres Hauses war nichts von ihrer Liebe und den glücklichen Zeiten geblieben. Sie zog den Schaukelstuhl ans Fenster und leerte den Nachttopf aus, der überzulaufen drohte. Sie zog und schob das Bett hin und her, bis sie sich entschied, es in der Mitte des Raums stehen zu lassen, so dass sie beim Putzen mit Besen und Mopp besser in die Ecken kam.

Im selben Moment bemerkte sie einen Fetzen Papier, der durch einen Spalt in den Bodendielen lugte, genau dort, wo zuvor das Bett gestanden hatte. Es handelte sich um das Testament einer gewissen Señorita Eulalia Gómez, die Vicente ihr gesamtes Vermögen – zweihundert Millionen Pesos – vermacht hatte. Eulalia war Vicentes Großtante und einzige Verwandte gewesen, eine reiche alte Jungfer, die vor fünfzehn Jahren in ihrem Heimatort Líbano verstorben war. Mit Hilfe eines Hammers stemmte Francisca das Dielenbrett hoch und fand darunter eine große, mit Banknoten gefüllte Tasche. Sie spürte, wie ein Anflug von Zorn Besitz von ihr ergriff. Unschlüssig schritt sie auf und ab, bis ihr Blick zufällig in den Spiegel an der Wand fiel. Vorsichtig trat sie näher, als würde sie jeden Moment ein Ungeheuer erspähen. Doch alles, was sie sah, war eine mitleiderregende Närrin, die mehr als die Hälfte ihres Ehelebens in Armut verbracht hatte, während unter ihrem Bett ein halbes Vermögen versteckt lag. Abermals packte sie die Wut; sie lief durchs Haus, warf Teller und Tassen gegen die Wände, trat Stühle und Tischchen um, riss Vorhänge herunter. Schließlich sank sie völlig erschöpft auf die Knie, stützte sich mit den Handflächen ab und schlug weinend mit der Stirn auf den Fußboden.

So verharrte sie lange Zeit, während sie sich in Erinnerung rief, wie ihr Mann sich verändert hatte, nachdem ihm aufgegangen war, dass ihr Sohn Javier nicht genauso schnell wuchs wie die anderen Jungs von Mariquita. Fast ein Jahr lang hatte Vicente nicht mit ihr gesprochen, nachdem Dr. Ramírez ihnen bestätigt hatte, dass ihr Sohn ein Liliputaner war. An Javiers fünftem Geburtstag hatte er eine große Party gegeben, aber am Morgen danach hatte er seinen Sohn in seinem Kinderzimmer eingesperrt und Francisca verboten, ihn jemals mit auf die Straße zu nehmen oder jemanden zu ihm zu lassen. Er kürzte ihr die Hälfte des Haushaltsgelds, als hätte die Größe ihres Sohns irgendetwas mit ihren täglichen Ausgaben zu tun. Er begann zu trinken, kam zum Abendessen nicht mehr nach Hause und weigerte sich strikt, Francisca Geld zu geben, wenn sie ein zusätzliches Pfund Reis oder einen Extralaib Brot kaufen wollte. Stattdessen beschuldigte er sie, den Hals nicht voll zu kriegen und seine Zuwendungen sinnlos zu verschwenden. Jahrelang hatte Francisca von der Hand in den Mund gelebt, gerade das Notwendigste für den Haushalt kaufen können, verschlissene Fetzen getragen, stets Ausschau nach Sonderangeboten und Schnäppchen halten und sich immer noch mehr nach der Decke strecken müssen, da das Geld hinten und vorn nicht reichte und Vicente ihr jedes Mal noch weniger gab, wenn er seinen Sohn wieder einmal zu Gesicht bekam.

Dann war Javier gestorben. An Unterernährung, wie der Doktor festgestellt hatte – und Vicente hatte es seiner Frau in die Schuhe geschoben. Überall erzählte er herum, was für ein eiskaltes Weibsstück, was für eine grausame, schreckliche Mutter sie sei. Und Francisca hatte es auch noch geglaubt, hatte gewünscht, sie sei tot, da sie einen Liliputaner zur Welt gebracht und dem Tod ausgeliefert hatte. Und nun würde sie wohl auch noch ihren Ehemann verlieren – diesen charmanten, stets an der Farbe ihrer Unterwäsche interessierten Kerl, der jeden Morgen zu spät zur Arbeit gekommen war, weil er sie zuerst einmal lieben wollte.

Francisca stand auf, ging kreuz und quer durchs Haus und sammelte alle Habseligkeiten ihres Mannes ein – Kleidung, Bilder, Hüte und Schuhe, Rasiercreme und seine kleine Sammlung von Langspielplatten. Dann packte sie ihre eigene Trauerkleidung zusammen – Kleider, Schleier, Strümpfe, Mantillen, Halstücher und alles andere, was schwarz war. Sie stopfte die Sachen in einen Pappkarton, schob diesen zur Haustür, verpasste ihm einen brutalen Tritt und brüllte: »Wenn einem etwas Kummer und Sorgen bereitet, muss man sich davon befreien!« Voller Stolz auf sich selbst kehrte sie ins Schlafzimmer zurück und kramte ihr Vermögen aus dem Loch im Boden. Das Geld war in Zehntausendern abgepackt, die allesamt mit dem Gesicht der kolumbianischen Nationalheldin Policarpa Salavarrieta nach oben lagen. Sie konnte sich beim besten Willen nicht vorstellen, wie sie jemals zweihundert Millionen Pesos ausgeben sollte. Sie überlegte, ob sie wegziehen sollte, in eine Großstadt, wo sie ein neues Leben anfangen konnte, ein wirkliches Leben in einem großen Haus, mit einem gutaussehenden Mann und gesunden Kindern. Einer reichen Frau wie ihr hatte Mariquita nichts zu bieten. Sicher, einige Frauen bestellten inzwischen die umliegenden Felder, und es gab genug zu essen, auch wenn nicht immer alles in Hülle und Fülle vorhanden war. Aber auch wenn es mit der Versorgung inzwischen einigermaßen klappte, lag in Mariquita nach wie vor der Hund begraben. Nur wegen ihrer Freundinnen war sie geblieben. Sie hatte eine ganze Reihe guter, loyaler Freundinnen, Victoria viuda de Morales etwa, Elvia viuda de López und Erlinda viuda de Calderón, um nur ein paar zu nennen. Was sollten sie nur ohne sie anstellen? Am besten, sie nahm ein paar von ihnen mit. Sechs oder acht. Nein, sechs klang realistischer. Aber welche sechs? Nun steckte sie wirklich in der Zwickmühle! Und musste obendrein einen ganzen Monat warten, bis sie die *Veritas* erneut konsultieren konnte.

In einem Monat konnte so viel geschehen ...

Sie warf einen Blick aus dem Fenster. Es hatte aufgehört zu regnen; weit und breit war keine Wolke mehr zu sehen, und der Pappkarton, den sie auf die Straße befördert hatte, war bereits von jemandem mitgenommen worden. Eine strahlende Zukunft wartete auf sie. Sie stapelte das Geld auf dem Regal, auf Tischen und auf Stühlen. Dann ging sie ins Schlafzimmer, um sich anzuziehen.

Als Francisca das Haus verließ, trug sie eine rote Hose und eine gelbe Bluse mit endlos tiefem Ausschnitt. Ihr Haar fiel lang und glatt über die Schultern; sie hatte Make-up aufgelegt und eine Handtasche umgehängt. Zielstrebig marschierte sie Richtung Markt, wo sie als »La Masatera« bekannt war, da sie dort unter einer verblichenen grünen Plane seit gut vier Jahren den besten Masato weit und breit verkaufte; das Rezept für das Getränk aus gegorenem Mais wurde in ihrer Familie von Generation zu Generation weitergegeben.

Freundinnen und Nachbarinnen boten an den Ständen ihre kargen Waren zum Verkauf und Tausch feil. Ein paar wandten die

Köpfe, ein paar kniffen die Augen zusammen: alle wollten sich vergewissern, ob die Frau, die gegen die Kleiderordnung der Bürgermeisterin verstieß, tatsächlich »La Matatera« war. Und während Francisca sich ihren Freundinnen mit einer Handtasche voller Pesoscheine näherte, fühlte sie sich irgendwie anders als sonst – ein bisschen hübscher und ein bisschen interessanter.

Sie stand mitten auf dem Markt und wartete, bis sich die anderen um sie versammelt hatten. Sobald sie die Aufmerksamkeit aller auf sich gerichtet sah, sagte sie einfach geradeheraus: »Ich habe ein Vermögen unter meinem Bett gefunden.« Sie hielt inne und wartete, wie ihre Freundinnen reagieren würden, in deren Gesichtern sich ohnehin bereits ein gerüttelt Maß an Erstaunen spiegelte, eine Verblüffung, die Francisca, seit jeher ziemlich voreilig, mit Ungläubigkeit verwechselte. »Wie, ihr glaubt mir nicht?«, fragte sie, die Hände in die schmalen Hüften gestemmt. Ehe die Frauen etwas antworten konnten, öffnete sie die Handtasche und ließ sie hineinblicken. »Und das ist nicht mal ein Hundertstel davon«, prahlte sie, als bestünden noch irgendwelche Zweifel. »Trotzdem habe ich ein Problem. Soll ich nun hierbleiben oder nicht? Was meint ihr?« Verdutzt blickten die Frauen sie an, ohne ihre Worte so recht begriffen zu haben. Francisca musterte sie mit einem langen, unbarmherzigen Blick. Die Ärmsten!, dachte sie. Sie können mir nicht helfen dabei, eine Antwort zu finden, denn sie haben sich ganz einfach mit ihrem Dasein abgefunden. Sie glauben, dass sie doch nichts an ihrem Leben ändern können, unsicher und argwöhnisch, wie sie sind. Sie verteilte ein paar Bündel Geldscheine unter ihren Freundinnen, entschuldigte sich und machte sich auf den Weg zum Rathaus.

»Die Bürgermeisterin will nicht gestört werden«, sagte Cecilia, ohne den Blick von der Schreibmaschine zu heben. »Komm heute Nachmittag wieder.« Doch Francisca war fest entschlossen. Sie nahm ein paar Scheine aus der Handtasche und legte sie mit vorgetäuschter Diskretion auf die Schreibmaschine.

»Vielleicht könnten wir ja so tun, als hättest du mich nicht bemerkt...«, sagte Francisca. Cecilia brauchte ein paar Sekunden, bis sie die Verbindung zwischen den Pesos und dem nicht zu Ende gesprochenen Satz herstellen konnte – schließlich war dies der erste Versuch, sie zu bestechen –, doch dann hatte sie verstanden, griff nach dem Geld und ließ es zwischen ihren üppigen Brüsten verschwinden.

Bei ihrem letzten Besuch im Rathaus hatte Francisca ein lebendes Schwein mitgebracht und es im Tausch gegen den Lehrerinnenposten angeboten. Natürlich war sie achtkantig aus dem Büro der Bürgermeisterin geflogen. Heute aber stand ihr Besuch unter völlig anderen Vorzeichen: Sie war reich. Sie straffte die Schultern, reckte die Brust und trat ein. Rosalba saß an ihrem Schreibtisch vor einem Blatt vergilbten Papiers; offensichtlich war sie gerade dabei, einen Brief zu schreiben.

»Ich stecke in einer bösen Zwickmühle, Bürgermeisterin«, platzte Francisca heraus. »Und da du von allen hier im Dorf den größten Weitblick besitzt...«

Geschmeichelt sah Rosalba auf.

»Ich habe heute Morgen einen Haufen Geld unter meinem Bett gefunden, und jetzt schlage ich mich mit der Entscheidung herum, ob ich in Mariquita bleiben soll oder nicht.«

Der Blick der Bürgermeisterin wanderte vom offenen Haar der Witwe zu ihren Knien – mehr konnte sie vom Schreibtisch aus nicht sehen. »Irgendwie kommt es mir vor, als müsste hier jemand dringend an die Vorschriften erinnert werden, die in unserem Ort gelten«, sagte sie, während ein verärgerter Ausdruck sich ihrer Miene bemächtigte.

»›Wenn einem etwas Kummer und Sorgen bereitet, muss man sich davon befreien‹ – das habe ich erst heute Morgen in einem Buch gelesen«, gab Francisca zurück. »Und hier bin ich nur noch unglücklich. Weshalb ich mich mit dem Gedanken trage, ein für alle Mal wegzuziehen – aber andererseits will ich natürlich meine lieben Freundinnen nicht im Stich lassen.«

»Hast du mich nicht verstanden, Francisca?«

»Natürlich könnte ich ein paar von ihnen mitnehmen, aber welche? Und was wird aus denen, die hierbleiben müssen? Bitte, Bürgermeisterin, sag mir, was du an meiner Stelle tun würdest.«

»Zuallererst würde ich schleunigst wieder meine Trauerkleidung anziehen, und dann würde ich die Hälfte des Geldes der maroden Finanzkasse von Mariquita spenden.«

Für Francisca stand fest, dass die Bürgermeisterin ihr ebensowenig wie ihre Freundinnen bei der Wahl zwischen den gleichermaßen unattraktiven Alternativen helfen konnte, vor die ihr neuer Reichtum sie gestellt hatte. Sie wandte der Bürgermeisterin abrupt den Rücken zu und verließ das Büro, wobei sie dachte, dass es mit Rosalbas gesundem Menschenverstand wohl doch nicht so weit her war.

Draußen erwartete sie eine Menschenmenge. In Windeseile hatte sich das Gerücht von Franciscas Fund verbreitet. »Bitte hilf uns!«, riefen die Frauen mit ausgestreckten Händen. Die jüngste Bittstellerin strich ihr sanft durch das Haar, eine andere massierte ihr die Hände; eine kniete sogar vor ihr. Francisca packte die Wut; diese Frauen hatten nicht die geringste Selbstachtung. Wie konnten sie sich nur so gehenlassen? Als sie arm gewesen war, hatte sie sich nie derart erniedrigt, nicht einmal vor ihrem Mann. »Habt ihr denn überhaupt keinen Stolz?«, brüllte sie und schlug nach den unterwürfig ausgestreckten Händen, als wären es Stinkwanzen.

Sie eilte nach Hause. Auf den Eingangsstufen warteten bereits drei ihrer Freundinnen auf sie.

»Wir müssen mit dir reden«, sagte die Witwe Marín, deren Kopf und obere Gesichtshälfte unter einem schwarzen Schleier steckten, so dass ihre breiten Nasenlöcher wirkten, als handele es sich um ihre Augen. Francisca bat die drei ins Haus.

»Du solltest nicht fortgehen«, sagte Ubaldina, die Dorfpolizistin, mit feierlicher Stimme.

»Du musst auf die Rückkehr deines Mannes warten«, sagte die Witwe Calderón.

»Vicente ist tot«, verkündete Francisca. »Genau wie eure Männer auch.«

Sie berichtete den Frauen von ihrem Traum und davon, was ihr das Buch verraten hatte. Um ihrer skandalösen Bekundung Glaubwürdigkeit zu verleihen, bat sie die Frauen, die Augen zu schließen und sich die Gesichter ihrer Männer vorzustellen, und schließlich forderte sie die drei auf, ihr zu erzählen, was sie gesehen hatten. Zu ihrem Schrecken stellten die drei Frauen fest, dass sie sich lediglich an Haare erinnern konnten, die aus einer langen Nase sprossen, oder an eine vom grauen Star getrübte Linse in einem dunklen Auge; letztlich hatten sie um nichts weiter getrauert als um einen ungepflegten Schnäuzer, einen Goldzahn oder ein haariges Muttermal an einem vorstehenden Kinn. Sie konnten sich weder an den Geruch ihrer Gatten noch an ihre Stimmen erinnern. Von ihren Männern war nichts geblieben außer staubigen Fotos und zerknitterten Klamotten, die früher oder später den Motten zum Opfer fallen würden. Wie Schuppen fiel den drei Witwen von den Augen, dass sie die Erinnerung an ihre Männer nicht mehr im Herzen trugen. Weshalb sie ein schlechtes Gewissen bekamen.

Mit dem sie sich aber nicht lange herumplagten. Bestärkt von Francisca – die, reich geworden, urplötzlich auch in dem Ruf stand, besonders klug zu sein –, begaben sich die drei Witwen nach Hause und zogen bunte Kleidung an. Kurz vor Mittag trafen sie sich mit Francisca am Ortsrand. Jede der Witwen hatte eine Tasche dabei, in der sich die Habseligkeiten ihres Mannes sowie ihre Trauerkleidung befanden. Dann warfen sie alles auf einen Haufen, Kleider, Fotos, Bücher, Baseballkappen, ungeöffnete Zigarrenkisten, sogar einen Billardstock. Schließlich zählten sie bis drei, und Francisca rief: »Wenn einem etwas Kummer und Sorgen bereitet, muss man sich davon befreien!« Sie setzten den Haufen in Brand, starrten in das Feuer und kicherten nervös, während die Flammen in den buntesten Farben schillerten.

Kurz vor Sonnenuntergang ging Francisca zur Kirche, fest davon überzeugt, dass Padre Rafael ihr den einen oder anderen Fingerzeig geben konnte; der kleine Mann stand einem jederzeit mit guten Ratschlägen zur Seite. Sie kniete sich neben die eine Seite des Wandschirms aus Korbgeflecht, der als Beichtstuhl diente. Der aus drei Flügeln bestehende Wandschirm bildete die Form eines Hufeisens. Jeden Abend setzte sich der Priester vor der Messe hinein und hörte sich durch die langen, schmalen Schlitze, die er in die Seiten geschnitten hatte, die Beichten seiner Schäfchen an. Im Übrigen war es nicht nötig, dass Francisca dem Padre alles lang und breit auseinandersetzte – die Bürgermeisterin hatte den Priester bereits eingeweiht und gebeten, der hilflosen Frau nach Kräften Beistand zu leisten.

»Du solltest hierbleiben, meine Liebe.« Der Tonfall des Priesters war sanft, es klang eher nach einem Vorschlag als einem weisen Ratschlag. »Mariquitas größtes Problem sind nicht die fehlenden Männer, sondern das fehlende Kapital. Wie viel Geld hast du denn gefunden?«

»Zweihundert Millionen Pesos.«

»Ausgezeichnet. Du könntest dein Geld also beispielsweise in einen lukrativen Betrieb investieren und so die Wirtschaft unseres Dorfs ankurbeln. Nur mal angenommen, du würdest dich entschließen, den Frisiersalon deines Mannes wieder zu eröffnen. Zunächst einmal müsste der Laden komplett renoviert werden. Heißt, du würdest Arbeitsplätze schaffen und Löhne zahlen – also Geld, das wiederum ausgegeben wird und die Nachfrage nach anderen Produkten und Dienstleistungen anheizt. Du würdest dich also nicht nur als Wohltäterin für unseren Ort erweisen, sondern von deiner Investition auch selbst profitieren.« Der Padre sprach mit leiser, beschwörender Stimme. »Vertrau mir, meine Liebe!«

Von dort, wo sie kniete, konnte Francisca den Sprecher der salbungsvollen Worte nicht sehen; sie war überzeugt davon, dass er nur ihr Bestes wollte. Obwohl sie die seltsame Erscheinung des Priesters schon immer irritiert hatte: Der kahle Schädel schien viel zu groß für seinen Rumpf, und sein knallrotes Gesicht stand in krassem Gegensatz zu der schwarzen Soutane, die den Rest seines Körpers verhüllte, als befände sich darunter irgendetwas Anstößiges und Geheimnisvolles. Doch Francisca sah sich gezwungen, seinen Worten Glauben zu schenken, allein deshalb, weil sie bislang keinen anderen brauchbaren Ratschlag erhalten hatte. Sie ließ den Blick über die verblichenen Fresken und wurmstichigen Bänke schweifen und überlegte. »Wie viel wollen Sie für die Kirche, Padre?«, fragte sie schließlich.

Die Frage traf den Priester aus heiterem Himmel. »Wie bitte?«

»Ich beziehe mich nur auf Ihren Rat, Padre. Ein eigener Laden, das wäre wirklich was – tja, und das lukrativste Geschäft wird ja wohl hier bei Ihnen in der Kirche gemacht.« Sie senkte die Stimme. »Also, wie viel wollen Sie?«

»Eine Kirche ist kein kommerzielles Unternehmen!«, platzte er heraus.

»Ach, Padre, und ob – das wissen Sie doch ganz genau. Die Leute kommen hierher, um sich ihren Seelenfrieden zu erkaufen. Und Sie werden dafür bezahlt, dass Sie ganz oben ein gutes Wort einlegen.«

Ihr Plauderton brachte den Padre auf die Palme.

»Schluss jetzt!«, schnauzte er und wurde noch röter als sonst. »Ich werde dieses lästerliche Gerede nicht länger dulden!« Eilig erhob er sich und wollte gehen, hielt dann aber abrupt inne, als hätte er etwas Wichtiges im Beichtstuhl vergessen, und wandte sich um. Aufgebracht fixierte er den Wandschirm, hinter dem Francisca kniete, und sagte: »Bei Gott, das wirst du noch bereuen!«

Da sie die Kirche nicht haben konnte, beschloss Francisca, sich damit zu begnügen, Vicentes alten Laden zu renovieren und als Schönheitssalon wieder zu eröffnen. Wobei ihr klar war, dass sie auf die Frauen Mariquitas nicht groß zu zählen brauchte – sie waren schlicht zu gewöhnlich, um derart exklusive Dienste in Anspruch zu nehmen. Stattdessen würde sie auf anspruchsvollere Kundinnen aus anderen Dörfern setzen, die Franciscas Etablissement hochzufrieden an ihre Freundinnen weiterempfehlen und so eine distinguierte Klientel schaffen würden. Nicht mehr lange, und ich bin Unternehmerin, schoss es ihr durch den Kopf, bevor sie zu Bett ging, und der Gedanke begleitete sie sogar in ihren Träumen.

Am folgenden Tag heuerte sie Orquidea, Gardenia und Magnolia Morales an, die den heruntergekommenen Frisiersalon für sie renovieren sollten. Francisca bat sie, zunächst einmal die beiden vergilbten Werbeplakate – eins für Taschenkämme, das andere für Pomade – von den Wänden zu entfernen, ebenso wie die Garderobenhaken, an denen Vicentes Kunden ihre Mäntel und Hüte aufgehängt hatten. Verschwinden sollten auch die seit Ewigkeiten nicht mehr polierten Spiegel, der Kassentresen, die Regale, die Schränkchen und die beiden alten Frisiersessel. Alles wurde hinausbefördert, bis von der ehemaligen Barbería Gómez nur noch ein leerer Raum mit einer rostigen Metalltür übrig geblieben war. Als Francisca den Laden verließ, überkam sie urplötzlich die Erinnerung an ihren Ehemann; weder wegen der Möbel und seiner persönlichen Habseligkeiten, die nun in einem traurigen Haufen vor dem Gebäude lagen, noch wegen der beiden unvollständigen Wörter – BARBE ÍA G MEZ – auf der Fensterscheibe, sondern wegen eines Risses im Boden neben der Tür, in dem noch abgebrannte Streichhölzer, Zigarettenkippen, Bonbonpapier und jede Menge abgeschnittener Haare lagen. Sie gab die Anweisung, den Dreck zu entfernen und den Riss mit Kitt auszubessern.

Ehe sie an jenem Abend zu Bett ging, betrachtete sie sich eingehend im Spiegel. Sie war alles andere als erfreut über das, was sie dort erblickte: eine schlanke sechsundvierzigjährige Frau, die wie dreißig aussehen wollte, tatsächlich aber wirkte, als hätte sie bereits die fünfzig überschritten. Ihr Haar war von grauen Strähnen durchsetzt, und die tiefen Falten unter ihren Augen gemahnten eher an Emukrallen als an Krähenfüße. Ihre Hände waren von

Verbrennungen und Schnittnarben entstellt, die sie zeitlebens daran erinnern würden, dass sie für die Arbeit in der Küche, im Gegensatz zu den meisten anderen Frauen von Mariquita, nicht geschaffen war. Sie kam zu dem Schluss, dass sie, ganz wie die alte Barbería Gómez, eine gründliche Renovierung nötig hatte.

Am nächsten Morgen zog Francisca ihr bestes Kleid und ihre besten Schuhe an und stopfte jede Menge Geld in eine Tasche. Ihre restlichen Kleider und Lebensmittelvorräte packte sie in Kartons und stellte sie vor die Tür; irgendjemand würde die Sachen sicher gebrauchen können. Sie begab sich zum ehemaligen Friseursalon ihres Mannes und besprach mit den Morales-Schwestern, was zu tun war. Sie sagte ihnen, sie sei in zwei Wochen wieder zurück. Dann machte sie sich auf den Weg zur Schule, wo sie erst einmal mit der strengen Lehrerin aneinandergeriet, dann aber Vietnam Calderón schließlich doch für ein paar Stunden loseisen konnte. Der Junge brachte sie auf einem ihrer Mulis zur Hauptstraße, wo Francisca den Bus nach Ibagué, der nächstgelegenen Stadt, nahm.

Als sie in Ibagué angekommen war, nahm sie sich ein Taxi und bat den Fahrer, sie zum besten Hotel der Stadt zu bringen. Nachdem sie dort abgestiegen war, unternahm sie einen Streifzug durch die teuersten Boutiquen. »Ich würde mir gern ein paar Hosen ansehen«, sagte sie dort etwa. »Die buntesten Hosen und Blusen, die Sie haben.«

Stundenlang probierte sie die verschiedensten Hosen, Blusen und Mäntel an, kaufte Dutzende von Sachen für sündhaft teures Geld, dazu Schuhe mit so hohen Absätzen, dass sie darin kaum laufen konnte. Dann kaufte sie dazu passende Handtaschen und Gürtel, kostbare Broschen und Ketten und Seidenschals und Handschuhe und Hüte und Strümpfe. Als sie am Abend wieder zurück in ihrer Hotelsuite war und die Waren geliefert wurden, packte sie alles aus und warf die Sachen nacheinander achtlos auf das riesige Bett. Dann legte sie sich nackt auf das Durcheinander und genoss die teuren Stoffe auf ihrer Haut. Sie deckte sich mit einem Pelzmantel zu und schloss die Augen. Während ihre Finger über den weichen Pelz glitten und sich der Geruch der Tierhaut mit dem scharfen Odeur ihres Schweißes vermischte, begann sie sich ihren Fantasien hinzugeben. Sie drückte die Fingerspitzen in ihre Wangen und stellte sich vor, ihr Gesicht sei mit Tierhaaren bedeckt. Sie strich sich über das lange Haar und träumte, dass es sich ebenfalls in Pelz verwandelt hatte; dass sie durch den prächtigen Mantel, die Kleider, Schuhe und den Gürtel zu einer wilden Kreatur geworden war, ein Traum, den sie schon seit Ewigkeiten hegte. Dann aber bekam sie Angst vor ihren eigenen Fantasien und öffnete die Augen wieder. Sie hüllte sich in den Mantel, stand auf und betrachtete sich im Spiegel. Scheinbar war sie immer noch dieselbe Francisca: eine ältliche Frau mit Krähenfüßen und geschundenen Händen. Was der Spiegel jedoch nicht zeigte und sie auch noch nicht erkennen konnte, war eine andere Frau, eine völlig andere Francisca, die in der alten rasch Gestalt anzunehmen begann. Beim Einschlafen überlegte sie, was sie als Nächstes unternehmen würde.

Am folgenden Morgen zog sie versehentlich lauter Sachen an, die überhaupt nicht zueinander passten – weder Bluse noch Hose, weder Schuhe noch Gürtel –, schminkte sich dann aber so bunt, dass plötzlich doch alles auf schönste Weise harmonierte. Sie vereinbarte einen Termin beim besten Hairstylisten von Ibagué, einem großen, starken Mann mit langem schwarzen Haar, der Sansón genannt wurde. Als Francisca den Salon betrat, sah sie aus, als würde sie sich bald in etwas anderes verwandeln, auch wenn der Prozess noch lange nicht abgeschlossen war, ähnlich wie bei einem Ei, aus dem irgendwann etwas noch nicht näher Bestimmbares schlüpfen würde.

»So will ich aussehen«, verkündete sie und wies auf eine atemberaubend attraktive Frau auf einem Werbeplakat für Shampoo. Sansón warf einen Blick auf das Bild und sah Francisca ernst an.

»Das wird Sie ein Vermögen kosten«, sagte er.

»Fangen Sie am besten gleich an«, gab sie zurück. Sansón tönte ihr Haar, frisierte, bürstete und föhnte es; seine Assistentinnen zupften ihr die Augenbrauen, verlängerten ihre Wimpern, besorgten Maniküre und Pediküre, massierten ihr die Füße, entfernten den Damenbart, führten eine Gesichtsreinigung durch und legten frisches Make-up auf. Am Abend fühlte sie sich nicht nur völlig verändert, sondern sah auch völlig verändert aus. Der Frau von der Shampoowerbung ähnelte sie zwar kein bisschen, doch ihr neuer Look verlieh ihr eine Eleganz, die ihre Erwartungen bei Weitem übertraf.

Am Tag darauf schrieb sie sich für einen einwöchigen Intensivkurs für gute Umgangsformen bei Don José María Olivares de Belalcazar ein, einem alten Spanier, der aus seiner Heimat geflohen war, als der Diktator Franco die Macht übernommen hatte. In Amerika angekommen, legte sich Don José María einen Adelstitel zu – Marquis von Santa Coloma –, durch den er automatisch Zutritt zur kleinen, privilegierten Oberschicht von Ibagué erhielt (wie schon das alte Sprichwort sagt: Gehst du ins Ausland, gib dich als Graf, Großherzog oder Lord aus). Der Marquis machte es sich zur Lebensaufgabe, den Leuten tadelloses Benehmen beizubringen: »Vor fünfhundert Jahren haben wir Südamerika entdeckt«, pflegte er zu sagen, »und diese Barbaren wissen immer noch nicht, wie man eine Gabel hält.« Und Francisca war der Inbegriff dieses Vorurteils – unkultiviert, bäurisch, ja, vulgär. Vom Marquis lernte sie die elementarsten Tischmanieren. »Regel Nummer eins: Die Serviette grundsätzlich erst *nach* dem Gastgeber entfalten. Regel Nummer zwei: Die Serviette bleibt während des gesamten Mahls im Schoß liegen und wird lediglich dazu benutzt, sich zwischendurch den Mund *abzutupfen*.« Und so weiter. Darüber hinaus lernte sie, das Besteck korrekt zu verwenden, indem sie sich von außen nach innen vorarbeitete. In ihrem Haus in Mariquita gab es nur eine einzige Gabel, die Francisca seit dem Verschwinden ihres Mannes ohnehin nicht mehr benutzt hatte; sie aß lieber mit den Fingern und einem Holzlöffel.

Die eleganten Kleider, ihr neues Äußeres und die guten Manieren begannen sich auszuzahlen. Francisca speiste in schicken

Restaurants und verkehrte in exklusiven Clubs. Sie ging in Cocktailbars, betrank sich mehr als einmal, übergab sich in einem Taxi und in der Lobby des Hotels und hatte Sex mit einer anderen Frau.

Seit ihrer Jugend hatte sie heimlich davon geträumt, Sex mit einer Frau zu haben. Einst hatte sie versucht, sich an ein leicht zurückgebliebenes Mädchen heranzumachen, das an der Haustür Blutwürste verkaufte, doch als Francisca sie an den Brüsten berührte, war die Kleine schreiend davongelaufen. Hier in Ibagué aber war sie eine fremde Frau in einer fremden Stadt. Entscheidend war außerdem, dass sie genug Geld hatte, um sich zu kaufen, wonach immer es sie gelüstete, sexuelle Gefälligkeiten des Zimmermädchens eingeschlossen. Es passierte Folgendes: Nachdem Francisca sich in der Lobby übergeben hatte, rief der Rezeptionist ein junges Zimmermädchen und bat sie, Francisca auf ihr Zimmer zu begleiten. Oben angekommen, konnte Francisca sich nicht länger bezähmen und warf sich der Kleinen ohne Umschweife an den Hals. Das Mädchen wehrte ihre Avancen nach Kräften ab, doch als Francisca ihr ein Bündel Pesos in die Schürze steckte, gab sie nicht nur den Widerstand auf, sondern schien ihr Tête-à-Tête sogar zu genießen.

Francisca gefiel es, Sex mit einer Frau zu haben. Wenn sie erst nach Mariquita zurückgekehrt war, konnte sie vielleicht eins der Mädchen, die für sie arbeiteten – am ehesten wohl Magnolia –, zum Sex überreden. Sie würden es miteinander treiben, und wenn sie dann das Dach repariert hatte, würden sie es wieder machen, und dann würde sie ihr auftragen, die Wände blau zu streichen, dann rot, dann gelb, dann grün, und zwischen den Malerarbeiten würden sie erneut Sex haben, und wenn sie die Grundfarben durchhatte, gab es ja noch Aberdutzende von anderen Farbtönen ...

Ehe sie nach Mariquita zurückfuhr, kümmerte sich Francisca um die Möbel und Gerätschaften für ihren Schönheitssalon. Sie gab dem Verkäufer einen Vorschuss, und er versprach, alles innerhalb von zwei Wochen nach Mariquita zu liefern – einem Dorf, von dem er nie zuvor gehört hatte und das auf einer erst kürzlich aktualisierten Karte nicht zu finden war.

<hr />

Im weithin unbekannten Mariquita hatte sich die Bürgermeisterin unterdessen mit dem Priester zu einem Gespräch unter vier Augen getroffen, um darüber zu beraten, wie man Franciscas Vermögen legal besteuern konnte (bislang gab es keine Gesetze betreffs größerer, unter Betten gefundener Geldsummen). Sie kamen überein, dass Francisca verpflichtet sei, einen prozentualen Anteil ihres Vermögens an die Gemeinde zu entrichten, da das Geld auf dem Grund und Boden von Mariquita gefunden worden war. Rosalba fragte den Padre, was er davon hielte, einen Steuersatz von runden fünfzig Prozent zu erheben. Der Priester hielt dies für eine gute Idee; er selbst sei ja kürzlich erst fünfzig geworden. In grüblerischem Tonfall fügte er hinzu, dass auch die Kirchengemeinde finanzielle Unterstützung verdient habe – ob die Bürgermeisterin damit einverstanden sei, die sonst üblichen zehn Prozent Kirchensteuer auf zwanzig anzuheben. Eine hübsche Zahl, wie die Bürgermeisterin fand; mit zwanzig sei sie die Schönste von Mariquita gewesen. Der Priester meinte, das sei sie immer noch. Anschließend legten sie die vereinbarten Prozentsätze gesetzlich fest, um Francisca die unumstößlichen Fakten bei ihrer Rückkehr schwarz auf weiß präsentieren zu können.

Kurz vor Sonnenuntergang kam Francisca mit ihren Einkaufstüten und Koffern in einem klapprigen roten 47er Jeep Willy in Mariquita an. Laut hupend schleppte sich der Jeep über die Hauptstraße, von der Kirche zum Markt, vom Markt zur Schule und zweimal um die Plaza. Alle blieben stehen, um zu sehen, um wen es sich handelte; die Frauen hofften auf einen besonders gutaussehenden Fahrer, die Kinder auf eine Spritztour durchs Dorf. Sie näherten sich dem im Schneckentempo dahinschleichenden

Gefährt und stießen Jubelschreie aus. Der Chauffeur war so alt und klapprig wie sein Wagen; er saß derart tief über das Steuer gebeugt, dass es aussah, als würde er den Jeep nicht mit den Händen, sondern mit dem Kinn lenken. Auf dem Beifahrersitz thronte Francisca und lächelte ihre Freundinnen und Nachbarinnen an. Doch niemand erkannte sie, auch nicht, als der Jeep vor ihrem Haus hielt und der alte Chauffeur um den Wagen herumging, um ihr die Tür zu öffnen, ebensowenig, als erst ein Schuh mit hohem Absatz, dann eine ihrer manikürten Hände und ein mit klimpernden goldenen Kettchen geschmückter Unterarm zum Vorschein kam, ja, selbst dann nicht, als Francisca ausgestiegen war und die Falten an ihrem scharlachroten Seidenkleid glatt strich, die sich in der Taillengegend gebildet hatten. Erst als sie ihre Haustür öffnete, hörte man eine Frau ekstatisch rufen: »Aber das ist doch Francisca, die Masatera!«

Die Versammelten sahen zu, wie der Fahrer Tasche um Tasche, Koffer um Koffer ins Haus trug. Und während die Sachen nacheinander an ihnen vorbeiwanderten, begannen die Frauen Francisca insgeheim für ihre Verschwendungssucht zu verfluchen.

Als der Chauffeur abgefahren war, bat Francisca ein paar ihrer Freundinnen ins Haus. Die anderen Frauen sahen abwechselnd durch die Fenster und beobachteten, wie Francisca ein Kleid nach dem anderen anprobierte, ein Paar Schuhe nach dem anderen in den Ecken stapelte, was ihnen ihre eigene Not nur umso deutlicher vor Augen führte. Unter ihnen befand sich auch Rosalba. Wegen des fragwürdigen Steuererlasses hatte sie zunächst ihr schlechtes Gewissen geplagt, doch nun wusste sie, dass Francisca genug Kleider besaß, um damit das komplette Dorf auszustatten, und so viele Schuhe wie ein Tausendfüßler Beine. Fast vier Jahre lang hatten die Frauen von Mariquita dieselben schwarzen Kleider getragen, die inzwischen von Flicken und ausgebesserten Stellen nur so wimmelten. Und diejenigen, die so dumm gewesen waren, auf Francisca zu hören und ihre Trauerkleidung zu verbrennen, hatten kurz darauf feststellen müssen, dass ihre anderen Kleider mittlerweile zu groß oder zu klein geworden oder von Motten gefressen worden waren. Die Schuhe der meisten Frauen waren so abgetreten, dass sie jeden Kiesel durch die Sohlen spürten; manche gingen inzwischen einfach barfuß. Nein, Rosalba musste wahrlich kein schlechtes Gewissen haben. Franciscas Verschwendungssucht hatte ihr alle Argumente an die Hand gegeben.

Der folgende Tag war ein Samstag, also Markttag. Frühmorgens gingen die Händlerinnen Fischen oder Jagen; Hühnerhälse wurden aufgeschlitzt, die größten Orangen und Guaven gepflückt. Waren, die sonst nur schwer erhältlich waren, gab es plötzlich in Hülle und Fülle, und nur wirklich Frisches wurde mit zum Markt genommen, wo sich kurz nach sechs alle möglichen Kunden und Händler versammelten. Francisca stand in aller Herrgottsfrühe auf. Sie hatte Hunger, doch war nirgendwo im Haus etwas Essbares zu finden – bevor sie nach Ibagué gefahren war, hatte sie die Speisekammer leer geräumt. Nun war es an der Zeit, sich mit erstklassigen Vorräten einzudecken. Sie wollte gerade das Haus verlassen, als es an der Tür klopfte. Draußen standen die Bürgermeisterin, der Priester und die Dorfpolizistin; sie hatten ziemlich amtliche Mienen aufgesetzt. Francisca bat sie herein.

»Ich würde euch wirklich gern einen Platz anbieten«, sagte sie, während sie den Blick durch den vollgepfropften Raum schweifen ließ. »Wenn sich nur ein Stuhl auftreiben ließe.«

»Nicht nötig«, erwiderte die Bürgermeisterin. »Wir machen es kurz.« Sie förderte ein Blatt Papier aus ihrer Handtasche zutage und reichte es Francisca, ehe sie formell verkündete: »Es gibt ein neues Gesetz, das die Gemeindeverwaltung von Mariquita und die römisch-katholische Kirche berechtigt, Steuern auf innerhalb der Ortsgrenzen gefundenes Geld zu erheben.«

»Ach ja?«, gab Francisca zurück, ohne auch nur ansatzweise überrascht zu wirken.

»Das Dokument, das du in Händen hältst, wird dich über das Gesetz und die Steuersätze informieren«, ergänzte Padre Rafael die Ausführungen der Bürgermeisterin.

Francisca antwortete nicht sofort, auch wenn ihr das Blut in die Wangen stieg. Sie war sich bewusst, dass der Ernst der Lage nach wohldurchdachten und gewählten Worten verlangte, einer Antwort eben, die eine Dame von Welt auf solcherlei Ansinnen geben würde. »Raus mit euch, ihr Strauchdiebe!«, brüllte sie Rosalba an, riss das Blatt Papier in Fetzen und warf ihr die Überreste ins Gesicht.

Dorfpolizistin Ubaldina stellte sich zwischen die beiden Frauen, um notfalls zu schlichten, was aber nicht nötig war, da die Bürgermeisterin erstaunlich gelassen blieb.

»Ich kann dich nur warnen, Francisca«, sagte Rosalba. »Ich werde nicht länger zulassen, dass auch nur eine Frau in Mariquita mit knurrendem Magen zu Bett geht, während sich eine andere jeden Tag an Schweinekoteletts überfrisst.«

»Zur Hölle mit den hiesigen Weibern! Ich werde mein Geld mit niemandem teilen! Raus jetzt!« Sie wies zur Tür, die nach wie vor offen stand.

»Denk drüber nach, meine Liebe«, ließ sich der Padre vernehmen. »Ein attraktives Äußeres und elegante Kleider mögen dich eine Zeitlang über die Menge hinausheben, aber du bist und bleibst eine Witwe in einer Stadt voller Witwen. Und deine Seele ...«

»Zur Hölle mit Ihnen und Ihrer schwachsinnigen Kirche! Raus!«

»Du hast Zeit bis Sonnenuntergang, ins Rathaus zu kommen und jeden einzelnen Centavo zu versteuern, den du gefunden hast«, erklärte die Bürgermeisterin. »Ansonsten wirst du postwendend aus Mariquita verbannt.«

Und nun konnte sich auch die Polizistin, die bis dahin still gewesen war, nicht länger zurückhalten. Mit sardonischem Lächeln sagte sie: »Tja, wenn einem etwas Kummer und Sorgen bereitet, muss man sich eben davon befreien.«

Die drei wandten sich abrupt um und verließen das Haus.

Nervös lehnte sich Francisca gegen die Tür. Was sollte sie jetzt tun? Da sie dem Padre die genaue Summe verraten hatte, konnte sie nun keinen geringeren Betrag mehr angeben. Sollte sie trotzdem bleiben und den Erlass der Bürgermeisterin anfechten? Oder sollte sie dem Dorf den Rücken kehren? Nun steckte sie in derselben Zwickmühle wie zwei Wochen zuvor. Nein, ihr Dilemma war noch größer geworden, da sie bis Sonnenuntergang zu einer Entscheidung kommen musste. Doch war es letztlich die Drohung der Bürgermeisterin, die in ihr den Entschluss reifen ließ, nirgendwo anders hinzugehen. Für wen hielt Rosalba sich eigentlich – glaubte sie ernstlich, nach Gutdünken entscheiden zu können, wer im Dorf bleiben konnte und wer nicht? Wenn überhaupt jemand seine Sachen packen sollte, dann ja wohl sie selbst! Schließlich war sie nicht mal in Mariquita geboren. Und so kam Francisca zu dem Entschluss, an ihrem ursprünglichen Plan festzuhalten und einen Schönheitssalon zu eröffnen. Außerdem würde sie gerichtlich gegen Rosalba vorgehen; es musste ein Gesetz geben, das eine reiche Witwe davor bewahrte, aus ihrem Heimatort verbannt zu werden.

Darüber dachte sie weiter nach, während sie zur alten Barbería Gómez hinüberging. Der Laden sah genauso aus wie vor ihrer Abreise nach Ibagué. Die Morales-Schwestern hatten keinen Finger gerührt. Stocksauer begab sich Francisca zum Markt, um neue Gehilfinnen anzuwerben, doch niemand ging auf ihre Angebote ein. Sie fragte im ganzen Dorf herum, erhöhte das Entgelt von Tür zu Tür, setzte ihren ganzen Charme ein, doch keine einzige Frau wollte für sie arbeiten. Sie war müde und hungrig; kein Wunder, über all ihren Problemen hatte sie das Frühstück vergessen. Sie ging zum Stand der Witwe Morales und bestellte bei Julia etwas zu essen. Das Mädchen musterte Francisca mit höchst abschätzigem Blick, der nur allzu deutlich ausdrückte, dass ihre Präsenz nicht erwünscht war, und als Francisca versuchte, sich woanders etwas zu essen zu besorgen, musste sie feststellen, dass keine ihrer ehemaligen Freundinnen willens war, sie mit irgendetwas zu versorgen. Sie bot den doppelten Preis für ein paar Kochbananen, den dreifachen für eine Yucca, und trotzdem weigerten sich die Händlerinnen standhaft, ihr etwas zu verkaufen. Offenbar wollten sie sehen, wie weit sie sich vor ihnen erniedrigen würde, genau wie die Bürgermeisterin. Aber Francisca viuda de Gómez würde sich von niemandem in die Knie zwingen lassen, schon gar nicht jetzt, da sie reich war.

Hungrig marschierte sie wieder nach Hause; sie fühlte sich, als würden Parasiten ihre Eingeweide fressen. In ihrer Küche fand sie lediglich noch etwas Wasser in einem Kanister und eine Gallone Petroleum für den Ofen. Sie erhitzte das Wasser, goss es in eine Tasse und gab den letzten Rest Salz aus einer Plastikschale hinzu. Sie nippte an dem geschmacklosen Gebräu und hoffte, es würde zumindest das Hungergefühl vertreiben. Aber es verstärkte sich nur, als die klare Flüssigkeit ihren Magen erreichte.

Als der Abend nahte, hockte Francisca auf dem Boden und begann, mit ihren Nasenflügeln zu spielen. Sie bedeckte den rechten und sog mit dem linken den Duft des Gänseragouts ein, das nebenan gekocht wurde; dann bedeckte sie den linken Nasenflügel und erschnupperte den Geruch von Kuttelsuppe. Sie schloss die Augen und fuhr damit fort; ihre Sinne wanderten von Küche zu Küche, bis sie genau wusste, was welche Familie heute Abend essen würde, ja, sie wusste sogar, wer mit knurrendem Magen zu Bett gehen würde, so wie sie selbst. Vielleicht war es ja doch besser, wenn sie ihre Steuern zahlte, damit sich alle Bewohner von Mariquita satt essen und saubere Kleider tragen konnten. Oder vielleicht auch nicht. Warum sollte jemand etwas geschenkt bekommen, wenn er nicht dafür gearbeitet hatte? Sie hatte ihnen Arbeit zu Spitzenlöhnen angeboten, und sie alle hatten abgewinkt. Nun gut, dann sollten sie auch allesamt hungrig zu Bett gehen.

Sie nahm noch einen letzten Schluck heißes Wasser, und plötzlich sah sie nacheinander ihre Ängste hereinmarschieren. Zuerst kam die Einsamkeit – natürlich allein. Francisca erkannte sie sofort, da sie sich zaghaft im ganzen Haus umsah, ohne so recht zu wissen, wo sie sich niederlassen sollte. Schließlich kroch sie in die

Innentasche eines brandneuen Pelzmantels und bewegte sich nicht mehr. Die Schuldgefühle kamen gleich hinterher, zeigten mit langen, anklagenden Fingern auf sie und verschwanden in einer roten Seidenbluse, um von dort aus weiter auf sie zu deuten und sie nicht in Ruhe zu lassen. Es folgten Zurückweisung und Verdammung, wie immer Hand in Hand. Sie schienen sich wie zu Hause zu fühlen, auch wenn sie Francisca nicht die geringste Beachtung schenkten. Sie verschwanden in einem Paar schicker Hochhackiger mit Pfennigabsätzen. Und plötzlich ging Francisca ein Licht auf: Die Ängste hatten gleichzeitig mit dem Geld Einzug in ihr Leben gehalten. Sie hatten nur auf die richtige Gelegenheit gewartet, auf einen Moment allumfassender Schwäche und Verzweiflung, um sich zu offenbaren. Und nun verbargen sie sich in ihren teuren neuen Kleidern und warteten darauf, dass ihr die Tränen in die Augen traten. Ihr blieb nur eine letzte Möglichkeit.

Ihre Hände zitterten, als sie aufstand und sich vollständig entkleidete. Mitten in ihrem Wohnzimmer warf sie alles aufeinander, ihre neuen Kleider und Schuhe, die teuren Accessoires und all die Geldscheinbündel, die sie unter ihrem Bett gefunden hatte. Dann nahm sie die einzige noch im Haus verbliebene Flüssigkeit zur Hand und benetzte den Haufen mit feierlicher Geste; ihr rechter Arm beschrieb einen hohen Bogen in der Luft. Sie trat einen Schritt zurück und sah sich um, ehe sie in die Küche ging, sich eine Packung Streichhölzer griff, zurückmarschierte, ein Streichholz anriss und es auf den petroleumdurchtränkten Haufen warf. Kichern. Sie wartete, bis die Flammen den ganzen Haufen erfasst hatten und die Decke schwärzten. Dann schloss sie die Tür hinter sich, verließ das Haus und spazierte unter den Mangobaum auf der anderen Straßenseite. Kichern, Kichern. Und während die Sonne unterging, stand sie dort, splitternackt und kichernd, und sah zu, wie Rauch und Flammen durch das marode Dach und die offenen Fenster schlugen, hörte, wie die Kirchenglocke unablässig läutete und ein vielstimmiger Chor von Nachbarinnen und Freundinnen nach Wasser rief. Kichern, Kichern, Kichern.

Jesús Martínez, 48
Hauptmann a.D., Kolumbianische Regierungsarmee

Auf unserer Etage war ein neuer Mieter eingezogen, aber bislang hatte ihn keiner zu Gesicht bekommen. »Ein ehemaliger Guerillero mit Gedächtnisschwund«, hatte die Vermieterin einem meiner Zimmernachbarn anvertraut. »Kein Wort davon zum Hauptmann, sonst spielt er verrückt!« Aber ich bin nicht verrückt, bloß wütend. Vor zehn Jahren hat mir eine von Guerilleros gelegte Landmine die Füße abgerissen und meine militärische Laufbahn beendet. Nun ja, in abgewrackten Mietshäusern wie diesem halten sich Geheimnisse nur ein paar Minuten. Und als ich von dem neuen Mieter hörte, dachte ich: Gedächtnisschwund? Dem Dreckskerl werde ich auf die Sprünge helfen, und anschließend schieße ich ihm seine verdammte Birne runter.

Ich lud meine Pistole und versteckte sie unter einer weißen Decke, die ich sorgfältig auf dem Schoß zusammengelegt hatte. Ich trank ein halbes Glas Rum und zündete mir eine Zigarette an, nahm zwei Züge und drückte sie wieder aus. Ich hob meine Hand. Sie war ruhig genug, um ihn zu erschießen. Ich bewegte meinen Rollstuhl zur Tür, öffnete sie behutsam und vergewisserte mich in beide Richtungen, dass niemand auf dem Flur war. Ich war nicht nervös. Mein Herz schlug nicht schneller als sonst, und mein Atem ging ruhig und regelmäßig. Ich setzte meinen Weg fort, bis ich mich direkt vor der Zimmertür meines Opfers befand. Drinnen hörte ich den Dreckskerl husten. Mit der Linken klopfte ich drei Mal an. Meine andere Hand befand sich unter der

Decke; ich hielt die Pistole so fest, dass es schmerzte. Wieder hustete er. Gleich ist für immer Schluss mit der Husterei, dachte ich. Einen Augenblick lang herrschte Stille. Dann hörte ich ein vertrautes Geräusch, und ehe ich mich versah, öffnete sich die Tür, und da war er, direkt vor mir, der neue Mieter, der Ex-Guerillero, das Monster. Er hatte keine Beine mehr, bloß Stümpfe, und saß ebenfalls in einem Rollstuhl.

Schweigend starrten wir einander an, als würden wir uns im Spiegel betrachten.

»Hallo«, sagte er schließlich. Er lächelte freundlich. »Vicente Gómez«, fügte er dann hinzu, während er die Hand ausstreckte. »Zu Ihren Diensten.«

Ich ließ die Pistole unter der Decke los und schüttelte ihm die Hand, auch wenn ich noch einen letzten Moment zögerte. »Jesús«, sagte ich. »Jesús Martínez. Ich wohne drüben am anderen Ende des Flurs.«

»Freut mich, Sie kennenzulernen«, sagte einer von uns.

»Ganz meinerseits«, sagte der andere.

Kapitel 6

DIE ANDERE WITWE

Mariquita, 7. Dezember 1997

So wie an jedem Abend in den letzten fünf Jahren saß Santiago Marín barfuß und ohne Hemd auf den Treppenstufen vor dem Haus, blickte ins Dunkel und wartete auf Pablo. An diesem Abend zündete er außerdem ein paar Kerzen für die Jungfrau Maria an, die der Legende nach am 7. Dezember von Haus zu Haus zog und überall ihren Segen spendete, wo eine Kerze brannte.

Von weitem drang Motorengeräusch an seine Ohren. Zuerst kümmerte er sich nicht weiter darum, doch als das Brummen lauter wurde, raffte er sein Haar zu einem Pferdeschwanz zusammen, wischte sich das ölige Gesicht mit einem Stofffetzen ab und entzündete eine weitere Kerze. Dann sah er die Scheinwerfer eines Wagens, der den Hügel herunterkam. Der letzte Wagen, der die ungeteerten Straßen von Mariquita befahren hatte, war jene Knatterkiste von Jeep gewesen, mit der Francisca viuda de Gómez aus Ibagué zurückgekommen war. Und auch diesmal handelte es sich um einen alten, verbeulten Jeep mit lautem Motor, abgesehen davon, dass der Wagen schwarz lackiert war. Der Fahrer kreiste zweimal um die heruntergekommene Plaza, ehe er kurz an einer Ecke hielt, um die Bürgermeisterin, den Priester und die Dorfschullehrerin zu grüßen, die, wie zahlreiche andere Frauen und Kinder auch, auf die Straße geeilt waren, um den Besucher willkommen zu heißen. Nachdem er der Bürgermeisterin zweimal versichert hatte, dass er nicht von der Regierung geschickt worden war, kam der Fahrer endlich dazu, nach dem Weg zu fragen; dann bahnte er sich langsam den Weg durch die stetig anwachsende Menge, ehe er vor dem Haus der Witwe Jaramillo anhielt, Santiago direkt gegenüber.

»He, lasst mich mal raus«, sagte der Fahrer leicht beunruhigt zu den halbnackten Kindern, die den Wagen umringten. Die Frauen zerrten die Kinder weg und starrten ihn schweigend an. »Aus dem Weg!«, brüllte er. Er klang hochnäsig, verächtlich sogar, trotz seiner schräg gestellten Augen und seiner dunklen Haut, trotz des Strohhuts, des verschlissenen Ponchos und der Machete an seiner Hüfte – durchweg Indizien, die auf seine indianische Abstammung hinwiesen. Er blieb vor der Tür der Witwe Jaramillo stehen; offensichtlich ging er davon aus, dass sie, alarmiert vom Motorengeräusch und dem Lärm der Menge, jede Sekunde herauskommen würde. Die Witwe hatte keine Kerzen angezündet, da sie längst nicht mehr an Wunder glaubte (tatsächlich war sie verrückt geworden, nachdem die Guerilleros sowohl ihren Mann als auch zwei ihrer Söhne erschossen hatten, und momentan hatte sie niemanden, der sich um sie kümmerte). Als die Witwe nicht herauskam, klopfte der arrogante Fahrer an der Tür und wartete. Er klopfte ein zweites, ein drittes und ein viertes Mal, lauter und lauter, bis die Witwe endlich die Tür öffnete, aber kaum mehr als die Nase herausstreckte. Der Mann flüsterte ihr irgendetwas zu, worauf die Witwe die Tür ohne ein weiteres Wort wieder zuknallte.

»Blöde Kuh!«, rief der Mann und trat mit seinen spitzen Lederstiefeln gegen die Tür. »Mach sofort wieder auf, du blöde Kuh! Ich habe stundenlang gebraucht, um dieses Dreckloch überhaupt zu finden!« Die Menge wich zurück, während der Mann weiter wütend auf die Tür eintrat und alle möglichen Flüche ausstieß. »Wenn ich nicht sofort mein Geld kriege, werde ich das widerliche Stück Scheiße direkt vor deiner Tür abladen«, brüllte er und wies mit dem Zeigefinger zum Wagen. »Und weißt du, was ich noch mache? Ich werde den verdammten Koffer mitnehmen, verlass dich drauf!«

Schweigend verfolgte Santiago die Szene von seinem Platz gegenüber. Er gehieß seine beiden jüngeren Schwestern, ins Haus zu gehen, und seine Mutter, in sicherer Entfernung zu bleiben. Er selbst rührte sich nicht vom Fleck. Er blieb genau dort sitzen, wo er während der vergangenen fünf Jahre jeden Abend gesessen, Kerzen für die Jungfrau Maria angezündet, auf ihren Segen gehofft, in die Dunkelheit gestarrt und auf Pablos Rückkehr gewartet hatte.

Pablo und Santiago waren beide am Morgen des 1. Mai 1969 geboren worden. Pablo war zweieinhalb Stunden älter. Dr. Ramírez, der die beiden zur Welt brachte, pflegte zu sagen, dass die beiden Jungs, abgesehen von einem dunklen Geburtsmal unter Pablos rechtem Auge, völlig identisch ausgesehen hätten: »Wie Zwillinge, nur von verschiedenen Müttern.«

Pablo und Santiago waren die einzigen Kinder in der Straße, in der sie aufwuchsen. Sie war schmal, ungeteert und von Mangobäumen gesäumt. Die Dächer der Häuser waren mit Ziegeln aus getrocknetem Schlamm gedeckt und die Adobemauern verkrustet von Dreck. Der Weg wurde allgemein Don-Maximiliano-Straße genannt, da dem Großgrundbesitzer selbigen Namens alle Häuser gehörten. Außerdem gehörten ihm drei Kaffeeplantagen außerhalb des Dorfs. Während der Erntezeit stellte er fast ausschließlich Helfer aus Mariquita an. Die Frauen blieben zu Hause, kümmerten sich um die Kinder und die Gemüsegärten, in denen Maniok, Kartoffeln, Koriander und Kürbisse gediehen.

Die beiden Jungen spielten den lieben langen Tag auf den Feldern; nur zum Mittagessen kamen sie zwischendurch nach Hause. Und es war ganz und gar kein ungewöhnlicher Anblick, wenn die zwei Jungs Hand in Hand durch Mariquita spazierten. »Wie Blutsbrüder sind sie«, pflegten ihre Mütter zu sagen.

Am liebsten spielten die beiden Jungen Mutter und Vater, wenn sie unten am Fluss waren.

»Ich spiele den Vater«, sagte Pablo.

»Immer bist du der Vater«, beschwerte sich Santiago. »Ich will auch mal.« Aber schließlich gab er doch jedes Mal nach. Pablo verschwand in den Büschen und tat so, als befände er sich auf einer von Don Maximilianos Kaffeeplantagen. Santiago blieb am Fluss zurück und spielte seine eigene Mutter, trug Wasser vom Fluss nach Hause, kochte, goss Gemüse und Kräuter, kochte wieder, kümmerte sich um die Wäsche und begab sich ein letztes Mal in die Küche. Nach ein paar Minuten kam Pablo aus den Büschen und tat so, als sei er völlig verdreckt von der Arbeit und hundemüde.

»Buenas tardes, mi amor«, sagte er und küsste Santiago in den Nacken.

»Na, wie war dein Tag?«

»Wie immer. Arbeit, Arbeit, Arbeit.«

Die beiden Jungen hockten sich auf den Boden und taten so, als würden sie Reis und Bohnen essen. Anschließend zog Pablo sein Hemd aus und legte sich ins Gras, verschränkte die Hände hinter dem Kopf und sah gen Himmel. »Ich kümmere mich später um den Abwasch«, sagte Santiago und ging rasch zu jenem Teil des Spiels über, der ihm um einiges besser gefiel: der Massage. Er begann mit Pablos Füßen, rieb sanft jede seiner zwölf Zehen (die sechszehigen Füße hatte er von seinem Vater geerbt). Langsam arbeitete sich Santiago nach oben, massierte Pablos Waden, Knie und Oberschenkel und nahm sich dann ausgiebig seine Brust vor. Als er Pablo in die braunen Brustwarzen kniff, schrie dieser leise auf. Und wenn Pablo leise aufschrie, war es an der Zeit, dass sich Santiago um seinen kleinen Penis kümmerte. Er molk ihn, als handele es sich um die Zitze an einem Euter, und lachte vergnügt, während Pablo sich wohlig hin und her wälzte. Als Santiago schließlich von ihm abließ, nahm Pablo ihn in die Arme und führte ihn zum Fluss, wo er Santiago mit einem zärtlichen Kuss dafür belohnte, dass er eine gute Ehefrau gewesen war. Den Rest des Tages schwammen sie nackt im Fluss, ertränkten Heuschrecken, pinkelten auf Ameisenhügel, bewarfen Wespennester mit Steinen und tollten wieder im Wasser herum. Der Kuss aber war für Santiago der Höhepunkt des Tages, ein Ausdruck wahrer Liebe, für den er gern in Kauf nahm, jeden Tag seine stinklangweilige Mutter spielen zu müssen.

Abends saßen die beiden auf abgesägten Baumstämmen vor Santiagos Haus und lauschten den Märchen seiner Großmutter, etwa der Geschichte von der alten Frau, die sich in eine Katze verwandelte, um dem Tod zu entgehen, oder der von der Prinzessin, die nicht lachen konnte. Fast jede Nacht schliefen die beiden Jungen nebeneinander auf dem Erdboden von Santiagos Haus unter derselben weißen Decke und träumten.

Mit energischen Schritten ging der Fahrer zurück zu seinem Jeep. Er öffnete die hintere Tür, zerrte einen abgenutzten Lederkoffer heraus, zog den Reißverschluss auf, förderte ein großes weißes Handtuch zutage und zog den Reißverschluss wieder zu. Ehe er mit seinem Tun fortfuhr, warf er einen Blick zur Haustür der Witwe Jaramillo, als wolle er ihr eine letzte Chance geben, herauszukommen und sich mit ihm zu einigen. Dann stellte er den Koffer ab und zog vorsichtig einen leblosen Körper an den Beinen aus dem Inneren des Wagens. Die Frauen taten ein Stück näher; die brennenden Kerzen erleuchteten die Szene. »Haut bloß ab!«, brüllte der Fahrer. Als er den leblosen Körper hastig entkleidete, kam ein dürrer Mann zum Vorschein, dessen Haut von Schrunden und Blutergüssen übersät war. Dann schlug der Fahrer dem Mann seine Kappe vom Kopf, der, wie sich nun zeigte, fast gänzlich kahl war.

»Ich friere«, ertönte die leise Stimme des Unbekleideten.

»Ohhh!«, ging ein ebenso leises Raunen durch die Menge; alle waren erleichtert, dass der Fremde nicht tot war. Der Fahrer entfernte eine goldene Kette vom Hals des nackten Mannes, streifte eine protzige goldene Uhr von seinem Handgelenk und steckte beide Gegenstände in die Hosentasche. Dann versuchte er, zwei Ringe von den knochigen Fingern des Mannes zu ziehen.

»Nein«, stöhnte der nackte Mann. »Bitte, nicht die Ringe.« Er ballte die Hand zur Faust.

»Halt die Schnauze!«, fuhr ihn der Fahrer an. »Du hast geschworen, die Alte würde dich auslösen, aber sie will nichts rausrücken. Her mit den Ringen, aber sofort!«

»Nein, bitte!«

»Schluss jetzt, oder ich hacke dir die Hand ab!« Der Fahrer griff nach seiner Machete.

»Ohhh!«, ging ein weiteres Raunen durch die Menge.

»Bitte, hören Sie auf damit. Um Gottes willen, machen Sie sich nicht unglücklich.« Es war der Padre, der umgehend alarmiert worden und zusammen mit der Bürgermeisterin und der Dorfpolizistin herbeigeeilt war. »Lassen Sie die arme Seele in Frieden sterben.« Er hielt gebührenden Abstand, zog einen Rosenkranz aus der Tasche seiner Soutane und begann murmelnd zu beten. Ein paar Witwen fielen sofort mit ein.

Der frustrierte Fahrer ließ den Priester links liegen und versuchte weiter, die verkrampfte Faust des Mannes aufzuzwingen – vergeblich.

»Lassen Sie sofort den Mann in Ruhe, oder ich schieße Ihnen eine Kugel in den Kopf!« Die Drohung kam aus dem Mund der Bürgermeisterin, Rosalba viuda de Patiño. Sie stand direkt hinter dem Fahrer und zielte mit einer Pistole auf seinen Schädel. Neben ihr befand sich die Dorfpolizistin, Ubaldina viuda de Restrepo, einen Revolver im Anschlag.

Der Fahrer musterte die beiden Frauen mit hasserfülltem Blick und spuckte aus. Er griff nach der weißen Decke, hüllte den dürren Mann darin ein und trug ihn vor die Tür der Witwe Jaramillo; dort legte er das Bündel ab und trat erneut dreimal gegen die Tür. »Er liegt jetzt auf deiner Fußmatte«, brüllte der Fahrer. »Und zwar nackt, weil ich ihm seine Klamotten abgenommen habe. Hörst du mich?« Er ging zurück zum Jeep, ohne die auf ihn gerichteten Waffen auch nur im Mindesten zu beachten, sammelte die Sachen und Schuhe des Mannes ein und stopfte sie in den schäbigen Koffer. Er schlug die hintere Tür zu, setzte sich hinters Steuer und ließ den Motor anspringen. Dann brüllte er die Worte durchs Fenster, vor denen Santiago schon die ganze Zeit gegraut hatte: »Hier draußen liegt dein sterbender Sohn! Fahr zur Hölle, du herzlose Schlampe!«

Santiago blieb reglos sitzen und ließ den Blick geistesabwesend über die vertrauten Gesichter der Menge schweifen, ohne mitzubekommen, wie sich die allgemeine Aufregung wieder legte. Er sah nicht, wie die Frauen die Köpfe in die Hände stützten oder die Fingerspitzen an die bebenden Lippen legten. Er hörte weder ihr Weinen noch das Knattern des Jeeps, nicht einmal das Geräusch seines laut pochenden Herzens.

———

An einem wolkenverhangenen Tag im Jahr 1981 begannen Pablo und Santiago für Don Maximiliano Perdomo zu arbeiten. Es war ganz normal, dass Eltern ihre Söhne zur Arbeit schickten, wenn sie zwölf geworden waren, zuweilen auch schon vorher, wenn sie bei der Feldarbeit gebraucht wurden. Die Erntezeit hatte begonnen, und auf Yarima, Don Maximilianos größter Kaffeeplantage, wurden dringend Arbeitskräfte benötigt. Die beiden Jungen kamen frühmorgens zur Farm, wo sie von Doña Marina in Empfang genommen wurden, einer unfreundlichen Zwergin, die für die Unterkünfte der Arbeiter zuständig war. Missbilligend musterte sie die Jungen, knurrte irgendetwas Unverständliches und gehieß die beiden dann mit ihrem Patschhändchen, ihr zu folgen. Über einen engen, schlammigen Pfad marschierten Pablo und Santiago hinter ihr her und traten nach den Gänsen, die zischelnd nach der kleinen Frau schnappten, als sei sie eine von ihnen. Doña Marina führte die Jungen zu einem großen Schuppen, wo die Kaffeepflücker während der Erntezeit schliefen. Sie erklärte den beiden, wo die Strohkörbe waren, die sie um die Hüfte tragen würden, und schickte sie zur Plantage hinüber. »Da lang, bis ihr die Kaffeebäume seht«, quiekte sie und fügte anerkennend hinzu: »Danke, dass ihr mir die Biester vom Leib gehalten habt.«

Die Bohnen an den meisten Kaffeebäumen hatten ein dunkles Kirschrot angenommen. Vom höchsten Punkt des Geländes wirkte die Pflanzung wie ein Wald von Weihnachtsbäumen, auf denen rote Lichtlein brannten. Der Vormann gehieß Pablo, einem alten Indianer mit langem Pferdeschwanz zu folgen; Santiago schloss sich einem Mann namens Cigarrillo an, der so genannt wurde, weil er ununterbrochen eine Zigarette im Mund hatte. Die beiden Männer sollten den Jungen zeigen, wie man die Kaffeebohnen am leichtesten und schnellsten erntete. Pablo und Santiago wünschten, sie hätten sich die Arbeit von ihren Vätern zeigen lassen können, die seit über dreißig Jahren ihr Geld als Kaffeepflücker verdienten, doch waren sie nach Cabrera geschickt worden, da dort schlechtes Wetter die Ernte zu verderben drohte.

»Sieh einfach auf meine Hände, Junge«, sagte Cigarrillo zu Santiago. Seine Finger flatterten gleichsam über die Äste, berührten sie kaum, während Dutzende roter Bohnen in seinen Korb fielen. »Wir sind nur auf die Kaffeekirschen aus, die schon reif sind, diejenigen, die dir sozusagen in den Schoß fallen.« Sein Gesicht war sonnenverbrannt, der Bart nicht gekämmt. »Grüne Kirschen machen den Kaffee bitter, und wenn überreife dazukommen, wird er sauer.« Santiago warf einen Blick in Cigarrillos Korb, konnte aber keine grünen oder überreifen Kirschen entdecken. »Ein geübter Pflücker holt sich die gesamten reifen Kirschen mit einem Griff«, fuhr Cigarrillo fort, »und sollte mindestens hundert Pfund Kaffeebohnen am Tag ernten.« Als sein Korb fast voll war, erklärte er, der

Pflücker müsse den Korb anschließend hinüber zur Kaffeefabrik bringen, dem Haus gleich neben dem Lagergebäude, wo Doña Marina den Kaffee wiegen und die genaue Menge notieren würde; anschließend ging man zurück und fing wieder von vorne an. Der Lohn, den die Kaffeepflücker jeden Samstag, teils in bar, teils in Naturalien ausgezahlt bekamen, richtete sich nach der jeweils geernteten Menge. »Das Wichtigste aber ist«, fügte Cigarrillo hinzu, »dass du Spaß bei der Arbeit hast. Sing Lieder, sprich mit den Bäumen, erzähl ihnen Witze. Stell dir vor, die Bäume wären Hunderte von nackten Mädchen, die nur darauf warten, dass du ihnen an die Wäsche gehst.« Er lachte schallend. Santiago zwang ein Lächeln auf seine Lippen. Er würde lieber an Pablos Penis denken.

In ihrer ersten Nacht in Yarima rückten die beiden Jungen ihre Strohmatten zusammen, um wie gewöhnlich möglichst nah beieinander zu liegen. Sie hielten einander an den Händen, während sie ihre Gebete sprachen, und als sie damit fertig waren, gaben sie sich noch einen Gutenachtkuss.

Wobei sie im Schein einer Petroleumlampe von einem gedrungenen jungen Burschen namens Pacho beobachtet wurden. »He, Leute, seht euch das mal an«, rief er so laut, dass seine Stimme bis in die hintersten Ecken des Schuppens drang. »Zwei schwule Betschwestern, die sich's hier gegenseitig besorgen.« Er erhob sich von seiner Matte, griff sich die Lampe und ging zu den beiden Jungen hinüber. »Knutschen und beten – das ist ja wohl ne elende Sauerei«, sagte er und schüttelte missbilligend den Kopf. »Ne gottverdammte Sauerei!« Pablo und Santiago verstanden nicht, was er eigentlich von ihnen wollte, doch was immer es auch sein mochte, es klang, als hätten sie eine Todsünde begangen. Verschüchtert rückten sie noch näher zusammen, während der Körper des Mannes hoch über ihnen aufragte.

»Na los, ihr Süßen«, imitierte er eine Frauenstimme. »Kommt schon, ich will noch ein bisschen Geknutsche sehen.«

»Halt's Maul, Pacho«, ließ sich Cigarrillo verschlafen von seiner

Matte vernehmen. »Lass die Jungs in Ruhe. Wir wollen schlafen.«
Doch den anderen Männern, die seit Wochen nichts anderes getan hatten, als von morgens bis abends zu arbeiten, stand durchaus der Sinn nach ein bisschen Ablenkung. Einige setzten sich auf und kniffen die Augen zusammen, andere erhoben sich und versammelten sich ungeduldig um die beiden Jungen.

»Nun macht schon, mariquitas«, sagte ein Kerl, dem fast alle Vorderzähne fehlten. »Wir haben nicht die ganze Nacht Zeit.« Mit dem nackten Fuß strich er über Santiagos Rücken.

»Ich habe Angst, Pablo«, flüsterte Santiago seinem Freund ins Ohr. »Lass uns einfach noch mal küssen, damit wir endlich schlafen können.«

Pablo schüttete den Kopf.

»Küssen, küssen«, riefen ihre Zuschauer im Chor.

»Bitte, Pablo, bloß noch einen Kuss«, flüsterte Santiago abermals. Panik mischte sich in seine leise Stimme, während sein Herz hart gegen seine kleine, knochige Brust pochte.

»Küssen, küssen ...«

Santiago flehte ihn so inständig an, dass Pablo keine andere Wahl blieb. Na schön, sagte er sich. Die beiden Jungen klammerten sich aneinander. Santiago sah zu den Männern auf, ließ den Blick von einem zum anderen schweifen, um ihnen zu bedeuten, dass sie so weit waren; dann küsste er seinen Freund auf die zitternden Lippen, nur für einen winzigen Augenblick, ehe sie der erste Tritt aus ihrer Umarmung riss. Wie hungrige Raubtiere fielen die Männer über die beiden her, schlugen wie entfesselt mit ihren Fäusten auf die zerbrechlichen Körper der beiden Jungen ein, traten sie brutal mit schwieligen Füßen. Vor Angst wie gelähmt, spürten Santiago und Pablo die Schläge kaum, die von allen Seiten auf sie einhagelten. Sie gaben fast keinen Ton von sich; kein Schrei, kein Weinen kam über ihre Lippen.

»Schluss jetzt!«, ertönte ein schrilles Quieken von der Tür. »Macht sofort Platz! Weg da!« Die Stimme gehörte unverkennbar Doña Marina, die sich resolut ihren Weg durch die umstehenden

Männer bahnte, eine Lampe in der Hand, die halb so groß wie sie selbst war. Die Kerle verzogen sich lachend und tuschelnd auf ihre Matten. Pablo und Santiago hoben die zerschundenen Gesichter und begannen zu weinen.

»O Gott! Was habt ihr nur mit den armen Kindern gemacht?« Doña Marina stellte die Lampe ab und strich den Jungen mit ihren winzigen Händen über die Köpfe. »Sie sind doch gerade erst heute angekommen«, sagte sie, an niemand im Besonderen gerichtet. »Sie haben euch doch nichts getan! Warum tut ihr ihnen das an?«, schrie sie. »Warum?«

»Weil das Schwule sind«, ließ sich eine Stimme aus dem hinteren Teil des Schuppens vernehmen. »Darum.«

Doña Marina spähte in die Ecke, aus der die Stimme gekommen war, doch konnte sie niemanden erkennen. Die Männer hatten das Licht gelöscht, und der Raum lag nun fast völlig im Dunkel. »Dafür werdet ihr bezahlen«, keifte sie. »Das morgige Frühstück könnt ihr euch allesamt an die Backe schmieren.« Vorsichtig half sie den Jungen auf die Beine und brachte sie zur Farm, wo sie gemeinsam mit den Köchen und Zimmermädchen untergebracht war. Ohne den Vorfall weiter zu kommentieren oder Fragen zu stellen, desinfizierte sie behutsam ihre Wunden, doch als sie die Striemen zu verbinden begann, sagte sie plötzlich: »Wie kann dieser Dreckskerl nur solche Lügen verbreiten?« Ihre Stimme nahm einen warnenden Unterton an, den die immer noch völlig verstörten Jungen aber nicht wahrnahmen: »Davon ist ja wohl kein Wort wahr.« Sie schwieg wieder, als sei damit alles gesagt, obwohl sie tatsächlich nur genau überlegte, wie sie in Worte fassen sollte, was ihr im Kopf herumging. Erst als sie die geschwollenen Gesichter der Jungen mit kalten Kompressen kühlte, fuhr sie fort: »Wenn ihr *das* wärt, wovon der Kerl geredet hat, würde ich euch erstens raten, es tunlichst für euch zu behalten, und zweitens, äußerst vorsichtig zu sein. Hier auf dem Land herrschen raue Sitten. Aber da ihr *das* ja sowieso nicht seid, brauche ich euch ja eigentlich gar keine Ratschläge zu geben.« Sie schenkte den Jungen ein verschwörerisches Lächeln und kümmerte sich wieder um ihre Blessuren. Als sie damit fertig war, brachte sie die beiden hinüber ins Lagerhaus und erklärte ihnen, dass sie von jetzt an dort schlafen würden.

Als sie fort war, nahmen sich Pablo und Santiago in die Arme und weinten leise. Der eine strich mit den Fingerspitzen über die gebrochene Nase des anderen; der andere küsste immer wieder die geschwollenen Augen seines Freundes.

Sie schliefen zusammen in einem Kaffeesack.

Padre Rafael und seine Schäfchen hatten aufgehört, den Rosenkranz zu beten, und begannen gnadenlos zu tratschen. Ab und zu sahen sie über ihre Schultern hinüber zu Santiago, während sie sich fragten, wann ihm die ganze Tragweite der Tragödie bewusst werden und wie er reagieren würde. Schwester Ramírez warnte die Menge, dem Kranken bloß nicht zu nahe zu kommen, und zog dann den Padre und die Bürgermeisterin zur Seite, um mit ihnen zu reden.

»Natürlich weiß ich nicht, was Pablo für eine Krankheit hat, aber sie könnte ansteckend sein«, begann die Schwester leise und warf der Bürgermeisterin einen besorgten Blick zu. Die Kinder von Mariquita, fuhr sie fort, hatten seit über sechs Jahren keine einzige Impfung mehr erhalten; eine Epidemie würden sie nicht überleben. Sie schlug vor, Pablo bis zu seinem Tod – der, seinem Zustand nach zu urteilen, offenbar unmittelbar bevorstand – in Franciscas ausgebranntem Haus unterzubringen und seine Überreste anschließend einzuäschern. Die Bürgermeisterin und der Priester blickten sie entsetzt an.

»Das können wir nicht machen«, sagte die Bürgermeisterin mit leiser, aber hörbar empörter Stimme. »Einen unserer Mitbürger in einer Ruine sterben lassen, umgeben von … Ratten und anderem Ungeziefer.«

»Das sehe ich genauso«, stimmte ihr der Padre zu. »Pablo Jaramillo muss wie ein Christenmensch sterben dürfen und ein christliches Begräbnis erhalten.«

»Die Zukunft unseres Dorfes ist nach wie vor ausgesprochen unsicher«, gab die dralle Schwester zu bedenken. »Und unsere Kinder sind alles, was wir haben. Wenn wir sie verlieren ...« Sie beendete den Satz nicht, sondern setzte stattdessen eine höchst fatalistische Miene auf, eine Miene, aus der eine große Hexennase und zwei traurige Fischaugen hervorstachen. »Vielleicht denkt ihr zuerst mal darüber nach.«

Sie brauchten weniger als eine Minute, um zu dem Schluss zu kommen, dass ihnen keine Wahl blieb: Mariquitas Zukunft ging vor. »Aber wer soll Pablo in die Ruine bringen?«, fragte die Bürgermeisterin. Der Padre zuckte mit den Schultern, die Schwester zuckte mit den Schultern und die Bürgermeisterin warf schulterzuckend eine weitere Frage ein: »Aber derjenige müsste dann doch in Quarantäne genommen werden, oder?«

In genau diesem Augenblick erhob sich Santiago, eine Kerze in der Hand, und überquerte langsam die Straße. Pablo lag zusammengekrümmt da, das Gesicht zur Tür seines Elternhauses gewandt, als würde er darauf warten, dass seine Mutter jeden Moment öffnete. Santiago blieb vor ihm stehen und ließ den Blick über das Häufchen Mensch schweifen, das zu seinen Füßen lag. Er erkannte seinen alten Freund kaum wieder. Vielleicht handelte es sich um einen Irrtum; vielleicht hatte der Fahrer des Jeeps den Ort verwechselt oder war in die falsche Straße eingebogen. Ja, es musste sich um einen Irrtum handeln. Pablo war ein überaus gutaussehender Mann: groß, dunkel, athletisch gebaut, mit vollem schwarzen Haar ...

»Bist du das, Santiago?«, fragte Pablo, der die Gegenwart des Freundes zu spüren schien.

Intuitiv nickte Santiago, während Pablo sich schwerfällig auf den Rücken wälzte. Mit sichtlicher Mühe kämpfte Pablo seinen Arm unter dem Laken frei. Er streckte die Hand nach Santiago aus, doch Santiago stand nicht nah genug, und so sank Pablos Arm sofort wieder kraftlos zu Boden. »Die Ringe«, murmelte er.

Santiago blickte auf Pablos abgezehrte Hand, die wie ein Wurm auf dem schmutzigen Boden zuckte. An seinem Ringfinger steckten zwei massive goldene Ringe. »Was soll damit sein?«, fragte er.

»Einer ist für dich«, flüsterte Pablo. »Ich habe dir doch einen Ring versprochen. Erinnerst du dich nicht mehr?«

Es war im Juni 1984. Pablo und Santiago waren gerade fünfzehn geworden. Auf Doña Marinas Empfehlung arbeiteten sie nun nicht mehr auf Yarima, sondern in Don Maximilianos Landhaus, das etwa drei Stunden Fußweg von Mariquita entfernt lag. Der steinreiche Landbesitzer hatte das Anwesen vor fünf Jahren auf einer Hochebene errichten lassen, ein Monument schlechten Geschmacks und ideenloser Baukunst. Die Casa Perdomo war ein riesiger, schmuckloser Kasten mit lauter Durchgangszimmern und nur wenigen Fenstern, der so wirkte, als sei er absichtlich so entworfen worden, um die Sonne davon abzuhalten, sich dreist in die Privatgemächer des Besitzers einzuschleichen. Don Maximiliano hatte mehrere Monate gebraucht, um seine Frau zum Einzug zu überreden. Um die Hässlichkeit des Kastens wettzumachen, hatte Doña Caridad das Haus mit erlesenen Möbeln vollgestopft und dabei jeden einzelnen Raum in ein Kuddelmuddel aus extravaganten Tischen, Stühlen, Kabinettschränkchen und Betten verwandelt; alles in allem ergab sich der Eindruck eines heillosen Durcheinanders.

Pablo und Santiago hielten sich an Doña Marinas indirekten Rat und gaben sich als Cousins aus. Kurz darauf wurden sie mit Hausmeisteraufgaben betraut; sie mussten Wände streichen, Schlösser auswechseln, Feuerholz für die Kamine herbeischaffen, Klempnerarbeiten übernehmen und den Vorratskeller aufstocken. Es gab immer etwas zu tun. Die beiden jungen Burschen teilten sich eine kleine, fensterlose Kammer im rückwärtigen Teil des Hauses, gleich neben dem Zimmer des Hausmädchens; die Kammer war mit zwei Truhen für ihre Sachen, zwei Klappbetten und einer Lampe ausgestattet. Wenn sie am Abend in ihr Zimmer kamen, mussten sie nur die Tür hinter sich schließen, um ganz für sich sein zu können. Die völlige Stille, die erfrischende Schmucklosigkeit des Zimmers, das Licht der Lampe, das seinen sanften Schatten an die Wände warf – all dies schuf eine in sich abgeschlossene Welt, in der für die beiden jungen Männer alles möglich schien, selbst ihre geheime Liebe und wachsende Leidenschaft. In ihrer Kammer war es nicht länger Teil eines Kinderspiels, wenn sie sich gegenseitig Füße, Beine und Knie massierten, sondern essentieller Bestandteil ihres Zusammenlebens; die Küsse waren keine Belohnung mehr, sondern das Verlangen danach, sich wortlos ihrer intimsten Gefühle zu versichern. In ihrem gemeinsamen Zimmer waren sie nicht länger Mann und Frau; hier gab es nur zwei ineinander verliebte junge Männer.

Señorita Lucía, die einzige Tochter der Perdomos, war kürzlich aus New York angereist, wo sie die Universität besuchte. Sie kam immer im Juni und blieb bis Ende August. Diesmal jedoch war sie nicht allein, sondern befand sich in Begleitung eines siebenundzwanzigjährigen Mannes namens William, der um ihre Hand anhalten wollte. William war weder schön noch hässlich: groß und von rosafarbenem Teint, mit kleiner Nase und grünen Augen. Sein von Sommersprossen übersätes Gesicht wirkte zunächst leicht hochmütig, doch nachdem er festgestellt hatte, dass die Freundlichkeit seiner Gastgeber nicht gespielt war, wich die anfängliche Zurückhaltung einer Aura von Unschuld und Bescheidenheit, die einen bleibend guten Eindruck bei den Perdomos hinterließ. William trug ausschließlich Khakihosen und gestärkte pastellfarbene Hemden. Sein schauderhaftes Spanisch artikulierte er mit so leiser Stimme, als wolle er verhindern, dass seine Zuhörer die schlechte Aussprache bemerkten. Doña Caridad fand das außerordentlich sympathisch und ließ keine Gelegenheit aus, Konversation mit ihm zu betreiben. Er blieb nur fünf Tage, in denen Moskitos und andere Insekten ihm die Haut in Fetzen stachen. Am Abend vor seiner Abreise verlobte sich William offiziell mit Señorita Lucía, indem er bei einem feierlichen Dinner einen goldenen Ring über einen ihrer langen Finger streifte.

Sobald ihr Verlobter verschwunden war, wurde Señorita Lucía herrisch. »Pablo, bring mir das Frühstück auf die Veranda«, »Santiago, kämm mir die Haare«, »Pablo, hol meine Sonnenbrille«, »Santiago, massier mir die Füße«, so ging es in einem fort. Sie war eine ziemlich unattraktive Frau: eine Bohnenstange mit dunklen Schatten unter den schläfrigen braunen Augen und dünnen Lippen, die jedes Mal verschwanden, wenn sie lächelte. Und obwohl sie gerade mal dreiundzwanzig war, hatten ihre Zähne bereits die ursprüngliche Farbe verloren und sahen nun aus, als würde der Rost an ihnen nagen – das Ergebnis »deiner grässlichen Angewohnheit zu rauchen«, wie Doña Caridad zu sagen pflegte. »Du musst dringend aufhören, bevor dein Verlobter es spitzkriegt.« Die Augenbrauen der jungen Frau riefen ein ums andere Mal Kopfschütteln und Spott hervor; sie hatte sie sich komplett ausgezupft und durch zwei tätowierte Linien ersetzen lassen, die sie jeden Morgen mit Wimperntusche aufmöbelte, so dass sie dicker, dunkler und länger, aber gleichzeitig auch irgendwie asymmetrisch wirkten. Davon abgesehen war die einzige Tochter der Perdomos alles andere als für das Landleben geschaffen: Sie war sanft, gebildet und sensibel, vielleicht eine Spur zu sensibel für das ländliche Dasein. Die Sommerhitze fand sie »abscheulich«, die Moskitos »unerträglich«, das Wasser aus dem Hahn »verseucht«. Tagaus, tagein trug sie hochhackige Pumps, Make-up und Schmuck, saß draußen auf der Veranda, rauchte, blätterte in Brautmagazinen und las Liebesgeschichten.

»Geht es in der Geschichte um den Tod, Señorita Lucía?«, fragte Santiago sie eines Tages, nachdem sie ihr Buch beiseite gelegt hatte.

Sie lächelte. »Nein, du Esel. Das ist eine Liebesgeschichte.« Sie lag in einer Hängematte und paffte eine dünne Zigarette. Santiago stand neben ihr und verscheuchte mit einem Fächer die Mücken und Moskitos, die um sie herumschwirrten.

»Aber Sie haben ausgesehen, als würden Sie gleich zu weinen anfangen.«

»Liebe und Schmerz sind manchmal eben untrennbar miteinander verbunden.«

Santiago dachte einen Moment darüber nach. Der Schmerz, der ihm und Pablo zugefügt worden war, hatte mit Liebe nichts zu tun; nur mit Hass, dem puren, ungerechtfertigten Hass, den die Kaffeepflücker ihnen entgegenbrachten, ein Hass, der ihnen trotz des Einschreitens von Doña Marina mehr als einmal Prügel und schlimmste Beschimpfungen eingebracht hatte. Vielleicht war es ja am besten, wenn sie Señorita Lucía einweihten und ihr gestanden, dass er und Pablo gar keine Cousins, sondern zwei verliebte junge Männer waren. Sicher würde sie Verständnis dafür haben; sie schien eine ausgesprochen weltoffene Frau zu sein. Außerdem war sie bestimmt eine Expertin in Liebesdingen, da sie ja bald heiraten würde. Doch Santiago hatte Pablo versprochen, niemandem gegenüber ein Wort über ihre Beziehung zu verlieren.

»Wovon handelt die Geschichte denn?«, fragte er.

Señorita Lucía blies Zigarettenrauch aus ihrem Mundwinkel; es klang wie eine sanfte Brise. »Sie handelt von einem Mann, der in den Krieg muss.« Sie hielt kurz inne und überlegte. »Na ja, eigentlich handelt sie eher von einem Mädchen, das in einen Mann verliebt ist, der … ach, vergiss es. Die Geschichte ist einfach zu kompliziert.«

»Bitte, Señorita Lucía. Ich möchte sie so gerne hören.«

Sie musterte ihn mit neugierigem Blick. Im Gegensatz zu seinem Vetter Pablo wirkte er zart, fast weiblich. Er war noch nicht im Stimmbruch, und es gab nicht das geringste Anzeichen, dass sich irgendwann ein Adamsapfel an seiner Kehle bilden würde. Er war schlank, hatte ebenmäßige Gesichtszüge und ganz offenbar auch ein Faible für dramatische Liebesgeschichten. Sie drückte den Rest ihrer Zigarette in einem Aschenbecher aus.

»Na gut«, sagte sie. »Die Geschichte handelt von Ernesto und Soledad, einem jungen Mann und einer jungen Frau, die unsterblich ineinander verliebt sind. Sie sind verlobt und schmieden bereits Zukunftspläne – wo sie wohnen wollen, wie viele Kinder sie sich wünschen und so weiter. Aber dann bricht plötzlich Krieg aus, und Ernesto wird als Soldat nach Übersee geschickt, um gegen den Feind zu kämpfen. Soledad schwört, ihm treu zu bleiben, und er verspricht, sie bei seiner Rückkehr zu heiraten. Doch dann vergehen Wochen und Monate, ohne dass sie etwas von Ernesto hört. Nacht für Nacht steht die arme Soledad an ihrem Fenster und hofft, endlich Ernestos grüne Augen im Dunkel aufleuchten zu sehen, doch vergebens. Nach Jahren des Wartens erfährt sie von einem Kriegsveteranen, dass Ernesto schwer verwundet wurde und sein Gedächtnis verloren hat. Inzwischen lebt er in einem weit entfernten Land und ist dort glücklich verheiratet. Es bricht ihr das Herz, aber sie liebt ihn so sehr, dass sie beschließt, ihr Versprechen trotzdem zu halten. Und so steht sie weiter Nacht für Nacht an ihrem Fenster, zündet eine Kerze nach der anderen an und wartet darauf, dass Ernesto zu ihr zurückkehrt.«

Nun war wieder derselbe schmerzvolle Ausdruck auf die Züge der Señorita getreten, den Santiago schon zuvor bemerkt hatte. Sie zündete sich eine weitere Zigarette an und nahm mehrere Züge hintereinander. »Tja, und das war's«, sagte sie.

»Das war's? Und was ist mit Ernesto? Kommt er wieder zurück?« Santiago war schwer enttäuscht vom Ausgang der Geschichte.

»Das erfährt man nicht. Aber das gefällt mir eigentlich am besten an der Geschichte – dass man sich selbst vorstellen muss, was danach geschieht.«

Santiago wusste nicht, was er sagen sollte. Er fächerte ihr weiter Luft zu und überlegte, welches Ende ihm gefallen würde. Schließlich sagte er: »Ich glaube, Ernesto kann sich irgendwann wieder erinnern, und dann kommt er zurück und heiratet sie.«

Señorita Lucía sah ihn mitfühlend an. »Ich glaube, er kehrt nie zurück.« Sie hielt einen Augenblick lang inne. »Und Soledad wird ihr ganzes Leben lang am Fenster stehen und vergeblich auf ihn warten.«

Santiago fand das sinnlos und grausam. »Das wäre nicht gerecht«, sagte er. »Er hat ihr versprochen, zurückzukommen und sie zu heiraten. Und sein Wort muss man auch halten.«

»Ich habe eine Idee«, sagte sie. »Nimm das Buch mit. Lies es selbst, und dann schreiben wir jeder auf, wie die Geschichte ausgehen könnte.«

»Ich kann weder lesen noch schreiben«, sagte er.

Santiagos Eröffnung überraschte sie nicht sonderlich, und obwohl ihre soziale Ader nicht besonders stark ausgeprägt war, regte sich doch ihr schlechtes Gewissen. »Wie alt bist du?«

»Fünfzehn.«

»Dann kannst du ja zumindest zählen.«

»Ein bisschen.«

»Und Pablo? Kann er lesen?«

Santiago schüttelte den Kopf, seine Miene aber blieb ruhig und unbewegt. Señorita Lucía führte die Zigarette abermals an den Mund, ohne jedoch daran zu ziehen, bevor sie ebenfalls den Kopf schüttelte.

Señorita Lucía erwies sich als großartige Lehrerin: charismatisch, entschlossen, redegewandt und geduldig. Jeden Abend kamen Pablo, Santiago und die beiden Hausmädchen in der Küche mit der Tochter der Perdomos zum Unterricht zusammen. Zuerst lernten sie die Vokale, dann die Konsonanten und schließlich, wie man einfache Sätze baut. Pablo war schnell und ehrgeizig. Im Nu beherrschte er das Alphabet, und schon bald darauf war er in der

Lage, lange, klar gefasste Sätze zu schreiben. Santiago war nicht so gelehrig. Er kritzelte Buchstaben hin, ohne sie in eine sinnvolle Reihenfolge bringen zu können, und gab sich nicht die geringste Mühe. Seine gleichgültige Haltung irritierte Pablo; Santiago hatte sonst stets einen enormen Lerneifer an den Tag gelegt. Vielleicht lernte er einfach nur etwas langsamer als Pablo und die beiden Mädchen, und vielleicht war er schlicht eifersüchtig, weil Pablo so viel Aufmerksamkeit von Señorita Lucía bekam, die unablässig seine Intelligenz hervorhob und seine Wissbegierde lobte.

War der Unterricht vorbei, verzogen sich sowohl die Mädchen als auch Santiago auf ihre Zimmer, während Pablo und die Señorita auf die Veranda wechselten. Die Señorita war ziemlich redselig, und Pablo war ein ausgezeichneter Zuhörer. Sie führten lange Gespräche über ihr Leben in den Vereinigten Staaten, und sie zeigte ihm alle möglichen Fotos und Postkarten fremder Orte und eindrucksvoller Städte. Manchmal flocht Pablo die eine oder andere Frage über New York ein, und ihre detaillierten, liebevoll ausgeschmückten Schilderungen ließen ihn von einer majestätischen Metropole träumen, in der Limousinen mit Hochgeschwindigkeit durch die Lüfte düsten, unzerstörbare Türme den Himmel berührten und schönste Gärten zwischen den Wolken herabhingen – ein Land, das von Geld geradezu überfloss, ein Land, in dem an jeder Ecke Goldmünzen wie Unkraut aus der Erde schossen.

Die Vorstellung, an einem solchen Ort zu leben, war zunächst kaum mehr als eine müßige Träumerei, doch mit der Zeit wuchs sich die Träumerei für Pablo zur Besessenheit aus. Tag und Nacht drehten sich seine Gedanken darum, nach New York zu ziehen. Er stellte sich vor, so wie Don William in Khakihose und gestärktem Hemd über breite Avenuen zu spazieren, hinter einem Schreibtisch in seinem eigenen Büro zu sitzen oder die Skyline der Stadt durch die Fenster seiner eigenen Villa zu betrachten. Er sehnte sich so sehr nach New York, dass das Ziel seiner Träume in geradezu greifbare Nähe zu rücken schien. Eines Abends, nach einem weiteren langen Gespräch mit Señorita Lucía, weihte Pablo seinen Freund in seine Zukunftspläne ein.

»Ich gehe mit Señorita Lucía. Sie hat gesagt, sie hilft mir.«

Santiago fand die Vorstellung absurd. »Der Flug ist doch bestimmt sündhaft teuer. Wie willst du denn das Geld auftreiben?«

»Sie leiht es mir.«

»Und wo willst du wohnen?«

»Erst mal für einen Monat bei ihr, bis ich etwas anderes gefunden habe.«

»Und wie willst du dort Arbeit finden?«

»Sie will mir helfen, einen Job zu finden.«

»Aber du sprichst doch gar kein Englisch.«

»Sie hat gesagt, das kann ich im Nu lernen.«

»Aber außer Sachen reparieren kannst du doch nichts.«

»Sie hat gesagt, damit kann man in New York gutes Geld verdienen.«

»Ich weiß nicht, Pablo … so einfach ist das bestimmt nicht.«

»Aber auch nicht unmöglich.«

Zwischen Pablos letzter Antwort und Santiagos nächster Frage breitete sich ein langes, unerträgliches Schweigen aus.

»Und was ist mit uns?«

»Mach dir keine Sorgen, Santiago. Ich komme ja zurück. Mit so viel Geld, dass ich meiner Familie eine eigene Kaffeeplantage kaufen kann – und deiner auch.« Seine Augen weiteten sich aufgeregt. »Und ich schreibe dir jede Woche einen Brief, damit du auch weißt, dass ich immer an dich denke.«

Santiago sank auf sein Bett, ohne einen weiteren Ton von sich zu geben.

Nie hatte Santiago die Señorita als so heimtückisch und böse empfunden wie in den zwei Wochen vor Pablos Abreise. Sie war schuld daran, dass Pablo in die Ferne zog, dafür verantwortlich, dass sich Santiagos Tage und Nächte von nun an endlos hinziehen würden. Wahrscheinlich hatte sie herausgefunden, was mit ihnen los war, und fand es »abscheulich«, »abstoßend« und »ekelhaft«. Na schön, oberflächlich besehen mochte sie nett und hilfsbereit wirken, doch im Grunde war sie genauso gefühllos und grausam wie die Kaffeepflücker, die Pablo und ihn zusammengeschlagen hatten. Sie konnte sie nicht mit den Fäusten auseinanderbringen; daher hatte sie sich auf eine ganz clevere Tour verlegt.

Tagsüber ging Santiago der Señorita aus dem Weg, so gut es eben ging. Morgens bürstete er ihr wie üblich das lange Haar, wenn auch nicht mehr so sanft wie sonst, und nachmittags wedelte er mit dem Fächer die Moskitos weg, während sie ihre Bücher las, wenngleich er sie nun nicht mehr fragte, warum sie leise in sich hinein kicherte, tief seufzte oder die eine oder andere Träne vergoss. Trotzdem versäumte er keine ihrer abendlichen Unterrichtsstunden. Tatsächlich strengte er sich nun sogar richtig an, da ihm klar war, dass er sonst weder Pablos Briefe lesen noch sie beantworten können würde. Während der nächsten vierzehn Tage sprach Pablo von nichts anderem als seinem bevorstehenden Abenteuer. Santiago schäumte vor Wut. Es war ihm restlos egal, ob in New York jedermann einen Fernseher besaß oder dass man als New Yorker jeden Tag Hähnchen essen konnte, wenn einem der Sinn danach stand. Eine Woche vor seiner Abreise fuhr Pablo für zwei Tage nach Mariquita, um seine Papiere zu holen und sich von seinen Eltern und seinen zwei Brüdern zu verabschieden. Und jetzt erst begann Santiago wirklich zu verstehen, wie das Leben ohne ihn aussehen würde. Für kurze Zeit hegte er den Gedanken, zusammen mit Pablo nach New York zu gehen, verwarf den Plan aber schnell wieder. Er war das älteste von drei Kindern und obendrein der einzige Sohn seiner Eltern, und er hatte seinem Vater versprochen, die Familie nach Kräften zu unterstützen. Und er, Santiago Marín, stand zu seinem Wort.

Am Samstag vor Pablos Abreise stahl Santiago den Verlobungsring der Señorita. Eigentlich hatte er ihn nur einmal kurz überstreifen wollen; er war einfach neugierig gewesen, wie es sich anfühlte, verlobt zu sein. Von den Dienstmädchen hatte er erfahren, dass die Señorita den Ring vor ihrem morgendlichen Bad abzulegen pflegte und ihn stets auf ihrem Nachttisch deponierte, gleich neben einem gerahmten Foto ihres künftigen Ehemanns. An jenem Samstagmorgen wartete Santiago, bis er das Wasser rauschen hörte; dann schlich er sich auf Zehenspitzen in ihr Schlafgemach. Das Zimmer roch stark nach Zigarettenrauch, und Schuhe und Kleider waren kreuz und quer im Raum verteilt. Plötzlich brach ihm der kalte Schweiß aus, und seine Hände begannen zu zittern. Was tat er da? Ihm war nur allzu klar, dass sein Vorhaben gravierende Konsequenzen zur Folge haben konnte, doch im selben Moment sah er den Ring genau dort, wo er den Dienstmädchen zufolge liegen sollte. Die Hände hinter dem Rücken verschränkt, starrte er ihn ein, zwei Augenblicke einfach nur an. Dann nahm er ihn vom Nachttisch und hielt ihn gegen das Licht – einen schweren goldenen Ring mit drei winzigen, schimmernden Steinen. Er steckte ihn an jeden seiner zehn Finger, fand aber nicht, dass er an irgendeinem besonders gut aussah. Wohl aber an Pablos Hand, wie ihm unvermittelt einfiel. Vor seinem inneren Auge sah er, wie Pablo einen Brief an ihn schrieb – *Mein liebster Santiago* –, wie die drei Brillanten an seinem Ringfinger blitzten, und im selben Moment hatte er auch schon beschlossen, dass Señorita Lucías Ring ihr Verlobungsring sein würde. Er steckte ihn in die Tasche und eilte aus dem Zimmer.

Als er wieder in ihrer Kammer war, bat er Pablo, die Augen zu schließen. »Erst aufmachen, wenn ich es sage«, sagte er. »Und jetzt gib mir deine Hand. Die Rechte.« Er steckte den Ring an Pablos kleinen Finger; die anderen waren schlicht zu groß. »Bevor du die Augen aufmachst, musst du mir schwören, dass du das hier immer tragen wirst, dass du es nie abnimmst, nicht mal beim Baden.«

»Ich schwöre es«, sagte Pablo ungeduldig und öffnete die Augen. Im selben Moment entfuhr es ihm auch schon: »Das ist doch Señorita Lucías Verlobungsring! Hast du ihn gestohlen?«

»Don Míster William kann ihr ja einen neuen kaufen.«

Hastig streifte Pablo den Ring von seinem Finger und drückte ihn Santiago grob in die Hand. »Das kannst du nicht machen. Du solltest dich schämen!«

Er verließ das Zimmer und knallte die Tür hinter sich zu. Santiago sank auf sein Bett und begann zu weinen. Eine Welt war für ihn zusammengebrochen, alles, was er und Pablo sich gemeinsam erträumt hatten. Nicht mehr lange, und er hatte den einzigen Menschen verloren, den er wirklich über alles liebte.

Ein paar Minuten später kam Pablo zurück. »Ich weiß, warum du den Ring gestohlen hast, aber das macht es auch nicht besser«, sagte er. »Du musst ihn sofort zurückbringen, ehe sie bemerkt, dass er nicht mehr da ist.«

Santiago setzte sich auf und nickte.

»Sieh mich an«, flüsterte Pablo, griff nach Santiagos Kinn und drehte sein Gesicht zu sich. »He, ich werde steinreich da drüben, und dann kaufe ich uns zwei Ringe, hast du verstanden? Und wenn ich zurückkomme, stecke ich dir deinen Ring an, und dann steckst du mir meinen Ring an … Komm, hör auf zu weinen. Bitte. Ich schwöre, bald bin ich zurück, und dann sind wir für immer zusammen. Ja, für immer. Schsch … Alles wird gut. Santiago, mein liebster Santiago. Bald bin ich zurück. Schsch …«

Die Menge hatte sich nach der Warnung der Schwester im Nu zerstreut. Nur ein paar Frauen hielten sich noch am Ort des Geschehens auf, beobachteten die Szenerie von Fenstern und Türen aus. Unter ihnen war auch die Bürgermeisterin, die die beiden Männer von Cecilias und Franciscas Haus aus im Auge behielt; nachdem Francisca ihre eigene Bleibe in Brand gesteckt hatte, bewohnte sie nun das ehemalige Zimmer von Ángel, Cecilias verstorbenem Sohn, und kümmerte sich im Gegenzug um Garten und Küche ihrer Wirtin.

Pablo lag immer noch auf dem Erdboden; Santiago stand über ihm. Beide weinten. Die herzzerreißende Szene wurde schwach erleuchtet von der Kerze in Santiagos Hand.

Santiago kniete nieder, drückte die Kerze fest auf den Boden, griff nach Pablos klammer, schlaffer Hand und hielt sie fest. Pablo war nur noch Haut und Knochen; sein Arm, sein Hals und der übrige entblößte Teil seines Körpers waren übersät von bläulich schimmernden Blutergüssen und knallroten Striemen. Die Haut, die sich über seinen Schädelknochen spannte, war beinahe durchsichtig, seine Augen eingesunken und dunkel, und die einst so dichten Augenbrauen hatten sich in zwei spärliche Haarlinien verwandelt. Nur das dunkle Muttermal unter seinem rechten Auge hob sich deutlich von seinen totenbleichen Zügen ab, in denen keine Spur von jenem Mann mehr zu finden war, den Santiago so liebte, den Mann, auf den er so lange gewartet hatte.

»Jetzt nimm endlich einen«, murmelte Pablo. »Von den Ringen. Mach schon.«

Behutsam streifte Santiago den oberen Ring von Pablos Finger und zeichnete damit kleine Kreise auf dessen Handfläche. »Ich will, dass du ihn mir ansteckst«, sagte er. »Du hast's versprochen.«

Pablo nickte. Ja, er erinnerte sich, und ja, er hätte nichts lieber getan, als den Ring an Santiagos Finger zu stecken. Doch sein Arm wollte einfach nicht mitmachen.

Es ging aber auch so: Während Pablo den Ring hielt, steckte Santiago einfach seinen Finger hindurch. Dann streifte er den zweiten Ring ab. »Gib mir deine Rechte«, sagte er, auch wenn er wusste, dass Pablo sich kaum rühren konnte. Er sagte es nur, um seine eigene Stimme zu hören, um ganz sicherzugehen, dass er Santiago Marín war, dass es sich bei dem Mann zu seinen Füßen tatsächlich um Pablo Jaramillo handelte, dass er diesen so lang herbeigesehnten Augenblick nicht bloß träumte. Er ergriff Pablos rechte Hand und streifte ihm behutsam den Ring über den Ringfinger. Einen Moment lang schimmerten die Ringe nebeneinander im Kerzenlicht, zwei feste Kreise aus Gold, ohne Brillanten, die von ihrer schlichten Schönheit hätten ablenken können. Pablos Gesicht verzog sich zu einem krampfhaften Lächeln.

Dann hielt Santiago seine Hand in die Höhe, drehte sie hin und her, machte eine Faust und öffnete sie wieder, ohne den goldenen Ring an seinem Finger auch nur einen Sekundenbruchteil aus den Augen zu lassen. Nun war es offiziell; endlich hatten sie sich doch noch verlobt.

1988. Viermal war es August geworden, und Santiago hatte immer noch nichts von Pablo gehört. Señorita Lucía und ihr Mann kamen einmal zu Besuch, wussten aber nichts Neues zu berichten. »Ich habe keine Ahnung, wo er steckt«, sagte sie. »William und ich sind umgezogen, und wir haben schon seit Ewigkeiten nichts mehr von ihm gehört.« Doch so schnell gab Santiago nicht auf. Bevor die beiden wieder abreisten, übergab er ihnen einen Stapel Briefe, die er Pablo geschrieben hatte.

»New York ist eine Riesenstadt, Santiago. Ohne Adresse können wir die Briefe nicht weiterleiten.«

»Bitte, Señorita Lucía. Nur für den Fall, dass Sie ihm zufällig über den Weg laufen.«

»Na gut. Aber ich kann dir wirklich nichts versprechen.«

Mittlerweile war Santiago mit der Leitung des Haushalts beauftragt worden und so zum Majordomus der Perdomos aufgestiegen. Er erhielt ein wöchentliches Budget für Lebensmittel und Putzutensilien; ihm unterstanden die Hausmädchen und die Gärtner, und darüber hinaus war er dafür verantwortlich, den Hausaltar täglich mit frischen Blumen und Früchten zu schmücken. Er arbeitete von sechs Uhr morgens bis sechs Uhr abends, sorgte dafür, dass ihm möglichst wenig Zeit für sich selbst blieb. *Allein* – ein schreckliches Wort, dessen wahre Bedeutung ihm erst nach Pablos Fortgang richtig aufging. Seine Nächte waren trostlos, von unendlicher Einsamkeit. Was, wenn Pablo sein Gedächtnis verloren hatte, so wie Ernesto in dem Roman der Señorita? Was, wenn er sich in jemand anderen verliebt und Santiago vergessen hatte? Zuweilen weinte er leise in sich hinein, wenn die Zweifel seine letzten Hoffnungen erstickten. Dutzende von Malen erfand er ein neues Ende für die Geschichte von Ernesto und Soledad, und als ihm kein weiteres mehr einfiel, schrieb er eine ganz neue Geschichte.

Seine Geschichte ging so:

Es waren einmal zwei junge Burschen namens Pedro und Samuel, die sich über alles liebten. Wie jedes anständige Pärchen wollten sie sich verloben, doch konnten sie sich die teuren Ringe nicht leisten. Pedro beschloss, sich in New York Arbeit zu suchen und Geld für ihre Verlobungsringe zu sparen. Sie waren todtraurig, als sie sich trennen mussten. Sie weinten und schworen sich ewige Liebe. Pedro versprach, jede Woche zu schreiben und nach seiner Rückkehr für immer bei Samuel zu bleiben. Ein Jahr verging, und Samuel bekam keinen einzigen Brief von Pedro. Trotzdem machte er sich keine Sorgen. Er vertraute seinem Freund und war überzeugt davon, dass dieser einen guten Grund für sein Schweigen hatte. Jedes Mal, wenn Zweifel in ihm aufstiegen, verscheuchte er die finsteren Gedanken, indem er sich sagte: »Pedro liebt mich. Er kommt bald zurück.« Samuel wartete eine kleine Ewigkeit, ohne je die Hoffnung aufzugeben.

Eines Abends badete er gerade im nahegelegenen Fluss, als er hörte, wie jemand seinen Namen rief. Als er sich umblickte, sah er plötzlich Pedro aus den Büschen treten. Er trug einen makellos gebügelten weißen Anzug, eine rote Krawatte und weiße Lederschuhe; in den Händen hielt er zwei Koffer. Im ersten Moment glaubte Samuel, seine Fantasie würde ihm einen Streich spielen. Doch es war tatsächlich Pedro. Samuel kam aus dem Wasser und küsste ihn. Dann öffnete Pedro den einen Koffer. Darin befanden sich Hunderte von Briefen, die er Samuel geschrieben hatte und die aus unerfindlichen Gründen wieder zurückgeschickt worden waren. Dann öffnete Pedro den anderen Koffer. Darin befand sich ein sorgsam zusammengelegtes Hochzeitskleid.

»Es ist für dich, Samuel«, sagte Pedro. »Ich möchte dich heiraten. Jetzt sofort.«

»Oh, Pedro! Ich weiß gar nicht, was ich sagen soll«, sagte Samuel. »Wir sind doch noch nicht mal verlobt.«

»Ach, fast hätte ich's vergessen.« Pedro zog ein kleines Kästchen aus der Tasche. Ein gleißender Schimmer stach Samuel in die Augen, als Pedro das Kästchen öffnete. Darin lag ein goldener Verlobungsring, gekrönt von einem majestätischen Brillanten.

»Willst du mich heiraten?«, fragte Pedro.

»Ja«, antwortete Samuel lächelnd. Sie küssten sich. Dann übergab Pedro seinem Freund den Koffer mit dem Hochzeitskleid und bat ihn, es anzuziehen. Samuel war klar, dass der Bräutigam die Braut nicht vor der Zeremonie sehen sollte, weshalb er sich in die Büsche verdrückte. Das Kleid war wunderschön: ganz weiß, ärmellos, mit tiefem Ausschnitt und einem langen, glockenförmigen Rock. Die Schleppe war gute drei Meter lang, und dazu kamen noch der Schleier und ein Paar weißer Schuhe. Für Samuel bestand nicht der geringste Zweifel, dass es in ganz New York mit Sicherheit kein kostspieligeres Hochzeitskleid gab, doch hatte er ganz und gar kein schlechtes Gewissen, denn er wusste, dass er es wert war. Er zog das Kleid an, sammelte noch einen bunten Strauß wilder Blumen und trat aus den Büschen. Dutzende von Hochzeitsgästen warteten bereits auf ihn, Verwandte und Nachbarn, die Pedro zuvor eingeladen hatte. Sie applaudierten und johlten, als Samuel mit dem Blumenstrauß zu ihnen trat. Am anderen Ende des Spaliers, nahe dem Flussufer, wartete Pedro auf ihn. Als er den Schleier lüftete, leuchteten zu seinem Entzücken zwei Monde in Samuels Augen.

»Ich liebe dich«, sagte er.

Sie küssten sich, und im selben Moment regnete auch schon ein Schauer aus Reis auf sie herab. Pedro schloss Samuel fest in die Arme. Dann stiegen sie zusammen in den Fluss, bis das warme Wasser ihre Hüften umspülte.

»Wir sind das glücklichste Paar auf Erden«, sagte Pedro.

»Ja, mein Liebster«, sagte Samuel.

Sie versprachen sich, von nun an und auf immer unzertrennlich zu sein. Und sie lebten glücklich miteinander bis ans Ende ihrer Tage.

Wie ein Gebet las Santiago die Geschichte jeden Abend, bevor er zu Bett ging. Mit der Zeit konnte er sie auswendig und murmelte sie vor sich hin, wenn er seinem Tagwerk nachging.

Santiago hüllte Pablo wieder in das weiße Laken ein, hob ihn hoch und marschierte mit ihm auf den Armen die Straße hinunter. Die Witwen in den Hauseingängen lugten verstohlen nach Pablos schmerzverzerrtem Gesicht, schüttelten den Kopf, bekreuzigten sich, flüsterten Gebete und rieben sich die neugierigen Augen.

»Bring ihn zu uns«, rief Santiagos Mutter von ihrer Türschwelle. »Ich mache ihm etwas zu essen.«

Schweigend setzte Santiago seinen Weg fort.

»Er friert doch bestimmt.« Sie klang ausgesprochen besorgt. »Warte, ich hole ihm etwas zum Anziehen.« Ihre Rufe wurden lauter, während Santiago und Pablo sich weiter und weiter entfernten. Von hinten sahen sie aus wie ein großes schwarzes Kreuz, das langsam zwischen den flackernden Kerzenlichtern verschwand, die zu beiden Seiten der Straße brannten.

»Wo bringst du den Mann hin, Santiago Marín?«, rief die Bürgermeisterin. »Du kommst in Quarantäne, hörst du mich? Und sag hinterher bloß nicht, ich hätte dich nicht gewarnt!«

Santiago gab keine Antwort, sondern setzte unbeirrt seinen Weg fort, ohne sich auch nur einmal umzusehen. Liebevoll betrachtete er das Bündel in seinen Armen, drückte es noch enger an sich.

Der Vollmond schien auf den schmalen Weg. Nur einmal hielt Santiago an, um zu verschnaufen. Kurz sank er am Wegesrand auf die Knie, wiegte Pablo sanft hin und her, während er tief Atem holte.

»Wo gehen wir hin?«, fragte Pablo leise.

»An den einzigen Ort, den du unbedingt sehen musst.« Ihre gedämpften Stimmen vertrugen sich nicht mit den Geräuschen der Nacht, dem Rascheln der Blätter, dem Knarren der Äste, den Lauten von Fröschen, Zikaden, Eulen und anderen Nachttieren.

»Ich will die Plaza sehen ... und die Kirche.«

»Das sieht alles noch genauso aus wie früher.«

Es war noch warm. Schweißperlen bildeten sich auf Santiagos Stirn und liefen ihm über das Gesicht. Er schloss die Augen und stellte sich vor, der Mann in seinen Armen sei ein Korb mit lilafarbenen Orchideen – ebenso zart, ebenso schön. Die Andeutung eines Lächelns umspielte seine Lippen, als er sich wieder erhob und weiterging, wenn auch langsamer als zuvor, da sich riesige Wolken vor den Mond geschoben hatten und er kaum die Hand vor den Augen sehen konnte.

Seine Füße würden sie zu ihrem Ziel tragen.

»Bring mich zu meinem Vater«, sagte Pablo.

»Er lebt nicht mehr.«

»Dann ... bring mich zu meinen Brüdern.«

»Sie sind ebenfalls von uns gegangen.«

Santiago verriet Pablo nicht, wie sie gestorben waren. Er verriet ihm nicht, dass fünf Jahre zuvor kommunistische Guerilleros ins Dorf einmarschiert waren und die männlichen Dorfbewohner aufgefordert hatten, sich dem bewaffneten Kampf anzuschließen. Dass die Rebellen gesagt hatten, sie würden dafür kämpfen, dass alle Kolumbianer jeden Tag genug zu essen hätten, und ihnen dann alle Vorräte weggegessen hatten. Dass sie gesagt hatten, sie würden den Weg für eine gerechte Gesellschaft ebnen, und anschließend die Frauen von Mariquita geschändet hatten. Dass sie verlangt hatten, alle männlichen Dorfbewohner über zwölf Jahre müssten sich ihnen anschließen, dass jeder ein Gewehr bekommen würde, eine Waffe für den Befreiungskampf gegen die Regierung, eine Waffe, um ihre Rechte zu verteidigen. Als Pablos Vater sich aber auf sein Recht berief, nicht mit den Rebellen in den Kampf zu ziehen, erschossen sie ihn kurzerhand mit einem jener Gewehre, die angeblich für ebenjenen Kampf bestimmt waren. Anschließend töteten sie Pablos zwei Brüder, wobei sie riefen, dass Kolumbien keine Feiglinge brauche.

Ebensowenig verriet Santiago seinem alten Freund, dass die Rebellen alle Männer mitgenommen hatten, und dass er, Santiago, der Zwangsrekrutierung nur entkommen war, weil er nach wie vor bei Don Maximiliano arbeitete, dass er sofort nach Mariquita gefahren war, als er von dem Guerilla-Überfall gehört hatte, und dass er seiner Mutter und seinen Schwestern versprochen hatte, nie wieder fortzugehen, als er all die niedergebrannten Häuser gesehen hatte, die vor Schmerz wahnsinnig gewordenen Witwen, die inmitten des Chaos' weinten, die alten Frauen, die auf den nackten Knien beteten, die blutverschmierten Hände krampfhaft zusammengepresst, die jungen Mädchen, die ihre vergewaltigten Körper verzweifelt mit Schlamm und Dreck abrieben und sich selbst verfluchten, die nackten, schreienden Kinder, die durch die Straßen liefen und nach ihren Vätern und Brüdern riefen.

Santiago verriet Pablo nichts davon. Er ging einfach weiter, ließ sich von seinen Füßen tragen, die den Weg am besten kannten.

»Aber Mamá ... sie ist doch zu Hause. Ich habe gehört, wie der Fahrer ...« Mit jedem Satz wurde Pablos Stimme schwächer und schwächer.

»Ja, aber sie verlässt das Haus so gut wie gar nicht mehr. Und wenn doch, dann mit ihrem Papagei auf der Schulter und den drei alten Hunden, die ihr auf Schritt und Tritt folgen. Außerdem redet sie nicht mit jedem.«

»Ist sie ... verrückt?«

»Sie ist glücklich. Glücklicher als die meisten anderen Witwen hier. Sie ist nicht allein. Jeden ihrer Angehörigen hat sie durch ein Tier ersetzt.«

Pablo verbarg sein Gesicht an Santiagos Brust und weinte leise.

Der Mond brach durch die Wolken; größer und heller als zuvor schien er auf die zwei Männer herab. Als Santiago erkannte, dass sie ihr Ziel fast erreicht hatten, verlangsamte er seine Schritte. Er war völlig außer Atem; in kurzen, stockenden Stößen sog er die warme Luft in seine Lungen.

»Wir sind da«, flüsterte er. Sie waren am Fluss angekommen, dort, wo er und Pablo so oft Vater und Mutter gespielt hatten. Santiago trat ans Ufer und lauschte dem majestätischen Rauschen des stetig dahinfließenden Wassers. »Sieh nur, wie wunderschön«, sagte er. Pablo sah auf; es war ein zutiefst bewegender Anblick, wie sich das Licht des Vollmonds in seinen eingesunkenen Augen spiegelte und sein sonst völlig lebloses Gesicht erhellte. »Ich liebe dich«, sagte Santiago, drückte Pablo fest an sich und stieg in den Fluss, genauso, wie sie es als Kinder getan hatten. Nach und nach bedeckte das kalte Wasser seine nackten Füße, seine Knöchel, seine Waden, seine Knie und Oberschenkel, bis es ihm schließlich bis zur Taille reichte. Er hielt inne, küsste Pablo auf die Lippen und sah, wie er lächelte, wie sich seine Augen weiteten und seine Nasenflügel blähten, wie damals, als er gesagt hatte, dass er nach New York gehen würde.

Wieder war er bereit, auf die Reise zu gehen.

Santiago sah zum Mond auf und breitete die Arme aus, als wolle er ihm ein Opfer bringen. Er hatte Pablo fest im Blick, sog sich gleichsam voll mit dem Bild seines Geliebten, dann begann er, ihn langsam loszulassen, entließ ihn sanft aus dem Griff seiner starken Arme und übergab ihn der Strömung wie ein Geschenk.

Pablos schwacher Körper trieb im Nu fort von ihm, den Fluss hinab, wurde abwechselnd unter Wasser gezogen und wieder an die Oberfläche gespült, bis schließlich nichts mehr von ihm zu sehen war außer dem weißen Laken, das in einen Strudel geraten war und auf und ab schaukelte.

Vielleicht war es aber auch nur der Mond, der jetzt auf das Wasser schien.

Manuel Reyes, 23
Guerillasoldat

Als ich wieder zu mir kam, lag ich auf dem Bauch im Gras. Alles tat mir weh, und meine Nase, mein Mund und meine Kehle brannten wie Feuer. Ich hob den Kopf. Vor mir saß ein Mann mit schwarz und grün bemaltem Gesicht. Ich brauchte ein paar Sekunden, bis mir noch ein paar andere Dinge ins Auge stachen: das Späherkäppi, die Zigarette zwischen seinen Lippen, die Tarnuniform und das Galil-Sturmgewehr, das auf meine Stirn gerichtet war.

»Du weißt gar nicht, wie sehr ich mich freue, dass du noch lebst«, sagte er zynisch.

Ich überlegte krampfhaft, wie ich in diese Lage geraten war, und erinnerte mich schließlich, wie ich über Bord gefallen war, Wasser in Mund und Nase bekommen und verzweifelt gegen die Strömung angekämpft hatte, um oben zu bleiben. Ansonsten konnte ich mich beim besten Willen nicht entsinnen, was tatsächlich passiert war.

Der Mann identifizierte sich als paramilitärischer Söldner. Er sagte, er bekäme zweihunderttausend Pesos, wenn er mich lebend zu seinen Leuten bringen würde. »Du solltest mir dankbar sein«, sagte er. Asche fiel von der Zigarette in seinem Mundwinkel, als er weitersprach. »Du hast noch Glück gehabt. Jedenfalls verglichen mit dem da.«

Ich wandte den Kopf. Kaum einen Meter von mir entfernt lag, flach hingestreckt, ein halbnackter Mann. »Das arme Schwein ist ertrunken. Aber ein paar Tausender wirft er trotzdem noch ab.«

Er stand auf und befahl mir, die Leiche auf die Schultern zu nehmen. Sein Camp war ungefähr zwei Stunden Fußweg entfernt. Als ich den Toten vom Boden hievte, erkannte ich, dass es sich um Campo Elías Restrepo junior handelte, meinen besten Freund in unserer Guerillatruppe. Und im selben Augenblick erinnerte ich mich, was sonst noch geschehen war. Campo Elías und ich hatten den perfekten Plan ausgeheckt, wie wir der Guerilla und dem Krieg entkommen konnten. Am Abend zuvor hatte ich mein Gewehr während des Wachdienstes einem Kameraden übergeben (Fahnenflucht mit der eigenen Waffe gilt unter Guerilleros als das Schlimmste, was man seiner Truppe antun kann) und gesagt: »Halt mal kurz, Kamerad, ich muss nur mal eben für kleine Jungs.« Ich konnte ihm ja schlecht unter die Nase reiben, dass ich mich aus dem Staub machen wollte; erstes Gesetz unter Guerilleros ist, jeden Deserteur sofort zu töten, und sei es der eigene Kommandant. Ich lief zu dem verlassenen Schuppen, wo Campo Elías bereits mit dem notdürftig zusammengezimmerten Floß auf mich wartete, das er für unsere Zwecke gebaut hatte. Und vielleicht wäre uns die Flucht tatsächlich gelungen, wenn wir beim Überqueren des Flusses nicht in einen Strudel geraten wären und sich das Floß nicht überschlagen hätte.

Er stellt sich bloß tot, dachte ich – das war Teil unseres Plans gewesen –, doch als ich ihn hochhob, sackte sein Kopf nach hinten. Sein Gesicht war fahl, seine Lippen waren blau angelaufen. Die Augen standen weit offen, aber nur das Weiße war zu sehen, als hätte er die Augäpfel nach hinten gedreht, weil es ohnehin nichts Großartiges zu sehen gab.

Schweigend schulterte ich die Leiche und marschierte los, während ich mich fragte, was mich nun erwartete, und mir plötzlich durch den Kopf schoss, dass wohl eher er der Glückliche von uns beiden war: Er war entkommen.

Kapitel 7

DAS JUNGFRAUENOPFER

Mariquita, 22. April 1998

Es war die ureigene Idee des Priesters, Gottes Sechstes Gebot zu brechen. Eines schönen Tages beschloss er, der Bürgermeisterin einen Besuch abzustatten, um mit ihr über »das dringende Problem der Nachwuchszeugung« zu sprechen, wie er es zu nennen beliebte. Am frühen Nachmittag begab er sich ins Rathaus; obwohl es drückend heiß geworden war, nachdem es drei Tage lang wie aus Kannen geschüttet hatte, trug er seine schwarze Polyestersoutane. Begleitet wurde er von seinem Messdiener, dem vierzehnjährigen Hochiminh Ospina, der sich allerdings erst kürzlich den Hostienvorrat für eine ganze Woche einverleibt und daher einiges wiedergutzumachen hatte. Der Junge war feist und schwabbelig und hasste seinen Job, insbesondere wenn er, wie auch an jenem Tag, die gigantische Bibel des Padre schleppen musste. »Können wir nicht eine kleinere Bibel mitnehmen?«, fragte er jedes Mal, und stets bekam er dieselbe Antwort: »Nein.« Der Padre war fest davon überzeugt, dass eine große Bibel nicht nur ihm selbst, sondern auch seinen Moralpredigten mehr Gewicht verlieh.

In Rosalbas Büro angekommen, postierte sich der Priester zunächst neben dem Fenster und las mit lauter Stimme eine schier endlose Abfolge von Bibelstellen und Psalmen über Fortpflanzung und Kindersegen vor. Die Bürgermeisterin fand das Ganze ziemlich ermüdend und fragte sich, warum der Priester nicht einfach zum Kern der Sache kam.

»Gelobet sei der Herr!«, rief er schließlich. Er schlug die Bibel zu, spähte über den Rand seiner Lesebrille und verkündete: »Es ist unsere Pflicht, den Fortbestand unserer Spezies sicherzustellen.«

»Da stimme ich Ihnen voll und ganz zu, Padre«, erwiderte die Bürgermeisterin. »Seit meiner Ernennung zum Oberhaupt unseres Ortes habe ich mich massiv dafür eingesetzt, dass wir endlich wieder männliche Verstärkung erhalten. X-mal habe ich an die Regierung geschrieben, uns eine Wagenladung Männer zu schicken – ja, selbst den lieben Gott habe ich angefleht.«

»Der liebe Gott kann auch nicht alles richten«, sagte der Priester und hakte sofort nach, auch wenn er die Antwort bereits kannte. »Aber hat dir der Gouverneur geantwortet?«

»Schon möglich«, erwiderte sie in einem Tonfall, in dem eher ein Ja als ein Nein mitschwang. »Aber nachdem das Unwetter alle Straßen zu unserem Dorf verwüstet hat, bezweifle ich, dass wir je wieder einen Postboten zu Gesicht bekommen werden – oder sonst jemanden, um genau zu sein.« Sie überlegte kurz, welche Konsequenzen sich daraus ergaben: kein Handelsverkehr, keine Durchreisenden, ergo auch keine männlichen Besucher mehr. Eine Katastrophe. »Wir müssen uns dringend um die Straßen kümmern«, sagte sie und kramte ihr Notizbuch und einen Bleistiftstummel aus der Schreibtischschublade.

»Eins nach dem anderen, mein Kind«, warf der Priester ein, ehe die Bürgermeisterin ihrer langen, nutzlosen Prioritätenliste noch ein *Zufahrtsstraßen instand setzen* hinzufügen konnte. »Seid fruchtbar und mehret euch – so steht es in der Bibel, und genau danach sollten wir auch handeln.« Er bedeutete seinem Messdiener, den Raum zu verlassen, und nahm gegenüber von Rosalba Platz. Eingehend diskutierten sie das Thema und kamen zu dem Schluss, dass die Frauen von Mariquita dringend männliche Nachkommen gebären mussten – oder das Dorf würde nach der jetzigen Generation vom Erdboden verschwinden. Die Bürgermeisterin machte den Vorschlag, Santiago Marín solle »die Angelegenheit übernehmen«.

Der Padre schüttelte den Kopf und zog eine angewiderte Miene. »Möge Gott solchen Männern vergeben.«

»Oh, Padre Rafael«, gab Rosalba barsch zurück. »Hegen Sie etwa noch immer einen Groll gegen Santiago Marín?« Sie verdrehte die Augen und gab unwillkürlich ein gereiztes Schnauben von sich. »War es nicht schon Strafe genug für ihn, in Quarantäne sitzen zu müssen und mit seinem Kummer allein zu sein? Guter Gott, es braucht schon eine große Portion Mut, um das zu tun, was er getan hat – Mut und *Liebe*. Und genau das ist auch der Grund, weshalb ich Santiago als eine von uns betrachte: die andere Witwe.«

Der Priester begegnete ihr mit beleidigtem Schweigen. Er wich ihrem Blick aus und begann mit seinen Fingern zu spielen, die auf seinem voluminösen Bauch ruhten.

»Und davon abgesehen«, fuhr Rosalba unbeirrt fort, »ist er am ehesten in der Lage, eine unserer Frauen zu schwängern.«

Der Padre erhob sich abrupt. »Niemals!«, donnerte er und ließ die Handfläche auf den Schreibtisch der Bürgermeisterin niedersausen. »Ein Mann, der bei einem anderen Mann gelegen und sich damit gegen den Herrn versündigt hat, kann nicht Vater der künftigen Kinder von Mariquita werden!« Er förderte ein Taschentuch zutage und tupfte sich mit zitternden Händen die Stirn ab.

Die Bürgermeisterin musterte den Priester schweigend und beschloss, erst einmal zu warten, bis sich der Padre wieder beruhigt hatte. Sie kannte seine Wutausbrüche zur Genüge. Vor einiger Zeit hatte er sich die letzten Haarbüschel auf seinem Schädel ausgerissen, weil ihm die Oblaten für die Heilige Kommunion ausgegangen waren. »Was für eine Schande!«, hatte er gesagt. Wie sollte er die Messe ohne den Leib Christi feiern? Sollte er etwa die Heilige Kommunion ausfallen lassen, den wichtigsten Teil des Gottesdiensts? Am Ende hatte Rosalba das Problem gelöst. Sie hatte winzige, hauchdünne Arepas gebacken und dem Padre vorgeschlagen, die Behelfsoblaten zu segnen. Zuerst hatte der Priester ihr Ansinnen weit von sich gewiesen: »Was? Du verlangst, dass ich den Körper Christi zu einem Stückchen Maisfladen herabwürdige?« Worauf Rosalba dem Priester erklärt hatte, dass auch Hostien nichts weiter als flache Brotstückchen waren, und schließlich hatte er eingewilligt. Im allgemeinen Durcheinander vergaß er dann allerdings, die Arepas zu segnen, was zur Folge hatte, dass die Frauen in der Kirche genau das Gleiche zu sich nahmen, was sie bereits zum Frühstück gegessen hatten, nur kleiner. Seit jenem Tag wurden die Hostien aus Arepas gemacht, manchmal süß, manchmal salzig und manchmal sogar mit Käsegeschmack.

Der Priester atmete ein paarmal tief ein und setzte sich wieder.

»Wie wär's mit Julia Morales?«, fragte Rosalba. »Unter ihren Röcken steckt schließlich auch ein Mann – nun ja, wenigstens ein halber.«

Der Padre verdrehte die Augen. »Hast du mir nicht zugehört, Bürgermeisterin? Den Zeugungsakt kann man nicht erzwingen. Es ist schon schlimm genug, dass in unserem Fall kein ehelicher Beischlaf möglich sein wird. Aber zumindest sollte ein gewisses Maß an Zärtlichkeit und Zuneigung gewährleistet sein, was nur ein echter Mann einer Frau geben kann!«

»Dann weiß ich auch nicht mehr weiter«, bekannte die Bürgermeisterin und verschränkte die Arme. »Vielleicht sollten wir die Jungen in Betracht ziehen. Che und Trotsky werden dieses Jahr immerhin schon fünfzehn.«

»Das sind Kinder«, sagte der Padre.

Wieder schwiegen sie und wichen dem Blick des anderen aus. Schließlich seufzte der Padre und schüttelte den Kopf. »Tja...«, murmelte er. »Nein, das kann ich nicht tun.« Er vergrub das Gesicht in den Händen, als würde er jede Sekunde in Tränen ausbrechen. »Nein, nein, nein, das kann ich einfach nicht!« Nachdrücklich schüttelte er den Kopf, doch dann bezwang er seine Gewissensbisse, wie nur ein guter Katholik es kann, und sagte laut und deutlich: »Aber man muss sich seiner Verantwortung stellen. Wenn es Gottes Wille ist, dann soll es auch so sein.« Er stand auf und blickte mit Märtyrermiene durch das Fenster auf den bewölkten Himmel hinaus. »Dann muss ich es eben tun!«

Die Bürgermeisterin war dagegen. »Damit würden Sie sowohl Ihrem eigenen Ruf als auch dem Ihrer Kirche schaden, von unserer Gemeinde gar nicht zu reden. Sie sind der Inbegriff von Anstand und Sittlichkeit, Padre.« Der Priester aber beharrte darauf, dass sie sich nicht gegen Gottes Willen stellen konnten, worauf Rosalba nicht länger insistierte, da sie sicher war, dass die Idee des Padre ohnehin am Widerstand der übrigen Dorfbewohnerinnen scheitern würde. Sollten sich doch die anderen Frauen mit dem widerspenstigen Priester herumstreiten.

Bei Einbruch der Dämmerung läutete der Priester energisch die Kirchenglocke und berief die Gemeinde zur Versammlung ein. Die Frauen von Mariquita waren der Zusammenkünfte schon des längeren müde geworden, da es sowieso immer bloß um Belanglosigkeiten ging. Ein ums andere Mal hatte die Bürgermeisterin sie ermahnt, in ihren Häusern ordentlich Staub zu wischen, ihre Gärten zu pflegen, sich die Nägel zu schneiden, sich zu kämmen und die Köpfe ihrer Kinder regelmäßig auf Läuse zu untersuchen. Sie kamen dennoch immer wieder zu den Versammlungen, da sie nichts Besseres zu tun hatten.

Zunächst verlas Rosalba eine kurze Schrift, die der Padre extra für die Frauen von Mariquita verfasst hatte. Der erste Abschnitt informierte sie in warnenden Worten, dass die Bevölkerung von Mariquita über kurz oder lang vom Aussterben bedroht wäre, würde sie sich nicht vermehren. »Aber es besteht durchaus Anlass zur Hoffnung«, sagte die Bürgermeisterin. »Padre Rafael hat sich nämlich bereiterklärt, sein Keuschheitsgelübde zu brechen, um Mariquita am Leben zu erhalten.«

Ein irritiertes Raunen ging durch die Menge.

Ein zweiter Abschnitt erklärte, dass der Padre riskierte, nach seinem Tod eine Ewigkeit im Fegefeuer verbringen zu müssen, nur weil er sich für das Wohl seiner treuen Gemeinde einzusetzen gedachte. Direkt im Anschluss verkündete ein knapper Satz den Beginn der Zeugungskampagne. »Das Ziel der Kampagne besteht darin«, verlas die Bürgermeisterin, »zunächst zwanzig Frauen zur Schwangerschaft zu verhelfen.« Sie fügte hinzu, der Padre und sie würden dafür beten, dass vor allem männlicher Nachwuchs zustande käme. Dann verlas sie die Regeln: Nur Frauen zwischen fünfzehn und vierzig konnten teilnehmen und mussten sich zunächst bei Cecilia Guaraya, der Sekretärin der Bürgermeisterin, registrieren lassen. Danach würde die jeweilige Probandin auf eine Warteliste gesetzt und mitgeteilt bekommen, wann sie Besuch vom Padre erwarten konnte; die Liste würde im Rathaus ausgehängt werden. Aus Ehrerbietung vor dem Herrn sollten alle religiösen Bilder aus dem jeweiligen Raum entfernt werden, in dem der heilige Akt stattfinden würde. Beim Vollzug selbst würden Gefühle keine Rolle spielen; der Padre würde lediglich Geschlechtsverkehr ausüben und Babys produzieren, vorzugsweise Jungs. Darüber hinaus war angedacht, den Padre mit Naturalien zu versorgen, um ihn während der Kampagne bei Kräften zu halten, die sich über mehrere Monate hinziehen würde.

Es kam ganz anders, als die Bürgermeisterin erwartet hatte: Die Dorfbewohnerinnen rebellierten keineswegs öffentlich gegen die Idee des Padre. Entgegen den Erwartungen des Priesters meldete sich während der ersten Tage nach der Bekanntgabe allerdings auch keine Frau für den Vollzug des heiligen Akts an; für die Dorfbewohnerinnen war es schlicht undenkbar, überhaupt mit einem Priester ins Bett zu gehen, geschweige denn mit ihrem persönlichen Seelsorger. »Das wäre ja, als würde man sich mit Gott persönlich lieben«, sagte die Witwe Morales. Wovon sich der Padre aber nicht entmutigen ließ. Messe für Messe erinnerte er die Frauen an ihre Pflicht, für den Erhalt der menschlichen Rasse zu sorgen, und beschuldigte sie, nur an sich selbst zu denken. »Ich bin bereit, ein Opfer zu bringen – warum nicht auch ihr?« Doch erst als er den Frauen von der Kanzel herab versicherte, dass Gott ihm höchstpersönlich die Sondererlaubnis gegeben hatte, das Sechste Gebot zu brechen, wurde die Liste allmählich länger.

Ein junges Mädchen namens Virgelina Saavedra stand an neunundzwanzigster Stelle.

———

Virgelina und ihre Großmutter Lucrecia wohnten in einem windschiefen Häuschen am Markt. Virgelina war als Kind in die Obhut ihrer Großmutter gegeben worden, die ihr alles beigebracht hatte, was für ein künftiges Leben als Hausfrau, Dienstmädchen und Sklavin von Bedeutung war. Kurz nach Virgelinas zwölftem Geburtstag verschlechterte sich Lucrecias Gesundheitszustand, und das Mädchen musste den gemeinsamen Haushalt allein führen. Die alte Frau verbrachte den Tag damit, vom Fenster aus die Frauen auf dem Markt zu beobachten; sie sann darüber nach, was sie wohl so redeten, und dachte sich alle möglichen amüsanten Geschichten aus, die sie dann ihrer Enkelin erzählte, als hätte sie alles bei einem Schwätzchen mit den Marktfrauen erfahren. Virgelina lauschte den Geschichten, während sie die Hausarbeit erledigte, und nickte dann und wann. Das Mädchen hatte einen festen Tagesablauf: Sie stand im Morgengrauen auf, betete, heizte den Ofen an, bereitete das Frühstück, wischte den Boden mit einem Blätterbündel und badete, wenn Wasser vorhanden war. Manchmal holte sie Wasser vom Fluss, doch meist verließ sie sich darauf, dass der Regen die drei Tonnen füllte, die hinter dem Haus standen. Nachdem die morgendlichen Obliegenheiten erledigt waren, ging sie zur Schule; zweimal hintereinander war sie von der Lehrerin als »Beste Schülerin des Jahres« ausgezeichnet worden. Virgelina besaß nur drei Kleider, alle schwarz und hochgeschlossen, die sie von ihrer verstorbenen Mutter geerbt hatte. Sie war klein, still, wohlerzogen und gerade vierzehn Jahre alt.

Lucrecia war es gelungen, Cecilia davon zu überzeugen, dass Virgelina trotz ihrer Minderjährigkeit in der Lage war, einen Jungen zu gebären. »Meine Urgroßmutter hat neunzehn Jungen zur Welt gebracht«, unterrichtete sie Cecilia. »Und der Großcousin meiner Großtante hat elf Jungen gezeugt. Unsere Familie wusste schon immer, wie man Jungs zustande kriegt.«

Obwohl sie für ihre schroffe, ablehnende Art bekannt war, machte Cecilia erstaunlicherweise eine Ausnahme. Sie hatte eine Schwäche für zwei Arten von Menschen – für alte Leute und für diejenigen, die ihr Komplimente machten.

Morgens sah Lucrecia immer wie eine Mumie aus. Ihre Arthritis verschlimmerte sich durch den Nachtwind, der durch die Ritzen in den Türen und im Dach pfiff, weshalb Virgelina sie jeden Abend vor dem Schlafengehen vom Hals bis zu den Zehen in eine zehn Meter lange, weiße Stoffbahn einwickelte. Das Tuch stammte noch aus der Zeit, als Lucrecia die beste Näherin von ganz Mariquita gewesen war. Doch so positiv sich die Therapie auf ihre kranken Glieder auswirken mochte, fand die alte Frau doch immer wieder neuen Anlass zum Meckern: Das Essen bekam ihr nicht, das kleinste Geräusch verursachte ihr Kopfschmerzen, bei Regen taten ihr die Nieren weh, wenn ihr nicht gerade etwas zu kalt, zu heiß oder zu süß, viel zu süß war.

Mittlerweile hatten achtundzwanzig Frauen den Priester in ihr Bett gelassen; auf dem Markt ging das Gerücht, der Gottesmann sei mit einem Riesenpenis gesegnet, aber ein eher mittelmäßiger Liebhaber. »Bevor er richtig angefangen hat, hört er auch schon wieder auf«, hatte Magnolia Morales ihren Freundinnen bei einem ihrer abendlichen Treffen auf der Plaza verraten. Bei einer Witwe blieb die Periode aus, was sich aber schließlich als falscher Alarm herausstellte. Noch war keine einzige Frau schwanger geworden.

An jenem Tag, als Virgelina Besuch vom Padre erhalten sollte, plagten Lucrecia beim Aufstehen mehr Zipperlein als sonst. »Ich kann nicht richtig atmen«, sagte sie. »Meine Beine tun mir weh.« Und so ging es in einem fort: »Mir ist schwindelig, mir ist schlecht.« Wenigstens zweimal hätte Virgelina sie um ein Haar angefahren, endlich ihr Gequengel einzustellen, nur für ein oder zwei Minuten den alten Schnabel zu halten, da sie absolut nicht in der Stimmung war, sich ihr Gewimmer anzuhören, gerade heute nicht. Stattdessen verpasste sie Fidel und Castro jedes Mal einen Tritt, wenn ihr die Katzen über den Weg liefen, und als sie schließlich zur Schule ging, knallte sie die Haustür mit aller Kraft hinter sich zu. Als die alte Frau nach dem Mittagessen aus ihrer Siesta erwachte und kreischte, sie könne die Augen nicht mehr öffnen, schenkte Virgelina ihr keine Beachtung. Sie nahm sich einen Stuhl, ging nach draußen und begann, an einer Tagesdecke zu stricken, während ihr der bevorstehende Besuch des Priesters nicht aus dem Kopf gehen wollte: Heute Abend würde sie zum ersten Mal einem Manne beiwohnen.

Während sie rechte und linke Maschen strickte, rief sie sich nacheinander die sieben Schritte in Erinnerung, die zu ihrer Entjungferung führen sollten und ihr wieder und wieder von ihrer Großmutter eingeschärft worden waren. Ein ums andere Mal war Virgelina von ihr genötigt worden, die einzelnen Schritte auswendig zu lernen; obendrein hatte sie die Reihenfolge jedes Mal auch umkehren, mehrere Schritte kombinieren oder neue hinzufügen müssen, für den Fall, dass etwas nicht wie am Schnürchen lief. Ihre erste sexuelle Erfahrung war akribisch durchgeplant und in ein Schema gepresst worden, das keinen Raum für Spontaneität, Intuition oder gar jene Leidenschaft ließ, die erst kürzlich in ihr zu keimen begonnen hatte. Virgelina konnte sich keinen Reim darauf machen, doch neuerdings juckten ihre Brustwarzen; wenn sie nun abends das Kerzenlicht ausgeblasen hatte, strich sie sich mit den Fingerspitzen über die Nippel, bis es ihr vorkam, als seien in ihren Brüsten lauter zornige kleine Ameisen auf dem Vormarsch, die sie bissen und langsam von innen auffraßen. Während sie weiterstrickte, stellte sie sich vor, wie die Hände des Priesters ihre kleinen Brüste umfassten; die Vorstellung war so lebhaft, dass sie tatsächlich spürte, wie seine Finger sich fest um ihre Brüste schlossen. Unwillkürlich ließ sie die Stricknadeln fallen, als es sie plötzlich wie ein Stromstoß durchzuckte. Abrupt stand sie auf, bedeckte den Busen mit den Armen und lief ins Haus. Nie zuvor hatte sie etwas Ähnliches empfunden. Sie lehnte sich an die Küchenwand, atmete tief ein und aus und rief sich in Erinnerung, dass jene Finger – die des Padre – zu zwei schwabbeligen Armen gehörten, die wiederum an einem kurzen, schmerbäuchigen Rumpf hingen, auf dem ein großer kahler Kopf saß mit einem hässlichen Gesicht, langer Nase und Schweinsäugelchen, die halb unter seinen hängenden Lidern verschwanden. Als sie schließlich wieder hinausging, um ihr Strickzeug zu holen, fühlte sie sich erleichtert.

Am Nachmittag befeuchtete Virgelina die Augen ihrer Großmutter mit warmem Wasser, doch es half nichts. Die Augen der alten Frau waren wie zugeklebt. »Ich hole Schwester Ramírez«, sagte Virgelina. Die alte Frau erwiderte, das sei nicht nötig, es handele sich um ein himmlisches Zeichen, eine Warnung, dass Gott ihr noch immer wegen einer Sache zürnte, von der nur sie allein wusste.

Am Abend fand folgende Unterhaltung zwischen ihnen statt.

»Danke für das Abendessen, mija. Deine Suppen schmecken viel besser als die von deiner Mutter, möge sie in Frieden ruhen.«

»Trink deinen Kaffee, Großmutter. Die Tasse steht direkt vor dir.«

»Ich vertrage so spät keinen Kaffee mehr. Letzte Nacht war ich so lange wach, bis ich im Morgengrauen die Schreie draußen gehört habe. All die armen Männer.«

»Was für Männer, Großmutter?«

»Die Männer von Mariquita. Hast du nicht ihre armen Seelen gehört? Möge Gott sich ihrer erbarmen.«

»Möge Gott sich lieber unser erbarmen. Sie leiden wenigstens nicht mehr.«

»Was weißt du schon davon, mein Kind? Als ich so jung war wie du, war ich das glücklichste Mädchen von ...«

»Ja, ja, ich weiß. Ein wunderschöner Mann hat dir den Hof gemacht, aber weil er ein Liberaler war, hat euch dein Vater den Segen verweigert. Zwei Jahre später hat er dich dann gezwungen, meinen Großvater zu heiraten, der selbstverständlich ein Konservativer war und dich selbstverständlich von morgens bis abends verprügelt hat. Warum erzählst du mir stattdessen nicht endlich, wie Mutter und Vater ums Leben gekommen sind?«

»Hier drin ist es eiskalt. Wo ist meine Decke?«

»Die hast du um. Ich sehe mal nach, ob ich ein bisschen Zimt finde, um dir einen Tee zu machen. Dann wird dir wieder warm.«

»Und mein Stock? Wo ist mein Stock?«

»In deiner Hand.«

»Bist du bereit für deinen Besucher, mija?«

»Ja, aber er kommt sowieso erst um acht.«

»Aber es hat doch eben achtmal geläutet.«

»Ich habe nur sieben Schläge gezählt.«

»Mach dich besser rechtzeitig fertig. Du weißt, er ist ein vielbeschäftigter Mann.«

»Ja, Großmutter. Wo habe ich nur den Zimt hingetan?«

»Hast du Rouge aufgelegt?«

»Hmm-hmm.«

»Du weißt doch noch, was du machen sollst, oder? Zähl mir noch mal alles auf, Schritt für Schritt.«

»Nicht noch mal, Großmutter. Sag mir endlich, wie Mutter und Vater gestorben sind. Ich verstehe nicht, warum du ein solches Geheimnis daraus machst.«

»Hast du überall geputzt, so wie ich es gesagt habe?«

»Jedes Eckchen ist blitzsauber.«

»Und das Bett?«

»Ist frisch bezogen. Außerdem habe ich Eukalyptusblätter auf dem Klo verbrannt, und falls er sich waschen will, ist auch genug Wasser da. Oh, da ist ja der Zimt. Lass mich nur eben Wasser aufsetzen.«

»Hast du das Bild des Gekreuzigten von deiner Zimmerwand abgenommen?«

»Nein, warum? Du hast doch gesagt, es wäre ein heiliger Akt.«

»Ist es auch, aber der Herr muss ja nicht direkt daneben stehen.«

»Na gut, ich tu's weg. Aber vorher erzählst du mir, was mit Mutter und Vater passiert ist.«

Es kostete Virgelina ein gerüttelt Maß an Beharrlichkeit, ihrer Großmutter die Geschichte zu entlocken, die sie hören wollte. Die alte Frau hatte jahrelang geschwiegen, doch am heutigen Tag, da Virgelina zur Frau werden sollte, hatte sie auch ein Recht darauf, die Wahrheit zu erfahren.

»Dein Vater hat deine Mutter umgebracht«, sagte Lucrecia geradeheraus, als sei das gleichzeitig der Anfang und das Ende der Geschichte.

Virgelina schlug die Hände vor den Mund und sackte in den alten Schaukelstuhl neben dem Ofen.

Mit leiser, doch fester Stimme fuhr Lucrecia fort: »Eines Morgens vor dreizehn Jahren wachte dein Vater auf und fand sein Frühstück kalt neben sich auf dem Nachttisch vor. Neben dem Kaffee befand sich eine Notiz von deiner Mutter. Dort stand: ›Mein lieber Mann, dies sind die letzten Eier, die ich dir gekocht habe. Ich verlasse dich für einen Mann, der mich nie schlagen wird. Grüße, Nohemí.‹ Dein Vater drehte vollkommen durch, als er das las.«

Lucrecia erzählte, wie ihr Vater auf der Suche nach Frau und Tochter – Nohemí hatte Virgelina mitgenommen – wutentbrannt von Ort zu Ort gezogen war, bis er sie schließlich in der Nähe von Girardot aufgespürt und in einer regnerischen Juninacht nach Mariquita zurückgebracht hatte.

»Am nächsten Morgen«, sagte Lucrecia, »fand ich ein weinendes Baby vor meiner Haustür. Dich. Ich lief sofort mit dir zu Nohemís Haus, nur ein paar Straßen weiter. Aber es war zu spät.«

Dort, so erzählte sie weiter, herrschte das nackte Chaos, als sie eintraf; überall lagen Scherben, die Überreste zertrümmerter Vasen und Stühle herum. Nichts war heil geblieben. Und inmitten des Durcheinanders hatte sie Nohemí gefunden, die mit durchgeschnittener Kehle in einer Lache Blut in der Küche lag. Draußen im Garten war sie dann auf Virgelinas Vater gestoßen, der leblos von einem Baum hing. Unter seinen hin und her baumelnden Füßen lag der kurze Brief, den Nohemí ihm geschrieben hatte.

Als Lucrecia mit ihrer Geschichte fertig war, fragte sich Virgelina, wer wohl der Mann gewesen war, mit dem ihre Mutter die Flucht gewagt hatte. Hatte sie ihn geliebt? Was wohl aus ihm geworden war? Doch just in dem Moment, in dem sie ihre Großmutter danach fragen wollte, richtete die alte Frau den Blick zur Zimmerdecke und schrie: »O Gott, vergib mir die Sündhaftigkeit meiner Tochter. Vergib mir, dass ich sie nicht auf den rechten Weg zurückführen konnte.« Dann, die geschlossenen Augen auf Virgelina gerichtet, fuhr sie in bitterem Tonfall fort: »Das Verhalten deiner Mutter hat Schande über mich gebracht. Das ist der Grund, warum Gott nicht aufhört, mich zu strafen!«

Beim ersten Läuten der Kirchenglocke klopfte Padre Rafael an ihre Tür, und beim achten Glockenschlag saßen er und sein Messdiener bereits mit Virgelina im Wohnzimmer. Der Priester hatte die Beine übereinandergeschlagen und eine entzückte Miene aufgesetzt, als habe er ein besonders wohlschmeckendes Bonbon im Mund. Hochiminhs Gesicht war vollkommen ausdruckslos. Er stützte die Arme auf die riesige Bibel in seinem Schoß; eher war zu erwarten, dass die Bibel zu lächeln begann, bevor er auch nur einen Gesichtsmuskel bewegte. Das Licht der Kerze auf dem Tisch warf seinen Schein auf Virgelinas Züge; das dick aufgetragene Rouge verlieh ihrem ängstlichen Gesichtsausdruck eine noch dramatischere Wirkung.

Als Virgelina ihn fragte, ob er Hunger oder Durst habe, verneinte Hochiminh. Er wolle weder Kaffee noch Zimttee, vielen Dank. Der Padre sagte, er würde ein »Schlückchen« Wasser nehmen, nur ein »Schlückchen«, da er ja wisse, wie viel Mühen es koste, das Wasser vom Fluss herbeizuschaffen. Er sprach in leicht herablassendem Tonfall, während er mit wollüstigem Lächeln Virgelinas Brüste in Augenschein nahm. Das Mädchen verschwand in der Küche, wo ihre Großmutter saß. Eingehüllt in ihre Decke sah sie aus wie eine schlecht gemeißelte Statue.

»Er will Wasser«, murrte Virgelina, während sie Ausschau nach dem Krug mit dem Trinkwasser hielt. Er stand auf dem Tisch, direkt vor ihrer Nase, doch das Mädchen war so aufgeregt, dass sie ihn nicht sah. »Wo hast du denn den Wasserkrug hingetan?«, fragte sie in einem Ton, der ihre schlechte Laune verriet. Die alte Frau drehte den Kopf nach rechts und nach links, erwiderte aber nichts. Virgelina verdrehte die Augen, suchte weiter, kramte zwischen Töpfen, Tiegeln und Pfannen herum, konnte den Krug aber einfach nicht finden. »Wo ist das Wasser?«, keifte sie. Lucrecia gab keine Antwort. Virgelina trat zu ihr, fasste sie an den Schultern und zischte ihr die Frage abermals ins Gesicht.

Lucrecia stieß sie fort und schwang ihren Gehstock wie ein

Schwert. »Was? Was ist denn los?«, fragte sie mit leiser, gebrochener Stimme. »Wer ist denn da?«

»Ich bin's! Wo ist der verdammte Wasserkrug?«

»Wer ist da?«, wiederholte die alte Frau. »So sagen Sie doch etwas!«

»Ach du lieber Gott«, entfuhr es Virgelina.

Anscheinend hatte der Allmächtige in den vergangenen Minuten und allem zum Trotz beschlossen, ihrer Großmutter auch noch das Gehör zu nehmen. Als Virgelina sich weinend an den Küchentisch setzte, sah sie den Krug vor sich stehen. Sie erhob sich sofort wieder, goss Wasser in eine Tasse, spuckte hinein, rührte mit dem Zeigefinger um und lief hinaus in den dunklen Flur, der Küche und Wohnzimmer voneinander trennte. Nun wieder unbeobachtet, öffnete Lucrecia die Augen, ging zur Tür und drückte ihr Ohr ans Holz, um besser verstehen zu können, was im Wohnzimmer geredet wurde.

»Danke, mein Kind«, sagte der Priester und nahm die Tasse mit beiden Händen entgegen. Hastig trank er den Becher aus. »Möchte deine Großmutter vielleicht zuhören, während ich aus der Bibel lese?«

»Sie fühlt sich nicht wohl.«

»Oh, das tut mir Leid. Kann ich sonst irgendetwas für sie tun?«

»Nein, es sei denn, Sie könnten Wunder vollbringen. Können Sie das, Padre?«, fragte Virgelina in auffällig bissigem Tonfall.

Der Padre beschloss, darauf lieber nicht zu antworten. Er bat Hochiminh, Genesis 1.28 in der Bibel nachzuschlagen, und als der Junge die Stelle schließlich gefunden hatte, nahm er die Bibel an sich, setzte seine Lesebrille auf und begann im flackernden Licht der Kerze zu lesen:

»Und Gott segnete sie und sprach zu ihnen: Seid fruchtbar und mehret euch und füllet die Erde und machet sie euch untertan und herrschet über die Fische im Meer und über die Vögel unter dem Himmel und über das Vieh und über alles Getier, das auf Erden kriecht.« Er bekreuzigte sich, steckte die Brille in die linke Tasche seiner Soutane und fügte hinzu: »Lobet den Herrn!«

»War's das?«, fragte Hochiminh. »Kann ich jetzt gehen?« Der Priester nickte, und schon waren sowohl der Junge als auch die Bibel verschwunden.

Hochiminh knallte die Tür hinter sich zu, und noch bevor der Priester fragte »Sollen wir anfangen, mein Kind?«, dachte Virgelina darüber nach, ob es falsch oder richtig gewesen war, dass ihre Mutter ihren Mann verlassen hatte. Bis zu jenem Nachmittag hatte sie ausschließlich Gutes über ihre Mutter gehört. Die anderen Dorfbewohnerinnen lobten Nohemí stets in den höchsten Tönen, während Virgelinas Vater fast nie erwähnt wurde. Welch großartige Mutter und Ehefrau Nohemí doch gewesen war! Eine wahrhaft gläubige Katholikin! Immer freundlich, und so ungeheuer hilfsbereit! Eine wirklich bemerkenswerte Frau! Sie schwärmten derart von Nohemís unzähligen guten Eigenschaften, dass Virgelina, die nie ein Foto ihrer Mutter gesehen hatte, sie sich als engelhafte Frauengestalt vorstellte, mit langem Haar, rosigen Wangen und einem wunderbaren Lächeln auf den Lippen. In einer Ecke ihres Zimmers hatte sie einen Altar für ihre Mutter aufgestellt, vor dem sie jeden Abend betete. Der Altar ruhte auf ein paar Schachteln und hatte drei Ebenen. Auf der oberen befanden sich ein kleines Bild der Jungfrau Maria – die ihre Mutter verkörperte –, ein Rosenkranz und eine weiße Kerze, die sie nur anzündete, wenn sie ein Opfer darbrachte. Auf der mittleren Ebene stand eine Plastikschüssel, die sie täglich mit einem Schöpflöffel Suppe füllte – Nohemí liebte Suppen wirklich über alles! –, zuweilen aber auch mit Ringelblumen, der Blume der Toten, schmückte. Auf der unteren Ebene hatte Virgelina einen Becher mit Wasser sowie verschiedene kleine Talismane und Amulette arrangiert, die sie der Seele ihrer Mutter zu Ehren auf dem Markt gekauft hatte.

Nun aber, nach dem Bekenntnis Lucrecias, begann das Bild, das Virgelina sich von ihrer Mutter gemacht hatte, schnell zu verblassen. Wie sollte sie eine gute Ehefrau gewesen sein, wenn sie ihren

Mann verlassen hatte? Und wie konnte eine gute Mutter das Leben ihrer kleinen Tochter riskieren, indem sie mit weiß Gott wem eine Affäre anfing?

»Sollen wir, mein Kind?« Der Priester erhob sich. Graziös ergriff er den Kerzenhalter mit zwei Fingern, reichte ihn Virgelina und bedeutete ihr, vorauszugehen.

Als Virgelina ihr Zimmer betrat, den Pater dicht hinter sich, ging ihr plötzlich ein Licht auf. Mit einem Mal begriff sie, dass ihre Mutter und ihre Großmutter beide frei entschieden und selbst über ihr Leben bestimmt hatten. Was sie sonst hätten tun können oder sollen – das alles spielte keine Rolle mehr; in dem Moment, in dem sie sich für einen Weg hatten entscheiden müssen, war es der richtige gewesen. Sie, Virgelina, hatte kein Recht, sie zu verurteilen.

Bestärkt von dieser Erkenntnis, verstand Virgelina nun auch, dass sie ebenso das Recht hatte, ihre eigenen Entscheidungen zu treffen. In jenem Moment eröffneten sich ihr die verschiedensten Alternativen. Sie konnte tun, was ihre Großmutter sie geheißen hatte, und sich dem Priester hingeben. Sie konnte durchbrennen wie ihre Mutter und darauf hoffen, dass niemand sie jemals finden würde. Sie konnte dem Padre die Wahrheit sagen – dass sie Angst hatte – und ihn höflich bitten zu gehen. Sie konnte »es« schweigend hinnehmen, bis »es« vorbei war, dann das größte Messer aus der Küche holen, es dem Padre in die Brust stoßen, ihm das Herz herausreißen und das blutige Stück Fleisch ganz oben auf ihren Altar legen, gleich neben die weiße Kerze. Ein derart großes Opfer würde Gottes Zorn auf ihre Großmutter gewiss mindern; vielleicht mochte es ihn sogar dazu bewegen, ihr Augenlicht und Gehör zurückzugeben.

Sie drückte die Tür mit den Fingerspitzen ins Schloss und wandte sich dem Priester zu, dem die Vorfreude ins Gesicht geschrieben stand.

Virgelina stellte den Kerzenständer auf den Nachttisch. Sie musterten einander im flackernden Licht. Zwischen ihnen befand sich nur das Bett. Im Halbdunkel sah der Priester die Lippen und das Kinn des Mädchens, dazu die Konturen ihrer kleinen linken Brust. Virgelina erspähte ein begierig dreinblickendes, auf ihre rechte Brust gerichtetes Auge, einen bebenden Nasenflügel und einen halben Mund, dessen Lippen ein lüsternes Lächeln umspielte.

»Komm zu mir, meine Liebe.« Der Padre klopfte mit der Handfläche auf das Bett. »Komm ...«

Es war so still, dass sie das Pochen ihres Herzens hören konnte. Und dann, einem Flüstern gleich, vernahm sie das Echo ihrer Großmutter in ihrem Kopf, rekapitulierte jeden einzelnen Schritt, der zu Virgelinas Entjungferung führen sollte.

Erstens: Sag ihm, dass du noch Jungfrau bist, damit er Rücksicht auf dich nimmt.

»Ich bin noch Jungfrau, Padre«, platzte Virgelina heraus.

»Bitte?«

»Ich bin noch Jungfrau.«

Er kicherte leise in sich hinein. »Das hatte ich auch nicht anders erwartet, meine Liebe.« Er ging um das Bett herum, hob Schritt für Schritt die Distanz zwischen ihnen auf und musterte sie selbstsicher. Seine eine Hand ruhte auf ihrer Hüfte, während er mit der anderen ihren Rücken nach dem Reißverschluss abtastete. Stattdessen stieß er auf eine Reihe von Knöpfen, und nachdem er sie geöffnet hatte, fiel Virgelinas Kleid zu Boden. Sie zuckte leicht zusammen und bedeckte die Brüste mit den Armen.

Zweitens: Küss ihn auf die Lippen. Steck ihm die Zunge in den Mund und lass sie langsam kreisen.

Ohne die Hände von ihrem Busen zu nehmen, schürzte Virgelina die Lippen, wie ihre Großmutter es ihr erklärt hatte, schloss die Augen und reckte den Kopf vor, wieder und wieder, wie ein Vogel, der an einer Frucht pickt. Als er sah, worauf das Mädchen aus war, ergriff der Padre ihren Kopf mit den Händen, stellte sich auf die Zehenspitzen und begann, sie vorsichtig zu küssen. Virgelina ließ den Padre gewähren, brachte es aber nicht über sich, ihm die Zunge in den Mund zu schieben. Wie konnte ihre Großmutter nur glauben, sie würde so etwas Widerliches tun? Doch der Padre wollte ihre Zunge fühlen, und so kam es zu einem gnadenlosen Kampf zwischen den Lippen der beiden: den seinigen, die ihren Mund um jeden Preis öffnen wollten, und den ihren, die seine Annäherungsversuche weiter hartnäckig abwehrten. Virgelina hatte stets geglaubt, dass Küsse nach etwas schmeckten, dass sich zwei Menschen ineinander verliebten, wenn ihnen der Geschmack des anderen besonders gefiel, und dass sie sich dann so lange küssten, bis einer von ihnen starb oder ihre Lippen vertrockneten. Ihr erster Kuss hingegen schmeckte nach Speichel und Blut, da ihr der frustrierte Padre immer wieder in die Lippen biss.

Drittens: Nimm seine Hände und leg sie auf deine Brüste.

Es war unnötig, die Hände des Priesters irgendwohin zu lenken. Sie wussten von selbst, wonach sie suchen mussten, was sie zu tun hatten, wann sie weitermachen und wann sie innehalten sollten. Langsam wanderten sie über ihren Rücken, ertasteten den Knoten, der die Enden des Stücks Stoff zusammenhielt, das sie als Büstenhalter trug, und lösten ihn geschickt. Anschließend zogen sie ihr die Unterwäsche aus, und zwar schneller, als sie nein sagen konnte. Virgelina versuchte, die Kerze auf dem Nachttisch auszublasen, doch war sie zu weit entfernt. Sie schloss die Augen, so fest es eben ging, und im selben Moment spürte sie schon wieder seine Lippen, diesmal an ihren Brüsten, in denen nun auch wieder die Ameisen wüteten, sodass ihre Nippel zu jucken begannen.

Viertens: Zieh ihn aus.

Die Soutane, die der Padre bei seinen Fruchtbarkeitsbesuchen trug, war einer von jenen Talaren, wie sie sonst ausschließlich von Bischöfen, Erzbischöfen und Kardinälen getragen werden. Er hatte sie seinerzeit bei einer Auktion erstanden, als er noch jung und optimistisch gewesen war und geglaubt hatte, dass er eines Tages in die höchsten Ränge des Klerus aufsteigen würde. Später, als ihm klar geworden war, dass er weder die Verbindungen noch den Ehrgeiz hatte, um es in der römisch-katholischen Kirche sonderlich weit zu bringen, hatte er diese besondere Soutane angezogen, wann immer es ihm gefiel. Sie war aus schwarz gefärbtem Baumwolltwill, hatte in Violett und Gold gehaltene Brokataufschläge an den Ärmeln, vorn und hinten je fünf Paspeln, goldfarbene Biesen, einen abnehmbaren Kragen und eine Knopfleiste, die sich über die gesamte Länge zog und für die Zwecke des Padre geradezu maßgeschneidert war.

Virgelina beschloss, mit dem Auskleiden zu warten, bis sich der Priester wieder erhoben hatte. Momentan befand er sich auf den Knien und hatte seine schleimige Zunge zwischen ihren Beinen vergraben, was leise Schauder durch ihren Körper jagte. Als der Padre keinerlei Anstalten machte, sich zu erheben, ergriff sie ihn unter den Achselhöhlen und richtete ihn auf. Schwitzend nahm der Priester den Kragen ab – den er außerordentlich praktisch fand, da er ihm das Tragen eines Hemds ersparte. Er öffnete den obersten Knopf der Soutane, wurde aber sofort von Virgelinas geschickten, vom Stricken geschulten Fingern unterbrochen. Das ist unsere Aufgabe, Padre, schienen sie gleichsam zu sagen, bewegten sich abwärts und befreiten die ersten sieben Knöpfe aus ihren Löchern. Sie kniete nieder und machte weiter mit den unteren; graziös fuhren ihre Finger die goldene Biese entlang. Als sie den letzten Knopf aufmachte, blickte sie auf und sah zu, wie der nackte kleine Mann in geradezu majestätischer Manier aus seiner Soutane stieg, wie eine arrogante Königin, die ihren Höflingen das samtene Gewand hinwarf.

Fünftens: Vergewissere dich, wie erregt er ist.

Virgelina erinnerte sich an die Worte ihrer Großmutter: »Er wird einen steifen Penis kriegen, und du musst ihn anfassen, um zu sehen, ob er auch richtig hart ist.« Dann hatte die alte Frau noch hinzugefügt: »Wenn sein Glied nicht steif ist, küsse ihn noch ein bisschen mehr und fass ihn an, so wie ich's dir gesagt habe.«

Nachdem Virgelina den geschwollenen Penis angefasst und das

laute Stöhnen des Priesters gehört hatte, kam sie zu dem Schluss, dass er erregt war, sehr erregt sogar. Mit sanftem Druck stieß er sie aufs Bett; ohne die weißen Socken oder die abgelatschten Sandalen auszuziehen, positionierte er sich über ihr. Der Padre war kleiner als sie und hatte obendrein einen Bauch, und trotzdem passte sein Körper nahezu perfekt zu dem ihren – wie eine Faust in eine offene Hand.

Sechstens: Vertraue auf Gott und lass ihn den Rest übernehmen.

Was »den Rest« anbetraf, hatte sich Virgelinas Großmutter ziemlich vage ausgedrückt. Virgelina selbst hatte sowohl Hunde als auch Katzen bei der Paarung gesehen und glaubte, dass »der Rest« genauso ablaufen würde: ein Machtspiel, bei dem es für das Männchen darum ging, sein Glied im Geschlechtsorgan des Weibchens unterzubringen, während das Ziel des Weibchens darin bestand, schwanger zu werden. Am meisten Angst hatte Virgelina vor den Schmerzen – die Schreie von Katzen bei der Paarung waren wahrlich furchterregend –, und der Ratschlag ihrer Großmutter, einfach ins Kissen zu beißen und durchzuhalten, war auch nicht gerade beruhigend gewesen. Sie beschloss, den Padre sofort zum Zug kommen zu lassen und das Ganze so schnell wie möglich hinter sich zu bringen.

Der Padre bewegte die Hüften auf eine Art, die alles andere als sinnlich war; er rieb sich an ihr, als wollte er irgendwelche Schmutzflecken wegscheuern.

»Gefällt es dir?«, flüsterte er ihr ins Ohr. Sie antwortete nicht. Er küsste sie auf den Mund, die Nase, die Augen, das Kinn. »Gefällt es dir?«, wiederholte er, diesmal ein wenig lauter, da sie ihn ja offensichtlich nicht gehört hatte. Wieder keine Antwort, nicht mal eine Geste. Virgelina war vollauf damit beschäftigt, sich von dem Gedanken abzubringen, dass sie von diesem Mann, der da auf ihr lag, vor nicht allzu langer Zeit die Erstkommunion empfangen hatte. Er schubberte sich weiter an ihr, küsste sie ab und stellte ihr wieder und wieder dieselbe Frage, erhielt aber nach wie vor nur Schweigen zur Antwort.

Dann aber ging er ohne Vorwarnung mit aller Macht auf sie nieder, bis ein Teil von ihm in ihrem Fleisch verschwand und Blut ihre Beine entlangströmte. Sie schrie laut auf. Sie fühlte sich, als würde ein riesiger Nagel in sie hineingetrieben, und schrie wie am Spieß.

»Wie gut sich das anfühlt«, sagte der Priester. Sie grub die Fingernägel in seinen Rücken und schrie ihn an, beschwor ihn, *das Ding* aus ihr herauszuziehen. Was er aber keineswegs tat; stattdessen begann er, es aus ihr heraus und wieder hinein zu bewegen. Sie versuchte ihn wegzustoßen. »Bitte, in Gottes Namen!« Doch ihr Flehen wurde nicht erhört; rhythmisch drang er in sie ein, heftiger und heftiger, bis sie ihm mit den Nägeln ins Gesicht fuhr und ihn in die Brust biss. »Aufhören!«

Er hielt abrupt inne. »Was fällt dir ein?«, brüllte er, schlug ihr rechts und links ins Gesicht, packte ihre Hände, verschränkte seine Finger mit den ihren und hielt sie fest, ehe er fortfuhr, wild in sie hinein zu stoßen: auf und nieder, vor und zurück, rein und raus (weinend dachte sie an all die Opfer, die ihre Großmutter gebracht hatte); er drängte, zerrte, riss und wütete (weinend dachte sie an all die Opfer, die ihre Mutter gebracht hatte), wühlte sich schneller und immer schneller in ihr Fleisch, bis seine Beine erzitterten und er in ihr explodierte, während er dabei ein unablässiges »O Gott, o Gott, o Gott, o Gott« vor sich hin skandierte (und diesmal dachte sie weinend an das Opfer, das sie gerade gebracht hatte).

Siebtens: Schließe die Beine und kreuze die Füße, so dass der Samen nicht aus dir herauslaufen kann, und verharre für eine Weile in dieser Stellung.

Virgelina wimmerte leise in sich hinein. »Stimmt irgendwas nicht, meine Liebe?«, fragte der Priester, als er ihr Schluchzen bemerkte. Sie schüttelte den Kopf. Zögernd ließ er ihre Arme los, als habe er Angst, sie könne abermals versuchen, ihm das Gesicht zu zerkratzen, doch das Mädchen regte sich nicht. Dann stieg er von ihr, klaubte seine Soutane vom Boden und zog sich prompt wieder an, wobei er Virgelina den Rücken zukehrte. »Wirklich bestens«, sagte er leise, als er den Kragen anlegte. »Ich hoffe, deine Großmutter setzt dich ein weiteres Mal auf die Liste.« Er ließ die Knöpfe nacheinander in ihre Löcher wandern und bückte sich leicht, um die unteren zu erreichen. »Nächstes Mal tut's nicht mehr weh, das kann ich dir versprechen«, sagte er, das Gesicht zur Wand gerichtet, und im selben Moment sah er das Bild, das an einem rostigen Nagel unmittelbar vor seiner Nase hing: ein Bild des ans Kreuz genagelten, sterbenden Jesus. Die Geschichte ihrer Eltern war Virgelina so ans Herz gegangen, dass sie schlicht vergessen hatte, das Bild abzunehmen. Wie vom Donner gerührt, starrte der Padre an die Wand.

»Es ist vollbracht«, sagte Virgelina plötzlich mit einem erleichterten Seufzen. Dem Priester lief es eiskalt den Rücken hinunter, als er die drei biblischen Worte vernahm. Als er sich abrupt umwandte, packte ihn das nackte Grauen: Mit zu den Seiten ausgestreckten Armen und übereinandergeschlagenen Füßen lag Virgelina auf dem Bett, den Kopf leicht nach rechts geneigt, und sah aus wie der Gekreuzigte selbst – blutend, klagend, sterbend und fast nackt an einem imaginären Kreuz.

Der Priester bekreuzigte sich hastig, floh aus dem Zimmer, stolperte zuerst über Fidel und Castro, die auf dem Flur zu schlafen pflegten, und dann draußen auf der Straße über Steine, die so groß wie Hunde waren, und über Hunde, die wie Steine auf der Straße lagen. Er lief und lief, ohne sich noch einmal umzusehen, und rief: »Herr, o Herr, erbarme dich meiner. Ich will es nie wieder tun!«

Ohne sich weiter um den Priester zu kümmern, nahm Virgelina alle Kraft zusammen, die ihr noch geblieben war, und setzte sich stöhnend auf. Sie zitterte am ganzen Körper. Sie zog das weiße, blutgetränkte Laken unter sich hervor und wischte sich damit die Oberschenkel ab; sie rieb ihre Haut so heftig, dass es wehtat. Langsam erhob sie sich und faltete das Laken sorgfältig zusammen, bis nur noch ein kleines, kompaktes Tuchquadrat übrig war. Dann kniete sie nieder und legte es zuoberst auf den Altar, gleich neben die weiße, unruhig flackernde Kerze.

Und während sie auf ihre Großmutter wartete, die, davon war sie fest überzeugt, jeden Moment ihr Zimmer betreten und lauthals frohlocken würde, dass der Herr ein Wunder vollbracht hatte, dass sie keine Schmerzen mehr hatte und wieder sehen und hören konnte, faltete Virgelina die Hände unter dem Kinn und begann, Gebet um Gebet zu sprechen, so lange, bis die weiße Kerze erlosch und die Nacht das Haus in undurchdringliches Dunkel hüllte.

Bernardo Rubiano, 26
Söldner der Regierung

»Und was werden sie mit mir machen?«, fragte ich den Guerillero. Ich kniete und trank vom Wasser eines Baches, auf den wir soeben gestoßen waren. Er brachte mich zum Lager seiner Kameraden.

Er gähnte, reckte die Arme und sagte: »Sie werden dich nicht töten, wenn das deine Sorge ist.« Ein paar Stunden zuvor war ich in einen Guerilla-Hinterhalt geraten, und genau dieser Rebell hatte mich gefangen genommen. Er kam etwas näher und ging in die Hocke, sein Gewehr fest in der Hand. »Aber ums *Verhör* kommst du nicht herum«, sagte er in düsterem Ton. »Wenn du alles über deine Freunde ausspuckst, wird dir nicht viel passieren. Solltest du damit aber nicht herausrücken ...« Er hielt inne, führte den Zeigefinger zur Kehle und gab mir mit dramatischer Geste zu verstehen, wie es um die Zukunft meines Halses bestellt war.

Er war nun gerade noch einen Meter von mir entfernt. Er war hager, beinahe ausgemergelt. Mit ihm würde ich wohl fertig werden. Ich trank absichtlich mehr Wasser, um ihn durstig zu machen. Ohne mich aus den Augen zu lassen, streckte er die freie Hand aus, um Wasser aus dem Bach zu schöpfen. Aber er kam nicht ganz heran, und als er den Arm noch ein bisschen weiter ausstreckte, verlor er das Gleichgewicht. Im selben Augenblick warf ich mich auf ihn und schlug mit den Fäusten auf ihn ein. Er wehrte sich mit aller Macht, bis er tatsächlich die Oberhand gewann; keuchend kniete er über mir und brüllte, er würde mich abknallen, obwohl er sein Gewehr fallen gelassen hatte und längst nicht mehr in der Hand hielt. Ich ging aufs Ganze, brüllte, biss und rang mit ihm, bis ich wieder über ihm war; mit aller Kraft schlug ich auf ihn ein, auf sein Gesicht, seinen Rücken, seinen Kopf, seinen Bauch. Er schrie, keuchte, wimmerte, krümmte sich vor Schmerzen, aber ich schlug unablässig weiter zu. Bis ich die Waffe neben uns im Gras erblickte. Mit einem Hechtsprung brachte ich die Galil in meinen Besitz und richtete den Lauf auf ihn.

»Nicht schießen«, flehte er mit erhobenen Händen. »Bitte.« Ich hatte schon viele Männer um ihr Leben betteln hören. Er unterschied sich kein bisschen von den anderen. »Hier, nimm meine Uhr.« Er nahm sie ab, legte sie ins Gras und schob sie ein Stück weit in meine Richtung. »Erschieß mich nicht, bitte. Meine Stiefel. Du kannst auch meine Stiefel haben.« Er begann die Schnürbänder seiner schwarzen Kampfstiefel zu lösen, doch dann fiel ihm noch etwas Wertvolleres ein. »Willst du das hier?« Als er sein Hemd aufriss, kam eine silberne Kette zum Vorschein, an der lauter kleine Amulette hingen. »Die Talismane halten böse Geister ab.« Er zog sie sich über den Kopf. »Hier.« Und warf sie mir vor die Füße. »Bitte, töte mich nicht. Ich bitte dich. Bitte ...«

Ich drückte ab. Sanft drang die Kugel in seinen Mund und brachte ihn zum Schweigen, so wie all die anderen auch.

Kapitel 8

DIE HEIMSUCHUNGEN VON MARIQUITA

Mariquita, 20. Juni 1999

Der bürgermeisterliche Erlass zur Nachwuchssicherung lautete in etwa: »In einem weiteren Versuch, unsere Dorfgemeinschaft am Leben zu erhalten, und nach eingehender Rücksprache mit meinen Beratern verfüge ich, Rosalba viuda de Patiño, Bürgermeisterin von Mariquita, dass die vier Jungen unseres Dorfes – Che López, Hochiminh Ospina, Vietnam Calderón und Trotsky Sánchez – mit Vollendung ihres fünfzehnten Lebensjahres zu einem Wettbewerb herangezogen werden. Die Frauen von Mariquita werden darüber entscheiden, welcher der jungen Männer eine Frau seiner Wahl heiraten darf, um mit dieser eine Familie zu gründen und so Moral und Sittsamkeit in unserem Ort aufrechtzuerhalten. Die drei übrigen jungen Männer werden auf unbestimmte Dauer als Vollzeiterzeuger herangezogen und während dieser Zeit nicht als autonome Individuen, sondern als Gemeindeeigentum zu betrachten sein, als Arbeiter, deren einzige Aufgabe darin bestehen wird, männlichen Nachwuchs zu zeugen. Sie erhalten freie Kost und Logis, solange wir ihre Dienste benötigen.«

Im Anschluss an Rosalbas Dekret wurde den vier Jungen unter Androhung sofortiger Verbannung eingeschärft, sich so lange von Frauen fernzuhalten, bis die Verfügung der Bürgermeisterin in Kraft treten würde – nämlich am Morgen des 21. Juni 2000, einen

Tag nach dem fünfzehnten Geburtstag Hochiminhs, der der jüngste von ihnen war.

Obwohl sie den Erlass zur Nachwuchssicherung höchstselbst ersonnen hatte, fand ihn die Bürgermeisterin insgeheim grotesk und unzivilisiert. Wie konnte jemand, der auch nur einen halbwegs gesunden Menschenverstand besaß, diese Jungs dazu verdonnern, etwa mit einer Schreckschraube wie Orquidea Morales ins Bett zu gehen? Trotzdem hatte sie sich zu einer Art Wiedergutmachung verpflichtet gefühlt, nachdem die von ihr mitinitiierte »Zeugungskampagne« auf ganzer Linie gescheitert war – neunundzwanzig Frauen waren mit Padre Rafael intim gewesen, ohne dass sich dabei auch nur eine einzige Schwangerschaft eingestellt hätte. »Der Padre hat mich hinters Licht geführt. Erst behauptet er, er wisse, wie man Jungs zeugt, und dann bringt er nicht mal Mädchen zustande«, hatte die Bürgermeisterin der Menge gestanden, die sich auf der Plaza versammelt hatte, um ihrem neuesten Erlass zu lauschen. »Ich hätte mich nie darauf eingelassen, wenn ich gewusst hätte, dass er so unfruchtbar ist wie ein kastriertes Maultier.«

Alle auf der Plaza applaudierten ihrer Schmährede, mit Ausnahme des Priesters natürlich. Er betrachtete die Worte der Bürgermeisterin als Kriegserklärung und weigerte sich im Gegenzug, irgendjemandem die Beichte abzunehmen oder die heilige Kommunion zu spenden. Das Embargo der beiden Sakramente wirkte Wunder, insbesondere bei den älteren Witwen, die sich nach zwei Wochen ohne Beichte fühlten, als litten sie unter Sündenverstopfung. Wieder und wieder flehten sie den Priester um Vergebung an, bis der kleine Mann, nun endlich zufriedengestellt, sie von ihren Missetaten lossprach und ihnen wieder jene unsichtbaren Gnaden gewährte, die man auch Sakramente nennt. Dennoch weigerte sich die Bürgermeisterin standhaft, sich bei ihm zu entschuldigen.

Das gesamte Jahr hindurch diskutierten die Dorfbewohner, ob der Erlass zur Nachwuchszeugung tatsächlich notwendig, ja, überhaupt wünschenswert war. Von seiner Kanzel verkündete der Padre ein ums andere Mal, dass er dagegen sei, und dass es sich nur um die hilflose Maßnahme einer planlosen Bürgermeisterin handeln würde. »Es ist durch und durch falsch, halbwüchsige Jungen zum Geschlechtsverkehr mit Frauen zu zwingen, mit denen sie nicht verheiratet sind. Ein solches Vorhaben verstößt nicht nur gegen die Prinzipien der katholischen Kirche, sondern auch gegen die Rechte der Jungen.«

Die älteren Frauen ließen ebenfalls kein gutes Haar an dem Erlass, wenn sie auf dem Markt unterwegs waren und billige Talismane gegen ein Pfund Zwiebeln, eine Papaya oder ein Stück Seife eintauschten. Es wollte ihnen beim besten Willen nicht einleuchten, weshalb überhaupt irgendeine Frau, ob alt oder jung, auch nur im Entferntesten daran interessiert sein sollte, männliche Nachkommen zu zeugen. Hatten etwa alle vergessen, wie schlecht sie von den Männern behandelt, wie oft sie gedemütigt und mit Missachtung gestraft worden waren? Erinnerten sie sich nicht an jene sombrerobewehrten Gestalten, die lieber in die Kneipe gingen, als sich um einen kranken Sohn zu kümmern? Ebenjene Kreaturen mit ungepflegten Schnäuzern, die ihr Geld lieber zu den Huren in der Casa de Emilia trugen, statt bei ihren treuen und ergebenen Frauen zu liegen?

Andere Witwen diskutierten den Beschluss der Bürgermeisterin im Schutz ihrer Schlafzimmer, unter nach Lavendel duftenden Laken, nachdem sie sich geliebt hatten und die eine das Haus der anderen im Dunkel der Nacht verlassen musste. Sie teilten die Meinung der alten Frauen und vertraten die Ansicht, dass eine Ära der Harmonie, Toleranz und Liebe in jedem Fall einer Ewigkeit von Unglück, Verzweiflung und Krieg vorzuziehen sei, auch wenn dies bedeuten mochte, dass die Bevölkerung von Mariquita mit der jetzigen Generation aussterben würde.

Auch die ledigen Frauen debattierten über den Erlass, während sie vor ihren Haustüren Baumwolle spannen oder Bohnen für die Suppe am nächsten Tag sortierten. Sie waren hin- und hergerissen. Einerseits begrüßten sie die Möglichkeit, Mutter werden zu können, auch wenn sie dafür Sex mit unreifen Bürschchen haben mussten, doch gleichzeitig war ihnen klar, dass ein Kind, ob nun Junge oder Mädchen, nichts an ihrer Ehelosigkeit ändern würde. Ihr Ziel, ihr wirkliches Ziel bestand darin, die Freundin von jemandem zu sein, die Verlobte, die Ehefrau. Sie wollten einem Mann gehören, gleichsam mit Haut und Haar in seinen Besitz übergehen.

Die jüngeren Frauen hingegen sprachen kaum über die Verfügung. Sie redeten über die Jungs, jedes Mal, wenn sie die Burschen dabei beobachteten, wie sie in der Schule zum Diktat antreten mussten, Wasser in Tonkrügen vom Fluss herbeischleppten, in den Gemüsegärten ihrer Mütter arbeiteten oder Fußball spielten. Und auch abends gingen die Gespräche weiter, wenn sie wie üblich nach dem Rosenkranzgebet im großen Kreis auf der Plaza zusammensaßen, Spiele spielten, neue Frisuren ausprobierten oder einfach »die Moskitos fütterten«, wie ihre Mütter zu sagen pflegten. Manchmal machten sie sich über den bevorstehenden Wettkampf lustig und bewerteten die Jungs mit Noten. Ihr Spiel nannten sie »Míster Mariquita«, wobei die Jungs in verschiedenen Kategorien bewertet wurden, nach hübschestem Gesicht, süßestem Lächeln, einnehmendstem Wesen und so weiter. Schließlich wurden die Ergebnisse unter wieherndem Gelächter miteinander verglichen.

Doch nicht alles war amüsant, was die Mädchen in den Monaten vor dem Wettbewerb trieben. Virgelina Saavedra erkannte die Gelegenheit, aus dem bevorstehenden Ereignis Profit zu schlagen, und begann, Wetten anzunehmen. Sie selbst setzte einen Liebesroman mit Fotos, den sie wie ihren Augapfel hütete, auf Che López, der ihrer Meinung nach sicherer Kandidat auf Frau und Familie war. Währendessen ließ Magnolia Morales drei verschiedene, noch nicht namentlich gekennzeichnete Wartelisten kursieren (je eine pro potentiellem Erzeuger), um die Reihenfolge festzuhalten, wann welches Mädchen einen nackten Jungen im Bett haben würde. Den alten Jungfern und Witwen enthielt sie die Listen vor, da die einen die Chance, sich einen Mann unter den Nagel zu reißen, nicht genutzt und die anderen genug Männer gehabt hatten. Was logischerweise zu Kontroversen, Konfrontationen, Streitereien und sogar einem Faustkampf führte. Wie immer musste die Bürgermeisterin einschreiten, die kurz darauf einen weiteren brillanten Beschluss verabschiedete: Alle Frauen, die regelmäßig ihre Tage bekamen, waren berechtigt, auf jeder Liste ihrer Wahl vertreten zu sein, ebenso wie jede dieser Frauen das Recht hatte, den für die Ehe bestimmten Jugendlichen zu heiraten, falls er sie erwählte. Basta.

Magnolia Morales war die erste Frau, die an jenem fatalen Sonntag im Juni 2000 auf der Plaza eintraf. Es war kurz vor Sonnenaufgang, und sie trug ein formloses Kleid aus Sackleinen, das sie selbst genäht hatte. Die frische Morgenbrise ließ die Mangobäume erzittern, und die vielen Blätter auf dem Boden brachten Magnolia ein ums andere Mal in Stolpern, doch sie fiel nicht hin. Sie breitete eine Decke auf dem Boden aus, direkt vor der improvisierten Bühne, die am Vortag auf Geheiß der Bürgermeisterin aufgebaut worden war. Der heiß erwartete Wettbewerb würde zwar erst um acht Uhr morgens beginnen, doch hatte Magnolia ihren Schwestern versprochen, als Erste vor Ort zu sein und ihnen einen Platz in der vordersten Reihe zu reservieren.

Etwa eine halbe Stunde später traf Luisa ein, dann folgten Cuba Sánchez, Sandra Villegas und Marcela López, und als der erste Hahn krähte, strömten aus allen Richtungen Frauen herbei, als würden sie vom Wind herangetragen. Mit dunklen Ringen unter den Augen ließen sie sich rund um die Bühne nieder. Am Abend zuvor hatten sie Hochiminhs Geburtstag nicht nur mit jeder Menge Chicha, sondern obendrein mit einem rauschenden Fest gefeiert, wie man es in Mariquita lange nicht mehr gesehen hatte. Dabei sollte allerdings nicht unerwähnt bleiben, dass Hochiminhs Geburtstag alles andere als die Hauptsache gewesen war (ganz abgesehen davon, dass er selbst keine Einladung erhalten hatte). Aller Gedanken kreisten ausschließlich um das Ereignis, das am kommenden Morgen stattfinden sollte: jenen noch nie dagewesenen Wettbewerb, der Magnolia, Luisa, Cuba, Sandra, Marcela, Pilar, Virgelina, Orquidea, Patricia, Nubia, Violeta, Amparo, Luz, Elvira, Carmenza, Irma, Mercedes, Gardenia, Dora und viele andere Mädchen, Frauen und Witwen sehr, sehr glücklich machen würde.

Doch während die Frauen sich um die Plattform auf der Plaza versammelten, miteinander schwatzten und mutmaßten, wer denn nun gewinnen würde, hatten Che, Hochiminh, Vietnam und Trotsky unabhängig voneinander die negativen Auswirkungen jenes gewaltigen Aufruhrs, der durch den angekündigten Wettbewerb ausgelöst worden war, längst am eigenen Leibe erfahren. Monatelang waren die vier Jungen Objekt von Diskussionen, Spekulationen, Vermutungen, Kontroversen, Streitereien, Wetten und Witzchen gewesen, doch niemanden hatte auch nur im Mindesten interessiert, wie die vier Jungen selbst über den Beschluss der Bürgermeisterin dachten. Ein ganzes Jahr lang hatten sich ihre Ängste aufgestaut, und an jenem denkwürdigen Morgen hatten das unmittelbar bevorstehende Ereignis und der Druck, den Wettbewerb zu gewinnen, sie in einen fast hysterischen Zustand versetzt, in dem alles möglich war.

Man erzählt sich, dass Che López am Sonntagmorgen um zwei Uhr aufwachte und nicht mehr einschlafen konnte. Und dabei litt er keineswegs unter Schlaflosigkeit – er konnte problemlos zwölf Stunden durchschlafen, wenn er wollte. Am Abend zuvor hatte er sich vorgenommen, um sechs Uhr aufzustehen, weil ihm klar war, dass er gewinnen musste, um Cuba Sánchez, das Mädchen seiner Wahl, heiraten zu können. Er glaubte, dieses Ziel verwirklichen zu können, indem er sich die Haare schneiden ließ, die Nägel kürzte und dem Flaumschatten über seinen Lippen mit einem Stückchen Kohle zu ein wenig mehr Dichte verhalf. Er war fünfzehn, hatte dunkles Haar und dunkle Augen, ein schmales, farbloses Gesicht und eine beachtliche Erektion in seiner weißen Schlafanzughose.

Ruhelos lag er auf dem Rücken, starrte an die Zimmerdecke und gähnte. Durch ein Loch in dem verschlissenen Vorhang fiel das Mondlicht auf seine geschwollenen Weichteile. Mit der Handfläche rieb er über seinen Penis, während er an das weiche, feuchtwarme Fruchtfleisch der Wassermelone dachte, in die er am Vortag ein Loch gebohrt hatte. Er streifte die Schlafanzughose über die Hüften, schloss die Hand fest um seinen Schwanz und begann, sie eifrig hin und her zu bewegen. Aber irgendetwas stimmte nicht; seine Hand fühlte sich irgendwie zu groß für seinen Penis an. Vielleicht steht er nicht richtig, dachte er. Er nahm ihn zwischen Daumen und Zeigefinger und drückte, um zu fühlen, wie hart er war. Er war so knochenhart, wie es nur der Penis eines Fünfzehnjährigen sein kann. Er rückte ein Stück nach rechts, um seinen Penis im Mondlicht begutachten zu können, und einen Augenblick sah er tatsächlich mindestens zwei Zentimeter kleiner aus. Aber vielleicht ist ja auch bloß meine Hand größer geworden, dachte er, und onanierte weiter, wobei er sich eine Reihe großer, reifer Wassermelonen vorstellte, die nur darauf warteten, von ihm penetriert zu werden. Bald darauf entwich seinem Mund ein langgezogenes, hemmungsloses Stöhnen. Seine Hand hielt in der Bewegung inne. Ein paar Sekunden lang lag er reglos da und rang nach Luft. Doch noch etwas anderes stimmte nicht; an seiner Hand befand sich keinerlei klebrige Flüssigkeit, und auch sein Penis war trocken. Er rückte auf die rechte Bettseite, zündete eine Kerze an und suchte nach Spuren einer Ejakulation. Er entdeckte weder etwas auf seinem kürzer gewordenen

Penis noch an seinen Händen, den Laken oder der Schlafanzughose. Die Kerze in der Hand, inspizierte er die Wände, den Fußboden, sah unters Bett, suchte sogar die Zimmerdecke nach Spuren ab – vergebens.

Jeden Freitag gingen Che und die anderen drei Jungen zum Schwimmen. Unten am Fluss verglichen sie des öfteren ihre Penislänge, bevor und nachdem sie ins kalte Wasser gestiegen waren; es war jedes Mal wieder verblüffend, wie sehr ihre Schwänze schrumpften. Eine Woche zuvor hatten sie etwas Neues ausprobiert und einen Wettbewerb veranstaltet, wer am weitesten ejakulieren konnte. Sie suchten sich eine freie Stelle am Ufer aus und zogen einen Strich in den Boden. Nacheinander traten sie hinter die Markierung, onanierten und spritzten ab. Che gewann mit 2,25 Metern, gefolgt von Trotsky mit 1,58 Metern; Vietnam brachte es auf 1,50 und Hochiminh auf 1,12 Meter. Che hatte eine ganze Woche lang damit geprahlt, sogar einen weiteren Wettkampf eingefordert, um seinen eigenen Rekord zu brechen, doch waren die anderen Jungs nicht darauf eingegangen.

An jenem Sonntagmorgen um halb drei war er indes der festen Überzeugung, dass sein Penis schrumpfte und er keinen Samen mehr hatte.

Die Sonne ging auf, und eine stürmische Brise brachte die Ordnung der Dinge auf den Veranden und in den Gärten durcheinander: Blumentöpfe, Plastiktonnen, zum Trocknen aufgehängte Wäscheteile und selbst Wäscheleinen fegten ein Weilchen durch die Luft, ehe sie gegen irgendeine Wand prallten oder in Nachbars Hinterhof landeten.

Währenddessen, so geht das Gerücht, hatte Hochiminh Ospina einen furchtbaren Traum. In seinem Traum schwamm er nackt mit seinen Freunden durch den Fluss; es ging darum, wer am schnellsten ans andere Ufer gelangen würde. Hochiminh strampelte sich nach Kräften ab, doch sein Körper – genauso fett wie im wirklichen Leben – wollte sich einfach nicht vorwärts bewegen. Er sah seine Gefährten weit vor sich und mühte sich noch mehr ab, mit lang ausgestreckten Armen und perfekter Haltung, und trotzdem rückte er ihnen keinen Zentimeter näher. Plötzlich begann sich sein Körper im Kreis zu drehen, schneller und immer schneller. Ein mächtiger Strudel hatte sich gebildet, dessen Sog ihn in die Tiefe zu reißen drohte. Verzweifelt kämpfte er dagegen an, ruderte mit Armen und Beinen, so schnell er nur konnte. Dann spürte er einen stechenden Schmerz in der Brust, der womöglich davon herrührte, dass er seinen Muskeln zu viel zugemutet hatte, doch er ließ keine Sekunde nach – aus gutem Grund, denn ansonsten hätte ihn der Strudel unausweichlich verschluckt. Der Schmerz verstärkte sich, so, als würde jemand auf seiner Brust sitzen und ihm gleichzeitig Nadeln durch die Brustwarzen treiben. Unablässig kämpfte er gegen den tödlichen Sog an und versuchte, das Stechen in seiner Brust zu ignorieren, bis ihn der Hahn hinter dem Haus mit seinem rüpelhaften Krähen weckte.

Die Augen zur Zimmerdecke gerichtet, dankte Hochiminh dem lieben Gott, dass er den Hahn erschaffen hatte. Als er sich jedoch aufrichtete, verspürte er einen scharfen Schmerz in den Brustwarzen. Unwillkürlich führte er die Hände zur Brust, und im selben Augenblick trat ihm kalter Schweiß auf die Stirn. Seine Hände landeten nicht wie üblich flach auf seinem Brustkorb, sondern legten sich um zwei große, eiterbeulenartige Wölbungen, die sich über Nacht gebildet hatten. Hochiminh sprang aus dem Bett und zündete die Kerze auf dem Nachttisch an. Er senkte den Kopf so weit, bis sein Doppelkinn das Schlüsselbein berührte, und wandte ihn langsam von links nach rechts und wieder zurück. Aus dieser Perspektive wirkten seine Brüste größer, als sie tatsächlich waren, und er begann leise zu weinen. Wie sollte er das seiner Mutter und seinen Schwestern erklären? Und was war jetzt mit dem Wettbewerb? Wenn er da oben auf der Bühne stand, würden sich doch alle bloß kaputtlachen über ihn. Und wieso passierte es gerade ihm? Ihm, der sogar Messdiener gewesen war, ihm, der jeden Abend vor dem Zubettgehen ein Vaterunser und ein Ave-Maria sprach, ihm, der stets ein guter Schüler, ein gehorsamer Sohn, ein guter Bruder und selbstredend ein guter Enkel gewesen war – auch wenn er, nun ja, seiner Großmutter ab und zu ein paar Silbermünzen aus der Handtasche geklaut hatte, direkt vor ihren halb blinden Augen, während sie unablässig den Rosenkranz vor sich hin betete. Es musste sich um eine göttliche Strafe handeln. Nachdem er ein paar Stoßgebete gen Himmel geschickt hatte, hüllte sich Hochiminh in den Bademantel seines verstorbenen Vaters und warf sich ein großes Handtuch über die Schultern, wobei er darauf achtete, dass die Enden seine Brüste bedeckten. Er nahm die Kerze, öffnete die Tür einen Spalt, um sich erst einmal zu vergewissern, dass niemand auf dem Flur war, und eilte zum Außenklo.

Dort zog er sich vor dem großen Spiegel aus und sah dem Unvorstellbaren ins Auge – zwei fleischigen Ausstülpungen, jeweils von einer großen Brustwarze gekrönt. Er legte die Hände darunter und hob sie an. Sie waren schwer wie Orangen. Mit aller Kraft drückte er zu, versuchte sie zurückzupressen, was aber nur dazu führte, dass sie höllisch zu schmerzen begannen. Es war, als wollten sie ihm mitteilen, dass sie untrennbar mit seinem Körper verbunden waren – zwei eigenständige Organe, die offenbar bestimmte Funktionen ausüben sollten. Aber vielleicht ließen sie sich ja schrumpfen, genau wie sein Penis, wenn er sie in kaltes Wasser tauchte. Nackt lief er über den Hof zu dem großen Fass, in dem sie Regenwasser sammelten, und stieg bis zum Hals hinein. Ein paar Minuten später kletterte er zitternd wieder heraus. Seine Brustwarzen waren steif geworden, und die Schmerzen in seiner Brust hatten sich gelegt. Doch seine Brüste waren groß und fest geblieben – jedenfalls konnte er nichts Gegenteiliges feststellen.

Am selben Morgen, heißt es, sei Vietnam Calderón nicht aus den Federn gekommen, bis seine Mutter ihn an den Fersen gekitzelt habe. Der Junge war ein Ausbund an Faulheit, Nachlässigkeit, Bequemlichkeit und einer ganzen Reihe weiterer negativer Charaktereigenschaften, die nichts Gutes für seine Zukunft verhießen. Im Außenklo fand er wie jeden Morgen Waschschüssel und Handtuch vor. Er wusch sich unter den Achseln und zwischen den Beinen, wobei er auf seine Mutter fluchte, der er es zu verdanken hatte, dass er sich jeden Tag waschen musste; anschließend begab er sich wieder auf sein Zimmer und zog die Sachen an, die seine Mutter ihm herausgelegt hatte. Ein paar Minuten später saß er am Frühstückstisch vor einer altbackenen Scheibe Maisbrot und einer Tasse mit heißer Schokolade. Seine Mutter saß ihm gegenüber, eine Tasse Kaffee in der Hand, und wiederholte zum x-ten Mal ihre »wertvollen Tipps«, wie er den Wettbewerb gewinnen konnte.

»Vietnam, hör mir zu«, begann sie mit leicht besorgter Stimme. »Wenn du vor das Publikum trittst, bohr bloß nicht in der Nase oder reib dir den Hosenlatz, wie du es sonst immer tust!« Der Junge nickte mechanisch. Er wirkte ziemlich angespannt, was seine Mutter darauf schob, dass er wahrscheinlich einfach keine Lust hatte, sich ihre Tipps anzuhören, geschweige denn am Wettbewerb selbst teilzunehmen. Im Grunde hatte er auf gar nichts Lust. Wenn er überhaupt etwas anpackte, dann mit solcher Gleichgültigkeit, dass seine Lehrerin bereits angemerkt hatte, er könnte wohl einen ziemlich guten Politiker abgeben.

»Und bitte, Vietnam, versuch wenigstens ein Mal in deinem Leben zu lächeln. Hörst du mir überhaupt zu?«

»Ja, Mamá«, erwiderte er in der Falsettstimme eines kleinen Mädchens. Er räusperte sich und wiederholte: »Ja, Mamá.« Es klang genauso mädchenhaft.

Die Witwe nahm einen Schluck Kaffee. »Was ist denn mit deiner Stimme passiert?«

»Ich weiß nicht. Gestern Abend ...« Er hielt inne und räusperte sich abermals. »Gestern Abend war sie noch ganz normal.«

»Um Himmels willen, du sprichst ja wie ein Mädchen!«

»Lass ihn in Ruhe«, sagte Liboria, Vietnams Großmutter. »Jungs kommen erst mit fünfzehn in den Stimmbruch.« Die alte Frau lag in einer Hängematte, die an den Deckenbalken befestigt war. Sie verbrachte den ganzen Tag in der Hängematte, baumelte in der Luft wie eine Wurst in der Auslage beim Metzger.

Vietnam trank seine heiße Schokolade in kleinen Schlucken, verbrannte sich ein ums andere Mal absichtlich die Kehle. »Gestern war meine Stimme noch ganz normal«, wiederholte er, und wieder drang nur helles Piepsen aus seinem Mund.

»Jetzt hör endlich auf damit!« Seine Mutter hob drohend den Zeigefinger.

Der Junge wurde rot. Er hustete, grunzte und gab alle möglichen anderen kehligen Töne von sich. »Gestern war sie noch ganz normal«, wiederholte er.

Sichtlich verärgert trank seine Mutter ihren Kaffee in einem Zug aus, erhob sich abrupt und verschwand in der Küche.

Vietnam verzog sich wieder ins Außenklo, stellte sich vor den Spiegel, den sein Vater dort vor vielen Jahren an der Wand befestigt hatte, und gurgelte mit Salzwasser. »Uno, dos, tres«, testete er seine Stimme. Er gurgelte abermals. »Uno, dos, tres.« Doch sein Tonfall war immer noch genauso hoch wie zuvor. Voller Verzweiflung steckte er sich den Zeigefinger in den Hals und fuhrwerkte damit herum, bis er sein Frühstück erbrach und ihm Tränen in die Augen stiegen. Er wischte die Tränen mit dem Handrücken fort und trabte los, um Wasser zu holen und die Sauerei wegzumachen. Als er Wasser aus dem Wäschebecken schöpfte, spürte er plötzlich, wie ihm etwas warm die Beine hinunterlief. Er kümmerte sich nicht weiter um das Wasser und lief mit zusammengepressten Oberschenkeln zur Toilette. Es war ihm so peinlich, in die Hose gemacht zu haben, dass er, als er sie herunterzog, kein Urin, sondern Blut sah, das seine Unterhose rot färbte und die Innenseiten seiner Schenkel hinablief. Als er seinen Penis näher in Augenschein nahm, sah er, dass immer noch Blut herauslief. Nackte Panik ergriff ihn, und zwar nicht allein wegen des scharlachroten Bluts, sondern auch deshalb, weil er beim besten Willen nicht in der Lage war, den Ausfluss auch nur eine Sekunde zu kontrollieren.

»Vietnaaaaaaaaam!«, rief seine Mutter aus der Küche. »Beeil dich, sonst kommst du noch zu spät!«

»Bin gleich da, Mamá«, quiekte er.

»Hör endlich auf damit, Vietnam! Ich warne dich!«

»Jetzt lass ihn doch endlich in Ruhe«, knurrte seine Großmutter aus ihrer Hängematte.

Es heißt, dass Trotsky Sánchez' Mutter ihren Sohn weinend auf seinem Bett vorfand, als sie an jenem Morgen sein Zimmer betrat. Mit einer Hand bedeckte er seine zu Schlitzen verengten Augen; die andere lag, zur Faust geballt, auf seiner Brust, ganz in der Nähe seines Herzens.

»Was ist denn, mi cielo?«

»...! ......! ......!«, stammelte Trotsky.

Sie trat näher und strich ihm über die Haare. »Du hast Angst vor dem Wettbewerb, nicht wahr?« Sie setzte sich neben ihn, nahm ihn in die Arme und wischte seine Tränen mit einem Zipfel ihrer makellos weißen Schürze fort. »Mein Herz sagt mir, dass du gewinnen wirst, und eine Mutter liegt nie falsch mit ihren Gefühlen.«

Der Junge warf einen Blick über die Schulter seiner Mutter und öffnete die Faust: Was er vor ihr versteckte, befand sich immer noch in seiner Hand. Er schloss sie wieder und stieß einen unterdrückten Schrei aus.

»Alles wird gut, cariño. Mamá ist ja bei dir.«

Doch der Junge war im Geiste unterwegs zu einem Ort, an dem nichts, aber auch überhaupt nichts gut war. Kurz vor Sonnenaufgang war Trotsky erwacht, weil er urinieren musste. Er zog den Nachttopf unter seinem Bett hervor und platzierte ihn auf dem Bett. Schlaftrunken stellte er sich davor, doch als er seinen Penis aus der Hose holen wollte, fühlte er nur Schamhaare. Irritiert tastete er herum; seine fünf Finger berührten seine warmen, schrumpeligen Hoden, aber keinen Penis. Stirnrunzelnd zündete er eine Kerze an und kniff die schläfrigen Augen zusammen, entdeckte aber immer noch keine Spur von seinem verschwundenen Penis. Mit einem Mal war Trotsky hellwach. Er ließ die Hose bis zu den Knien herunter; die Augen weit aufgerissen, durchforstete er verzweifelt seine Schamhaare. Sein Penis war schlicht und einfach nicht mehr da. Tatsächlich gab es nicht das geringste Anzeichen, dass jemals ein Penis zwischen seinen Beinen gewesen war. Er war derart verwirrt, dass er selbst Körperteile inspizierte, an denen normalerweise kein männliches Geschlechtsteil zu finden ist – seinen Nabel, seine Achselhöhlen, sogar die Stellen hinter seinen Ohren. Er schlug beide Hände vor den Mund, so wie es seine Mutter zu tun pflegte, wenn Rebellen oder Söldner erwähnt wurden. Er musste nach wie vor pinkeln – nur wie? Womöglich hatte sich sein Penis nur unter die Haut zurückgezogen, so wie ja auch manchmal die Hoden in den Leisten verschwanden. Er zog die Hose wieder hoch und ging aufs Klo.

Dort stand er dann vor der Latrine, ohne zu wissen, was er tun sollte, bis er sich schließlich auf die Fersen hockte und hoffte, sein Penis würde urplötzlich wieder aus seinem Becken hervorspringen. Doch sein Urin fand einen anderen Weg aus seinem Körper. Ein steter Strahl schoss aus seinem Rektum, ebenso warm und gelb wie sonst auch. Auf dem Rückweg in sein Zimmer flossen heiße Tränen über Trotskys Wangen. Er setzte sich auf die Bettkante und wartete darauf, aus seinem Albtraum zu erwachen. Er kniff sich sogar in den Arm, um sich zu vergewissern, dass er tatsächlich wach war. Und in genau dem Moment erblickte er … seinen Penis. Er lag auf dem Fußboden, gleich neben einem Paar abgetretener Schuhe, die er von seinem verstorbenen Vater geerbt hatte. Fassungslos beugte er sich vor, um seinen Fund in Augenschein zu nehmen: ein schlaffes Stück Fleisch, etwa so groß wie eine Seidenraupe. Irgendwie musste es sich von seinem Unterleib gelöst haben, während er geschlafen hatte, und vom Bett auf den Fußboden gekrochen sein.

Während er seinen teilnahmslos daliegenden Penis betrachtete, stellte Trotsky plötzlich fest, dass er Angst vor ihm hatte. Wenn er imstande gewesen war, sich so ohne weiteres von seinem Körper zu lösen, war er womöglich noch zu ganz anderen Dingen fähig. Möglich, dass er mit einem Mal wie ein Wurm zu kriechen begann; vielleicht konnte er fliegen, ohne dabei etwas sehen zu müssen, wie eine Fledermaus, oder ihn, seinen Besitzer, sogar unvermittelt anfallen. Nachdem Trotsky sich wieder einigermaßen beruhigt hatte, sagte ihm sein gesunder Menschenverstand, dass sein Penis zu derartigen Kunststücken wohl kaum in der Lage wäre. Er unterdrückte seine Tränen und klaubte ihn auf. Vorsichtig hielt er ihn auf der Handfläche und besah sich seinen Penis von allen Seiten. Es sah nicht so aus, als sei er abgeschnitten worden; die Peniswurzel wirkte völlig intakt, und die von der Vorhaut bedeckte Spitze sah genauso aus wie am Vorabend, als er sie zuletzt gesehen hatte. Ein Gefühl unendlicher Traurigkeit ergriff Besitz von ihm, während er dort stand, seinen schlaffen Penis in der Hand.

Er weinte und weinte, bis seine Mutter das Zimmer betrat.

Es heißt, die vier Jungs seien kurz vor acht am Haus von Schwester Ramírez eingetroffen. Voneinander unabhängig waren sie, ohne irgendjemandem davon zu erzählen, zur dörflichen Krankenstube geeilt, die im Übrigen nichts anderes als das nüchtern mit den Arztdiplomen ihres verstorbenen Mannes und dem großen, verstaubten Bild eines menschlichen Skeletts dekorierte Wohnzimmer der Dorfschwester war, das man durch einen separaten Eingang auch von der Straße betreten konnte. Die Schwester kam in der Pyjamahose ihres verstorbenen Gatten zur Tür. Sie war ziemlich drall; ihr Gesicht wurde von einer schwarz glänzenden Lockenmähne eingerahmt.

»Wieso seid ihr nicht auf dem Weg zur Plaza?«, fragte sie in einem quäkenden Ton, sichtlich verblüfft über das Erscheinen der Jungen. Sie senkten die Köpfe, ohne etwas zu erwidern. »Ihr habt doch bloß Angst vor den ganzen albernen Hühnern und ihrem blöden Wettbewerb, oder? Jetzt ziert euch nicht so! Das Leben geht weiter!« Die Jungs rührten sich nicht vom Fleck. »Na gut, verdammt noch mal! Ist jemand erschossen worden, oder was?« Sie schüttelten die Köpfe. »Gut, ich konnte nämlich noch nie Blut sehen. Kommt rein und wartet, bis ich mich angezogen habe.«

Die Dorfschwester von Mariquita ekelte sich vor Blut, Erbrochenem, Durchfall, Eiter, Ausschlägen und den Geschlechtsteilen anderer Leute, obwohl sie gegen ihre eigenen ganz und gar nichts einzuwenden hatte. Mit anderen Worten, sie war keine gute Krankenschwester. Eigentlich war sie überhaupt keine Krankenschwester, sondern nichts weiter als die Witwe von Dr. Ramírez, der dreißig Jahre lang in Mariquita praktiziert und von dem sie – mehr schlecht als recht – die gröbsten medizinischen Grundkenntnisse gelernt hatte: wie man Fieber und Blutdruck misst, wie man ein Thermometer abliest, das Stethoskop benutzt und Injektionen gibt. Allerdings hatte sie sich strikt geweigert, Mund-zu-Mund-Beatmung zu lernen.

Acht Jahre zuvor, als die Guerilleros das Dorf überfallen und die Männer verschleppt hatten, war die Witwe von Dr. Ramírez keine große Hilfe gewesen. Ja, sie hatte sogar versucht, die Wunden ihrer Freundinnen und Nachbarinnen zu behandeln, doch schließlich war sie nach Hause gegangen, weil sie den Anblick des vielen Blutes nicht ertragen konnte. Ein paar Wochen später war eine schlimme Grippewelle ausgebrochen, der allein in den ersten paar Tagen sieben Kinder und fünf Greisinnen zum Opfer gefallen waren; diesmal jedoch hatte sie nicht nur verschiedenste Patienten erfolgreich behandelt, sondern obendrein bewirkt, dass sich die Seuche nicht weiter ausgebreitet hatte. Die Witwe Pérez behauptete sogar, »Schwester« Ramírez habe ihr das Leben gerettet. Seither wurde »Schwester« Ramírez gerufen, sobald jemand krank war oder sich eine Verletzung zugezogen hatte.

Während sie darauf warteten, dass die zimperliche Krankenschwester zurückkam, taten die Jungs so, als wären sie gar nicht in ihrer Krankenstube. Che gab wie üblich mit seiner furchterregenden Superejakulation an: »Seht euch vor, Jungs – ich trainiere nämlich schon fürs nächste Mal, und inzwischen spritze ich weiter als je zuvor.« Die Bemerkung kam bei Trotsky nicht gut an. Er versuchte, nicht nervös zu werden, begann aber trotzdem unwillkürlich, an den Nägeln zu kauen. »Das Spiel war doch bescheuert«, maulte er. »Da mach ich nicht noch mal mit.« Unterdessen vertrieb sich Hochiminh – er hatte ein Hemd seines verstorbenen Vaters angezogen, das ihm viel zu groß war, und presste ein dickes Buch an seine Brust – die Zeit damit, dass er die Namen der auf dem Bild verzeichneten Skelettknochen auswendig lernte: »Sternum, I-li-um, Sac-rum...« Vietnam hingegen zog es vor, überhaupt nichts von sich zu geben. Stattdessen schrieb er auf einen Zettel, den er seinen Freunden hinhielt, er habe eine böse Halsentzündung und könne nicht sprechen.

Schwester Ramírez brachte es schlicht nicht über sich, die Jungen zu untersuchen. Nacheinander rief sie die jungen Burschen in ihr Behandlungszimmer und hörte sich an, welche Symptome sie plagten. Was die Jungen berichteten, ließ ihr die Haare derart zu Berge stehen, dass sie die vier umgehend im Wartezimmer einschloss. Sie war fest davon überzeugt, dass es sich um eine ebenso geheimnisvolle wie grauenhafte Epidemie handeln musste. Unwillkürlich begannen ihre Hände zu zittern, und plötzlich verspürte sie das dringende Bedürfnis, sich zu waschen. Sie zog ihre Sachen aus, verstaute sie in einer Tüte und band diese fest zu, ehe sie ein ausgiebiges Bad nahm und sich mehrmals von oben bis unten abschrubbte. Nun ein wenig ruhiger, zog sie sich wieder an und entnahm einer Schublade ein altes medizinisches Handbuch, das in der Familie ihres Mannes von Generation zu Generation weitergereicht worden war. Sie wollte nachschlagen, um welche Krankheit es sich handeln mochte – nur, wo? Besser, sie zog noch jemand anderen zu Rate.

Als die Bürgermeisterin eingetroffen und über die schlechten Neuigkeiten informiert worden war, wollte sie die Jungen sehen, doch die Schwester weigerte sich, sie zu ihnen zu lassen.

»Aber du hast sie doch gar nicht untersucht«, beharrte Rosalba. »Woher willst du wissen, dass sie nicht lügen?«

»Lügen? Würdest du dir so etwas ausdenken, Bürgermeisterin? Du hättest ihre Gesichter sehen sollen! Sie waren zu Tode erschrocken. Hochiminh hat sich ein Buch vor die Brüste gehalten, der Arme. Und Vietnam konnte nicht mehr sprechen. Wie furchtbar!«

»Ramírez, ich muss die Jungen sehen«, sagte die Bürgermeisterin mit fester Stimme.

»Wenn du dort hineingehst, Bürgermeisterin, werde ich dich zusammen mit den Jungs vierzig Tage lang in Quarantäne nehmen«, gab die Schwester zurück, in einem ausgesprochen barschen Tonfall, der sich in Rosalbas autokratischen Ohren nach klarer Kriegserklärung anhörte. Doch die Angelegenheit war so heikel, dass sie mit Ruhe und Diplomatie angegangen werden musste. Sie versprach der Schwester, die Jungen nicht zu behelligen, verlangte aber den Schlüssel zu dem Raum, in dem sie eingesperrt waren – auf diese Weise erhielt sie wenigstens die Illusion aufrecht, alles unter Kontrolle zu haben. Sie versteckte den Schlüssel in ihrem Dekolletee und machte sich auf den Weg zu Ubaldina viuda de Restrepo, der Dorfpolizistin.

In den Zustand der Jungen weihte sie Ubaldina nicht näher ein – Diskretion gehörte nicht gerade zu den Stärken der Dorfpolizistin. Sie sollte die drei verbliebenen Männer von Mariquita (Julio Morales, Santiago Marín und Padre Rafael) aufsuchen und sie zum Haus der Schwester bringen, um eine eingehende medizinische Untersuchung vorzunehmen.

———

Die Polizistin entdeckte Julio Morales – besser als Julia bekannt – unter den Frauen, die sich auf der Plaza versammelt hatten. Er trug wie üblich Frauenkleidung und hatte sein dunkles Haar mit bunten Blumen geschmückt. »Die Bürgermeisterin verlangt nach dir, und zwar sofort«, flüsterte die Polizistin dem Mädchen ins Ohr. Julia bedeutete ihr, vorauszugehen, und folgte mit kerzengerade gestrecktem Rücken und rhythmisch schwingenden Hüften, während sie Schritt für Schritt einen nackten Fuß perfekt vor den anderen setzte – ein bezauberndes Tänzeln, das die plumpe Polizistin in ihrer Leinenhose, dem karierten Hemd und den abgetretenen Lederstiefeln zum Dorftrampel degradierte.

Santiago Marín, die andere Witwe, arbeitete in seinem kleinen, aber wohl gedeihendem Garten, in dem er die besten Tomaten von Mariquita züchtete. Seit jenem Abend, an dem er Pablo, seine große Liebe, auf seine letzte Reise geschickt hatte, war Santiago immer schweigsamer geworden. Nicht stumm wie Julia, doch sprach er nur noch dann, wenn er etwas Wichtiges zu sagen hatte. Nachdem Ubaldina ihr Begehr geäußert hatte, zog er sich ein frisches Hemd an, löste sein langes Haar und folgte ihr zu Schwester Ramírez' Haus.

Der Padre wurde als Letzter informiert. Die Polizistin fand ihn beim Frühstück in der Cafetería d'Villegas; nachdem sie ihn unterrichtet hatte, dass Mariquita von »irgendetwas Schrecklichem« heimgesucht wurde, bat er darum, kurz mit dem Allmächtigen Zwiesprache halten zu dürfen. Ubaldina begleitete ihn zum

Hintereingang der Kirche, da sie nicht von der auf der Plaza versammelten Menge bemerkt werden wollten – die Sonne brannte bereits sengend heiß vom Himmel herab, und die Frauen wurden allmählich ungeduldig, weil die Jungen immer noch nicht zugegen waren. Die Polizistin wartete draußen vor der Kirche, pfiff alte Gassenhauer und tätschelte den Kolben des Revolvers, den sie im Gürtel trug. Vier Lieder später kam der Padre wieder heraus; zusammen marschierten sie zu Schwester Ramírez.

Die Mütter der Jungen waren ebenfalls unterrichtet worden; schließlich mussten sie über den Gesundheitszustand ihrer Söhne und die verhängte Quarantäne Bescheid wissen. Die vier Witwen verlangten, zu ihren Kindern gelassen zu werden, drohten sogar damit, die Tür zu dem abgesperrten Zimmer einzutreten. Während Schwester Ramírez und die Polizistin sich den aufmüpfigen Frauen entgegenstellten, beschloss Rosalba, die Frauen auf der Plaza über die neuesten Ereignisse in Kenntnis zu setzen. Die Menge hatte sich unterdessen derart erregt, dass der allgemeine Aufruhr von allen Ecken widerhallte. Es war erst zehn Uhr morgens, doch inzwischen war es nahezu unerträglich heiß geworden. Rosalba eilte durch die trostlosen Straßen, die von Tausenden von Blättern übersät waren, die der Wind den Mangobäumen an jenem Morgen geraubt hatte. Weit und breit war keine Menschenseele zu sehen. Der angekündigte Wettbewerb hatte das gesamte Dorf lahmgelegt, auch wenn sonntagmorgens ohnehin nie besonders viel los war, man höchstens ein paar Straßenhändler und eine Handvoll gottesfürchtiger, zur Messe eilender Witwen antraf. Rosalba fragte sich, wie die versammelten Frauen auf die Neuigkeiten reagieren würden. Im Laufe der Jahre hatten sie gelernt, sich mit so manchen Widrigkeiten abzufinden, doch dieser Vorfall bedeutete das Ende all ihrer Hoffnungen. Wenn Schwester Ramírez richtig lag und die Jungen tatsächlich an einer schweren

Krankheit litten, würden die Frauen von Mariquita wahrscheinlich nie wieder mit einem Mann zusammenkommen, geschweige denn Jungen oder Mädchen oder was auch immer gebären. Nach diesem Tag würden sie entscheiden müssen, ob sie in diesem verfluchten Kaff verrotten und für immer und ewig auf die Rückkehr ihrer männlichen Angehörigen warten wollten, oder ob sie die riskante Reise über die einschüchternd hohen Berge in Kauf nehmen und sich in einer großen Stadt niederlassen wollten, wo ein paar dahergelaufene Guerilleros nicht mal so eben die gesamten männlichen Einwohner gefangen nehmen konnten, wo es genug Männer gab, um schwanger zu werden, und obendrein Strom, fließend Wasser, Autos und Telefone, vielleicht sogar eine dieser elektrischen Maschinen, die kalte Luft produzierten. Rosalba hätte alles dafür gegeben, jetzt in einem Raum mit so einem Gerät zu sitzen.

Doch was sollten diese arme Bäuerinnen in der Großstadt anstellen, ohne Land zum Säen und Ernten? Sie würden als Hausmädchen oder Prostituierte enden, da es wohl offensichtlich keine anderen Berufe gab, die Frauen vom Land in der Stadt ausüben konnten. Wie würden diese Landpomeranzen unter lauter eleganten Damen und kultivierten Herren dastehen? Die Leute würden sie auslachen, mit den Fingern auf ihre zerlumpten Sachen und nackten Füße zeigen, sich über ihre plumpen Körper, ihre ungeschliffenen Manieren und ihre von Moskitostichen übersäten Beine lustig machen. Und wenn diese einfachen Frauen erzählten, sie seien den weiten Weg von Mariquita gekommen, dann würden die eleganten Damen nur »Mari-was?« fragen und herzhaft lachen.

Nein. Diese armen, einfachen Frauen würden Mariquita niemals verlassen. Sie würden bleiben und weiter ihrem immergleichen Tagwerk nachgehen, von morgens bis abends dieselbe schwüle Luft atmen, hier in diesem Dorf, in dem jeder jeden und obendrein die Schwächen der anderen kannte, diesem Dorf, in dem es keine reichen oder kultivierten Leute gab – höchstens nicht ganz so arme und weniger unzivilisierte –, was aber ohnehin keine Rolle spielte, da sie allesamt dem Untergang geweiht waren. Ja, sie würden bleiben, hier im Vorhof zur Hölle. Genau das nämlich war Mariquita. Das Fegefeuer, nur dass es bislang niemandem aufgefallen war. Außer der Bürgermeisterin natürlich.

»Ich habe schlechte Neuigkeiten«, richtete Rosalba das Wort an die Menge. »Es geht um die Jungen«, fügte sie hinzu und ließ den Blick über die Gesichter der Frauen schweifen, in deren Mienen sich erst Verwirrung, dann blanke Enttäuschung spiegelte. Weitschweifig erklärte sie, was mit den Jungen passiert war, beziehungsweise was sie von der Schwester wusste. Sie informierte die Frauen über Brüste, die sich auf geheimnisvolle Weise gebildet hatten, und über männliche Glieder, die von einem Tag auf den anderen geschrumpft oder ganz verschwunden waren. Kurz überlegte sie, ob sie die Gunst der Stunde nutzen und die versammelten Frauen auffordern sollte, die Straßen und Gässchen zu fegen, da die überall herumliegenden Blätter mittlerweile eine ernste Gefährdung für ältere Passanten darstellten. Da ihre Verkündung jedoch mit hörbarem Entsetzen aufgenommen wurde, kam Rosalba zu dem Schluss, dass es vielleicht doch nicht so ganz das Gelbe vom Ei wäre, die Frauen jetzt mit Straßenreinigungsarbeiten zu betrauen.

Völlig am Boden zerstört, lehnte Magnolia sich an den nächsten Baum und begann zu weinen. Unweit entfernt verbarg Luisa ihr Gesicht an Sandras Busen. Elvira und Cuba lagen sich schluchzend in den Armen. Andere Frauen hielten die Hände vors Gesicht und weinten leise in sich hinein. Was nun? Die vier Jungen waren ihre letzte Hoffnung gewesen. Von nun an war alles vorbei. Ab jetzt konnten sie untätig dabei zusehen, wie sich Tage in Wochen und Monate in Jahre verwandelten, bis sie eines Tages nach einem Leben in Einsamkeit sterben würden, als verbitterte alte Jungfern, die allein den keuchenden Atem des Priesters an ihrem Hals gespürt, allein sein stoppeliges Gesicht an den Brüsten oder zwischen den Beinen gefühlt hatten.

»Was habe ich nur getan?«, heulte Magnolia Morales und schlug mit den Fäusten auf den unschuldigen Baum ein. »Was für eine Katastrophe! Ein Desaster! Nicht das kleinste bisschen Glück ist mir vergönnt!« Doch mit den Schluchzern kam auch eine gewisse Erleichterung; zum ersten Mal in ihrem Leben gestand Magnolia sich ein, worin ihr wahres Trachten und Streben bestand. Zärtlich strich sie über die raue Borke des Baums, als handele es sich um einen Mann, dem sie für immer Lebewohl sagen musste. Dann weinte sie noch ein bisschen weiter.

Im selben Augenblick traf Schwester Ramírez ein. Ihr Gesicht glänzte vor Schweiß, und die Augen waren tief in den Höhlen versunken. Hinter ihr folgten Padre Rafael, Julia und Santiago, der ein dickes Buch in Händen trug. Die Schwester trat neben die Bürgermeisterin und verkündete, sie habe die drei Männer untersucht; tatsächlich hätte keiner von ihnen über etwaige Beschwerden geklagt und sie habe die drei lediglich gebeten, sich freizumachen, um sicherzugehen, dass noch alles an ihnen dran sei. »Keinem von ihnen fehlt etwas. Sie sind völlig intakt«, verkündete sie, fest davon überzeugt, gute Nachrichten zu überbringen, doch konnte sie die Frauen damit keineswegs beruhigen. Sie hatten Julio und Santiago nie als Männer betrachtet – ebensowenig wie diese sich selbst –, und was den Padre anging, gehörte dessen Männlichkeit längst zur Vergangenheit ..., einer außerordentlich peinlichen Vergangenheit, an die niemand erinnert werden wollte.

Doch die Schwester war noch nicht fertig. Sie berichtete, dass sie etwas gefunden hatte – einen Anhaltspunkt in einem alten medizinischen Handbuch, das für sie eine Art Bibel darstellte. »Ich gehe davon aus, dass die Jungen an einer Krankheit leiden, die allgemein unter dem Namen ...« Sie bedeutete Santiago, ihr das Buch zu reichen. »Ah, ja«, sagte sie und schlug eine Seite auf, die sie mit einem Getreidehalm markiert hatte. »Hier steht's: Babaloosi-Babaloosi. Eine mysteriöse Krankheit, die im späten 18. Jahrhundert in einer abgelegenen Region Südafrikas beobachtet wurde. Man glaubt, dass Kinder des Zukashasu-Stammes durch ebendiese Krankheit in außergewöhnliche Wesen verwandelt wurden, die weder Mann noch Frau waren. Diese Kreaturen, auch Babas genannt, wurden schließlich zu Beratern der Stammeshäuptlinge, da sie keinem Geschlecht gegenüber voreingenommen waren.«

»Schluss jetzt«, rief der Padre dazwischen. »Das ist doch grotesk! Seid ihr alle blind geworden? Seht ihr nicht, dass es sich um eine Strafe Gottes handelt?« Seine Züge wirkten, als habe ihn aus heiterem Himmel eine Gesichtslähmung befallen, während er neben Rosalba trat. »So schreiten Sie doch endlich ein«, zischte er.

»Fahr fort, Ramírez«, sagte Rosalba zu der Dorfschwester. Stocksauer verschränkte der Priester die Arme und schüttelte den Kopf, während die Schwester erneut das Wort ergriff.

»In den letzten Jahren des 19. Jahrhunderts beschäftigte sich der britische Arzt Dr. Henry Walsh näher mit der Krankheit. Leider starb Dr. Walsh 1903 an Malaria und hinterließ nur unvollständige Aufzeichnungen. Die Zukashasu glaubten, es handele sich um ein Wunder, medizinische Studien hingegen sprechen lediglich von einer mysteriösen Erkrankung unbekannten Ursprungs.« Die Schwester hielt inne und sah in die Runde. »Hat jemand Fragen?«

Francisca reckte die Hand. »Wo liegt Afrika eigentlich?«

Die Schwester zuckte mit den Schultern und ließ den Blick über die Menge schweifen. Cleotilde meldete sich. Es gab nichts, worauf die Lehrerin keine Antwort hatte.

»Afrika liegt südlich von Europa, zwischen dem Atlantik und dem Indischen Ozean«, sagte die alte Dame. Francisca wollte gerade fragen, wo denn nun wieder Europa lag, als der Priester sich erneut einmischte.

»Und weiß dein schlaues Buch auch, was aus diesem wundersamen Stamm geworden ist?«, fragte er verächtlich.

Die Schwester bekam seinen sarkastischen Tonfall gar nicht mit. Sie blickte wieder ins Buch und las: »Der Stamm der Zukashasu wurde 1913 bei einem ethnischen Konflikt mit den benachbarten Shumitah komplett ausgelöscht. Dennoch gelten die Zukashasu bis heute als Begründer einer der erfolgreichsten Gesellschaftsformen, die es je auf dem afrikanischen Kontinent gegeben hat.« Sie sah auf und sagte wie ein aufgeregtes kleines Mädchen: »Stellt euch das mal vor: ein menschliches Wesen ohne Vorurteile, jemand, der zwischen Männern und Frauen keinen Unterschied macht. Solche Menschen braucht die Welt, wenn ihr mich fragt.« Sie schloss das Buch, stolz darauf, ihren Vortrag mit einem tiefschürfenden Satz beendet zu haben.

Auf der Plaza verbreitete sich absolute Stille, während die Frauen über das eben Gehörte nachdachten. Zuerst versuchten sie sich auszumalen, wie ein wahrhaft neutraler, vorurteilsfreier Mensch wohl aussehen mochte; dann versuchten sie sich eine Gesellschaft vorzustellen, in der niemand parteiisch oder voreingenommen war, in der Gerechtigkeit und Aufrichtigkeit herrschten. Doch es gelang ihnen einfach nicht; schließlich hatten sie weder das eine noch das andere je kennengelernt.

»Niemand ist unvoreingenommener als Gott. Er macht keinen Unterschied zwischen Mann und Frau«, unterbrach der Priester ihre Gedanken in demselben leiernden Tonfall, mit dem er seine Sermone hielt.

»Unter uns lebt Ihr Gott aber nicht«, giftete Schwester Ramírez zurück, die sich angegriffen fühlte. »Er hat uns im Stich gelassen, und Sie sind der Einzige, der noch an ihn glaubt.«

»Für deine Gotteslästerei wirst du in der Hölle brennen!«, brüllte der Priester. Er wandte sich an die Menge. »Schenkt diesen Ammenmärchen keinen Glauben. In der Bibel steht geschrieben, dass ...«

»In der Bibel steht nichts, aber auch gar nichts, womit wir irgendetwas anfangen könnten.« Die Wangen der Schwester röteten sich zornig. »Wie viele Male hat es denn Manna vom Himmel geregnet, als wir Hunger hatten? Wie viele unserer toten Verwandten sind wieder auferstanden? Ihre Ammenmärchen sind kein bisschen glaubhafter als meine, Padre.«

Sowohl der Priester als auch die Schwester wandten sich der Bürgermeisterin zu, und auch die vor der Bühne versammelten Frauen richteten den Blick auf Rosalba, nachdem es nun ganz nach einer ernsthaften Auseinandersetzung aussah (nichts lässt einen die eigenen Probleme besser vergessen als die Streitigkeiten anderer).

Doch Rosalba griff nicht sofort ein. Sie schien die Argumente des Padre und der Schwester gegeneinander abzuwägen. Ihr war nur allzu genau bewusst, dass ihre nächsten Worte die Situation entweder beruhigen oder eskalieren lassen konnten. »Ich finde, wir sollten uns unsere eigene Bibel schreiben«, sagte sie schließlich mit einem leisen Kichern. »Eine Bibel, mit der wir etwas anfangen können, eine, in der etwas über Orte steht, die von Rebellen und Söldnern verwüstet wurden. Über verfluchte Dörfer, in denen fast nur noch Witwen und alte Jungfern leben, und über Penisse, die über Nacht verschwinden.«

Außer beim Padre, der ungläubig die Augen verdrehte, fand die Idee allgemeinen Anklang. Die Frauen nickten und tuschelten miteinander, manche lachten sogar hinter vorgehaltener Hand. Weshalb Rosalba, die eigentlich nur einen kleinen Witz hatte machen wollen, ermutigt fortfuhr: »Nun ja, auch wir sind durchaus in der Lage, das eine oder andere Wunder zu vollbringen. Sättigen wir nicht riesige Menschenmengen, obwohl wir kaum etwas zu essen haben? Und wandeln wir nicht jedes Jahr im Oktober und November über Wasser, wenn die Fluten unser Land überschwemmen?«

»Nur wie wir Dämonen und Ungeheuer wieder loswerden, haben wir noch nicht herausgefunden«, sagte Schwester Ramírez und funkelte den Priester böse an.

Die Menge bog sich vor Lachen.

»Ich will eine Bibel, in der nichts Schlechtes über Frauen steht, die Frauen lieben«, ließ sich Francisca vernehmen.

»Oder über Männer, die sich zu Männern hingezogen fühlen«, fügte die andere Witwe hinzu.

Und während weitere Frauen lautstark ihre Ideen zur Bibel von Mariquita beisteuerten, begann der Priester auf Lateinisch zu salbadern: »Sanctus Dominus Deus Sabaoth...« Langsam sank er auf die Knie. »Miserere nobis. Dona nobis pacem.« Er reckte die Arme gen Himmel. »Pater noster, qui es in coelis...« Er wandte das Gesicht zum Firmament und hoffte, dass jeden Augenblick ein furchtbares Gewitter niederginge, doch klarer war der Himmel selten gewesen.

Später kniete der Padre allein auf dem nackten Kirchenboden und flehte: »Warum, o Herr? Warum lässt du zu, dass sie dich in den Dreck ziehen? Sie lästern dich, weil sie der Wahrheit nicht ins Gesicht sehen wollen. Und warum erlaubst du deinen ergebenen Dienern nicht, sich fortpflanzen und vermehren zu können? Wir wollen doch nur deiner Lehre folgen, die Erde mit Katholiken bevölkern und sie uns untertan machen. Warum nur schickst du uns eine solche Plage?«

Und so fuhr er unablässig fort.

Dann geschah plötzlich etwas Merkwürdiges: Während er ein schief an der Wand hängendes Bild betrachtete, auf dem Moses die beiden Steintafeln mit den Zehn Geboten schleppte, und ihm durch den Kopf ging, wie mühselig das für den armen Moses gewesen sein musste, brach ein greller Sonnenstrahl durchs Fenster und blendete ihn – doch wundersamerweise kam ihm zugleich die Erleuchtung. Er erinnerte sich, wie Gott im Alten Testament sein auserwähltes Volk mit zehn furchtbaren Plagen aus der Sklaverei befreit und schließlich das Rote Meer geteilt hatte, damit die Israeliten aus Ägypten fliehen konnten.

Na klar! Und genau denselben Plan hatte Gott verfolgt, als Mariquita 1992 von der ersten Plage heimgesucht worden war – den Guerilleros, die fast alle männlichen Bewohner verschleppt hatten, sündige Kerle, die so gut wie nie zur Messe gingen und es mit den Huren in der Casa de Emilia trieben. Na klar! Die geheimnisvolle Seuche, unter der die Jungen litten, war eine Strafe Gottes, um die Frauen für ihre abscheulichen Sünden zur Rechenschaft zu ziehen, für ihre Lügen und ihre Gotteslästerungen. Alles passte zusammen: seine eigene, unerklärliche Unfruchtbarkeit, Ches schrumpfender Penis, Hochiminhs Brüste, Vietnams Menstruation, Trotskys verschwundene Genitalien. Es handelte sich um Plagen, die Gott ihnen aufgebürdet hatte – die Heimsuchungen von Mariquita.

»Das Licht!«, stieß er hervor. »Ich habe das Licht gesehen!« Nun gut, Gott hatte sich nicht in einer Flamme manifestiert oder direkt von ganz oben zu ihm gesprochen (das war ein Privileg wahrer Heiliger, das er nicht erwarten konnte), nichtsdestotrotz hatte er dem Padre Seinen Willen offenbart – durch einen bescheidenen Sonnenstrahl und nicht zuletzt das erstaunliche Wahrnehmungsvermögen des Priesters. »Er hat mich auserwählt, der Moses von Mariquita zu sein!«, rief er verzückt. »Lobet den Herrn!«

Völlig aus dem Häuschen über seine Erkenntnis, wenn auch leicht unsicher, worin seine Mission bestehen mochte, beschloss der Padre, Gottes Heilige Schrift zu konsultieren. Er setzte sich auf eine Bank, hielt die schwere Bibel im Schoß und begann im zweiten Buch Mose, dem Exodus, zu lesen. Unterdessen wurde es draußen auf der Plaza lauter und lauter. Wie ein Windstoß drang der unbotmäßige Lärm durch die Risse und Ritzen in den Kirchenmauern. Der Padre erhob sich und warf einen Blick nach draußen. Dutzende von Frauen hatten sich unter den Mangobäumen versammelt, quatschten über neue Bibeln, Babaloosi-Babaloosi und den Stamm der Zukashasu. Nicht mehr lange, dachte der Priester, und sie beteten Götzen in Menschengestalt an, Kreaturen wie diese bemitleidenswerten Jungen. Oder, noch schlimmer, sie beteten Götzen an, die sich wie Tiere aufführten, so ... wie sie selbst!

Er hockte sich wieder auf die Bank und las aufmerksam weiter im Buch Exodus, bis er schließlich in Kapitel 32, Vers 26 und 27, auf die gesuchte Antwort stieß. Ehrfürchtig schlug er die Hände vor den Mund, schloss die Augen und verharrte so für einige Minuten. Dann stand er auf, reckte Brust und Kinn und sprach leise, den Blick auf jenes Fenster gerichtet, durch das Gottes Sonnenstrahl gefallen war: »Dein Wille geschehe.«

Der Padre war nicht bösartig, sondern einfach nur dumm. Und nun hatte sich auch noch eine fixe Idee in seinem Kopf festgesetzt, genauer gesagt, zwei Ideen: dass er ein moderner Moses war, der eine göttliche Mission zu erfüllen hatte, um die Bewohner von Mariquita zu retten. Daher überwand er seinen Stolz und stattete der Bürgermeisterin einen Besuch in ihrem Büro ab.

»Ich würde den Jungen gern meinen religiösen Beistand zuteil werden lassen«, sagte er in leicht hochmütigem Ton, aber der strenge Blick der Bürgermeisterin veranlasste ihn, dann doch etwas bescheidener aufzutreten. »Die Schwester meinte, du hättest den Schlüssel zu dem Zimmer, in dem sie die vier eingeschlossen hat. Ich halte es für außerordentlich wichtig, dass sie die heilige Kommunion empfangen. Sie sollten ihren Frieden mit Gott gemacht haben, Bürgermeisterin.«

»Da können Sie nicht rein, Padre«, erwiderte sie gelangweilt.

»Ach, und warum? Etwa weil du befürchtest, meine Anwesenheit könnte die *Verwandlung* der Jungen in ...«

»Verschonen Sie mich mit Ihrem Sarkasmus, Padre«, unterbrach ihn Rosalba. »Diesem Babaloosi-Unsinn schenke ich ebensowenig Glauben wie Sie.« Sie erhob sich und trat ans Fenster. Dort blieb sie mit vor der Brust verschränkten Armen stehen und blickte ins Leere.

»Na, da bin ich ja außerordentlich erleichtert«, gab er zurück. Das Eingeständnis der Bürgermeisterin war Wasser auf seinen Mühlen. »Ein brillantes Gemeindeoberhaupt wie du sollte tunlichst davon absehen, Gottes Willen mit weltlichen Argumenten zu erklären.«

»Tut mir Leid, Padre, aber an Ihren Gott glaube ich ebenfalls nicht mehr«, schoss Rosalba nachdrücklich zurück.

Schweigend verließ der Priester den Raum. Seine Mimik und Gestik deuteten darauf hin, dass er ein ziemlich ernstes Selbstgespräch führte. Die Eröffnung der Bürgermeisterin hatte ihn nicht sonderlich überrascht. In den letzten Jahren war ihm mehr und mehr aufgefallen, dass es mit dem Glauben der Dorfbewohnerinnen alles andere als zum Besten stand. Die überwiegende Mehrheit ging zwar immer noch einmal die Woche zur Messe, doch wusste der Padre, dass wenigstens die Hälfte dies aus anderen Gründen tat. In einer kleinen Gemeinde, die sich aus siebenunddreißig Witwen, vierundvierzig ledigen Frauen, zehn Teenagern, fünf Kindern, Julia Morales, Santiago Marín und dem Priester selbst zusammensetzte, war der Kirchgang eine soziale Verpflichtung. Frauen, die sich nicht in der Kirche blicken ließen, blieb nur die Wahl, sich offen als Ungläubige zu bekennen – so wie Francisca, nachdem sie den Haufen Geld unter ihrem Bett gefunden hatte – und damit die Exkommunikation in Kauf zu nehmen. Der Umstand, dass die höchste Amtsperson von Marquita freimütig eingeräumt hatte, nicht an Gott zu glauben, bedeutete schlicht, dass es bald allgemein akzeptabel wäre, sich nicht weiter um die Messe zu scheren – womit der Padre über kurz oder lang arbeitslos würde. Er dachte allerdings gar nicht daran, sich von diesen Perspektiven entmutigen zu lassen (Moses hatte sich schließlich auch nicht ins Bockshorn jagen lassen). Der Allmächtige hatte ihn höchstpersönlich mit einer Mission betraut, die er zu ihrem logischen Ende bringen würde.

»Bürgermeisterin«, sagte er feierlich. »Du hast soeben gesagt, dass du der Geschichte der Schwester keinen Glauben schenkst, aber ebenso wenig an ... *meinen* Gott glaubst. Darf ich dann fragen, wie du dir den seltsamen Zustand der Jungen erklärst? Du hast sie doch mit eigenen Augen gesehen, nicht wahr?«

»Nein, Padre. Ich habe sie nicht gesehen. Schwester Ramírez hat sie sofort weggesperrt, nachdem sie ihr die Symptome geschildert hatten. Eine Untersuchung hat nicht stattgefunden. Sie wissen selbst, wie zimperlich sie manchmal ist.«

»Und ob. Dass die Jungs aber sofort zu ihr gegangen sind, bedeutet doch...« Seine Augen verengten sich zu Schlitzen. »Willst du etwa andeuten, sie hätten sich das alles bloß ausgedacht?«

Rosalba zuckte mit den Schultern. »Ich sage nur, dass wir alle sehr wohl wissen, wie gewitzt sie sind.«

»Dann bleibt uns nur eine Möglichkeit, deine Zweifel zu zerstreuen, Bürgermeisterin«, sagte der Padre.

Rosalba überlegte ein Weilchen, ehe sie sich abwandte, die Hand in ihren Ausschnitt gleiten ließ und den Schlüssel zutage förderte, der zu dem Zimmer gehörte, in dem die Jungen eingeschlossen waren. »Ich will ihn in einer Stunde zurück«, sagte sie und reichte ihm den Schlüssel.

Der Padre verzog sich in seine Wohnung im rückwärtigen Teil der Kirche. Sie bestand aus einer kleinen, stickigen Kammer mit nackten Wänden und einem einzigen Fenster, das sich schon seit Jahren nicht mehr öffnen ließ. Nirgendwo hing ein Bild oder ein Kruzifix. Auf der Kommode standen ein Korb mit winzigen Arepas und ein halbvoller Krug mit Chicha. Die Maisoblaten und der Maisschnaps wurden ihm jeden Sonntag von der Witwe Morales vorbeigebracht, die auch sein Zimmer putzte.

Er zog eine Holzkiste unter dem Bett hervor. Darin befand sich allerlei nutzloser Kram: Waschschüsseln, rostige Gewinde und alte Schrauben, leere Flaschen verschiedenster Größe, ein Toupet, das er getragen hatte, als ihm das Haar auszufallen begann, eine Perücke, die ihm schließlich als Vollersatz gedient hatte, sowie eine Tischlampe und sogar Glühbirnen, die aus jener Zeit stammten, als Mariquita noch mit Strom versorgt worden war. Er packte die gesamte Kiste aus, ehe er schließlich auf das Objekt seiner Begierde stieß: eine Flasche mittlerer Größe, deren Schraubverschluss mit Klebeband versiegelt war. Er wandte sich zum Fenster, hielt die Flasche gegen das Licht und stellte fest, dass noch ein wenig Flüssigkeit vorhanden war. »Halleluja!«, sagte er und küsste die Flasche, ehe er sie in seiner Soutane verstaute.

Ohne sich weiter um den Kram auf dem Boden zu kümmern, trat der Padre an die Kommode. Er drückte den Krug an die Brust, nahm den Korb mit den Arepas und eilte hinaus.

Che, Hochiminh, Vietnam und Trotsky waren hocherfreut, den Priester zu sehen. Sie waren echte Katholiken; sie wussten, dass sie, sollte auch sonst alles den Bach hinuntergehen, auf Gott zählen konnten – oder zumindest auf einen seiner Beauftragten. Der Padre schloss sofort von innen ab und begann, die Jungen in Augenschein zu nehmen, suchte nach Anzeichen der furchtbaren Krankheit, mit denen Gott sie gestraft hatte, doch abgesehen von den geröteten Gesichtern und den aufgeregten Mienen machten sie einen völlig normalen Eindruck. Der Padre aber verließ sich nicht allein auf seine Augen; er wusste, dass der Teufel ein Meister der Täuschung war. Er stellte den harmlosen Korb und den ebenso harmlosen Krug auf einen alten Schreibtisch, baute sich davor auf und richtete seinen gestrengen Blick auf die Jungen. Er gehieß sie, sich zu setzen, und begann über Gott und die Vorsehung zu sprechen. Er redete in der Sprache der Bibel, einer Sprache, die viel zu kompliziert für sie war. Er sprach über die Finsternis und ferne Königreiche, über Irrbilder und Heimsuchungen, Zerstörung und Chaos, und dann murmelte er noch irgendetwas Unverständliches über Engel. Dann sprach er von der heiligen Kommunion, und auch diesmal verstanden sie kein Wort – Hochiminh fragte sich gar, ob der Priester in Zungen redete. Als er endlich fertig war, gehieß er die Jungen, sich in die Ecke zu stellen und drei Ave-Maria und das Glaubensbekenntnis zu sprechen. »Zur Buße«, sagte er, obwohl er ihnen doch gar nicht die Beichte abgenommen hatte. Unterdessen zog er die Flasche aus der Soutane und öffnete sie. Vorsichtig entleerte er den Inhalt in den Krug und sah zu, wie er sich im Maisschnaps auflöste. Dann verschloss er die Flasche und steckte sie wieder ein.

Nachdem er sie von ihren Sünden freigesprochen hatte, bat er sie, sich in einer Reihe vor seinem improvisierten Altar aufzustellen. Sie reihten sich der Größe nach vor ihm auf. Vietnam, der Kleinste, stand ganz links, dann kamen Trotsky, Che und schließlich Hochiminh. Sie senkten die Köpfe und falteten die Hände vor der Brust. Der Priester fand, dass sie wie Engel aussahen, nur ohne Flügel oder blondes Haar. Aber echte Engel hatten eben blonde Haare, da biss die Maus keinen Faden ab.

Der Padre hob die Arme und begann ein Zwiegespräch mit dem Allmächtigen. »Dich, gütiger Vater«, sagte er, »bitten wir demütig verneigt und flehentlich durch Jesus Christus, deinen Sohn, unsern Herrn: Nimm wohlgefällig an und segne diese Gaben, diese Geschenke, diese heiligen, makellosen Opfergaben.« Er schlug das Kreuz über dem Korb und dem Krug, faltete die Hände, schloss die Augen und schwieg für einen Moment.

Als Hochiminh sah, dass der Priester im Begriff war, das Brot zu brechen, begann er als ehemaliger, wenn auch ausgesprochen mittelmäßiger Messdiener, instinktiv das *Agnus Dei* anzustimmen: »Christe, du Lamm Gottes, der du trägst die Sünden der Welt, erbarme dich unser...«

Der Padre nahm eine Oblate und brach sie über dem Schreibtisch, da ihm kein Hostienteller zur Verfügung stand. Ein kleines Stück ließ er in den Krug fallen und murmelte noch ein paar unverständliche Worte mehr. Er hielt die Oblate hoch und gehieß die Jungen, zu ihm zu treten, ja, noch ein bisschen näher, bis ihnen der saure Atem des Priesters ins Gesicht schlug. Er nahm eine weitere falsche Oblate aus dem Korb. »Der Leib Christi«, verkündete er.

»Amen«, erwiderten sie. Nacheinander empfingen die vier Jungen die heilige Kommunion.

Dann ergriff der Priester den Krug mit beiden Händen und reichte ihn Vietnam. »Das Blut Christi«, sagte er.

»Amen«, antworteten die Jungen wieder. Einer nach dem anderen führten sie den Krug an die Lippen, nahmen jeder einen großzügigen Schluck Chicha – süß, aromatisch, leicht scharf – und knieten anschließend in den Zimmerecken nieder.

»Lasset uns beten«, sagte der Padre. Er breitete die Arme aus und schloss die Augen. Doch statt zu beten, wartete er angespannt darauf, dass die Stille vom ersten verräterischen Laut durchbrochen wurde.

Plötzlich begann Vietnam, erst nach Luft zu ringen, dann langsam und unregelmäßig zu atmen, ehe er einen Hustenanfall bekam.

»Der Segen des allmächtigen Gottes ...«, intonierte der Priester.

Trotsky verspürte ein Taubheitsgefühl in der Kehle. Sein Herz pochte wie wild in seiner abgeschnürten Brust. In Panik riss er sein Hemd auf, während ein hilfloses Murmeln über seine Lippen drang.

»... des Vaters ...«

Che wollte um Hilfe schreien – ein teuflisches Brennen wütete in seinen Eingeweiden –, doch sein Kiefer war wie gelähmt, und die Worte erstickten in seiner Kehle.

»... und des Sohnes ...«

Hochiminh stieß einen spitzen Schmerzensschrei aus. Er übergab sich heftig; Schweiß strömte über sein Gesicht.

»... und des Heiligen Geistes ...«

Den vier Jungen gelang es, sich halbwegs aufzurichten und ein paar Schritte aufeinander zuzustolpern. Sie wollten nicht auf den Knien sterben.

»... komme auf euch herab ...«

Einer nach dem anderen brachen sie zusammen. In konvulsivischen Zuckungen wanden sie sich in ihrem Erbrochenen, ehe sie das Bewusstsein verloren.

»Gehet hin in Frieden!«, gellte die Stimme des Padre durch den Raum. Dann herrschte Stille, eine so durchdringende Stille, dass ihm ein kalter Schauder über den Rücken lief. Er öffnete die Augen: Das Zimmer war dunkel, nichts atmete mehr. Hastig küsste er die Schreibtischplatte und bekreuzigte sich. Dann ging er zur Tür. Als er aufschloss, warf er einen Blick über die Schulter auf die makabre Szene. Vier Jungen, die mit weit aus den Höhlen getretenen Augäpfeln und dunkelrot angelaufener, schweißbedeckter Haut auf dem Boden lagen. Vier Jungen mit Schaum und Blut vor dem Mund. Vier Jungen, die sich nicht mehr regten und nie mehr regen würden.

Der Padre gab einen langen Seufzer von sich.

Der Schlüssel ließ sich kinderleicht drehen.

Es wurde eiskalt im Raum.

In der dunstigen Luft hing der scharfe Geruch von Kot und Bittermandeln.

CAMILO SANTOS, 41
Römisch-katholischer Priester

Die militärische »Einheit«, die losgeschickt worden war, um sich ein Bild von dem Massaker zu machen, setzte sich lediglich aus einem Unterleutnant, sechs bewaffneten Soldaten, einem zartbesaiteten jungen Arzt und meiner Wenigkeit zusammen. Bald begriff ich auch, warum: Das Dorf bestand aus nicht mehr als ein paar baufälligen Häusern, von denen die weiße Tünche abblätterte, und einer schmutzigen freien Fläche ohne Bäume oder Ehrenmale, die sie Plaza nannten. Aus allen Richtungen roch es nach Tod.

»Ihr seid zu spät gekommen«, nuschelte eine zahnlose alte Frau, als wir vom Laster stiegen. Sie kniete vor einem blutigen Haufen menschlicher Körperteile, die sie eingesammelt hatte, und versuchte sie einander zuzuordnen, als handele es sich um Puzzleteile. Überall auf der Straße lagen verstümmelte Körper und abgetrennte Gliedmaßen. Der junge Arzt stellte erst einmal den Erste-Hilfe-Kasten und seinen Instrumentenkoffer ab und erbrach sich am nächsten Baum. Die Soldaten, ein wenig vertrauter mit den Gräueln des Krieges, gingen herum und stellten den Überlebenden sinnlose Fragen, als bestünde unsere Hauptaufgabe darin, die Verantwortlichen des Gemetzels auszumachen.

»Gibt es Verwundete?«, fragte ich die alte Frau.

»Nur uns.« Mit der einen Hand wies sie auf sich selbst, mit der anderen auf eine Gruppe von Frauen – Witwen, Mütter und Schwestern –, die verstümmelte Leiber auf dem Rücken schleppten und weinend die abgehackten Glieder ihrer Männer vom Boden klaubten. »Alle anderen sind tot«, fügte sie noch hinzu.

Plötzlich kam ein kleines Mädchen herbeigelaufen. »Großmutter, der Kopf!«, rief sie beinahe begeistert. »Ich habe Papas Kopf gefunden!« Sie trat zu der zahnlosen Frau und überreichte ihr einen blutigen Männerkopf. Die alte Frau nahm ihn mit unbewegter Miene entgegen und besah ihn sich von allen Seiten, ehe sie ihn mit dem Gesicht nach oben in ihren Schoß legte. »Seine Hände habe wir immer noch nicht gefunden«, richtete sie das Wort an die Kleine. »Wir können ihn nicht ohne Hände begraben. Er hatte so schöne Hände ...«

Das Mädchen kratzte sich am Kopf. Hilflos schweifte ihr Blick über den Platz, ehe sie mich ansah, als könne ich ihr sagen, was sie als Nächstes tun sollte. Ich wich ihrem Blick aus. Ich wusste es selbst nicht.

Die alte Frau förderte ein Taschentuch zutage und begann, vorsichtig das Blut von dem fahlen Gesicht in ihrem Schoß zu wischen. Dann sah sie auf und starrte auf die Bibel in meiner Hand. »Padre«, sagte sie. »Sie müssen für die ewige Ruhe unserer Männer beten. Bitte ... können Sie gleich damit anfangen?«

Ich musterte die hilflose Frau, den fassungslosen Doktor und die gleichgültigen Soldaten, und mit einem Mal ging mir auf, was als Nächstes zu tun war. Ich ging zurück zu unserem Laster, legte die Bibel beiseite und nahm eine Schaufel zur Hand.

Manchmal kommt selbst Gott erst an zweiter Stelle.

Kapitel 9

DER TAG, AN DEM DIE ZEIT STEHENBLIEB

Mariquita, 23. Juni 2000

Noch vor Sonnenaufgang fand sich eine Gruppe von zehn Witwen zu einem geheimen Treffen in der Schule ein, um zu besprechen, wie der Priester umgebracht werden sollte. Einige hatten Messer und schwere Knüppel von zu Hause mitgebracht. Da sie sich nicht auf eine spezifische Mordart einigen konnten, kamen sie überein, dass jede Frau auf ihre ureigene Weise zum Ableben des verhassten Padre beitragen sollte. Sie teilten sich in zwei Fünfergruppen auf. Die eine, angeführt von der Witwe Sánchez (Trotskys Mutter), marschierte zum Kirchenportal, die andere, angeführt von der Witwe Calderón (Vietnams Mutter), baute sich vor dem Hintereingang auf.

Einen schweren Stein in der Hand, klopfte die Witwe Calderón an der Hintertür, die zur Kammer des Priesters führte. »Komm raus, du Kindermörder!«, schrie sie. »Zeig dich, du Dreckskerl, oder wir kommen dich holen!« Die anderen vier Frauen fielen mit ein, überhäuften den Padre mit allen nur erdenklichen Schmähnamen. Auch die Gruppe vor dem Portal verlangte lautstark nach Einlass und drohte, das Gotteshaus in Brand zu stecken, für den Fall, dass er nicht herauskommen würde.

Halb gelähmt vor Angst, begann der Padre die Kirchenglocke zu läuten, in der Hoffnung, dass ihm jemand zu Hilfe kommen würde – die Dorfpolizistin, die Bürgermeisterin, seine treuesten Schäfchen oder vielleicht sogar der Allmächtige höchstselbst. Doch nur die beiden Erstgenannten nahmen Notiz von seinem Alarm. Rosalba und Ubaldina eilten zur Kirche und beschworen die Frauen, sich nicht von ihrer Wut hinreißen zu lassen.

»Wir müssen den Tod unserer Söhne rächen!«, rief die Witwe Sánchez.

»Er hat unsere Kinder ermordet!«, schloss sich die Witwe López an. »Dafür wird er bezahlen!«

Rosalba gab zu bedenken, dass Gleiches mit Gleichem zu vergelten grundsätzlich falsch und es schon schlimm genug für Mariquita sei, dass sie die vier Jungen am Tag zuvor hatten zu Grabe tragen müssen. Sie setzte die Frauen so sehr unter Druck, dass diese schließlich einverstanden waren, den Padre nicht zu töten, unter einer Bedingung: Er müsse Mariquita umgehend verlassen.

Die Bürgermeisterin führte durch das kleine Gitterfenster in der Tür hindurch ein kleines Zwiegespräch mit dem Padre.

»Sie müssen verschwinden«, sagte Rosalba, »und zwar sofort.«

»Das ist nicht fair, Bürgermeisterin«, gab er mit bebender Stimme zurück. »Mein halbes Leben habe ich dieser Gemeinde ...«

»Es steht Ihnen nicht zu, hier irgendetwas einzufordern«, erwiderte Rosalba. »Entweder verlassen Sie unser Dorf innerhalb der nächsten Stunde, oder ich werde die Frauen zu Ihnen hineinlassen.« Sie schloss sich wieder der Menge vor der Kirche an; zusammen mit den anderen Frauen beobachtete sie schweigend, wie der kleine Mann eine zusammengerollte Matratze, einen Schaukelstuhl, seine schwere Bibel, eine kleine Kiste mit Hühnern, Säcke, Kästen und Taschen aus der Kirche brachte und alles auf sein altes Maultier lud – ein Geschenk der Familie Restrepo zum zwanzigsten Dienstjahr des Padre anno 1991. Als er fertig war, konnte das Maultier kaum mehr stehen.

Aus Angst, die Frauen könnten es sich anders überlegen und ihn kurzerhand lynchen, zögerte der Padre zunächst, sich ihnen zu nähern. Sie hatten ein so enges Spalier gebildet, dass für ihn und das Maultier fast kein Platz mehr blieb. Er holte tief Luft, nahm seinen ganzen Mut zusammen und führte das Maultier zögernd durch die Menge; den Kopf hielt er dabei leicht gesenkt, nicht zuletzt auch deshalb, weil es inzwischen zu regnen begonnen hatte. Und während er an ihnen vorbeischlich, wurden die Frauen wütender und wütender. Die Witwe Calderón spuckte ihm ins Gesicht und brach in Tränen aus. Die Witwe Ospina wollte auf ihn losgehen, wurde aber gerade noch rechtzeitig von zwei anderen Frauen zurückgehalten. »Mörder! Mörder!«, schluchzte sie mit erstickter Stimme. Die anderen Frauen rissen sich auf bewundernswerte Weise am Riemen, obwohl auch sie den Padre nur allzu gern niedergestochen, zu Tode geprügelt oder mit den bloßen Händen erwürgt hätten. Stattdessen beteten sie laut, dass er langsam, einsam und schmerzvoll verrecken sollte.

Der Priester wagte es nicht, Adios zu sagen, nicht einmal zur Bürgermeisterin, die ihn all die Jahre unterstützt und seine Einmischungen in ihre Angelegenheiten toleriert hatte. Seine krummbeinige Gestalt wurde kleiner und kleiner, bis sie schließlich im Nebel verschwand, der über der nach Süden führenden Straße lag. Als nichts mehr von ihm zu sehen war, atmeten die Dorfbewohnerinnen erleichtert auf. Sie wandten sich ab und marschierten langsam zur Kirche.

Wo sie kurz darauf feststellten, dass der Padre alles abtransportiert hatte, was sein Maultier nur tragen konnte. Alles hatte er gestohlen – Kerzenleuchter, Heiligenbilder, Kruzifixe, Kerzen, den Abendmahlskelch, den Wandschirm aus Korbgeflecht, der so viele Jahre als Beichtstuhl gedient hatte, den verschlissenen Smoking und das alte Brautkleid, die von so gut wie jedem Brautpaar getragen worden waren, das seit 1970 in Mariquita den Bund der Ehe geschlossen hatte. Nicht zuletzt hatte er, um sich für den schmählichen Rausschmiss zu rächen, die Geburtsurkunden sämtlicher Dorfbewohner mitgenommen. Er hatte nichts zurückgelassen außer ein paar wurmstichigen Holzbänken und den meisten Frauen von Mariquita die Freude am Katholizismus ein für alle Mal gründlich verdorben.

———

Nachdem der Padre fort war, gingen die wenigen übrig gebliebenen Gläubigen wie immer zur Kirche. Sie streiften durch das alte Gebäude, ließen den Blick über die nackten Wände schweifen, an denen einst an rostigen Nägeln die Bilder ihrer hochverehrten Heiligen gehangen hatten, knieten vor den Schatten großer Kreuze, flüsterten Ave-Marias und sangen leise fromme Lieder.

Cleotilde Guarnizo, die Dorfschullehrerin, hatte die Aufgabe übernommen, die Kirchenglocke jeden Morgen um sechs, um zwölf Uhr mittags und dann noch einmal um sechs Uhr abends zu läuten. Eines Morgens aber stimmte etwas nicht: Die Kirchenuhr war in der Nacht stehengeblieben, um genau eine Minute nach zwölf. Die Lehrerin, die nie eine Uhr besessen hatte, wusste beim besten Willen nicht, wie spät es war. Sie suchte überall nach dem großen silbernen Schlüssel, mit dem die Uhr aufgezogen wurde, fand aber lediglich den leeren Kasten, in dem er stets aufbewahrt worden war. Im selben Augenblick ging ihr auf, dass der Priester auch den Schlüssel mitgenommen hatte. »Der verdammte Padre«, entfuhr es ihr.

———

Nachdem sie über die schlechten Neuigkeiten informiert worden war, beauftragte Rosalba die Dorfpolizistin, von Tür zu Tür zu gehen und sich zu erkundigen, ob jemand eine funktionstüchtige Uhr oder ein Kofferradio besaß. Ubaldina stellte bald darauf fest, dass sich kein Pendel im Dorf mehr regte, dass alle Armbanduhren stehengeblieben waren und die Transistorradios auf Regalen und Ecktischchen verstaubten. Die Batterien funktionierten schon lange nicht mehr, und einige Witwen hatten ihre Radios sogar ausgeschlachtet. Die Witwe Morales etwa hatte die Regler als Knöpfe für ein Kleid zweckentfremdet und aus Drähten und Kabeln Armreifen gebastelt, die ihre Töchter auf dem Markt gegen Eier eingetauscht hatten. Die Witwe Villegas hatte das Gehäuse ihres Radios als Blumentopf für ein wunderschönes Veilchen benutzt, das nun viermal im Jahr auf dem Fensterbrett in ihrem bescheidenen Café blühte, gleich neben einem alten Bild von Papst Johannes XXIII.

Eloísa, die Witwe des Kneipenwirts, hatte das Zifferblatt ihrer Armbanduhr durch ein verblichenes Foto ihres ermordeten Mannes ersetzt. Jedes Mal, wenn sie nach der Uhrzeit gefragt wurde, betrachtete sie das Bild, gab einen langen Seufzer von sich und erwiderte in melodramatischem Ton: »Zu früh, um ihn zu lieben, und zu spät, um ihn zu vergessen.« Die anderen Frauen fanden die Antwort so urkomisch, dass sie Eloísa immer wieder nach der Uhrzeit fragten, wenn sie ihr über den Weg liefen. Doch Eloísa, eine geborene Kapitalistin, drehte den Spieß kurzerhand zu ihren Gunsten um und verwandelte funktionsuntüchtige Uhren in Bilderrahmen, im Austausch gegen alle möglichen Lebensmittel.

Kurz vor Einbruch der Dunkelheit betrat die Polizistin das Büro der Bürgermeisterin, um ihr zu berichten, was sie ausfindig gemacht hatte.

»Ohne dir vorgreifen zu wollen, Bürgermeisterin«, sagte Ubaldina, »am besten wäre es wohl, du schickst umgehend jemanden in die nächste Stadt, um eine Uhr oder neue Batterien zu besorgen.«

Die Bürgermeisterin blickte gedankenverloren durch das Fenster zur Kirchenuhr hinüber. Es kam ihr vor, als sei die Zeit stehengeblieben, hier in Mariquita, einem Dorf der Witwen und ledigen Frauen, die nie wieder die Schreie eines Neugeborenen hören würden. Einem erbärmlichen Dorf, das zu ewigem Elend verdammt war, einer Ansammlung heruntergekommener Häuser ohne Strom oder fließend Wasser, so bedrohlich nah am Hang der

Berge gelegen, dass es zuweilen so aussah, als würden sie bald unter einer Felslawine begraben werden.

»Vielleicht hast du recht«, sagte die Bürgermeisterin stirnrunzelnd. »Vielleicht sollte ich wirklich sofort jemanden losschicken ...« Doch dann sah sie plötzlich ein anderes Dorf vor ihrem inneren Auge: Mariquita, in der Zeit erstarrt, ein Ort, der nie wieder von Männern, gewissenlosen Rebellen, Mord und Totschlag heimgesucht werden würde. Einen Ort, in dem mutige und selbstständige Frauen lebten, die von Sonnenaufgang bis Sonnenuntergang die Felder bestellten und niemals aufgeben würden, nicht unter noch so widrigen Umständen. Einen Ort, der von Krankheiten und Tragödien verschont blieb, einen Ort, den der Tod vergessen hatte.

Mit einem zufriedenen Lächeln auf den Lippen setzte die Bürgermeisterin hinzu: »Aber vielleicht sollten wir einfach noch ein paar Sonnen verstreichen lassen.«

Ein paar Tage später stattete die Polizistin der Bürgermeisterin erneut einen Besuch ab – diesmal, um sie darüber zu informieren, dass die Hähne nicht mehr krähten.

»Offenbar sind sie komplett durcheinander«, stellte Ubaldina fest.

»Lächerlich«, schnaubte die Bürgermeisterin. »Selbst der blödeste Hahn weiß, dass er bei Sonnenaufgang krähen muss.«

»Hähne haben kein Gehirn wie du und ich, Bürgermeisterin.« Ubaldina musterte Rosalbas mürrische Miene. »Sie waren daran gewöhnt, dass tagsüber reges Treiben und nachts Ruhe herrscht. Aber jetzt gibt es keinen derartigen Rhythmus mehr.«

Tatsächlich war in Mariquita ein Tag nicht länger ein Tag. Befreit von der Tyrannei der Kirchenglocke, befanden sich morgens keineswegs alle Frauen auf dem Markt, in der Kirche oder in ihren Gärten; einige waren noch nicht einmal richtig wach. Und wenn sich die Nacht über das Dorf senkte, war es keineswegs so, dass alle Frauen schliefen, sich im Bett herumwälzten, im Schutz des Dunkels andere Frauen liebten oder leise Gebete sprachen. Das Gefühl für den Wechsel zwischen Tag und Nacht verschwamm, löste sich zusehends auf. Das Leben in Mariquita war völlig unvorhersehbar geworden, wie ein Hagelschauer im Juni – mit dem kleinen Unterschied, dass inzwischen niemand mehr wusste, wann überhaupt Juni war.

Am Morgen, nachdem die Hähne das Krähen eingestellt hatten, eilte die Bürgermeisterin aus dem Haus, um sich mit der Zeitfrage zu befassen. Sie trug ihr Sonntagskleid, das nach den unzähligen Sonntagen nicht mehr milchweiß, sondern fahlgelb und an den Ärmeln völlig verschlissen war. In letzter Zeit hatte sich derart viel ereignet, dass sie nicht genau wusste, wie viele Tage und Nächte vergangen waren, aber irgendwie fühlte sie sich nach Sonntag. Sie hatte beschlossen, an der konventionellen Unterteilung in Tag und Nacht festzuhalten, da sie es für ihre Pflicht hielt, das Tagesgeschehen zumindest an der Farbe des Himmels festzumachen. Ein weißer Hund, der mitten auf der Straße hockte und sich ausgiebig kratzte, schien die Überzeugung der Bürgermeisterin zu bestätigen, dass in Mariquita alles zum Besten stand.

Wen juckt's, wenn die blöden Hähne nicht krähen wollen?, dachte sie, während sie durch die Straßen marschierte. Wenn wir ohne Männer klarkommen können, dann ja wohl auch ohne Hähne. Im selben Moment erblickte sie eine splitternackte Frau, die auf sie zugelaufen kam. Sie hatte langes, schimmernd schwarzes Haar, das in der Luft zu schweben schien, und ihre schlaffen Brüste wippten beim Laufen auf und ab. Rosalba blieb abrupt stehen, als wäre plötzlich ein Guerillero vor ihr aufgetaucht. Doch als die Nackte näher kam, sah die Bürgermeisterin, dass es sich um Magnolia Morales handelte.

»Was ist denn in dich gefahren?«, knurrte Rosalba sie an. »Wieso läufst du so früh am Morgen wie eine Verrückte durch die Gegend?«

Magnolia schnappte nach Luft. »Woher willst du denn wissen, dass es früh am Morgen ist?«

»Weil die Sonne gerade erst aufgeht.«

»Die Zeit existiert bloß in deinem Kopf, Bürgermeisterin«, flötete Magnolia mit leiser Stimme. »Irgendwer hat irgendwann behauptet, es sei Morgen, wenn die Sonne aufgeht, und Abend, wenn sie untergeht. Irgendwer hat die Regeln erfunden, morgens aufzustehen und abends ins Bett zu gehen und zu bestimmten Zeiten bestimmte Mahlzeiten einzunehmen. Aber versuch doch mal einem Mangobaum zu erzählen, er solle sich noch etwas Zeit mit dem Reifen seiner Früchte lassen, weil du die Orangen noch nicht geerntet hast. Sag einer Rose, sie solle nicht verwelken, weil du dich noch nicht an ihr satt gesehen hast.« Ihre Stimme wurde lauter und lauter. »Sag einer Kuh, sie soll gefälligst mehr Milch geben!« Dann begann sie zu schreien: »Niemand wird mir je wieder vorschreiben, wann ich etwas zu tun oder zu lassen habe! Einer Rose ist schnuppe, wie spät es ist!« Und als sie ihren Vortrag beendet hatte, hockte sie sich auf die Fersen und entleerte genüsslich lächelnd ihre Gedärme, ohne den Blick auch nur eine Sekunde von der Bürgermeisterin abzuwenden.

Die Bürgermeisterin hätte gern etwas erwidert, zum Beispiel, dass Mangos und Rosen ebensowenig Grips hatten wie die blöden Hähne, doch dann kam sie zu dem Schluss, dass bei Magnolia ebenfalls Hopfen und Malz verloren war. Angewidert machte sie auf dem Absatz kehrt und bedeckte mit der einen Hand ihre Nase, während sie sich mit der anderen den Schweiß von der Stirn wischte.

Rosalba wandte sich an der ersten Ecke nach rechts und eilte eine trostlose Straße hinunter. Sie war gerade mal einen halben Häuserblock weit gekommen, als sie die alte Witwe Pérez in ihrem üblichen Aufzug erblickte: einem schwarzen, langärmligen Kleid mit Spitzenkragen, das ihr mindestens zwei Nummern zu groß war. Sie kniete im Vorgarten der Witwe Jaramillo und pflückte Margeriten.

»Guten Morgen, Señora Pérez«, grüßte die Bürgermeisterin höflich. »Was für einen Tag haben wir heute?«

Die alte Frau warf einen Blick über die Schulter und musterte Rosalba, als sei sie ihr Schatten. Dann sagte sie schulterzuckend: »In meinem Alter sind sowieso alle Tage gleich.«

»Verstehe«, sagte die Bürgermeisterin in gönnerhaftem Ton. »Aber ist jetzt Tag oder Nacht?«

»Den Herrn kann man zu jeder Tageszeit preisen.«

Rosalba verdrehte die Augen und holte tief Luft, ehe sie es noch einmal versuchte. »Ist jetzt Zeit fürs Frühstück oder fürs Abendessen?«

Die Witwe zuckte abermals mit den Schultern und schürzte die Lippen. »Siehst du die Vögel da drüben?« Ruckartig deutete sie mit dem Kinn auf ein paar Tauben, die unter einem Baum an einer Guave pickten. »So geht's doch auch. Einfach essen, wenn man etwas zu essen findet.« Sie erhob sich, kehrte der Bürgermeisterin den Rücken zu und schlurfte mit den Blumen in der Hand davon.

Rosalba wusste nicht, was sie darauf erwidern sollte. Sie folgte der alten Frau, bis ihr plötzlich etwas einfiel.

»Wo willst du denn hin mit den Blumen?«

»Zur Kirche«, antwortete die alte Frau, ohne sich umzudrehen. »Ich werde sie Gott schenken.« Die Bürgermeisterin überlegte, ob sie Gott jemals etwas geschenkt hatte. Früher war sie eine gläubige Katholikin gewesen und beinahe jeden Tag zur Messe gegangen, hatte fast jeden Abend gebetet und so gut wie immer alle Zehn Gebote befolgt. Aber hatte sie Gott je etwas geschenkt? Nein.

Stattdessen war sie des Öfteren verärgert gewesen, wenn sie auf den Opfertischen in der Kirche schimmeliges Maisbrot oder faule Guaven, Mangos, Zwiebeln und Tomaten entdeckt hatte. »Das ist widerlich und unhygienisch«, hatte sie sich beim Padre beschwert, der daraufhin versprochen hatte, die Altäre häufiger zu reinigen, um Ungeziefer fernzuhalten.

»Legst du dabei ein Gelübde ab?«

»Nein.« Señora Pérez schien entrüstet. »Ich gehe bloß jeden Tag zur Kirche und schenke ihm Blumen.«

»Jeden Tag? Und hast du schon einmal etwas zurückbekommen?«

Die Witwe blieb unvermittelt stehen und wandte sich um; über ihr sonst lammfrommes Antlitz huschte ein mürrischer Zug. »Im Gegensatz zu dir«, sagte sie dann, »habe ich es nicht auf Macht und Reichtum abgesehen. Auf mich wartet eine viel größere Belohnung. Ich sichere mir nämlich einen guten Platz im Himmel, und wenn ich von hier abberufen werde, sitze ich bei denen, die reinen Herzens sind.« Und damit kehrte ihr die Witwe abermals den Rücken zu und schritt von dannen, wobei sie ein frommes Lied anstimmte.

Die Bürgermeisterin lehnte sich an einen Laternenpfahl – oder doch bloß einen Pfahl, da der Laternenaufsatz schon vor Jahren gestohlen worden war – und blickte der alten Frau hinterher. Wie unendlich deprimierend, dachte sie. Die Ärmste hatte ihr gesamtes Dasein auf einen einzigen Zweck ausgerichtet: die Vorbereitung auf den Tod.

Die Sonne schien mit der Bürgermeisterin Verstecken zu spielen. Zwei, vielleicht drei Mal hatte sie sich bislang gezeigt, doch außer der Bürgermeisterin schien das niemand zu bemerken.

»Gute Nacht, Bürgermeisterin!«, rief Francisca, als Rosalba an ihrem Haus vorbeikam. Sie stand am Fenster, trug ihr Nachthemd und bürstete ihr langes Haar, als sei die Straße ein großer Spiegel. Rosalba antwortete nicht. Stattdessen legte sie die Hand an die Stirn, schirmte die Augen ab und sah zur Sonne auf. So verharrte sie eine kleine Weile, bevor sie ihren Weg fortsetzte.

»Schönen Nachmittag noch, Bürgermeisterin!«, rief Virgelina Saavedra. Sie und Lucrecia, ihre senile Großmutter, saßen auf wackeligen Stühlen vor ihrem Haus; das Mädchen arbeitete an einer Patchworkdecke, die alte Frau sah aus, als wäre sie tot, hielt aber nur ein Schläfchen. Rosalba erwiderte den Gruß mit einem Lächeln und ging weiter.

»Guten Morgen, Bürgermeisterin«, sagte Santiago Marín, die andere Witwe. Barfuß und barbrüstig saß er auf den Stufen seiner Veranda; das lange Haar fiel über seine Schultern. Rosalba war zutiefst erleichtert, dass endlich jemand das Wörtchen *Morgen* in den Mund nahm.

»Auch dir einen guten *Morgen*, Santiago!«, flötete sie erfreut. »Kannst du mir sagen, wie spät es ist?«

»Lass mich mal nachsehen.« Santiago erhob sich und griff nach einer Papiertüte, in der sich ein paar Kerzen befanden. Er zählte sie und nickte. Mit einem kurzen Blick auf die Kerze, die vor ihm auf dem Boden brannte, sagte er: »Vierdreiviertel Kerzen, Bürgermeisterin.«

Gereizt wartete Rosalba darauf, dass Santiago irgendeine halbwegs vernünftige Erklärung absonderte, was dieser aber offenbar nicht für nötig hielt. Er nahm eine Kerze aus der Tüte und zündete sie an der an, die auf dem Boden stand und fast ausgebrannt war. Er drückte die neue Kerze auf die alte und lächelte Rosalba schmallippig an.

»Und? Wie spät ist es jetzt?«, fragte sie nochmals, wenn auch leicht genervt.

Nun erst ging Santiago auf, dass sie mit seiner Zeitmessung nicht vertraut war. Er trat auf sie zu und erklärte: »In meinem Zeitsystem sind bestimmte Abläufe an die Brenndauer einer Kerze gebunden.« Er hielt die Papiertüte hoch. »Ich zünde immer nur jeweils eine Kerze an, und während meines Tagesablaufs verbrauche ich normalerweise zehn Kerzen. Die erste Kerze zünde ich nach dem Aufstehen an. Bevor sie abgebrannt ist, bin ich bereits draußen in meinem Gemüsegarten. Zwei weitere Kerzen gehen während der Arbeit drauf, eine beim Kochen, eine nach dem Mittagessen. Dann verbrauche ich noch zwei während der Arbeit, und dann zwei weitere, bevor ich schlafen gehe.«

»Das sind aber nur neun Kerzen«, warf die Bürgermeisterin ein.

»Die letzte Kerze ist für die Jungfrau Maria.«

»Und was passiert, wenn der Wind eine deiner Kerzen ausbläst, ohne dass du es bemerkst?«

»Gar nichts. Wenn es mir auffällt, zünde ich sie einfach wieder an.«

»Und wenn du verschläfst? Was machst du, wenn du aufwachst, und die Sonne steht schon hoch oben am Himmel?«

»Na ja, dann verbrauche ich eben weniger Kerzen«, gab Santiago spöttisch zurück. Und mit diesen Worten strich er sein schönes langes Haar zurück und verschwand im Haus.

Die Hände in die Hüften gestemmt, ließ Rosalba erbost den Blick über die Straße schweifen. Als sie ganz sicher war, dass sie völlig unbeobachtet war, bückte sie sich und blies Santiagos fünfte Kerze aus. Rhythmisch schwenkte sie ihren Hintern im Morgenwind, als sie davonging.

Die Cafetería d'Villegas, die einzige Gaststätte von Mariquita, war wie leergefegt, als die Bürgermeisterin eintraf. Die Witwe Villegas hockte auf einem alten Holzstuhl, ganz in den Anblick eines empfindlichen Veilchens versunken, das in einem Blumentopf auf der Fensterbank stand. Das Lokal existierte im Grunde nur für die fünf Landarbeiter-Familien, die niemanden hatten, der für sie kochte, und die im Gegenzug in Naturalien bezahlten.

»Was gibt's zu Mittag?«, fragte die Bürgermeisterin.

»Ich habe noch nichts gekocht«, sagte die Witwe mit bitterem Unterton, ohne die Pflanze auch nur eine Sekunde aus den Augen zu lassen.

»Wieso das denn nicht? Es ist schon nach zwölf! Deine Gäste kommen bestimmt jeden Moment vorbei.«

»Nein. Sie kommen, wann es ihnen gerade in den Kram passt. Der eine will sein Mittagessen, der andere will Frühstück, und der dritte fragt, was es zum Abendessen gibt. In diesem verdammten Dorf läuft aber auch wirklich alles verquer!« Sie klang wirklich verärgert. »Ich bin wirklich verärgert«, sagte sie.

»Ich sterbe vor Hunger«, sagte Rosalba. »Mach einfach irgendetwas zu essen, egal was.« Sie ging zur Theke, schenkte aus einem Krug Wasser in einen blauen Plastikbecher und setzte sich an den Tisch, der der Witwe Villegas am nächsten stand. Von ihrem Platz blickte sie auf ein altes Bild von Papst Johannes XXIII.

»Ohne das Veilchen hätte ich längst jeden Zeitbezug verloren«, sagte die Witwe Villegas. »Wusstest du, dass diese Sorte alle neunzig Tage blüht?«

»Hast du wenigstens ein bisschen Reis da? Reis wird schließlich zu jeder Mahlzeit gegessen.«

»Ich habe den Zyklus nun schon dreimal miterlebt. Das Ganze funktioniert wie ein Uhrwerk. Es dauert zehn Tage, bis die Knospen ganz erblüht sind, dann noch mal zwanzig, bis ihre Farbe verblasst, und nach weiteren zehn Tagen sterben sie. Manchmal sind sie lila, manchmal eher bläulich, aber immer wunderschön.«

»In Italien wird nicht so viel Reis gegessen«, sagte Rosalba mit Blick auf den fetten Papst. »Da gibt's Spaghetti rund um die Uhr.« Sie stellte sich vor, wie der Papst zum Frühstück eine volle Schüssel Spaghetti verschlang. »Ich weiß nicht, wie du es siehst, aber ich mag Reis entschieden lieber.«

»Ich steh mehr auf Lila«, gab die Witwe zurück. Sie zögerte ein paar Sekunden, ehe sie mit leiser Stimme fortfuhr: »Meinen Berechnungen zufolge blühen meine Veilchen noch siebzehn Tage, was wiederum bedeutet, dass sie in fünfundzwanzig Tagen verdorrt sind. Und dann ...« Sie hielt inne und zählte schweigend an den Fingern ab. »In dreiunddreißig Tagen können meine Töchter dann mit der Neusaat beginnen. Das schreibe ich mir jetzt aber besser mal auf.« Sie erhob sich und verschwand hinter einem Perlenvorhang.

Rosalba schnaubte vor Wut. Wie konnte die Wirtin es nur wagen, ihre Bitte nach einer Mahlzeit zu ignorieren? Ihr Blick schweifte von dem Becher mit Wasser zu dem empfindlichen Veilchen, von dem empfindlichen Veilchen zum Bild des Papstes und von diesem wiederum zu dem vollen Becher, als habe sie eine Entscheidung zu treffen, die sie nur schwer mit ihrem Gewissen vereinbaren konnte.

Ein Weilchen später kehrte die Witwe zurück und nahm mit Erleichterung zur Kenntnis, dass die Bürgermeisterin verschwunden war. Dann bemerkte sie den blauen Plastikbecher auf der Fensterbank. Er war leer – und sie am Boden zerstört, als sie sah, dass ihr Blumentopf in Wasser schwamm, auf dem der Kopf des Veilchens trieb.

Wieder zurück zu Hause, hatte die Bürgermeisterin gerade einen Topf mit Tomatensuppe aufgesetzt, als ihr einfiel, dass ihr das Salz ausgegangen war. Sie holte ein halbes Dutzend Mangostinen aus ihrem Garten und begab sich zum Markt, um diese gegen ein bisschen Salz einzutauschen. Die Auswahl auf dem Markt war deprimierend. Auf leeren, auf dem Boden ausgebreiteten Säcken lagen ein paar kleine Tomaten und einige trockene Orangen. Die Bürgermeisterin fragte nach Elvia, der Witwe López, die gemeinhin auch die Salzfrau genannt wurde. Von ihren indianischen Vorfahren hatte Elvia gelernt, aus einer salzwasserhaltigen Quelle in den Bergen um Mariquita Salz zu gewinnen. Sie kochte das Quellwasser stundenlang in einer großen Kupferpfanne, bis es kondensierte. Wenn das Wasser abgekühlt war, setzten sich Salzklümpchen am Boden der Pfanne ab. Das Salz war zwar bitter und von geringer Qualität, aber gut genug, um damit Speisen zu würzen oder Fleisch zu pökeln.

»Die Salzfrau war heute noch nicht da, Bürgermeisterin«, verkündete eine Frau, der alle Vorderzähne fehlten.

»Und wann kommt sie?«

»Ich habe keine Ahnung, nach welcher Zeit sie sich richtet«, erwiderte die Frau schulterzuckend.

Ähnliche Antworten bekam die Bürgermeisterin andauernd zu hören, seit die Frauen nach Lust und Laune mit der Zeit verfuhren, und allmählich platzte ihr der Kragen.

Sie tauschte die Mangostinen gegen ein paar Tomaten und verließ den Markt.

Ein Gefühl der Mutlosigkeit ergriff Besitz von der Bürgermeisterin, als sie mit gesenktem Kopf und eingezogenen Schultern durch die verlassenen Straßen von Mariquita schlurfte: Ihr Dorf hatte sich in ein Babel ohne Turm verwandelt. Wie sollte sie das Geschick einer Gemeinde lenken, in der die Zeit nach Kerzen oder Blütezyklen gemessen wurde – warum eigentlich nicht gleich nach dem Rhythmus der Darmentleerung? Wie sollte sie ihre Visionen, ihre großartigen Pläne für das Dorf in die Tat umsetzen, wenn die vierundneunzig Dorfbewohner sich nicht einmal darauf einigen konnten, wann Morgen oder Abend war? Aber vielleicht würde es ihr ja gelingen, all das zu vergessen, wenn sie die Augen schloss und schlicht den Weg des geringsten Widerstands ging. Vielleicht war das der einzige Weg, erfolgreich durchs Leben zu gehen. Ja, vielleicht hatte sie am Ende sogar das Geheimnis des Daseins gelöst: Womöglich lag es darin, einfach die Augen zu schließen und die Richtung zu wechseln, sobald man auf irgendein Hindernis stieß. Vielleicht hatte Rosalbas Mutter ja komplett falsch gelegen mit ihrer Feststellung, dass niemand mit mehr Blindheit geschlagen sei als jene, die nicht sehen wollen. Vielleicht war es schlicht besser, wenn sie, Rosalba, die Augen verschloss vor all dem Wahnsinn, der sich um sie herum ereignete.

Oder auch nicht.

Mit ihren dünnen Gliedern und dem ausladenden Hintern wirkte die Bürgermeisterin wie eine Ameise, während sie durch die stillen Straßen von Mariquita irrte. Wie eine totale Versagerin fühlte sie sich, als sie schließlich sah, zum ersten Mal *wirklich* sah, welches Elend tatsächlich um sie herum herrschte: die erschöpften Frauen, die in der sengenden Sonne auf den Feldern arbeiteten, sich abschufteten, damit ihre Familien nicht verhungerten, die baufälligen Häuschen mit ihren rissigen Wänden, in denen das Unkraut wucherte, die dürren Hunde und Katzen, die immer dann auf geheimnisvolle Weise verschwanden, wenn es nichts mehr zu essen gab...

Mit gesenktem Kopf und eingezogenen Schultern marschierte die Bürgermeisterin weiter durch die verlassenen Straßen, völlig niedergeschmettert, als sie schließlich hörte, zum ersten Mal *wirklich* hörte, wie die Hennen der Witwe Sánchez gackerten, die ihr Federvieh darauf trainiert hatte, die Eier in ihrem ehemaligen Ehebett zu legen; wie zum ersten Mal hörte sie das Grunzen der Schweine, die Ubaldina in ihrem Haus zusammengepfercht hatte, damit sie nicht gestohlen wurden.

Wie eine Ameise sah die arme Bürgermeisterin aus, als sie, niedergeschlagen wie nie zuvor, in ihrem Sonntagskleid durch die Straßen eines vergessenen Dorfes irrte, an einem sonnigen Nachmittag, an den sich ebenfalls niemand mehr erinnert.

Rogelio Villamizar, 25
Söldner der Regierung

Er hieß Góngora und war ein ebenso ungebildeter Campesino wie ich. Aber er war schon viel länger dabei und hatte es zum Gruppenführer gebracht. Ich war seinem Trupp zugeteilt worden; so wurde ich Zeuge der folgenden Ereignisse.

Mehrere Tage lang hatten wir eine Guerillaeinheit quer durch den Dschungel verfolgt, doch die Burschen waren spurlos im Dickicht verschwunden. Wir wollten gerade aufgeben und zur Basis zurückkehren, als wir auf eine Gruppe von fünf oder sechs Indianern stießen. Uns war bekannt, dass die in diesem Gebiet lebenden Indianer die Rebellen mit Nahrung versorgten und ihnen häufig Unterschlupf gewährten. Die Indianer trugen nichts als Farbe an ihren nackten Körpern. Da sie sofort die Flucht ergriffen, als sie uns sahen, schossen wir auf ihre Beine, doch es gelang ihnen, sich ins dichte Unterholz zu schlagen – bis auf einen. Seine bunte Bemalung machte ihn zum leichten Ziel. Er war ein kleiner Kerl mit langen Haaren; als wir ihn an einen Baum fesselten, sah er noch kleiner aus. Die Kugel, die ihn im linken Unterschenkel getroffen hatte, bereitete ihm sichtlich Schmerzen. Wir zogen uns ein paar Schritte zurück und ließen unseren Gruppenführer seiner Lieblingsbeschäftigung nachgehen.

»Wo sind die Rebellen?«, wollte Góngora wissen. Der Indianer öffnete den Mund, als wolle er etwas sagen, doch drang kein Laut hervor. Góngora trat näher, schlug ihm zweimal ins Gesicht – es gibt nichts Demütigenderes für einen Indianer – und wiederholte seine Frage. Diesmal drang ein entsetzliches Gurgeln aus der Kehle des Indianers. Wutentbrannt schlug ihm Góngora mit dem Griff seines Revolvers ins Gesicht. Wieder gab der Indianer jenen grauenhaften Laut von sich. Sein Gesicht war schmerzverzerrt, und aus Mund und Nase strömte Blut – aber trotzdem rückte er immer noch nicht mit der Antwort heraus.

Góngora überhäufte den Indianer mit einer Unzahl von Flüchen. Dann hielt er ihm den Revolverlauf an die Stirn und sagte: »Langsam verliere ich die Geduld. Wo stecken die verdammten Rebellen?« Wieder gab der Indianer dieses entnervende Gurgeln von sich, nur lauter als vorher, während ihm gleichzeitig Tränen in die Augen schossen. Die meisten anderen Gefangenen hätten spätestens jetzt alles ausgeplaudert, und sei es nur, um ihr Leiden zu verkürzen; wer uns in die Hände gerät, weiß genau, dass wir ihn töten werden, wenn er ausgepackt hat. Und so staunte ich nicht schlecht über den Mut und die Hartnäckigkeit des Indianers. Die grässlichen Laute, die er von sich gab, schienen das einzige Mittel zu sein, seiner Angst Ausdruck zu verleihen, ohne dabei jemanden ans Messer zu liefern.

Góngora trat ein paar Schritte zurück und zielte auf den Kopf des Indianers. Ich sah dem Indianer in die Augen; mit leerer Miene starrte er an uns und unserem Gruppenführer vorbei. Ich sah meine Kameraden, dann wieder Góngora an. Doch als er abdrückte, blickte ich einfach zu Boden.

Später erfuhren wir, dass die Rebellen den Indianern die Zungen herausgeschnitten hatten.

Kapitel 10

DER TAG, AN DEM DIE ZEIT WEIBLICH WURDE

Mariquita, Datum unbekannt

Seit einigen Sonnen schon vergrub sich die Bürgermeisterin zutiefst deprimiert in ihrem Schlafzimmer. Ihre Versuche, die Geschicke von Mariquita zu lenken, waren zunichte gemacht worden. Sie war eine wertlose, dumme, arrogante, selbstsüchtige Frau mittleren Alters, die die Chance ihres Lebens bekommen und jämmerlich versagt hatte. Die beiden herausragenden Maßnahmen ihrer sogenannten Amtszeit – die Zeugungskampagne und der Erlass zur Nachwuchssicherung – hatten sich als Fehlschläge erwiesen. Nach wie vor gab es weder fließend Wasser noch Strom oder Telefon, und sämtliche Zufahrtsstraßen waren mittlerweile von Gestrüpp überwuchert. Mariquita hätte ebensogut von der Landkarte verschwunden sein können.

All das bereitete Rosalba schwerste Gewissensbisse, doch vor allem hatte sie Angst: Angst davor, dass ihre Stellung als Bürgermeisterin auf dem Spiel stehen könnte. Gewiss würde schon bald jemand versuchen, sie zu stürzen, jemand, der jünger, intelligenter und qualifizierter war als sie.

Solange ihre Niedergeschlagenheit anhielt, weigerte sich Rosalba strikt, Freunde oder Bekannte zu empfangen. Nur ihre Untermieterin durfte ihr Zimmer betreten. Vaca brachte Rosalba dreimal am Tag zu essen, berichtete, wer sich nach der Gesundheit der Bürgermeisterin erkundigt hatte, und lauschte missmutig Rosalbas Selbstbezichtigungen. Eines Morgens jedoch hatte Vaca endgültig die Nase voll von Rosalbas Gejammer und machte sich auf den Weg zur Gemeindeschwester.

»Die Bürgermeisterin kann sich selbst nicht mehr leiden«, erklärte Schwester Ramírez, nachdem sie sich die lange Liste der Symptome angehört hatte. Sie verordnete der Bürgermeisterin, acht Mal pro Tag eine Tasse Majorantee zu trinken, sich beim Baden mit dem Schwamm abzureiben, Make-up aufzulegen und sich ein neues Kleid zu kaufen, falls sie auf dem Markt eines finden sollte. Also kehrte Vaca nach Hause zurück, zerrte Rosalba aus dem Bett und in den Innenhof, bereitete ihr ein kaltes Bad und gehieß ihr, sich anschließend zum Trocknen in die Sonne zu legen. Dann half sie der Bürgermeisterin in ein rotes Kleid und raffte ihr ergrauendes Haar zu einem Knoten zusammen – mehrere Zentimeter höher als gewohnt, sodass Rosalbas Nacken zu sehen war.

Zweiunddreißig Tassen Majorantee später...

Dunkelheit hatte sich allmählich über Mariquita gesenkt. Die Bürgermeisterin, nun ein wenig munterer, trat nach draußen und setzte sich auf die Stufen vor dem Haus. Die Straße war menschenleer, nur in der Ferne war ein stetes Hämmern zu hören. Offenbar mahlten die Ospinas gerade Mais. Vor ihrem inneren Auge sah Rosalba die stämmige Witwe Ospina, wie sie mit einem schweren Dreschflegel rhythmisch auf die Kerne einschlug.

Das Geräusch von Schritten riss Rosalba aus ihren Gedanken. Sie beugte sich vor, beobachtete den sich nähernden Schatten mit zusammengekniffenen Augen, bis sie das ausdruckslose Gesicht der Dorfschullehrerin erkannte. Cleotilde war nicht ein einziges Mal zu Besuch gekommen, hatte sich nicht ein Mal nach dem Zustand der Bürgermeisterin erkundigt. Doch Rosalba konnte der alten Frau keinen Vorwurf machen. Wenn jemand im Dorf behaupten konnte, von der Bürgermeisterin schlecht behandelt worden zu sein, dann Cleotilde.

»Guten Abend, Señorita Guarnizo«, sagte Rosalba in ungewohnt herzlichem Tonfall. Die Lehrerin bedachte sie lediglich mit einem knappen Nicken und ging so schnell an ihr vorbei, wie es ihre vierundsiebzig Lebensjahre und ihre von Gicht verkrümmten Füße erlaubten. »Haben Sie vielleicht Lust auf einen Teller Suppe, Señorita Guarnizo?«, rief Rosalba. »Vaca kocht immer ein wenig mehr.«

Cleotilde blieb abrupt stehen. Sie wollte gern annehmen, mit Vergnügen sogar, doch die Einladung kam allzu überraschend – sie konnte sich nicht erinnern, wann die Bürgermeisterin sie zuletzt in ihr Haus eingeladen hatte –, und trotz ihrer angeborenen Wortgewandtheit wollte der Lehrerin keine Erwiderung einfallen.

»Bitte, Señorita Guarnizo«, fuhr Rosalba beinahe demütig fort, »ich brauche Ihren klugen Ratschlag in einigen Fragen, die mir unter den Nägeln brennen.«

Kluger Ratschlag, Ratschlag, Schlag, lag ... Die Worte hallten wie ein Echo im Kopf der Lehrerin. Sie wandte sich um, nicht ganz davon überzeugt, ob es tatsächlich die Bürgermeisterin war, die da mit ihr sprach. Doch der erbärmliche Anblick, der sich ihr bot, räumte jeden Zweifel aus: Die einst so überhebliche Bürgermeisterin saß vor der heruntergekommenen Fassade ihres Hauses, ganz allein, den Blick auf ihre rissigen, geschwollenen Füße in den abgetragenen Sandalen geheftet – ein Abbild tiefster Niedergeschlagenheit. Cleotilde senkte den Kopf und zog ihre Brille ein Stück herab. »Es freut mich zu hören, dass meine Empfehlungen hier willkommen sind«, bemerkte sie.

Rosalba gab ein bescheidenes Lachen von sich. »Ihre Empfehlungen sind hier nicht nur willkommen, Señorita Guarnizo, sondern sogar hoch geschätzt.«

Hoch geschätzt, geschätzt, schätzt, ätzt ... Die schmeichelnden Silben hallten noch in Cleotildes Ohren nach, als sie Rosalba durch die Diele ins Esszimmer folgte.

Später, nachdem jede von ihnen zwei Schalen Suppe verspeist und die Bürgermeisterin sich mehrfach für Vacas mangelhafte Kochkünste entschuldigt hatte, saßen sie in ausladenden Korbsesseln im Wohnzimmer, tranken Kaffee und analysierten die, so Cleotilde, »katastrophalen Auswirkungen«, welche das »Zeitproblem«, wie Rosalba es bezeichnete, auf Mariquita haben würde, wenn nicht bald eine Lösung gefunden wurde.

»Ist Ihnen denn eine Möglichkeit eingefallen?«, wollte Cleotilde wissen.

»Oh, mehrere sogar«, log Rosalba. »Ich bin nur mit keiner so richtig zufrieden, und deshalb dachte ich, Sie und ich könnten … uns vielleicht gemeinsam etwas überlegen.«

»Sehr gern«, erwiderte die Lehrerin, »aber es wird langsam spät, und ich muss meinen Ethik-Unterricht für morgen vorbereiten. Ich komme morgen Nachmittag wieder.«

Sichtlich verstimmt erhob sich Rosalba, begann auf und ab zu gehen und die zahllosen Listen zu betrachten, die säuberlich aufgereiht an sämtlichen Wänden ihres Hauses hingen: Listen mit den wichtigsten Aufgaben, die jüngste demografische Erhebung, Pläne für die Reinigung und Desinfizierung der Häuser im Dorf, Inventarlisten für dringend benötigte Medikamente, Aufstellungen ihrer eigenen, längst überfälligen Zuwendungen, Listen streunender Hunde und Katzen mit vollständiger Beschreibung, die regelmäßig auf den neuesten Stand gebracht werden mussten, da die Tiere ständig auf unerklärliche Weise verschwanden, und Listen über Listen. Die Bürgermeisterin hatte die gesamte Geschichte Mariquitas seit dem Verschwinden der Männer dokumentiert und in lauter zwecklosen Listen festgehalten.

Plötzlich begriff sie, dass der wahre Grund für ihr Scheitern darin lag, dass sie jeden einzelnen Tag ihrer Karriere als Bürgermeisterin damit zugebracht hatte, all jene Dinge zu planen, die sie am nächsten Tag erledigen wollte. Sie hatte ihr Heute einem Morgen unterworfen, das schon bald zum neuen Heute wurde, nur um sofort dem nächsten Morgen geopfert zu werden, wieder und wieder, ohne dass je ein Ende abzusehen war.

»Nein, Señorita Cleotilde«, sagte Rosalba, endlich von neuer Tatkraft erfüllt. »Mariquitas Zeit kann nicht bis morgen warten. Wir müssen uns jetzt damit beschäftigen.«

»Aber ... was ist mit meiner Unterrichtsstunde?«

»Ach, lassen Sie sie doch einfach ausfallen.«

»Aber meine Schülerinnen werden ... «

»Sagen Sie Ihren Schülerinnen, Sie seien krank. Oder Sie hätten sich den Stundenplan nicht richtig angesehen. Es ist doch bloß eine Ethik-Stunde, Herrgott noch mal!«

Stirnrunzelnd sah die Lehrerin sie an.

Die Nacht verging; etliche Kerzen brannten herunter, während die Bürgermeisterin und die Lehrerin über das Zeitproblem diskutierten. Sie sprachen über Santiago Maríns brennende Kerzen und die blühenden Veilchen der Witwe Villegas; sie waren sich einig, dass dringend eine einheitliche Zeitrechnung eingeführt werden musste, die es sämtlichen Dorfbewohnerinnen gestattete, den Lauf der Dinge nach denselben Vorgaben zu messen.

»Ich finde immer noch, dass Sie jemanden in die Stadt schicken sollten, um eine Uhr und einen Kalender zu kaufen«, bemerkte die Lehrerin. »Die allgemein gültige Zeitrechnung hat sich seit Jahrhunderten erfolgreich bewährt.« Sie untermauerte ihre Empfehlung, indem sie in aller Ausgiebigkeit über die Theorien eines gewissen Isaac Newton und eines gewissen Albert Einstein referierte; sie zitierte die beiden mit einem Maß an Vertrautheit, das die Bürgermeisterin zu der Annahme gelangen ließ, besagte Herren hätten ihre Hypothesen persönlich mit Cleotilde diskutiert.

»Sie schlagen also vor«, sagte Rosalba, als sie endlich wieder zu Wort kam, »dass wir zum traditionellen männlichen Zeitsystem zurückkehren sollen, in dem sich letztlich alles nur um Produktivität dreht.«

»Nun ja, gewissermaßen, auch wenn ...«

»Ich weigere mich, dieses System wiederaufzunehmen, Señorita Guarnizo. Schließlich gibt es in unserer Welt keine Männer mehr.« Sie hielt kurz inne, als müsse sie ihre Gedanken ordnen, ehe sie hinzufügte: »Wissen Sie, was ich am liebsten tun würde? Ich würde gern ein weibliches Zeitsystem erschaffen: Die Theorie der weiblichen Zeit von Rosalba viuda de Patiño und Cleotilde Guarnizo.« Während sie sprach, fuchtelte sie in der Luft herum, als schreibe sie die Worte an eine unsichtbare Tafel. Inzwischen sah die Zukunft wieder ein wenig vielversprechender für die Bürgermeisterin aus. Wenn sie diese Krise überwand, würde sie den Dorfbewohnerinnen beweisen können, dass sie nach wie vor kompetent und beileibe nicht auf den Kopf gefallen war.

Im Verlauf ihrer Diskussion über ein weibliches Zeitsystem einigten sich die Bürgermeisterin und die Lehrerin darauf, dabei keine in ihrem Lebensraum zyklisch wiederkehrenden Veränderungen zu berücksichtigen, wie etwa wandernde Tierarten, die periodische Ausbreitung von Moskitos oder die vorhersehbare Metamorphose der in ihrer Gegend weit verbreiteten rot-gelben Schmetterlinge. »Was ist, wenn sie aussterben?«, brachte Rosalba als Argument vor. Jedoch waren sie sich einig, dass der Rhythmus von Tag und Nacht eine natürliche Gegebenheit und damit eine greifbare Methode zur Erfassung der Zeit darstellte, die sie gern beibehalten wollten.

»Was ist mit dem Klima?«, schlug Cleotilde vor. »Wir haben doch zwei recht verlässliche Regen- und Trockenperioden.«

»Da bin ich mir nicht ganz sicher«, wandte Rosalba ein. »In den letzten Jahren ist das Wetter so unvorhersehbar geworden, dass sich selbst die Bäume nicht mehr auskennen. Sie wissen nicht mehr, wann sie blühen oder die Blätter fallen lassen sollen.«

Und dann kam Cleotilde eine zündende Idee.

»Wie wäre es mit der Menstruation?«, fragte sie, während sie nahezu im selben Moment ein Gefühl tiefer Befriedigung durchströmte. Sie war überzeugt, dass die Menstruation, ein ausschließlich weibliches Charakteristikum, eine brauchbare Methode wäre, um dem Wunsch der Bürgermeisterin nach einem weiblichen Zeitsystem zu entsprechen, doch hatte sie den Vorschlag auch aus dem insgeheimen Bedürfnis heraus unterbreitet, mit Rosalba abzurechnen, die sich – daran bestand für die Lehrerin kein Zweifel – gerade in der Menopause befand. Vor etwas mehr als zwanzig Jahren hatte Cleotilde selbst jene Veränderung durchlebt. Die damit einhergehenden körperlichen Beschwerden hatte sie mit Würde ertragen; die seelischen Auswirkungen hingegen hatten sie aus heiterem Himmel getroffen und in tiefe Depressionen gestürzt. Sie hatte sich unvollständig gefühlt, halb Frau, halb dem Ende nahe. Es lag auf der Hand, dass die Bürgermeisterin ähnlich empfand.

»Hmm«, murmelte Rosalba, als sie den Vorschlag der Lehrerin hörte. »Ich weiß nicht recht, ob die Zeit in unserer Gemeinde tatsächlich der Menstruation folgen sollte. Die Zyklen verlaufen doch unterschiedlich.« Aber beide Frauen wussten, dass die Zyklen identisch verliefen. Kurz nachdem die Zeit in Mariquita stehen geblieben war, hatte sich die Menstruation der Frauen synchronisiert. Niemand hatte damit gerechnet, doch schien die Natur gleichsam geahnt zu haben, welche chaotischen Zustände das Fehlen der Zeit auslösen würde, und hatte es also offenbar für ihre Pflicht gehalten, allen Frauen eine akkurate Methode zu gewähren, demselben Zeitplan zu folgen. Und obwohl sie ihr Ziel noch nicht erreicht hatte, hingen die rechteckigen weißen Stofffetzen, die den Frauen von Mariquita während ihrer Periode als Unterwäsche dienten, alle achtundzwanzig Sonnen überall gleichzeitig von den Wäscheleinen.

»Wenn es etwas gibt, worauf sich die Frauen im Dorf verlassen können, dann auf ihre Menstruation«, erklärte Cleotilde. »Auch wenn das für Sie natürlich nicht mehr gilt.« Sie warf Rosalba einen verschwörerischen Blick zu, ehe sie in tröstlichem Flüsterton hinzufügte: »Keine Sorge, Bürgermeisterin. Ich werde es keiner Menschenseele verraten. Irgendwann ist es eben für uns alle so weit.«

Rosalba beschloss, die boshafte Bemerkung der Lehrerin zu ignorieren. »Aber im Hinblick auf ein neues Zeitsystem bringt uns Ihre Idee trotzdem nicht weiter«, sagte sie stattdessen. Sie wollte es nicht zugeben, aber das, was sie an diesem Menstruationskalender ernsthaft störte, war die Vorstellung, sich auf den Zyklus anderer Frauen verlassen zu müssen; undenkbar, sich von jüngeren, fruchtbaren Frauen sagen lassen zu müssen, ob es Tag drei oder Tag zweiundzwanzig nach ihrem Kalender war. *Wäre ich nur zehn Jahre jünger*, dachte sie, *wäre ich nicht nur die Bürgermeisterin, sondern auch der wandelnde Kalender von Mariquita.*

»Mag schon sein«, erwiderte Señorita Cleotilde, »aber ein Kalender auf der Grundlage von dreizehn Monaten und achtundzwanzig Tagen wird die Berechnung und Aufzeichnung der Zeit sehr einfach machen. Wenn wir darüber hinaus dafür sorgen, dass die Zeit im Rhythmus mit den Mondphasen bleibt, wird der Kalender von Mariquita bis in weite Zukunft exakt funktionieren.«

Rosalba kicherte. »Glauben Sie wirklich, dass eine Gruppe Frauen, die in einer abgelegenen Ecke der Welt langsam vor sich hin stirbt, eine Zukunft hat?«

»Natürlich haben wir eine Zukunft. Ob sie gut oder schlecht sein wird, ist eine andere Frage.« Cleotilde schob ihre Brille die Nase hinauf.

»Die Zukunft liegt einzig und allein in ... in den Tagträumen, denen wir uns hingeben«, sagte Rosalba grübelnd.

»Das ist doch lächerlich!«, stöhnte Cleotilde und schüttelte den Kopf. »Wenn wir keine Zukunft haben, können wir ebensogut die Zeit zurückdrehen und in die Vergangenheit zurückkehren. Auf diese Weise wüssten wir wenigstens, was auf uns zukommt.«

So albern diese letzte Bemerkung auch sein mochte, sie machte enormen Eindruck auf Rosalba. Die Bürgermeisterin blickte erst ernst, dann nachdenklich, dann fassungslos, dann verwirrt und schließlich wieder ernst drein. Eine Zeit lang herrschte Stille im Raum, nur durchbrochen vom Regen, der begonnen hatte, in stetem Rhythmus gegen die Fensterscheiben zu prasseln. Doch dann rief Rosalba unvermittelt aus: »Sie sind brillant, Señorita Cleotilde! Absolut brillant! Wir gehen in der Zeit zurück. Ja, wir werden den Menstruationskalender einführen, wie Sie es vorgeschlagen haben, nur dass wir die Zeit rückwärts laufen lassen.«

»Aber, Bürgermeisterin, wir können die Zeit nicht rückwärts laufen lassen. Das ist doch ...«

»Unser weiblicher Kalender wird mit dem letzten Tag im Dezember beginnen und mit dem ersten Tag im Januar enden. Am besten, wir ersetzen diese langweiligen Monate gleich mit dreizehn unserer eigenen Namen.« Rosalba sprang auf, völlig aus dem Häuschen über ihre Idee.

Zutiefst besorgt erhob Cleotilde sich ebenfalls. »Aber ich habe doch nur rein hypothetisch gesprochen, Bürgermeisterin. Kein Grund, mich gleich wörtlich zu nehmen.«

»Wie wäre es, wenn wir mit dem Monat Rosalba anfangen und mit dem Monat Cleotilde fortfahren? Wären Sie damit einverstanden? Wenn Sie wollen, können wir aber auch mit Cleotilde als erstem Monat anfangen. Für mich spielt das keine Rolle.«

»Bürgermeisterin, was ich eigentlich sagen wollte ...«

»Ich weiß genau, was Sie eigentlich sagen wollten, Señorita Cleotilde. Wenn sich die Zeit rückwärts bewegt, gibt das den Menschen Gelegenheit, den Lauf ihres Lebens zu ändern. Was für ein wunderbarer Gedanke! Wir gehen einfach in der Zeit zurück, bringen all die Probleme in Ordnung, die es in unserer Geschichte gegeben hat, und erschaffen eine blühende Zukunft für uns alle.«

Cleotilde schüttelte den Kopf und holte tief Luft.

»Also, wie weit sollen wir in der Geschichte zurückgehen?«, fuhr Rosalba fort. »Zuallererst würde ich gern all diese idiotischen Bürgerkriege rückgängig machen. Du meine Güte, es besteht doch überhaupt kein Grund, dass wir uns gegenseitig bekämpfen. Dasselbe gilt für den Unabhängigkeitskampf von 1810. Wir werden niemals Kolonie eines anderen Landes sein, also sollte eine solche Schlacht auch niemals stattfinden. Und was ist mit dem Tag, an dem unser Land von den Spaniern entdeckt wurde? Wie entsetzlich! Diesen Teil unserer Geschichte würde ich am liebsten ersatzlos streichen. Für die nächsten tausend Jahre in etwa sollten wird überhaupt nicht entdeckt werden. Oder vielleicht sollten auch wir diejenigen sein, die Europa entdecken! Was denken Sie, Señorita Cleotilde?«

Señorita Cleotilde dachte, dass die Bürgermeisterin endgültig den Verstand verloren hatte. Doch just in dem Moment, als sie ihre Gedanken aussprechen wollte, trat Vaca mit einem Tablett in Händen ein, auf dem sich zwei Schüsseln sowie zwei Löffel befanden.

»Frühstück«, verkündete sie.

»Wunderbar«, sagte Cleotilde. »Ich bin am Verhungern. Was gibt's denn?«

»Heiße Suppe.«

»Schon wieder?« Sie klang enttäuscht. »Ich esse morgens immer ein Ei. Haben Sie keine Eier?«

»Hätte ich ein Ei gehabt, hätte ich es selbst gegessen«, antwortete Vaca und stellte das Tablett auf den Tisch.

»Ist wenigstens ein bisschen Fleisch drin?«, hakte Cleotilde nach.

»Vielleicht«, gab Vaca zurück und hob die rechte Schulter.

»An einem Fliegenbein ist mehr Fleisch als in dieser Suppe«, beschwerte sich Cleotilde bitter und rührte die klare Brühe um, in der vereinzelte Korianderblättchen schwammen. Sie versuchte, die Suppe mit dem Löffel zu essen, doch da sie nichts enthielt, was auch nur entfernt einer Einlage geglichen hätte, führte sie die

Schale zum Mund und trank die Suppe buchstäblich in einem Zug aus. Als die Lehrerin damit fertig war, stand sie auf und strich sich mit den Handrücken das kurze Haar glatt.

»Sie wollen doch nicht etwa schon gehen, Señorita Cleotilde?« Wenn die Lehrerin jetzt aufbrach, dachte Rosalba, würde sie erst am nächsten Tag zurückkehren – wenn überhaupt. Und dann würden sie das Projekt längst nicht mehr mit demselben Schwung angehen.

»Doch, Bürgermeisterin. Sie haben bereits eine Lösung für Ihr dringlichstes Problem gefunden. Das heißt, wenn man einen rückwärts gerichteten Kalender als Lösung für irgendetwas bezeichnen kann. Wie auch immer, den Rest schaffen Sie auch spielend allein.«

»Ich denke wirklich, Sie sollten bleiben«, erklärte Rosalba in einem Tonfall, der eher warnend als bittend klang. »Wie wollen Sie beweisen, dass die Idee für Mariquitas weibliches Zeitrechnungssystem zur Hälfte von Ihnen stammt, wenn Sie mir nicht einmal helfen, einen Entwurf zu Papier zu bringen?«

Die Worte trafen die Lehrerin mit der Wucht einer Ohrfeige. »Es *ist* zur Hälfte meine Idee«, knurrte sie. »Und ich habe durchaus die Absicht, Ihnen beim Entwurf eines Schriftstücks zu helfen. Ich brauche nur ein wenig Schlaf, bevor wir uns an die Arbeit machen.« Sie nahm die Brille ab und rieb sich die Augen.

»Machen Sie doch eine Siesta in meinem Bett«, schlug Rosalba vor. »Es ist sehr bequem.«

Cleotilde hasste es, in fremden Betten zu schlafen. Sie besaß einen ausgeprägten Geruchssinn, der jeden Gedanken an Schlaf zunichte machte, sobald sie den widerwärtigen Gerüchen ausgesetzt war, die gewöhnlich dem Bettzeug anderer Leute entströmten. Und so gelangte sie trotz aller Müdigkeit zu dem Schluss, dass sie lieber gleich mit der Arbeit an besagtem Schriftstück beginnen wollte, als das stinkende Bett der Bürgermeisterin zu benutzen. Sie verschränkte die Hände auf dem Rücken und ging eine Weile nachdenklich auf und ab, ehe sie der Bürgermeisterin ein Blatt

Papier und einen Bleistiftstummel über den Tisch zuschob. »Rosalba, ich werde es Ihnen diktieren.«

»Wie bitte?« Die Bürgermeisterin wusste nicht genau, was sie mehr erschreckte: dass sie beim Vornamen genannt wurde oder die Aussicht, ein Diktat aufnehmen zu müssen.

»Schreiben Sie, meine Liebe: Um ein Zeitkomitee von fünf jungen, Komma...« Cleotilde hielt inne, um Rosalba Zeit zu geben, den Satz aufzuschreiben, doch die Bürgermeisterin, noch immer völlig verblüfft, murmelte nur etwas Unverständliches. Ohne ihrer Verwirrung weitere Beachtung zu schenken, fuhr Cleotilde mit ihrem Diktat fort. »... gesunden, Komma ...«

»Einen Moment, Señorita Cleotilde«, versuchte Rosalba einzuwerfen.

»Meine Liebe, bitte heben Sie die Hand, wenn Sie eine Frage stellen wollen oder ich Ihnen zu schnell bin.« Die Lehrerin wartete einen Moment, doch da die Bürgermeisterin keine Anstalten machte, die Hand zu heben, ging sie zum nächsten Satz über. Schließlich begann Rosalba, sämtliche Faktoren und Bedingungen zu notieren, strich hier durch und schrieb dort um, bis der Entwurf einer Gesetzesvorlage entstanden war, der sie beide zufriedenstellte.

Die Einführung der weiblichen Zeit würde nicht einfach werden, dachte die Bürgermeisterin, insbesondere jetzt, da alle Frauen ihren eigenen Zeitplänen folgten. Allein die Dorfbewohnerinnen zusammenzutrommeln, um den Gesetzentwurf zu verkünden, würde schwirig werden. Rosalba war klar, dass sie bei einigen Starrköpfen auf geharnischten Widerstand stoßen würde. Es würde ein hartes Stück Arbeit werden, ihre Mitbürgerinnen davon zu überzeugen, dass ein kommunales Zeitsystem hilfreich dabei wäre, die Produktivität des Dorfs und damit auch die Lebensqualität jeder einzelnen Familie zu steigern. Noch schwieriger aber würde es werden, den anderen klarzumachen, dass ein mondabhängiger Kalender, bei dem die Zeit rückwärts gerechnet wurde, am Ende jedem von ihnen helfen würde, eine zweite Chance auf dieser Welt zu bekommen.

Aber glaubte sie selbst daran? Glaubte sie ernsthaft, dass ein altertümlicher Kalender, in dem rückwärts gerechnet wurde, gut für alle war? Vielleicht stimmte das ja gar nicht. Welche Bedeutung würde ihm etwa Magnolia Morales beimessen, deren Meinung nach Zeit etwas war, das lediglich in den Köpfen der Leute existierte? Wahrscheinlich gar keine. Und würde ein systematischer Kalender die Zustimmung der Witwe Pérez finden, die erklärt hatte, ihr Leben verlaufe sowieso jeden Tag nach demselben Muster? Nie im Leben, und womöglich hatten Magnolia und die Witwe Pérez auf ihre eigene exzentrische Art ja recht. Frauen waren von Natur aus idealistisch und romantisch, und obwohl Männer diese Charakterzüge stets als Fehler betrachtet hatten, war es vielleicht an der Zeit, dass Frauen sie als einzigartige weibliche Qualitäten würdigten und sie in ihrem alltäglichen Leben zu nutzen lernten. Eine weibliche Zeit, fand Rosalba, sollte eine unendliche Anzahl individueller Interpretationsmöglichkeiten gestatten, sodass sie sowohl als offizielles Zeitsystem für die gesamte Gemeinschaft als auch ohne Einschränkungen im idealistischen, romantischen und fantasievollen Wesen jeder einzelnen Frau existieren konnte.

Die Bürgermeisterin ließ Cleotilde, die nach wie vor mit auf dem Rücken verschränkten Händen auf und ab ging, an diesem letzten Gedanken teilhaben.

»Die Idee gefällt mir«, sagte die alte Dame, »aber ich denke, es sollte wenigstens einen definierten Parameter geben, sonst riskieren wir am Ende zehn Magnolias, die nackt durch die Gegend laufen und behaupten, Zeit sei eine ... nun ja, eine entblößte Brustwarze oder sonst etwas in dieser Art. Ich schlage vor, wir bitten die Frauen, sich jeden Monat eine Tugend zu überlegen, die sie sich aneignen wollen, oder einen Makel, den sie ablegen möchten, und sich dann mit dieser Aufgabe auseinanderzusetzen.« Sie ließ sich auf einen Stuhl sinken, fest davon überzeugt, etwas Wichtiges und Endgültiges zu ihrer Diskussion beigetragen zu haben.

Kurz darauf entspann sich ein langes Gespräch über Moral, Gerechtigkeit, Würde, Rechtschaffenheit, Großzügigkeit, Toleranz, Hingabe, Entschlossenheit, Geduld, Stärke, Hoffnung, Verantwortungsgefühl, Vertrauenswürdigkeit, Optimismus, Klugheit, Besonnenheit, Verständnis, Taktgefühl, Intuition, Vernunft und andere Dinge, die sie als Tugenden betrachteten. Anschließend sprachen sie über Lasterhaftigkeit, Sündhaftigkeit, Hinterhältigkeit, Bösartigkeit, Scharfzüngigkeit, Verdorbenheit, Schändlichkeit, Arglist, Niedertracht, Grausamkeit, Gemeinheit, Eitelkeit, Überheblichkeit, Lüsternheit, Hass, Bitterkeit, Mittelmäßigkeit, Egoismus und viele andere Dinge, die als Untugenden angesehen wurden. Und nach all den Gesprächen über Tugenden und Charakterschwächen gelangten Rosalba und Cleotilde zu dem Schluss, dass die weibliche Zeit statt auf »Monaten« und »Jahren« – ihrer Auffassung nach nichts als Worte ohne jede Bedeutung – auf »Sprossen« und »Leitern« beruhen sollte, die die Stufen der persönlichen Weiterentwicklung symbolisieren würden. Doch im Gegensatz zu den einschüchternden, stets auf Sieg und Ruhm ausgerichteten Erfolgsleitern der Männer würden ihre eigenen abwärts führen, denn, so verkündete Cleotilde: »Niemand außer Gott hat je im Aufstieg Herrlichkeit und Glanz gefunden.« Die Frauen von Mariquita sollten sich niemals gezwungen fühlen, aufwärts zu streben. Stattdessen sollte sie das neue Zeitsystem ermutigen, die Leiter weiter und weiter herabzusteigen, gleichsam den Dingen auf den Grund zu gehen, an jenen Punkt zu gelangen, wo das Bewusstsein, das Wesen und die Seele eines Menschen Perfektion erlangten – eine Perfektion, die auf ebenso vielfältige Weise definiert werden konnte, wie es Frauen gab.

Plötzlich drang Lärm von draußen herein: Offenbar war auf der Straße ein Tumult ausgebrochen. Von fern hörten Rosalba und Cleotilde heisere Frauenstimmen, die wieder und wieder dieselben Worte riefen.

»Was rufen sie da?«, fragte Rosalba.

»Ich weiß nicht genau«, antwortete die Lehrerin, die eine Hand am Ohr, »aber sie sind sehr aufgebracht.«

Rosalba stieß einen Seufzer aus. »Hier hat man auch nie Ruhe.«

»Sollten wir nicht nachsehen, was da draußen vor sich geht?«

»Ach was – sollen sie sich doch gegenseitig massakrieren. Wir können dieses Haus erst verlassen, wenn wir einen brauchbaren Entwurf für den Kalender entwickelt haben.« Rosalba reichte der Lehrerin ein Blatt Papier und begann, einen Bleistift mit einem Messer anzuspitzen. »Können Sie zeichnen, Señorita Cleotilde?«

Ehe die Schulleiterin noch »selbstverständlich« antworten konnte, klopfte es heftig an der Tür, und Vaca kam hereingestürmt.

»Bürgermeisterin, du musst sofort hinausgehen«, stieß sie atemlos hervor. Sie erklärte den beiden, eine Gruppe Dorfbewohnerinnen habe Rosalbas Abwesenheit genutzt und sei zu Cecilia gegangen, um die Neuwahl einer Bürgermeisterin zu fordern. Cecilia habe versucht, sie zu beschwichtigen, doch die Frauen hätten sich beschwert, Rosalba habe keinen verdammten Finger für sie gerührt. Was sie anbauten, reiche nicht einmal ansatzweise, um sie zu ernähren, und an den Geschmack von Milch könnten sich die meisten Dorfbewohnerinnen längst nicht mehr erinnern. Darüber hinaus bezichtigten die jüngeren Frauen die Bürgermeisterin, Padre Rafael erlaubt zu haben, sie systematisch zu missbrauchen, während die älteren ihr vorwarfen, sie habe den Priester mit dem Mord an ihren unschuldigen Söhnen davonkommen lassen. Die Frauen hatten Cecilia so unter Druck gesetzt, dass diese eiligst eine Wahl angesetzt hatte, in deren Verlauf Polizeisergeantin Ubaldina zur neuen Bürgermeisterin von Mariquita gewählt worden war. »Cecilia hat es gerade eben verkündet«, sagte

Vaca. »Sie sind immer noch auf der Plaza, tragen Ubaldina auf den Schultern herum und jubeln ihr zu.«

Und somit war Rosalba ohne jede Vorwarnung gezwungen, sich mit ihrer größten Angst auseinanderzusetzen. Zum Glück aber hatte sie sich mittlerweile wieder gefangen. Zum ersten Mal seit Tagen hatte Rosalba das Gefühl, die Dinge unter Kontrolle zu haben. Sie hatte nicht nur ihr Selbstbewusstsein zurückerlangt, sondern war erneut im Begriff, etwas Außergewöhnliches für Mariquita zu erreichen. Diesmal würde sie nicht zulassen, dass jemand diesen Erfolg ruinierte. Sie würde hinausgehen und ihren Mitbürgerinnen die Stirn bieten. Diese Frauen, dessen war sie sich ganz sicher, würden sie per Zuruf sofort wieder wählen.

―――

Draußen herrschte drückende Hitze. Der zuvor gefallene Regen hatte die Luft schwül und stickig gemacht. Die meisten Fenster standen weit offen, weniger, um eine leichte Brise hereinwehen zu lassen, als vielmehr, um die Hitze aus dem Haus zu vertreiben. Als Rosalba, Vaca und Cleotilde die Straße entlangmarschierten, sahen sie lediglich zwei schlafende Hunde, die sich im Schatten eines Baumes zusammengerollt hatten, und eine Straße emsiger Ameisen. Ansonsten war weit und breit kein Lebewesen zu entdecken.

Als die drei Frauen die Plaza erreichten, hörten sie laute Gesänge und Jubelrufe auf Ubaldina. Die Dorfbewohnerinnen hatten ihre Arbeit im Stich gelassen und sich versammelt, um mit einer ausgelassenen Feier die Wahl der neuen Bürgermeisterin zu begehen. Rosalba versuchte, mit einigen von ihnen zu reden, wurde jedoch kaum zur Kenntnis genommen; ihre Bedeutung schwand von Sekunde zu Sekunde. Rosalba verwarf die Idee, alles in Ruhe zu bereden, und ging stattdessen zu Plan B über. Sie zog ihre Pistole aus dem Holster, hob sie hoch über den Kopf und feuerte eine der beiden Kugeln ab, die ihr noch geblieben waren. Beim Klang der ohrenbetäubenden Explosion hielten die Frauen augenblicklich inne und eilten sofort zur Kirche, dem einzigen Ort, an dem sie sich sicher fühlten – insbesondere, da es keinen Priester gab, der sich dort aufhielt. Nur Cecilia Guaraya blieb reglos mitten auf der Plaza stehen, ein Blatt Papier mit den Wahlergebnissen in der Hand.

»Was habe ich nur getan, dass du mich so hintergehst?«, fragte Rosalba. Die heiße Pistole zitterte in ihrer Hand.

»Bitte, Rosalba, sei nicht böse auf mich«, flehte Cecilia, den Blick auf die Waffe gerichtet. »Die anderen waren wild entschlossen, gegen dich zu rebellieren. Ich habe die Neuwahlen nur unter der Bedingung ausgerufen, dass auch dein Name auf der Liste steht.« Sie hielt Rosalba das Blatt Papier hin. »Du bist Zweite geworden.«

Rosalba riss Cecilia das Blatt aus der Hand und warf einen Blick darauf. »Oh, prima!«, sagte sie geringschätzig. »Ich bin Zweite geworden, mit zwei völlig nutzlosen Stimmen.« Sie zerknüllte das Blatt Papier und schleuderte es Cecilia vor die Füße. Dann steckte sie ihre Waffe wieder ins Holster und schlug, begleitet von Vaca und Cleotilde, den Weg zur Kirche ein.

Sie betraten das Gotteshaus; würdevoll schritt Rosalba den Mittelgang entlang. Ihre autoritäre Aura rief Furcht, aber keine Zuneigung hervor. Kein Geräusch, keine Regung war zu bemerken, bis auf das Zwinkern der vielen Augenpaare, die Rosalba bis zur Kanzel folgten, wo sie hinter den leeren, halb verrotteten Tisch trat, von dem aus der Padre früher die Messe gehalten hatte. Cleotilde trat neben sie.

»Ich bin hierher gekommen, um die volle Verantwortung für meine Fehler und Versehen zu übernehmen«, begann Rosalba. »Seit ich zur Bürgermeisterin ernannt wurde, habe ich darum gekämpft, unsere Probleme hier im Dorf in den Griff zu bekommen, alle möglichen Hindernisse zu überwinden und uns ein neues Leben zu ermöglichen. Doch ich bin meinen Überzeugungen untreu geworden und habe einige Dinge falsch gemacht. Es gab Dinge, die ich hätte tun sollen, aber nicht getan habe. Nun aber weiß ich endlich, dass meine Arbeit hier in Mariquita, auch wenn sie sie unentgeltlich leiste, darin besteht, unsere Gemeinschaft zu organisieren und zu gewährleisten, dass sich die Morales' nicht die Bäuche vollschlagen, während die arme Witwe Pérez vielleicht nichts zu essen findet. Es ist meine Aufgabe, dafür zu sorgen, dass Perestroika gesund bleibt und weiterhin so viel Milch abwirft, dass jede von uns mindestens ein Glas pro Woche bekommt. Es ist meine Aufgabe, dafür zu sorgen, dass jede Familie ein Haus hat, dass jedes Haus ein Dach besitzt und dass jedes Dach den Regen abhält. In den vergangenen Tagen ist mir so manches klar geworden, und ich bin fest davon überzeugt, dass mich meine Erkenntnisse zu einer besseren Bürgermeisterin machen. Alles, worum ich bitte, ist die Chance, die Fehler wiedergutzumachen, die sich wiedergutmachen lassen, und mich für jene entschuldigen zu dürfen, für die es keine Wiedergutmachung gibt. Wenn ihr mir zustimmt, dass ich eine zweite Chance verdiene, tretet bitte vor.« Sie blickte mit ernster Miene in die Menge.

Lange Zeit herrschte Stille, während die Dorfbewohner über die Worte der Bürgermeisterin nachdachten. Manche der Frauen waren skeptisch. Rosalbas Tonfall beschwor schlechte Erinnerungen an schleimige Politiker, gebrochene Versprechen und versagte Gefälligkeiten herauf. Doch einige glaubten Rosalba, dass sie es ehrlich meinte und nur die besten Absichten hatte, nicht zuletzt, da sie die Unterstützung der Lehrerin – deren Glaubwürdigkeit unversehrt war – zu haben schien.

»Ja, du verdienst eine zweite Chance«, erklärte Vaca, die in der ersten Reihe stand, und trat zu Rosalba.

»Ich bin ebenfalls auf deiner Seite.« Die Stimme drang aus dem hintersten Teil der Kirche. »Für mich bist du die Bürgermeisterin und wirst es auch immer bleiben.« Es war Cecilia, die Rosalba zur Kirche gefolgt war und nun den Mittelgang herunterkam. Auch sie blieb vor dem Tisch stehen. Rosalba betrachtete sie mit Wohlwollen.

Kurz darauf meldete sich Doña Victoria viuda de Morales zu Wort. »Auch wir glauben, dass du eine zweite Chance verdient hast«, rief sie und schob ihre beiden ältesten Töchter – Orquidea und Gardenia – nach vorn. »Du hast unsere uneingeschränkte Unterstützung.« Sie begann, mit ihren beiden Jüngsten – Magnolia und Julia – zu rangeln, die für ihren Starrsinn bekannt waren. Doña Victoria flüsterte ihnen allerhand Drohungen ins Ohr, dennoch sträubten sie sich mit aller Macht, bis die Witwe endlich von ihnen abließ.

Schwester Ramírez und Eloísa de Cifuentes traten als Nächste vor, gefolgt von Lucrecia und Virgelina Saavedra. Eine Frau nach der anderen schloss sich der Gruppe an; beschämt senkten sie die Köpfe, als sie Rosalba ihre Unterstützung zusicherten.

Magnolia und Julia Morales, Ubaldina und die Mütter der vier toten Jungen hatten sich auf der rechten Seite der Kirche zusammengetan. Reglos und trotzig standen sie da, mit hoch erhobenen Köpfen. Rosalba begriff, dass sie ihre Strategie ändern musste, wenn sie gegen die Abtrünnigen gewinnen wollte.

»Wie unendlich traurig das doch alles ist«, sagte sie mit leiser Stimme; fast war es, als führe sie ein Selbstgespräch. »Könnten die Geister unserer geliebten Jungen Vietnam, Trotsky, Che und Hochiminh uns jetzt sehen, wären sie sehr enttäuscht. Sie hätten sich gewünscht, dass wir in Frieden und Harmonie zusammenleben.« Sie unterbrach sich kurz und ließ die Hand zur Kehle wandern, als fiele ihr das Schlucken schwer. Dann fuhr sie fort. »Und auch wenn sie noch sehr jung waren, haben sie mich durch ihre edelmütigen Taten gelehrt, dass der Schlüssel zu wahrem Erfolg in Respekt und Kooperationsbereitschaft liegt. Es ist eine Schande, dass sie ihr unschuldiges Leben umsonst gegeben haben. Mögen sie euch vergeben.«

Die Mütter der Jungen, vereint durch ihre Tragödie, fassten sich bei den Händen und weinten. Schließlich traten sie zu den Anhängerinnen Rosalbas und ließen Ubaldina zurück, so dass der Polizistin keine andere Wahl blieb, als ihre bürgermeisterlichen

Ambitionen zu vergessen und sich dem Rest der Dorfbewohnerinnen anzuschließen. Zutiefst enttäuscht von Ubaldina, verließen Magnolia und Julia die Kirche.

Rosalba war hochzufrieden mit sich. Diesmal jedoch ließ sie nicht zu, dass ihr Stolz sie daran hinderte, die Wahrheit zu erkennen: Die Revolte war kein singuläres Ereignis gewesen, sondern stellte vielmehr eine ernstzunehmende Warnung dar, dass die Dorfbewohnerinnen bereit waren, für die elementarsten Menschenrechte, Nahrung und Unterkunft, zu kämpfen. Sie trat zu den Frauen und dankte ihnen dafür, dass sie sie als Oberhaupt der Gemeinde bestätigt hatten. Danach nutzten Cleotilde und sie die spontane Zusammenkunft und erklärten den Dorfbewohnerinnen, woran sie gearbeitet hatten. Sie versprachen, dass der weibliche Kalender am nächsten Morgen fertig sein und nun ein neues, goldenes Zeitalter für Mariquita anbrechen würde.

Zurück in Rosalbas Haus, aßen sie zunächst zu Abend; es gab gedämpfte Linsen und weißen Reis. Anschließend machten sich Rosalba und Cleotilde an die Skizze von Mariquitas weiblichem Kalender.

Zuallererst zeichnete Rosalba eine Leiter mit dreizehn Sprossen und versah jede davon mit einem Frauennamen, den sie in ihrer ordentlichen Schönschrift niederschrieb. Die oberste Sprosse nannte sie natürlich Rosalba – diesmal machte sie sich nicht die Mühe, die Lehrerin nach ihrer Meinung zu fragen. Die nächste bekam den Namen Cleotilde, dann folgten Ubaldina, Cecilia, Eloísa, Victoria, Francisca, Elvia, Erlinda, Rubiela, Leonor, Mariacé und Flor.

Auf jede Sprosse zeichnete sie vier vertikale Reihen mit je sechs eingekreisten Zahlen, von der 24 rückwärts bis zur 1. Sie standen für die Tage der jeweiligen Sprosse. Eine fünfte Reihe mit leeren Kreisen symbolisierte die Länge eines durchschnittlichen Menstruationszyklus'. Diese letzte Reihe, so kamen sie überein, sollte als »Übergang« bezeichnet werden; sie stellte die wichtigste Phase jeder Sprosse dar.

Fahler Mondschein fiel durch die schmierige Fensterscheibe ins Zimmer und erinnerte die beiden Frauen daran, dass der Abend angebrochen war.

»Darf ich Ihnen ein Geheimnis anvertrauen, Bürgermeisterin?«, fragte Cleotilde unvermittelt und nahm ihre Brille ab. Rosalba löste den Blick von der Skizze und nickte. »Jedes Mal habe ich mich schmutzig gefühlt, wenn meine Periode kam«, sagte Cleotilde. »Manchmal habe ich mich so sehr geschämt, dass ich mir wünschte, ein Mann zu sein.«

Auch Rosalba gab eines ihrer Geheimnisse preis. »Mein Ehemann hat in einem anderen Zimmer geschlafen, wenn ich meine Periode hatte, als litte ich an einer ansteckenden Krankheit. Für mich war die Menstruation ein Fluch.«

»Tja, davon kann jetzt jedenfalls keine Rede mehr sein«, erklärte Cleotilde vergnügt. »Von nun an ist die Menstruation eine Zeit, mit der wir die Weiblichkeit feiern.«

Die beiden Frauen erhoben sich und standen einander gegenüber, aufrecht, die Hände an den Seiten. Auf dem großen Tisch zwischen ihnen lagen ihre Notizen mit den fundamentalen Prinzipien, auf denen die weibliche Zeit von nun an basieren würde, sowie die fertige Illustration des ersten weiblichen Kalenders aller Zeiten, der mit Tagesanbruch in Kraft treten würde. Reglos standen Rosalba und Cleotilde da, wie Statuen zweier Nationalheldinnen. Die Aura der Selbstsicherheit, die sie umgab, schien zu bestätigen, dass sie zwei Frauen waren, die bewundernswerte Taten vollbracht hatten, weibliche Versionen von Simón Bolívar, dem heldenhaften Befreier und ersten Präsidenten Kolumbiens.

»Gibt es noch etwas, worüber wir reden müssen?«, fragte Cleotilde aus reiner Höflichkeit.

Die Bürgermeisterin schüttelte den Kopf. Sie schürzte die Lippen und nickte in Richtung der auf dem Tisch liegenden Papiere.

»Ich denke, es ist an der Zeit, unser Vorhaben in die Tat umzusetzen.« Sie bot Cleotilde an, sie ein Stück ihres Heimweges zu begleiten. Die beiden Frauen eilten die leere Straße entlang, bis sie zur leeren Kirche gelangten, deren Makel im Mondlicht nicht zu erkennen waren. Dort standen sie sich reglos gegenüber, mit kerzengeradem Rücken, gerunzelter Stirn und ehernem Blick – nur dass sie in dieser besonderen Stunde lediglich ein paar Zentimeter und die unsichtbare Luft voneinander trennten.

»Vielen Dank, Señorita Cleotilde«, sagte Rosalba in feierlichem Tonfall, auch wenn ihre ernste Miene keinerlei Anerkennung verriet. »Ohne Sie hätte ich es niemals geschafft.«

»Es freut mich, dass ich Ihnen und Mariquita eine Hilfe sein konnte«, erwiderte Cleotilde. Auch ihr war feierlich zumute, doch auch sie ließ sich nichts anmerken.

Die beiden Frauen verabschiedeten sich voneinander und gingen langsam in entgegengesetzte Richtungen davon. Ihre Körper, wenn auch grundverschieden geformt, warfen zwei identische Silhouetten, die einander näher und näher kamen, während Rosalba und Cleotilde sich voneinander entfernten. Sie erklommen die weiße Fassade des heruntergekommenen Gotteshauses, gelangten zum Turm, auf dem die vergessene Uhr stillstand, und als die beiden Frauen schließlich in der Dämmerung verschwanden, verschmolzen sie zu einem einzigen gewaltigen Schatten, der sich über den Himmel von Mariquita spannte und buchstäblich alles und jeden darunter beschirmte.

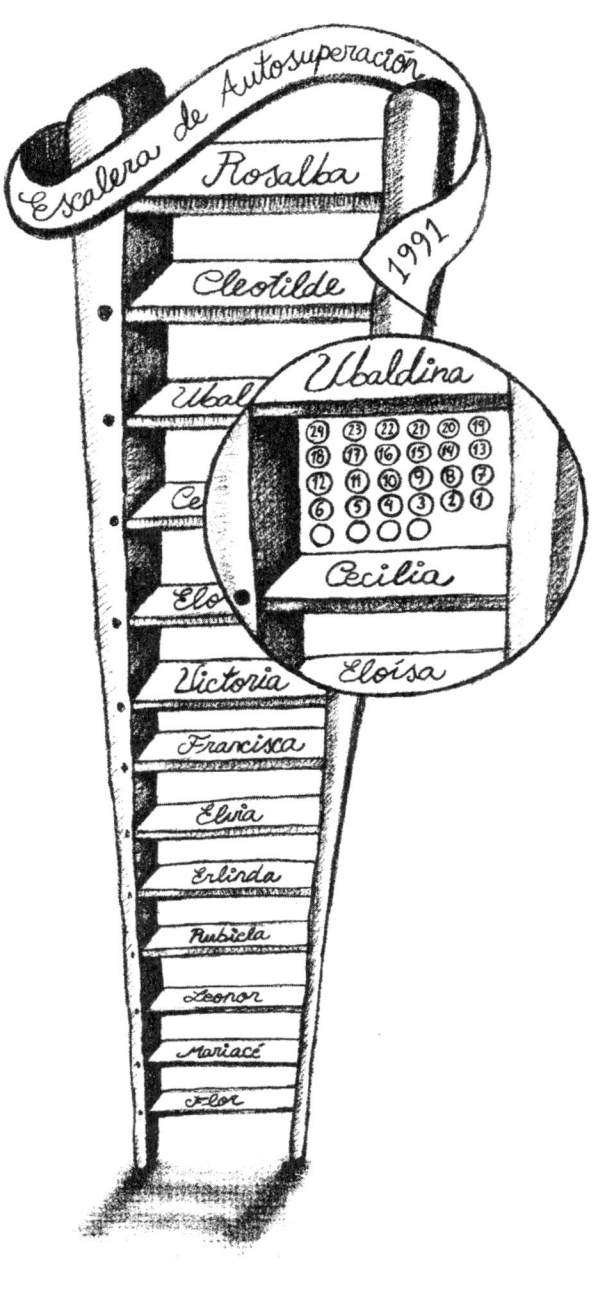

Plinio Tibaquíra, 59
Bauer

Mein Sohn ist mit fünfzehn in die Stadt gezogen. Er sagte, er wolle eine Arbeit, bei der er nicht die ganze Zeit mit einer Machete im Gürtel herumlaufen müsse. Und in der Stadt hat er dann seine Freunde kennengelernt, die Rebellen. Als ich das nächste Mal von ihm hörte, saß er im Gefängnis. Ich marschierte einen Tag zu Fuß und fuhr den Rest der Strecke mit dem Bus, doch als ich im Gefängnis ankam, wurde mir gesagt, Guerilleros dürften keinen Besuch empfangen. Diebe schon! Mörder auch! Aber nicht die Rebellen! Ich bat darum, mit dem diensthabenden Sergeant sprechen zu dürfen. Sie ließen mich draußen warten. Sie glaubten, die Hitze würde mir so zusetzen, dass ich irgendwann wieder nach Hause fuhr. Ich wette, keiner von ihnen war Vater eines Kindes.

Der Sergeant sagte dasselbe: Rebellen dürften keine Besucher empfangen. Ich sagte zu ihm: »Ich bitte Sie, Señor. Mein Sohn braucht mich jetzt mehr als je zuvor. Ich bin sein Vater. Auch Rebellen haben Väter, verstehen Sie?« Bei diesen letzten Worten begann ich zu weinen. Er gab keine Antwort, befahl aber einem seiner Männer, mich zu meinem Sohn zu bringen. »Nur fünf Minuten«, sagte er. Ich folgte dem jungen Soldaten durch eine Reihe von Türen und langen Korridoren. Links und rechts lagen stinkende Zellen, und hinter den rostigen Gittern sah ich Gesichter, leere Gesichter, aber nirgends das Gesicht meines Sohns.

Schließlich deutete der junge Soldat auf eine dunkle Zelle. »Da«, sagte er. Ich drückte mein Gesicht an die Gitterstäbe, konnte aber nichts erkennen, da die Zelle im Dunkel lag. Also flüsterte ich seinen Namen, Felipe. Dreimal flüsterte ich seinen Namen, bevor ich ein leises Wimmern hörte. »Ich bin's, Junge. Dein Vater. Ich bin doch bei dir.« Wieder gab er dieses schreckliche Wimmern von sich, nur lauter. Er sagte, er sei überglücklich, dass ich gekommen sei, aber er habe solche Schmerzen, dass er nicht sprechen könne. Ich flehte den Soldaten an, mich zu ihm zu lassen. Er verneinte. Ich bat ihn, mit einer Taschenlampe in die Zelle zu leuchten. Er hatte keine. Außerdem meinte er, das sei auch besser so – mein Sohn sei gerade nicht »vorzeigbar«. Ich stellte mir vor, wie mein Junge zusammengeschlagen und angekettet auf dem nackten Boden lag und gezwungen war, seine Notdurft an der Stelle zu verrichten, an der er auch aß und schlief.

Am nächsten Morgen ging ich wieder hin. Doch niemand wusste irgendetwas von meinem Sohn. Sein Name war in keiner ihrer Akten zu finden. Ob ich sicher sei, dass er wirklich so hieße? Es tat ihnen sehr Leid, aber nein, Felipe Andrés Tibaquíra Gutiérrez war nie dort gewesen. Und nein, mich hatten sie ebenfalls nie zuvor gesehen.

Anscheinend hatte ich bloß geträumt.

Kapitel 11

DIE KUH, DIE EIN DORF RETTETE

Mariquita, Rosalba 5, Leiter 2000

An jenem Morgen zeigte sich die Bürgermeisterin von ihrer liebenswürdigsten Seite. Sie verteilte selbstgemachte Fächer aus Palmwedeln und gab höchstpersönlich Becher mit kühlem Wasser aus, da es unerträglich heiß war. Den neugierigen Frauen, die an den großen Tisch traten, den sie vor dem Rathaus aufgestellt hatte, schüttelte sie die Hand und versprach ihnen hoch und heilig, dass sie es ganz bestimmt nicht bereuen würden, wenn sie das zweiseitige Dokument unterzeichneten, das sie ihnen so hartnäckig unter die Nase hielt.

»Das ist der neue Bürgervertrag von Mariquita«, sagte sie in so honigsüßem Ton, als würde sie den Frauen ihre beste Freundin vorstellen. »Durch eure Unterschrift verpflichtet ihr euch, euer gesamtes Eigentum der Gemeinde von Mariquita zu übertragen.«

Die nebulöse Erklärung rief ratlose Mienen hervor. Die meisten älteren Witwen konnten nicht lesen und gerade mit Müh und Not ihren Namen schreiben; daher misstrauten sie jedem, wenn es darum ging, irgendetwas zu unterzeichnen – insbesondere der Bürgermeisterin mit ihrer geschraubten Wortwahl und ihren hirnverbrannten Verfügungen, die andauernd irgendjemanden, wenn nicht gar alle in Schwierigkeiten brachten. Sie beäugten Rosalba skeptisch und tuschelten miteinander; mal nickten sie dabei, mal schüttelten sie die Köpfe. Schließlich trat die Witwe Solórzano, die Besitzerin der Kuh Perestroika, vor und sagte: »Wir würden gern wissen, was ›übertragen‹ heißt, Bürgermeisterin.«

»Ach, das ist bloß ein Modewort.« Rosalba machte eine wegwerfende Handbewegung. »Es handelt sich um eine Art … eine Art Tausch, ist aber letztlich viel besser, weil ihr nur einmal etwas einsetzt, aber dafür lebenslange Vorteile genießt.« Sie setzte ihr mütterlichstes Lächeln auf.

»Hmmm«, murmelte die Witwe Calderón. Sie besaß drei Maultiere, die sie im Tausch gegen die Hälfte der beförderten Produkte für Erntetransporte verlieh. »Und was soll ich nun eintauschen?«

»Was immer dir in den Sinn kommt«, erwiderte Rosalba schulterzuckend. »Alles eben.« Sie gab sich alle Mühe, so beiläufig wie möglich zu klingen und ihre wahren Absichten zu kaschieren.

»Und was bekommen wir für unsere Sachen?«, fragte die Witwe Sánchez. Sie besaß eine Reihe von Hühnern und Legehennen, die ihr, ihren zwei Töchtern und ihrer alten Mutter das Einkommen sicherten.

»Sachen, die ihr noch nicht habt«, antwortete Rosalba. Bauernschlau, wie sie war, legte sie das Dokument beiseite und griff nach dem Wasserkrug. »Übertragungen sind eine gute Sache für alle«, sagte sie und schenkte den Frauen frisches Wasser ein. »Eine wirklich gute Sache.« Diese Worte wiederholte sie in einem fort, während sie zwischen Dutzenden von Fächern umherging, die ihre Worte in die schwüle Luft beförderten.

Noch ehe die Sonne ihren höchsten Punkt erreichte, hatten alle Dorfbewohner inklusive Rosalba den Bürgervertrag unterschrieben; die Frauen, die nicht schreiben konnten, bekräftigten ihr Einverständnis mit einem einfachen »Sí, accepto« gegenüber der Dorfschullehrerin, die als offizielle Zeugin fungierte und für sie unterschrieb.

Mit Ausnahme der Bürgermeisterin gingen danach alle Frauen nach Hause, um sich vor der sengenden Sonne in Sicherheit zu bringen. Rosalba zog es vor, sich im Schatten eines Baums auszustrecken und auf eine kühle Brise zu warten. Entgegen Señorita Guarnizos Voraussage war es kinderleicht gewesen, die ersten Weichen für ein Kollektivsystem in Mariquita zu stellen. Sie begann zu überlegen, wie sie ihr Ziel Schritt für Schritt verwirklichen würde. Zunächst sollten alle Nutztiere Mariquitas im Hof der Witwe Solórzano untergebracht werden, womit der Grundstein für Mariquitas erste kollektive Farm gelegt war. Dann würde sie das Ackerland in Parzellen von verschiedener Größe aufteilen, die von diversen Frauengruppen bestellt werden sollten. Anschließend würde sie eine erste Versammlung einberufen, um ihre Mitbürgerinnen darüber zu informieren, dass sie künftig ihre Arbeitskraft entsprechend ihrer Fähigkeiten in den Dienst der Gemeinschaft zu stellen hatten. Diejenigen ohne besondere Fähigkeiten, wie etwa die halb verrückte Witwe Jaramillo, konnten für die anderen putzen und waschen oder die Straßen fegen. Und war eine Frau zu alt oder behindert, wie die Witwe Pérez, konnte man sie ja bitten, den Dorfbewohnerinnen am Abend alte Märchen und Geschichten zu erzählen, um Mariquitas Tradition am Leben zu erhalten. Die Bürgermeisterin war so in ihre Gedanken versunken, dass sie weder die sengende Mittagshitze noch das nervtötende Summen der Moskitos wahrnahm, nicht einmal ihre schmerzhaften Stiche, die selbst nach all den Jahren immer noch schwärende Wunden auf ihrer zarten Haut hinterließen. Das Schlimmste ist überstanden, dachte sie. Der Sturm hat sich gelegt.

Doch als Rosalba, Cecilia und Cleotilde schließlich von Haus zu Haus gingen, um die Tiere einzufordern, stießen sie auf heftigen Widerstand bei den anderen Dorfbewohnerinnen.

»Rührt auch nur eins meiner Hühner an, und ihr lernt mich kennen«, schnauzte die Witwe Sánchez.

»Auf dem Schrieb war keine Rede von Perestroika«, keifte die Witwe Solórzano. Selbst Ubaldina, die Dorfpolizistin, weigerte sich strikt, ihre Schweine herauszugeben.

Türen wurden zugeknallt, Drohungen und Beleidigungen ausgestoßen.

Am nächsten Morgen berief Rosalba eine Versammlung auf der Plaza ein, um ein für alle Mal zu klären, was es bedeutete, sein »gesamtes Eigentum der Gemeinde von Mariquita zu übertragen« und selbiges per Unterschrift bestätigt zu haben. Die Zusammenkunft erwies sich jedoch schon bald als äußerst unerfreulich. Als Rosalba in einfachen, unverblümten Worten erklärte, was ihr Plan war, spaltete sich ihr Publikum in zwei Lager – in die große Mehrheit, die kaum mehr besaß als die verschlissenen Sachen, die sie am Leibe trug, und eine kleinere Gruppe von siebzehn Frauen, die der Meinung waren, dass sie unter Vorspiegelung falscher Tatsachen um ihr letztes bisschen Hab und Gut betrogen worden waren. Während die einen ein dreifaches Hurra auf die Bürgermeisterin skandierten, keiften die anderen, die Bürgermeisterin sei eine Lügnerin und Diebin.

Rosalba blieb ruhig, bis der Tumult sich wieder gelegt hatte. Dann hielt sie eine unerwartete Ansprache: »Ihr habt die Wahl: Ihr könnt hier in Mariquita bleiben und den Bürgervertrag akzeptieren, oder ihr könnt gehen. Wer gehen will, hat bis zum morgigen Sonnenaufgang Zeit, seine Sachen zu packen und Mariquita ein für alle Mal den Rücken zu kehren.« Sie hielt kurz inne, um zu schlucken, weil sie einen Kloß im Hals hatte, und fügte dann mit lauter Stimme hinzu: »Wer sich zum Bleiben entscheidet, wird zum Mitglied einer aufstrebenden Gemeinde, in der nie wieder jemand Hunger leiden muss. Ihr habt die Wahl!«

Kurz nach der Auseinandersetzung trafen sich die Meuterer in Ubaldinas Haus.

»Wenn wir das Dorf verlassen, dann so schnell wie möglich«,

sagte Ubaldina. »Rosalba ist heimtückisch und rachsüchtig. Sie wird das ganze Dorf gegen uns aufhetzen.«

»Das hat sie doch schon«, sagte die Witwe Sánchez im Ton einer erfolgreichen Geschäftsfrau, die mit einer einzigen Legehenne angefangen hatte, mittlerweile zwölf Hennen und siebzehn Hühner besaß und das Dorf jeden Morgen mit mindestens zwölf Eiern versorgen konnte. »Der Gedanke, mein Haus aufgeben zu müssen, gefällt mir nicht, aber noch viel weniger passt mir in den Kram, mit anderen teilen zu müssen, was ich mir selbst hart erarbeitet habe.«

Nach langen Diskussionen und Erörterungen kamen sie zu folgendem Schluss: »Wir verlassen das Dorf. Lasst uns nach Hause gehen und packen.«

Als die Bürgermeisterin über den Plan der Meuterer informiert wurde, traf sie sich wiederum mit der Lehrerin, um einen Gegenplan auszuhecken.

»Wir müssen sie davon abhalten, Señorita Guarnizo.« Rosalba war außer sich. »Wenn sie gehen, steht die Zukunft von Mariquita auf dem Spiel. Ohne Milch, Käse, Butter und Eier können wir nicht überleben. Und die Schweine und Ziegen nehmen sie auch mit.«

Cleotilde hörte aufmerksam zu, ohne die Bürgermeisterin zu unterbrechen. Als Rosalba schließlich innehielt, sagte sie: »Moralisch gesehen wäre es das Beste, wenn wir ...«

»Ihre Moral kann mir gestohlen bleiben«, platzte Rosalba heraus. »Ohne Geschummel geht es eben nicht!« Sie wandte Cleotilde den Rücken zu und richtete den Blick auf eine neutrale Wand, von der sie keine Moralpredigten zu erwarten hatte. »Wann immer ich versucht habe, rechtschaffen zu handeln, bin ich auf ganzer Linie gescheitert. Ich versuche, anständig und ehrlich zu sein, aber ich schaffe es nicht!«

»Hmm«, sagte Cleotilde. »Vielleicht können Sie die Frauen ja zum Bleiben bewegen, wenn Sie Ihre berüchtigten Überredungskünste einsetzen.«

Rosalba kam zu dem Schluss, dass die Situation schlicht zu heikel war, um auf ehrenwerte Art und Weise angegangen zu werden, und nachdem sie eine Reihe von ausgesprochen unfeinen Plänen erwogen hatte (etwa, die drei Rädelsführerinnen zu kidnappen oder die Frauen mit vorgehaltener Pistole zum Bleiben zu zwingen), nutzte sie ihre berüchtigten Überredungskünste, um Cleotilde davon zu überzeugen, sie bei einer Lüge zu unterstützen. »Bloß eine kleine Notlüge«, sagte sie. »Für die Zukunft Mariquitas.«

Kurz vor Sonnenuntergang zog eine Prozession über die Hauptstraße. Santiago Marín, die andere Witwe, seine Mutter und seine zwei Schwestern gingen voran, gefolgt von einer Gruppe junger Frauen, die große Ährenbündel und Säcke mit Baumwolle auf dem Rücken trugen. Weitere Säcke mit Yuccas, Kartoffeln, Kochbananen und Kaffeebohnen hatten sie auf die drei Maultiere der Witwe Calderón verteilt. Hinter den Maultieren folgte eine Gruppe dicklicher Matronen, die zusammengerollte Decken auf den breiten Schultern trugen und sich Töpfe, Pfannen und Kessel um die Hüften gebunden hatten. Die Witwe Sánchez balancierte mühevoll einen Pappkarton mit Kleidung auf dem Kopf, während sie am Leib eine ganze Geflügelfarm transportierte. Die Witwe Solórzano zog die mit ihren Siebensachen beladene Perestroika hinter sich her. Hinterdrein kamen weitere Witwen mit ihren persönlichen Sachen, Schweinen, Ziegen, Katzen, Hunden und sogar einem alten Papagei, der irgendwann eine gute Suppe abgeben würde. Zusammen marschierten sie die Straße hinunter und sagten Mariquita lautstark Lebwohl.

Am Ende der Hauptstraße bog der Zug auf einen langen, schmalen Weg ab, der eine kleine Anhöhe hinaufführte und an der sogenannten »Grenze« endete, einem fast undurchdringlichen Dickicht von Bäumen und Gestrüpp, das dort gewuchert war, wo sich früher die Straße nach Süden befunden hatte; nun verbarg das Buschwerk Mariquita vor dem Rest der Welt. Doch just in dem Moment, als Santiago Marín und seine Mutter im Dickicht verschwinden wollten, drangen die gebieterischen Stimmen von Rosalba und Cleotilde an ihre Ohren. »Halt!«, riefen sie mehrmals. »Halt!« Die beiden Frauen versuchten, so schnell wie möglich zu den Abtrünnigen aufzuschließen, doch waren die Sohlen ihrer Schuhe so abgelaufen, dass es ihnen vorkam, als würden sie auf Socken laufen, was das Fortkommen auf der ungeteerten Straße beträchtlich erschwerte.

»Was wollen die denn von uns?«, fragte Aracelly viuda de Marín.

»Lasst uns weitergehen«, warf eines der Ospina-Mädchen ein. »Es sieht nach Regen aus.«

»Nein, lasst uns warten«, sagte Santiago kichernd. »Vielleicht wollen sie ja mit uns kommen.«

Die anderen erklärten sich einverstanden und ließen ihre Bündel und Säcke zu Boden gleiten.

Als sie die Grenze erreichten, bauten sich Rosalba und Cleotilde Seite an Seite vor den Abtrünnigen auf. »Danke, dass ihr auf uns gewartet habt«, begann Rosalba so versöhnlich wie möglich. Sie drückte ein dickes Buch an ihre Brust. »Ich mache es kurz, da ein Gewitter heranzieht und ihr sicher einen Unterschlupf finden wollt, ehe es dunkel wird. Nun ja, jedenfalls haben Señorita Cleotilde und ich vorhin in einer alten Chronik geblättert. Und dabei sind wir auf einen Abschnitt gestoßen, in dem von einem wichtigen Ereignis aus der Geschichte unseres Dorfs berichtet wird – stimmt's nicht, Señorita Cleotilde?«

»Hmm-mm«, murmelte die Lehrerin und ließ den Blick sowohl über die Frauen als auch die Tiere schweifen, die sich quer über die Anhöhe verteilt hatten. »Es handelt sich um eine wunderbare Geschichte, die jede Mariquiteña kennen sollte. Wir würden sie euch gern vorlesen, bevor ihr uns verlasst.« Santiago und die Frauen wechselten stumme Blicke, die deutlich ausdrückten, dass sie nicht bereit waren, sich eine weitere öde Predigt der Bürgermeisterin anzuhören.

»Bitte.« Die Lehrerin sah Santiago eindringlich an. Sie wusste genau, dass er es nicht über sich bringen würde, einer alten Dame eine Bitte abzuschlagen, insbesondere wenn die Bitte in so beschwörendem Ton vorgetragen wurde.

Entnervt hockte Santiago sich auf sein Bündel Korn, womit er den anderen Frauen zu verstehen gab, es ihm gleichzutun. Sie ließen sich auf ihren zusammengerollten Decken, Töpfen und Kartons nieder, bis sie schließlich einen groben Halbkreis bildeten. Perestroika und die Maultiere grasten am Rand des Halbkreises.

Die Bürgermeisterin reichte der Lehrerin das Buch. »Ich glaube, es ist besser, wenn Sie anfangen«, flüsterte sie. »Ich bin ein bisschen nervös.« Rosalba hatte ihren Mitbürgern Dutzende und Aberdutzende von Malen dreist ins Gesicht gelogen, doch konnte sie sich nicht erinnern, dass jemals so viel von ihren Schwindeleien abgehangen hatte. Sie bezweifelte, dass das von ihr und Cleotilde ersonnene Märchen große Wirkung zeitigen würde und bereute jetzt schon, dass sie sich keine effektivere Geschichte ausgedacht hatten.

Cleotilde griff nach ihrer Brille, die sie an einer silbernen Kette um den Hals trug, setzte sie auf, räusperte sich, schlug das Buch – einen Atlas! – aufs Geratewohl auf und begann, die Geschichte zu erzählen:

»Vor langer, langer Zeit lebte ein schönes junges Mädchen namens … Caturca in einem kleinen Dorf namens … Taribó, das man heute als Mariquita kennt. Caturca war das einzige Kind eines weithin berühmten Indianerhäuptlings. Eines Morgens kam Caturca nach einem Spaziergang durchs Dorf zu ihrem Vater und fragte: ›Vater, warum bleibt bei uns am Tisch immer etwas übrig, während andere Menschen in unserem Dorf nichts zu essen haben?‹ Ihr Vater war ein guter Mann, aber kein besonders heller Kopf, weshalb ihm keine Antwort einfiel. Das junge Mädchen ging zu den Beratern ihres Vaters und stellte ihnen dieselbe Frage, doch auch diese Männer waren keine großen Leuchten.«

Cleotilde hatte schon oft vor kleineren und größeren Versammlungen gesprochen. Sie wusste genau, wann sie die Stimme heben oder senken musste, wann eine Pause oder eine Betonung angebracht war. Es war also nicht sehr erstaunlich, dass alle wie gebannt ihren Worten lauschten.

»Am nächsten Morgen verließ Caturca das Dorf mit ihren Dienern, um nach einer Antwort auf ihre Frage zu suchen. Ihre Reise führte sie in fremde Länder und Gefilde, wo sie so manches über verschiedene Kulturen, Bräuche und Regierungsformen erfuhr. Sie lernte Arme und Reiche kennen, zivilisierte Menschen und Barbaren, führte lange Unterhaltungen mit Intellektuellen und Menschen vom Land, die nicht ganz so beschlagen waren. Als Caturca schließlich nach Mariquita zurückkehrte, war sie kein junges, blauäugiges Mädchen mehr, sondern eine lebenserfahrene, kluge Frau. Und da ihr Vater inzwischen ein gebrechlicher alter Mann war, trat er zurück und ernannte sie zum neuen Oberhaupt des Dorfes.«

Hier hielt Cleotilde inne. »Die Bürgermeisterin wird nun fortfahren«, sagte sie. Rosalba ergriff den Atlas mit beiden Händen und blätterte um, als stünde die Fortsetzung der Geschichte auf der nächsten Seite. Sie blickte auf eine Karte von Nordeuropa, doch blieb ihr nichts anderes übrig, als die Geschichte weiterzuspinnen.

»Während Turcas Herrschaft...«

»Caturca«, wurde sie von der Lehrerin unterbrochen. »Sie hieß Caturca.«

Rosalba setzte ein falsches Lächeln auf und begann von vorn. »Während Caturcas Herrschaft wurde ihr Dorf zur wohlhabendsten Gemeinde weit und breit. Sie schaffte die Sklaverei und die Leibeigenschaft ab, und obwohl sie weiterhin Oberhaupt des Dorfes blieb, erklärte sie alle zu gleichberechtigten Bürgern. Sie verteilte das Ackerland neu und sorgte dafür, dass jede Familie ein eigenes Haus hatte. Sie sorgte dafür, dass die Frauen den Männern beibrachten, wie man putzt und kocht, und andererseits dafür, dass die Männer die Frauen zum Fischen und Jagen mitnahmen – was schließlich dazu führte, dass beide Geschlechter die gleichen Arbeiten verrichteten und rücksichtsvoller miteinander umgingen.«

Die Frauen wurden langsam unruhig. Die Witwe Sánchez hatte eine neue Linie in ihrer linken Handfläche entdeckt und fragte sich, was das für ihre Zukunft bedeutete. Unterdessen verfolgte Ubaldina mit wachsendem Interesse, wie ein Hund eins ihrer Schweine zu besteigen versuchte.

»Doch erst dann wurde Caturca klar, welcher letzte Schritt ihr Herrschaftssystem wirklich vollenden würde. Sie trat von ihrem Amt zurück und wurde zu einer einfachen Indianerin, und als solche verbrachte sie den Rest ihres Lebens, bis sie eines Tages in hohem Alter verstarb.«

Mit dramatischer Geste schloss Rosalba das Buch. Dann lächelte sie und fragte: »Wäre es nicht wunderbar, wenn wir zu Capurcas System zurückkehren würden?« Sie ließ ihren Blick über die Menge schweifen. »Was denkt ihr?«

»Ich denke, dass du den Namen der Indianerin *schon wieder* falsch ausgesprochen hast«, warf Santiago Marín gnadenlos ein. »Sie heißt Caturca. Ca-tur-ca.« Die beiden Ospina-Schwestern begannen zu kichern.

»Fällt dir nichts Besseres ein?«, gab Rosalba kampflustig zurück.

»Doch. Es fängt gleich an zu regnen, und ich finde, wir sollten uns langsam auf den Weg machen.«

Santiago erhob sich, und auch die Frauen standen auf, klaubten ihre Sachen zusammen und gingen zu ihren Tieren – mit der klaren Absicht, ihre Reise fortzusetzen. Die allgemeine Gleichgültigkeit traf die Bürgermeisterin wie ein Schlag ins Gesicht. Am liebsten hätte sie dem versammelten Mob alle möglichen Beleidigungen entgegengebrüllt, all diesen Frauen unter die Nase gerieben, was für hartherzige, selbstsüchtige Kühe sie waren, x-mal dümmer als Caturcas Vater und seine Berater; dass Señorita Cleotilde und sie sich die hirnrissige Geschichte über Turca, Purca, Catapurca oder wie auch immer die verdammte Indianerin heißen mochte, erst vor wenigen Stunden aus den Fingern gesogen hatten, und dass sie von ihr aus allesamt mit ihren halbtoten Hühnern und stinkenden Ziegen zur Hölle fahren konnten ... Doch hatte sie Cleotilde versprochen, sich nicht aus der Fassung bringen zu lassen und den Abtrünnigen mit Contenance und Gelassenheit entgegenzutreten.

Und so verharrte die arme Rosalba schweigend vor der Menge. Ihre matten Züge verdankten sich sowohl der Anspannung als auch der mörderischen Hitze, doch ihre Haltung wirkte so gelöst, als warte sie darauf, jede Sekunde von einer sanften Brise davongetragen zu werden. Als die Menge weiterziehen wollte, begann Rosalba plötzlich, mit leiser, aber umso eindringlicherer Stimme zu sprechen: »Glaubt ihr wirklich, dass euch hinter den Bergen ein Paradies erwartet, in dem es weder Krieg noch Armut gibt?« Nachdrücklich schüttelte sie den Kopf. »Einen solchen Ort müsst ihr euch schon selbst erschaffen, und bildet euch bloß nicht ein, so etwas ließe sich von einem Häuflein Menschen verwirklichen. Nein, dazu braucht es eine richtige Gemeinschaft, eine Gemeinschaft, wie Señorita Cleotilde und ich sie für unser Dorf erdacht hatten. Dabei hatten wir darauf gezählt, dass ihr bereit sein würdet, ein klein wenig dafür zu opfern, für diesen euren Ort, in dem ihr geboren wurdet und eure Kinder aufgewachsen sind. Aber ihr glaubt ja, dass das Paradies irgendwo da draußen auf euch wartet.

Wenn ihr immer noch gehen wollt, wünsche ich euch alles Gute. Dennoch solltet ihr euch darüber im Klaren sein, dass ihr euer Elend nur gegen ein anderes austauscht, und am Ende werdet ihr feststellen, dass eure einzige Freiheit in der Wahl eures Elends bestand.« Rosalba reichte Cleotilde den Atlas und berührte sie sanft an der Schulter, um ihr zu zeigen, wie dankbar sie für ihre Unterstützung war. Dann kehrte sie der Menge den Rücken zu und stieg die Anhöhe herab, um den Rückweg nach Mariquita anzutreten.

Cleotilde staunte über die Rede der Bürgermeisterin. Rosalba war berüchtigt für ihre Inkompetenz, ihre grotesken Verfügungen, die alles stets nur komplizierter machten, und ihre endlosen Vorträge, in denen es stets nur um Belanglosigkeiten ging. Die Rede aber, die Cleotilde soeben gehört hatte, war von einer anderen Rosalba gehalten worden – einer älteren, erfahreneren und intellektuell reiferen Rosalba, die sich zusehends bewusst wurde, dass all die Sprossen und Leitern nicht spurlos an ihr vorbeigingen, gleichzeitig aber nicht Trost bei irgendwelchen unsichtbaren Göttern suchte, sondern der Wirklichkeit ins Auge sah, gute Arbeit leistete, die ihren Posten rechtfertigte und ihr neue Lebenskraft gab.

Plötzlich begann es, wie aus Kannen zu regnen; gleichzeitig zuckten Blitze über den Himmel. Die Frauen griffen nach ihren Habseligkeiten und liefen zum nächstgelegenen Haus – der verlassenen Casa de Emilia –, um dort Unterschlupf zu suchen.

Und dann geschah etwas Außergewöhnliches.

Abrupt riss Perestroika sich von der Witwe Solórzano los und folgte der Bürgermeisterin den Hang hinunter; hinter sich her zog sie den dicken Strick, der von ihrem Hals hing, und gab ein lautes Muhen von sich. Und als handele es sich dabei um ein geheimes Zeichen zum Aufstand, liefen und flogen auch die anderen Tiere – Maultiere, Schweine, Ziegen, Katzen, Hunde, der Papagei und andere Vögel – hinter Perestroika und Rosalba her. Die Frauen verließen sofort das alte Bordell, rannten ihren Tieren hinterher und riefen, sie sollten stehenbleiben. Doch nur die Hunde hielten inne, wenngleich keineswegs aus Gehorsam. Sie bleckten die Zähne, bereit, ihre Besitzerinnen sofort in die Beine zu beißen, falls sie es wagen sollten, noch näher zu kommen. Die übrigen, festgebundenen Kreaturen veranstalteten einen nie dagewesenen Aufruhr. Sie grunzten, knurrten, bellten, heulten und gaben alle möglichen anderen Laute von sich, um ihren Zusammenhalt mit den anderen Tieren zu bekunden. Sie tobten und zeterten derart, dass die Frauen die aufbegehrenden Tiere losbanden, aus Angst, es könne noch Schlimmeres passieren – worauf sich die Tiere auf der Stelle dem lärmenden Zug anschlossen, der von der Bürgermeisterin angeführt wurde.

Rosalba war sogar ein wenig gerührt von der Treue, die ihr von den Tieren erwiesen wurde. Unvermittelt erinnerte sie sich an eine berühmte Geschichte aus der Bibel, die sie viele, viele Male gehört hatte, und obwohl sie nicht mehr an Gott glaubte, fühlte sie sich einen Moment lang wie Noah, der die Tiere vor der Sintflut in Sicherheit brachte. Sie marschierte weiter, und mit jedem Schritt wurde sie zuversichtlicher, während ein triumphierendes Lächeln um ihren Mund spielte, das ein ums andere Mal vom Blitz erhellt wurde.

Unterdessen hatten sich die Frauen wieder unter der Dachtraufe des ehemaligen Bordells versammelt. Zusammen mit Cleotilde drückten sie sich an die rissigen Wände und sahen zu, wie der erbarmungslose Regen Blätter, Zweige, Äste, Erde und Steine den Hügel hinunterspülte.

»So etwas habe ich wirklich noch nie erlebt«, sagte die Witwe Calderón. »Die Hunde haben sich benommen, als wären sie von bösen Geistern besessen.«

»Ohne die Tiere können wir nicht gehen«, stellte die Witwe Solórzano fest. Sie hielt kurz inne und wischte sich ein paar Regentropfen von der Stirn. »Sie waren der Grund unseres Beschlusses, Mariquita zu verlassen. Ich weiß nicht, was ihr denkt, aber wenn Perestroika hierbleiben will, dann bleibe ich auch. Lieber teile ich ihre Milch mit anderen, als sie zu verlieren.«

Alle schwiegen. Erst nach einer kleinen Ewigkeit, in der nichts außer dem Prasseln des Regens zu hören war, ließ sich die Witwe Sánchez vernehmen. »Ja, sie hat recht. Wenn meine Hennen nicht mit mir gehen wollen, dann gehe ich eben mit ihnen. Mir reichen vier Eier am Tag – eins für mich, je eins für meine Töchter und eins für meine Mutter. Den Rest könnt ihr unter euch aufteilen.«

»Meine Schwester und ich könnten Arepas und Tamales für alle machen«, warf Irma Villegas ein und sah ihre Schwester an.

»Ja, natürlich«, sagte Violeta Villegas. »Solange genug Mais und Fleisch da sind.«

»Ihr könnt Mais von uns haben«, erbot sich die Witwe Ospina. »So viel ihr wollt.«

»Dasselbe gilt für meine Schweine«, sagte Ubaldina zögernd. »Lieber teile ich ihr Fleisch mit meinen eigenen Leuten, als es an Fremde zu verkaufen.«

»Und wenn ihr Tomaten, Zwiebeln, Yuccas oder Kartoffeln braucht, kommt einfach bei mir vorbei«, sagte die andere Witwe.

Die Aussicht, künftig mit den anderen teilen zu können, erwies sich als überaus ansteckend. Alle verkündeten, was sie zum Gemeinwohl beisteuern wollten: landwirtschaftliche Erzeugnisse und Naturprodukte, hausgemachtes Essen und Strickdecken. Allerdings wurde ihnen bald klar, dass nicht genug von allem vorhanden war, weshalb sie übereinkamen, mehr Früchte, Gemüse und Getreidearten anzubauen. »Dann brauchen wir aber noch Helferinnen bei der Feldarbeit«, sagte die Witwe Ospina, und schon meldeten sich zwei stämmige junge Mädchen. Außerdem waren sich die Frauen einig, dass die Vieh- und Milchwirtschaft angekurbelt werden musste. Vielleicht war es am besten, wenn sie eine Farm aufbauten; dort konnten sie die Tiere halten, Hühner, Puten und Schweine züchten, Perestroika melken und Butter und Käse herstellen. »Das könnte ich organisieren«, sagte die Witwe Solórzano. »Aber dazu bräuchte ich ...«

Hört, hört, dachte Cleotilde. Jetzt sprechen sie schon von einem gemeinsam verwalteten Hof, als wäre die Idee von vornherein auf ihrem Mist gewachsen. Na, an euch sind ja wirklich ein paar Genies verloren gegangen!

Doch behielt sie ihre Gedanken für sich, so schwer es ihr auch fiel. Sollten sie doch ruhig denken, dass es ihre eigene Idee war; ja, eine weise Frau würde sie in diesem Glauben lassen.

»Ich glaube, wir waren ein bisschen zu habgierig«, richtete

Ubaldina beschämt das Wort an die anderen Frauen. »Findet ihr nicht auch?«

Und in genau diesem Moment schlug unweit von ihnen ein Blitz ein, gefolgt von einem ohrenbetäubenden Donnerschlag, der die Frauen unmittelbar zu dem Schluss kommen ließ, dass Mutter Natur Ubaldinas Frage soeben auf ihre ureigene Weise beantwortet hatte. Schweigend sammelten sie ihre Siebensachen ein und stiegen den matschigen Abhang hinunter; so schnell sie konnten, eilten sie dem Rest der Dorfbewohnerinnen hinterher, die bereits auf die Hauptstraße einbogen.

Cleotilde hielt sich den Atlas über den Kopf und schlurfte in ihrem typischen Watschelgang in den Regen hinaus, um einiges langsamer als die anderen, doch stolz und entschlossen. Wasser spritzte auf, als sie die schlammige, von Schlaglöchern übersäte Straße entlangmarschierte, die alle dreiundneunzig Frauen und Santiago einem ganz besonderen Ort entgegenführte: der blühenden Gemeinde von Neu-Mariquita.

Jacinto Jiménez jr., 26
Guerillasoldat

Wir kämmten die Berge nach Regierungssöldnern ab, als wir auf einen Zug von vertriebenen Indianern stießen. Die älteren gingen voraus, schleppten sich den unwegsamen Pfad hinauf. Dann kamen die Kinder, allesamt nackt. Sie trugen zusammengerollte Decken auf den Schultern und trieben Schweine und Ziegen vor sich her. Dann folgten die Frauen, die ihre Babys in den Armen hielten und sich Töpfe, Pfannen und Stühle mit Hanfseilen auf den Rücken geschnallt hatten. Zuletzt kamen die Männer, insgesamt etwa zehn. Sie trugen spitze Wollmützen und bunte Gewänder und schleppten ihre Lasten in Decken, deren Enden sie über der Stirn verknotet hatten.

»Wo wollt ihr hin?«, rief Cortéz, unser Führer, den Männern von weitem zu.

Die Indianer marschierten schweigend weiter, als hätten sie ihn nicht gehört oder die Frage nicht verstanden.

Cortéz brüllte, sie sollten stehen bleiben. »Wo, zum Teufel, wollt ihr hin?«, schrie er sie wütend an.

»Egal wohin«, antwortete ein Mann mittleren Alters mit traurigem Gesicht und leeren Augen mit schwacher Stimme, ohne innezuhalten oder auch nur den Blick vom Boden zu heben. Er war der Häuptling. Seine Mütze war größer als die der anderen und sein Gewand weiß; außerdem war er der Einzige, dessen Besitz von einem Maultier transportiert wurde.

»Halt!«, rief unser Führer abermals.

Die Männer blieben abrupt stehen.

Cortéz näherte sich gleichgültig. »Seid ihr auf der Flucht vor Söldnern oder Rebellen?«, fragte er den Häuptling.

Der Indianer stand neben seinem Maultier und blickte zu Boden, als würde er überlegen. Er wusste genau, dass die falsche Antwort ihn und die Seinen das Leben kosten konnte.

»Vor Söldnern oder Rebellen?«, wiederholte Cortéz mit lauter Stimme und hielt ihm seinen Revolver an die Schläfe. Die anderen Indianer sahen entsetzt zu.

Der Häuptling schluckte zwei, drei Mal, brachte aber keine Antwort über die Lippen. Schweißperlen standen auf seiner Stirn.

Cortéz ließ den Abzug einrasten.

»Vor … vor dem Krieg, Señor«, stammelte der Mann. »Wir sind auf der Flucht vor dem Krieg.«

Cortéz riss ihm die Mütze vom Kopf und setzte sie dem Maultier auf. Dann richtete er den Blick auf die anderen Indianer und bleckte die Zähne, als würde er lächeln.

»*Jetzt* könnt ihr gehen«, sagte er und steckte den Revolver wieder ein.

Kapitel 12

VERLIEBTE WITWEN

Neu-Mariquita, Ubaldina 1, Leiter 1998

Wie üblich stand Eloísa viuda de Cifuentes vor Morgengrauen auf; und ebenfalls wie üblich arrangierte sie dann drei große Kissen in einer Reihe auf ihrem Bett und legte eine Decke darüber. Von der Tür aus betrachtete sie ihr Werk, den Kopf leicht nach rechts geneigt; im Halbdunkel nährte die Wölbung ihre Wunschvorstellung, Rosalba, die Bürgermeisterin von Mariquita, läge unter der nach Lavendel duftenden Decke.

Nackt stand sie in der Tür, ließ den Blick über das Bett schweifen und stellte sich vor, sie und die Bürgermeisterin hätten sich gerade geliebt; dabei kam es durchaus vor, dass Eloísa plötzlich sah, wie sich der mittlere Teil der Wölbung hob oder sich das ganze Ding auf die Seite drehte. Nachdem sie darüber nachgedacht hatte, kam sie zu dem Schluss, dass sie sich diese Bewegungen lediglich einbildete. Später aber, noch ehe sie ihre erste Tasse Kaffee getrunken hatte, wurde ihr einmal mehr klar, dass sie ihre Fantasien einfach ausleben musste, egal, wie verrückt sie auch sein mochten.

Eloísa war verliebt in Rosalba, was aber niemand wusste, nicht einmal Rosalba selbst.

Von weitem wehte der Klang der Kirchenglocke zu ihr herüber: fünf Glockenschläge, die den Dorfbewohnerinnen signalisierten, dass es Zeit zum Aufstehen war. Eloísa heizte den Ofen an und setzte den Wasserkessel auf. Im selben Moment spürte sie, wie ihr eine feuchtwarme Flüssigkeit die Beine hinunterlief. Sie fuhr mit der Hand über die Innenseite ihres rechten Oberschenkels und stellte bestürzt fest, dass sie ihre Periode einen Tag zu früh bekommen hatte.

Eloísa war Mitglied des Zeitkomitees. Zu ihren Pflichten gehörte es, der Bürgermeisterin alle achtundzwanzig Tage den Beginn ihrer Blutung zu melden, die mit den Perioden der anderen vier Komiteemitglieder zusammenfallen musste. Nachdem sie eine Tasse Kaffee getrunken hatte, trat Eloísa mit einem Handtuch über der Schulter in den Innenhof. Als sie vor ihrer Regentonne stand, stellte sie fest, dass diese leer war. Am Abend zuvor war sie noch fast voll gewesen. Ihre Untermieterin, die Witwe Pérez, war vor ihr aufgestanden und hatte das Wasser für sich verbraucht.

Eloísa war beauftragt worden, die Witwe Pérez aufzunehmen, nachdem mehrere Sprossen zuvor ein Sturm das Haus der alten Frau zerstört hatte. Sie hasste es, ihr Haus mit jemandem teilen zu müssen – insbesondere mit der Witwe Pérez –, beklagte sich aber nicht, da sie, Eloísa, den verdammten Bürgervertrag unterzeichnet hatte und zu ihrem Wort stand. Dem Dokument zufolge gehörte niemandem etwas, da allen alles gehörte – jedenfalls hatte Rosalba das in ihrer Rede so formuliert, wenn sie sich recht erinnerte. Die Unterzeichnung des Schriftstücks bedeutete für Eloísa außerdem, dass sie nun mit drei anderen Frauen ein Stück Land bewirtschaften musste, das seit dem Verschwinden der Männer nicht mehr genutzt worden war. Die vier Frauen arbeiteten hart, versorgten die Gemeinde mit Kaffeebohnen, Avocados, Papayas und Kürbissen und erwirtschafteten sogar einen kleinen Überschuss, der zusammen mit anderen Nahrungsmitteln sowie mit Baumwolle in einer ehemaligen Hausruine gelagert wurde, die zum Getreidespeicher umfunktioniert worden war. Aber das neue Gesetz hatte nicht nur schlechte Seiten. Zum Beispiel musste man auf dem Markt nicht mehr gegeneinander bieten, um bestimmte Lebensmittel zu bekommen. Eloísa musste auch nicht mehr kochen. Dafür sorgten jetzt drei ältere Frauen, die, falls vorhanden, jeden Morgen von der Bürgermeisterin einen großen Korb mit frischem Gemüse, Früchten, Getreide, Eiern und Fleisch erhielten. Sie machten Frühstück und Abendessen. Zu Mittag gab es nur rohes Gemüse.

Nachdem sie die Witwe Pérez nach Strich und Faden verflucht hatte, ging Eloísa wieder in ihr Schlafzimmer. Sie benetzte das Handtuch mit dem Trinkwasser, das in einem Krug auf dem Nachttisch stand, und schrubbte sich ab, wo eine Reinigung am nötigsten war. Dann machte sie sich, nackt wie sie war, auf den Weg, um der Bürgermeisterin ihre verfrühte Periode zu melden.

Vor einigen Sprossen hatte Eloísa sich erstmals splitternackt in der Öffentlichkeit sehen lassen. »Tausende von Generationen hat es gebraucht, um den weiblichen Körper zu perfektionieren«, hatte sie gesagt. »Warum sollten wir eine derartige Perfektion unter Kleidern verbergen?«

Die Bürgermeisterin hätte ihr dafür eine satte Strafe aufbrummen können, doch blieb ihr die Spucke weg, als sie Eloísas Brüste sah, und obendrein durchströmte sie ein wohliger Schauder des Verlangens. Rosalba fand Eloísas Brüste wunderschön: fest und groß, hellbraun und geformt wie zwei halbe Grapefruits. Sie waren so außergewöhnlich, dass es tatsächlich Tausende von Generationen gedauert haben mochte, bis eine derartige Perfektion erreicht werden konnte.

Nachdem ein paar Frömmlerinnen sich bei ihr beschwert hatten, sprach Rosalba die schöne Eloísa auf der Straße an und wies sie darauf hin, dass bestimmte Teile des weiblichen Körpers bedeckt werden müssten, wenn auch nur, weil es sich um besonders empfindliche Stellen handele. Eloísas Antwort allerdings war entwaffnend: »Der unempfindlichste und am häufigsten misshandelte Teil des weiblichen Körpers ist ja wohl der Hintern, trotzdem ist er jahrtausendelang verhüllt worden.«

Und bald schon setzte ihre Idee sich durch; mit der Zeit schien es seltsam, sogar unnatürlich, voll bekleidet auf die Straße zu gehen. Für manche war es schlicht eine simple Lösung für das Problem, sich neue Kleidung beschaffen zu müssen, andere hingegen sahen einfach nicht mehr ein, dass Frauen die einzigen Lebewesen sein sollten, die Ober- und Unterkörper zu bedecken hatten. Die alten Frauen hingegen blieben zögerlich. Sie glaubten, das Ganze sei lediglich eine Modeerscheinung – so wie einst Miniröcke –, und außerdem wollten sie sich nicht zum Gegenstand des allgemeinen Gespötts machen, wenn sie mit faltigen Hintern, schlaffen Brüsten und auf Nabelhöhe hängenden Nippeln durchs Dorf spazierten. Sie schnitten die Ärmel ihrer Blusen ab und kürzten ihre Röcke, aber weiter wollten sie nicht gehen.

Erneut läutete die Kirchenglocke. Es waren zweimal fünf Schläge, das Zeichen, die Arbeit ruhen zu lassen und sich zur Gemeindeküche zu begeben, um das erste Mahl des Tages einzunehmen. Die verschiedenen Läutzeichen hatte sich die Dorfschullehrerin ausgedacht, die sich auch bereiterklärt hatte, die Glocke zu läuten, bis ihr irgendwann die Arme abfielen.

Da Eloísa Hunger hatte, entschied sie, die Bürgermeisterin erst einmal warten zu lassen, und eilte die Straße zur Küche der Morales' hinunter. Sie traf gleichzeitig mit der Bürgermeisterin ein, die abwechselnd spontan bei den Gemeindeküchen hereinschneite, um sowohl die Qualität des Essens als auch den Service zu überprüfen. Zu Eloísas freudiger Überraschung war die Bürgermeisterin splitternackt erschienen, auch wenn sie die Schamgegend mit ihrem Terminkalender bedeckte. Eloísa flirtete nun schon seit einer kleinen Ewigkeit mit Rosalba. Jedes Mal, wenn ihr die Bürgermeisterin ein Kompliment wegen ihrer olivfarbenen indianischen Haut oder der vielen hübschen Muttermale an ihrem Körper machte, erwiderte Eloísa kokett, dass die Bürgermeisterin unter ihrer Kleidung bestimmt noch viel mehr hübsche Muttermale habe. Rosalbas Kleider waren mit der Zeit kürzer und kürzer geworden, und zuletzt war sie immer in Unterwäsche in der Öffentlichkeit erschienen.

»Gegen deinen Körper verblasst sogar der Morgenhimmel, Bürgermeisterin!«, platzte Eloísa heraus. Dieselben Worte – oder zumindest fast dieselben – hatte Eloísas Ehemann einst in einem ihr gewidmeten Liebesgedicht benutzt. Rosalba sah zum Himmel auf. Dort war nichts zu sehen als eine fahle Sonne und ein Schwarm weißer Vögel, die über dem Dorf kreisten. Dann blickte sie zu Boden und lachte nervös; sie fühlte sich, als wäre ihre Nacktheit ein Ausschlag, der sich rapide über ihren Körper auszubreiten begann. Eloísa trat zur Seite und streckte den Arm aus. »Nach dir«, sagte sie. Rosalba trat seitlich durch die Tür und drückte ihren Terminkalender eng an den Bauch, ehe sie sich direkt am ersten Tisch niederließ.

Auf dem langen Tisch lag eine weiße Plastikdecke, auf der eine Reihe schwarzer, wie aufgeklebt wirkender Fliegen saß. Orquidea, die älteste Tochter der Witwe Morales, kam aus der Küche, angetan mit einer hochgeschlossenen, langärmligen braunen Bluse; sie trug drei große Körbe mit Arepas. Wie angewurzelt blieb sie vor der Bürgermeisterin stehen und schüttelte missbilligend den Kopf, bevor sie die Körbe beinahe symmetrisch auf dem Tisch verteilte und wieder in der Küche verschwand. Einen Augenblick später lugten sowohl ihre Schwestern Gardenia und Magnolia als auch die Witwe selbst aus der Tür und kicherten. Was Rosalba allerdings nicht mitbekam, da Eloísa sich mittlerweile zu ihr gesetzt hatte und sie lang und breit über das herzförmige Muttermal informierte, das sie, Eloísa, unter der rechten Brust trug.

Julia, das jüngste Kind der Witwe Morales, stellte einen angeschlagenen Teller mit einem tanzenden Stück Butter und zwei Schalen mit scharfer Eiersuppe auf Rosalbas Tisch. Julia trug ein enges rotes Kleid mit tiefem Ausschnitt (obwohl es dort nichts zu sehen gab) und hatte sich eine frisch gepflückte lila Orchidee hinters Ohr gesteckt. Sie tippte Rosalba auf die Schulter und gab ihr mit ein paar einfachen Gesten und ihren ausdrucksvollen Augen zu verstehen, wie attraktiv sie ohne Kleider war, dass sie, Julia, voll und ganz hinter der Entscheidung der Bürgermeisterin stand, und dass sie, Rosalba, sich nicht weiter um ihre Schwestern kümmern solle, da diese ohnehin bloß fette, hässliche, gemeine und neidische alte Jungfern seien.

Der Raum füllte sich zusehends, und entgegen ihren Befürchtungen erregte Rosalbas Nacktheit kaum Aufmerksamkeit. Die Frauen, die zu spät kamen, um an einem der drei Tische Platz nehmen zu können, nahmen ihr Essen mit nach draußen und hockten sich auf leere Eimer oder Blumentöpfe. Milch gab es an diesem Morgen nur in den beiden anderen Küchen, weshalb alle ihren Kaffee schwarz tranken. Francisca tat so, als würde sie Milch aus ihren dunklen Brustwarzen in die Tasse melken. Der Witz hatte zwar einen Bart, aber es gab trotzdem viele Lacher.

Nun erklangen dreimal fünf Glockenschläge, die die Dorfbewohnerinnen zur Arbeit riefen. Die Morales-Schwestern räumten die Tische ab, während die Frauen nacheinander aufstanden, ohne ihre Gespräche zu unterbrechen. Eloísa und Rosalba blieben noch einen Moment sitzen, während die anderen Frauen den Raum verließen. Eloísa ergriff die Gelegenheit, um der Bürgermeisterin in leicht niedergeschlagenem Ton mitzuteilen, dass ihre Periode einen Tag zu früh eingesetzt hatte. Das Gesetz verlangte, dass jedes Mitglied des Zeitkomitees, dessen Regel nicht wie ein Uhrwerk funktionierte, unverzüglich und unwiderruflich von seinen Aufgaben entbunden werden sollte. Eloísa graute vor der öffentlichen Demütigung, die wohl unweigerlich mit dem Verlust ihres Amts einhergehen würde.

»Mach dir keine Sorgen«, flüsterte Rosalba ihr ins Ohr. »Ausnahmsweise lasse ich mal fünf gerade sein.«

Und während sie dies sagte, landete eine ihrer altersfleckigen Hände auf Eloísas nacktem Oberschenkel und glitt zu ihrem Knie hinab, war aber einen Augenblick später schon wieder auf dem

Tisch. Es war als Liebkosung gemeint gewesen, doch für Eloísa fühlte sich die Berührung an, als hätte ihr die Bürgermeisterin ein paar Krümel vom Bein gewischt.

———

In ihrem Büro schritt die Bürgermeisterin ruhelos auf und ab und kämpfte gegen ihre Empfindungen für Eloísa an. Fühlte sie sich rein körperlich von ihr angezogen? War es Verblendung? Liebe? Was immer es auch sein mochte, es war nicht richtig. Rosalba glaubte, dass Sex zwischen zwei Frauen etwas Unnatürliches war – auch wenn sie wusste, dass einige Dorfbewohnerinnen *gelegentlich* miteinander schliefen, und deren Affären duldete, solange alles diskret vor sich ging. Das aber war gewesen, bevor sie Eloísas Brüste gesehen hatte. Diese Brüste wären das perfekte Wahrzeichen von Neu-Mariquita, dachte sie, wie gemacht für Flagge und Wappen. Aber vielleicht brauchte sie sich wegen ihrer Gefühle für Eloísa ja gar keine Sorgen zu machen. Letztlich waren die Empfindungen, die in ihr aufkamen, wenn sie Eloísas Körper bewunderte, ihr zusah, wie sie sich beim Sprechen mit der Zunge über die Lippen fuhr, oder wie vorhin beim Frühstück ihre Haut berührte, nichts weiter als kleine Momente des Wohlgefühls, die in gewisser Weise den Maschen glichen, die man beim Stricken eines Schals anschlug. Rosalba hatte mit Dutzenden von Schals angefangen, aber nie einen zu Ende gestrickt. Es war das Stricken selbst, das ihr Vergnügen bereitete, der Anblick der Maschen, die vor ihren Augen entstanden; auf den fertigen Schal kam es ihr nicht an. Und vielleicht war es am besten, wenn sie die Sache mit Eloísa ebenso anging, sich lauter kleine Augenblicke des Vergnügens gönnte, ohne je den letzten Schritt zu tun.

Sie war völlig in ihren Gedanken versunken, als Cecilia das Büro betrat. »Die Witwe Solórzano hat eben hereingesehen«, sagte Cecilia. »Sie wollte nur melden, dass eine ihrer Ziegen heute Morgen gesunden Nachwuchs bekommen hat.«

»Ceci, du Gute, ich würde dich gern etwas fragen«, sagte Rosalba, ohne auf die Neuigkeit einzugehen. »Nehmen wir mal an, du würdest etwas für jemanden empfinden, aber deine Gefühle wären irgendwie unnatürlich. Was würdest du tun?«

»Du sprichst von Eloísa, stimmt's?«

Leugnen war zwecklos; gegen die scharfsichtige Cecilia kam sie nicht an. »Ja. Ich glaube, ich … habe mich verliebt.« Rosalbas Stimme klang so schuldbewusst, als hätte sie ein Verbrechen begangen.

»Eloísa scheint eine ausgesprochen leidenschaftliche und romantische Frau zu sein«, sagte Cecilia. Dann gab sie Rosalba den Rat, ihr erstens einen Strauß Blumen zu schenken, ihr zweitens ein auf parfümiertes Papier geschriebenes Gedicht zu schicken, und drittens bloß niemandem etwas davon zu erzählen.

Unterdessen hatten Eloísa und Francisca, die große Körbe an den Hüften trugen, draußen auf den Feldern mit dem Kaffeepflücken begonnen. Eloísa war eine erfahrene Kaffeepflückerin, die täglich mehr als siebzig Pfund Kaffeekirschen erntete, doppelt so viel wie die anderen Pflückerinnen.

»Du hast mich zwar nicht gefragt, aber ich glaube, die Bürgermeisterin ist in dich verliebt«, sagte Francisca mit gedämpfter Stimme. Die beiden Frauen arbeiteten in zwei einander gegenüberliegenden Reihen. Da die Bäume zwischen ihnen standen, konnten sie sich nicht richtig sehen.

»Genau«, gab Eloísa zurück. »Ich habe dich nicht gefragt.«

Francisca ignorierte die Abfuhr. »Ich frage mich ja bloß, wie das ist«, sagte sie. »Glaubst du, es ist falsch, in eine andere Frau verliebt zu sein?«

»Nein. Liebe ist etwas Schönes und kann nie falsch sein. Genau wie Hass nie richtig sein kann.«

Francisca schwieg. Eine ganze Weile sagte sie gar nichts mehr, doch dann platzte es aus ihr heraus, als könnte ihr Mund die Worte nicht länger zurückhalten. »Cecilia und ich sind total ineinander verknallt!« Und nun, da sie es laut ausgesprochen hatte, fühlte sie sich plötzlich wie befreit. »Total, total, total!«, wiederholte sie wieder und wieder, bis sie sah, dass Eloísa vor ihr stand und lachte, als könnte sie gar nicht mehr damit aufhören. Sie nahmen ihre Körbe ab, und Francisca erzählte Eloísa, wie lange sie und die Sekretärin der Bürgermeisterin sich bereits liebten. »Wir sind schon seit einer Leiter, sechs Sprossen und dreizehn Sonnen zusammen.« Alles hatte noch vor der Gründung von Neu-Mariquita begonnen, als sie gegen Kost und Logis für Cecilia den Haushalt geführt hatte. »Eines Tages war ich gerade dabei, Ceci die Haare zu kämmen, als plötzlich der Kamm zerbrach und ihr das eine Stück in den Ausschnitt fiel. Ich fing an zu lachen, und wir alberten ein bisschen herum, doch dann forderte Ceci mich auf, das abgebrochene Stück aus ihrem Ausschnitt zu holen. Na klar, sagte ich, aber nur, wenn ich es mit den Zähnen tun darf. Seitdem sind wir zusammen.« Und als der Bürgervertrag in Kraft getreten war, hatten sie und Cecilia darum gebeten, auch weiterhin zusammen unter einem Dach wohnen zu können, da sie bestens miteinander auskamen und zu gleichen Teilen ihren Pflichten nachkommen konnten. »Aber wir haben trotzdem ein Problem«, sagte Francisca. »Ich würde mich am liebsten mitten auf die Plaza stellen und allen erzählen, wie glücklich ich bin, aber Cecilia will das nicht. Sie glaubt, dass wir in Sünde leben.«

Als Francisca fertig war, verriet Eloísa ihr, dass sie sich in Rosalba verliebt hatte. »Tja, aber das war's auch schon«, sagte sie. »Mehr gibt's momentan nicht zu erzählen.« Sie versprachen einander, Stillschweigen zu bewahren, bis der geeignete Zeitpunkt gekommen sei, ihr Geheimnis zu lüften.

Die Bürgermeisterin befolgte den Rat ihrer Sekretärin, nur dass sie die Vorgehensweise änderte. Ein Gedicht, dachte sie, war genau der richtige Anfang, um ihrer Angebeteten den Hof zu machen. Den gesamten Nachmittag schloss sie sich zu Hause ein und schrieb ein Gedicht nach dem anderen. Vor dem Zubettgehen las sie die Gedichte noch einmal und kam zu dem Schluss, dass sie lediglich eine Liste von Reimen zustandegebracht hatte, die ihre Verehrung für Eloísa zum Ausdruck brachten. Sie versuchte es noch einmal, doch auch wenn sie diesmal sogar erstaunlich melodiöse Reime fand, blieb es am Ende trotzdem nichts weiter als eine Liste. Sie setzte sich auf die Bettkante und versuchte sich in Erinnerung zu rufen, welche Gedichte sie überhaupt kannte. Es kamen ihr gerade mal zwei in den Sinn: unendlich öde Oden ans Vaterland, die sie in der Schule hatte aufsagen müssen.

Wäre sie früher zu Bett gegangen, hätte sie womöglich nie an die Gedichte gedacht, mit denen ihr verstorbener Mann sie seinerzeit umgarnt hatte. Rosalba bewahrte sie zusammen mit ein paar alten Briefen und Telegrammen auf, die er ihr geschickt hatte, wenn er auf Reisen gewesen war. Eines fernen Tages, davon war sie überzeugt, würden diese vergilbten Papiere den einzigen Beweis darstellen, dass in diesem Dorf, das nun Neu-Mariquita hieß, einmal Männer gelebt hatten. Sie zog eine schwere Truhe unter dem Bett hervor, öffnete sie und ging die Schriftstücke durch, wobei sie darauf achtete, keins der wertvollen Dokumente zu beschädigen. Die Briefe waren langweilig, doch die Gedichte zogen sie sofort wieder in ihren Bann, und plötzlich überkam sie das sehnsüchtige Verlangen, wieder von jemandem geliebt zu werden. Eins der Gedichte fiel ihr besonders ins Auge, da es ihre Gefühle für Eloísa weit schöner und klarer in Worte fasste, als sie sie je hätte zum Ausdruck bringen können. Es war ein zweistrophiges Gedicht mit dem Titel *Sag es mir*, in schwungvoller Schönschrift zu Papier gebracht und unterschrieben mit »In Liebe, Dein Napoleón«.

Rosalba schrieb das Gedicht Wort für Wort auf ein Blatt mit Lavendel parfümierten Papiers. Schließlich rollte sie das Blatt zusammen, band eine rote Schleife darum und legte es in eine Schublade. Dann schlief sie beruhigt ein.

Ubaldina, Erste Sonne des Übergangs

Das unablässige Läuten der Kirchenglocke kündigte den vier Sonnen langen Übergang an. Während der ersten Sonne des Übergangs waren die Frauen verpflichtet, in sich zu gehen und ihre persönlichen Ziele für die nächste Kalendersprosse aufzuschreiben.

Eloísa wurde an diesem Morgen nicht von der Glocke, sondern von lautem Hämmern an ihrer Schlafzimmertür geweckt. Ehe sie sich noch richtig aufgerappelt hatte, stand auch schon ihre Untermieterin im Zimmer.

»Die Bürgermeisterin war vorhin da und hat mich gebeten, dir das hier zu geben«, sagte die alte Frau und warf das zusammengerollte Blatt Papier auf Eloísas Bett. Dann knallte sie die Tür hinter sich zu und verschwand so schnell wie möglich, um der nächsten Gardinenpredigt zu entgehen.

Hastig streifte Eloísa das Band herunter und begann zu lesen:

SAG ES MIR
(Für meine wunderschöne Eloísa)

Du hast mich ganz verzaubert
Und nun muss ich es wissen
Liebst du, liebst du, liebst du mich
So sehr, wie ich dich liebe?

O bitte, sag es mir
Sag mir, dass du mich willst
Sag mir, dass du mich brauchst
Bis wir auf Wolken schweben.

In Liebe, Deine
Rosalba viuda de Patiño
(Bürgermeisterin von Neu-Mariquita)

Eloísa las das Gedicht drei Mal, und jedes Mal stiegen ihr Freudentränen in die Augen. Eine Frau, die ihre Gefühle auf so romantische Weise ausdrücken konnte, musste eine wunderbare Geliebte sein. So wie die Bürgermeisterin hatte auch Eloísa die Briefe und Gedichte aufbewahrt, die sie von Marco Tulio, ihrem verstorbenen Mann, bekommen hatte. Sie war davon überzeugt, dass Liebesbriefe und Gedichte, so wie auch Blumen, nicht einfach weggeworfen werden durften, sondern jeden Tag durch neue ersetzt werden mussten. Schon seit einer Ewigkeit hatte sie keine Liebesbriefe oder Gedichte mehr erhalten, ja, noch nicht mal ein paar Margeriten für ihre Vase.

Nachdem sie das Gedicht noch einmal gelesen hatte, beschloss Eloísa, dass sie sich an diesem Morgen keine Fantasie-Rosalba aus Kissen und Decken basteln würde. Sie stand sofort auf und tanzte durch das ganze Haus, eine unsichtbare Partnerin in den Armen.

Später, als sie wieder zusammen Kaffeekirschen pflückten, erzählte Eloísa ihrer Freundin Francisca von dem Gedicht, das sie von Rosalba bekommen hatte. Sie kicherten und alberten herum wie zwei Schulmädchen. »Ich habe immer geglaubt, die Bürgermeisterin hätte Haare auf den Zähnen«, sagte Francisca, »aber in Wirklichkeit scheint sie eine wirklich romantische Ader zu haben.« Dann gab sie Eloísa den Rat, ihr erstens ein auf parfümiertem Papier geschriebenes Gedicht zurückzuschicken und zweitens einen Strauß Blumen zu schenken.

Die Bürgermeisterin saß an ihrem Büroschreibtisch und war dabei, ihre persönlichen Ziele für die nächste Kalendersprosse aufzuschreiben. *Erstens: Eloísa als Letztes vor dem Einschlafen sehen. Zweitens: Eloísa als Erstes nach dem Aufwachen erblicken.*

Tja, aber das war nicht möglich. Ihre beiden Ziele setzten voraus, mit Eloísa in einem Bett zu schlafen und wahrscheinlich auch Sex zu haben – was wiederum bedeuten würde, den Schal zu Ende zu stricken. Es sei denn, Eloísa und sie schliefen zusammen in einem Bett, ohne einander anzufassen; nun ja, gegen eine kleine Berührung war ja eigentlich nichts einzuwenden, einen Arm, der sich sanft an den anderen schmiegte, ein Bein, das zärtlich am anderen rieb, und ein kleiner Hauch auf die leicht geöffneten Lippen war ebenfalls in Ordnung, ein Hauch ohne jenes leise Schmatzen, das ihn zu einem Kuss werden ließ. *Keine Küsse!* Ein Kuss war gleichbedeutend damit, einen Abschluss zu stricken, und daran hatte Rosalba kein Interesse. *Nein, danke.*

Während sie über ihre Absichten nachdachte, wurde die Bürgermeisterin immer unruhiger. Eloísa hatte nichts von sich hören lassen, und ihre Angst, sich einen Korb einzufangen, steigerte sich von Sekunde zu Sekunde. Vielleicht war sie mit dem Gedicht zu vorschnell gewesen. Vielleicht wäre es tatsächlich besser gewesen, Eloísa erst einen Strauß Blumen zu schenken, so wie Cecilia es ihr geraten hatte. Möglich auch, dass alles nur ein großer Irrtum gewesen war; vielleicht hätte sie gar nicht erst auf die Schnapsidee kommen dürfen, dass Eloísa, eine hochattraktive junge Frau mit atemberaubenden Brüsten, ein erotisches Interesse an einem alten, plumpen Ding mit dünnem grauem Haar und dickem Hintern haben könnte.

Sie stand auf und blickte hinaus auf die Mais- und Reisfelder.

Zwei Leitern zuvor hatte es keines dieser Felder, sondern weit und breit nur Elend und Armut gegeben. Mehrere Übergänge lang hatte sie als einziges Ziel auf ihrer Liste gehabt, von ihrem Büro aus auf die goldenen Ähren eines Kornfelds zu blicken – zu einer Zeit, als die meisten Dorfbewohnerinnen sich nach wie vor mit dem Gedanken getragen hatten, Mariquita zu verlassen und woanders ein neues Leben anzufangen.

Damals hatte sie zur Verwirklichung ihres Ziels nicht mehr als zwei kräftige Hände und ein gerüttelt Maß an Entschlusskraft benötigt. Nun aber war alles anders. Um ihre aktuellen Ziele zu verwirklichen, benötigte sie Jugend, Anmut, Liebreiz – lauter Vorzüge, die ihr schon vor langer Zeit abhanden gekommen waren. Gegen die Schönheit und Grazie jüngerer Frauen wie Virgelina Saavedra hatte sie nichts aufzubieten.

Leise weinte sie vor sich hin, als sie plötzlich ein Klopfen an der Tür vernahm, gefolgt vom Quietschen der rostigen Türangeln, ein paar Trippelschritten und einer zögerlichen Stimme, die Rosalba nicht sofort erkannte: »Bürgermeisterin?«

Rosalba wischte sich mit dem Handrücken die Tränen aus den Augen. »Wer ist denn da?«

»Francisca, Bürgermeisterin. Darf ich stören?« Zuletzt war Francisca in Rosalbas Büro gewesen, als sie die Millionen unter ihrem Bett gefunden und die Bürgermeisterin um Rat ersucht hatte.

»Was willst du?«, schnauzte die Bürgermeisterin. »Solltest du nicht eigentlich zu Hause sitzen und dich mit deinen persönlichen Zielen beschäftigen?«

»Ich bin nur gekommen, um dir das hier zu geben.« Francisca hielt ihr ein zusammengefaltetes Blatt Papier hin.

»Was ist das?«

»Ein Briefchen von Eloísa, Bürgermeisterin. Aber ich hab's nicht gelesen, Ehrenwort.«

Rosalba riss ihr den Brief aus der Hand und beförderte ihn umgehend in eine Schublade. »Danke«, sagte sie nüchtern. »Wenn du mich jetzt entschuldigen würdest. Ich habe zu tun.«

Sie wartete, bis die Tür hinter Francisca ins Schloss gefallen war, nahm den Brief aus der Schublade und begann zu lesen:

DEINE SANFTEN KÜSSE
(*Ein Gedicht für die strahlend schöne und freundliche Rosalba viuda de Patiño, Bürgermeisterin von Neu-Mariquita*)

Heut nacht träumt' ich von deinen Küssen
Oh, deine Küsse waren so süß
Dass ich am nächsten Morgen dann
Zucker auf meinen Lippen fand.

Ich kann den Abend kaum erwarten
Weil ich dann endlich schlafen geh'
Küsst du mich nur in meinen Träumen
Dann will ich niemals mehr erwachen.

Auf ewig die Deine,
Eloísa viuda de Cifuentes
Personalausweis Nr. 79.454.248,
ausgestellt in Ibagué.

Als sie fertig gelesen hatte, drückte Rosalba das Blatt Papier zärtlich an ihren Busen. »Sie steht auf mich«, sagte sie. »Ja, natürlich steht sie auf mich. Ich bin ja auch eine tolle Frau.« Wie sollte eine kluge Frau wie Eloísa der Aussicht widerstehen, eine Nacht mit Rosalba zu verbringen? Wie sollte ihr nicht auffallen, dass die Bürgermeisterin Intelligenz und Mut, Charme und Liebreiz in sich vereinte? Und so schlaff waren ihre Brüste nun beileibe auch wieder nicht, jedenfalls nicht für ihr Alter. Zugegeben, sie hatte einen ziemlich großen Hintern, doch ebenso groß war ihr Herz.

Ubaldina, Zweite Sonne des Übergangs

Während der zweiten Sonne des Übergangs wurde von den Frauen erwartet, dass sie ihre Ziele mit einer Mentorin, auch Madrina genannt, besprachen, die ihrem jeweiligen Schützling mit Rat und Tat zur Seite stehen sollte.

In ihrem trauten Heim, einem Häuschen mit zwei Zimmern und zwei auf die Straße hinausgehenden Fenstern, deren Vorhänge stets geschlossen waren, lagen Cecilia und Francisca in ihren zusammengeschobenen Betten und redeten über ihre persönlichen Ziele.

»Ich habe mir vorgenommen, unsere Liebe nicht länger zu verschweigen«, sagte Francisca.

Cecilia setzte sich abrupt auf und sah ihre Freundin an. »Francisca, haben wir darüber nicht schon tausendmal gesprochen? Was in diesen vier Wänden passiert, geht niemanden etwas an. Wenn du unser Geheimnis ausplauderst, wirst du es bereuen, das schwöre ich dir! Ich habe dich gewarnt – Schluss, aus!«

Doch damit war keineswegs Schluss. Francisca stand auf und verschränkte die Arme. »Ich habe Eloísa davon erzählt«, sagte sie.

Nun erhob sich auch Cecilia. »Wie kannst du es nur wagen, mich so zu hintergehen! María Francisca Ticora Rodríguez viuda de Gómez, du hast mein Vertrauen missbraucht!« Mit beiden Händen hielt sie sich den Kopf, während sie ruhelos auf und ab zu gehen begann. Als sie in der einen Zimmerecke angekommen war, wandte sie sich um. »Das verzeihe ich dir nie!« Kurz darauf stand sie in der anderen Zimmerecke. »Und deine dreckigen Füße werde ich dir auch nie wieder massieren!«

»Umso besser!« Francisca stemmte die Arme in die Hüften. »Darin bist du sowieso eine Niete – Schluss, aus!«

Damit stürmte sie aus dem Zimmer, und zumindest für diese Sonne war es das letzte Wort.

Eloísa und Rosalba waren – getrennt voneinander – unterwegs, um Blumen für die jeweils andere zu pflücken. Eloísa erinnerte sich, dass ihr Ehemann die Margeriten, die er ihr regelmäßig ins Dekolletee zu stecken pflegte, stets im Vorgarten der Witwe Jaramillo gepflückt hatte, weshalb sie ebenfalls dorthin ging. Während sie die Blumen pflückte, stellte sie sich vor, wie ihre langen, grazilen Finger ein Blümchen nach dem anderen zwischen die Brüste der Bürgermeisterin steckten, genauso zärtlich wie Marco Tulio seinerzeit. Als sie genug Margeriten beisammen hatte, beschloss sie, ihren Strauß persönlich bei der Bürgermeisterin vorbeizubringen.

Während sie im Wald Orchideen pflückte, argwöhnte Rosalba, dass Eloísa womöglich vom gleichen Schlag wie ihr verstorbener Gatte war. Napoleón hatte nie Blumen für sie gepflückt, sondern ihr stattdessen Blumentöpfe mit blühenden Veilchen geschenkt. »Hätte Gott Blumen als Schmuck vorgesehen«, pflegte er zu sagen, »würden sie direkt hinter deinen Ohren wachsen.« In Rosalbas Garten blühten Veilchen, Kamelien und Begonien. Sie würde Eloísa die Blumen schenken, die die schönsten Blüten trugen.

Vaca stand reglos unter einer Aloe, die als Glücksbringer über der Tür hing. Abgesehen von ihrem großen Kiefer, der ständig vor sich hin mahlte, bewegte sich nichts an ihr. Sie war inzwischen tatsächlich die Verkörperung ihres Spitznamens – Vaca, die Kuh. Eigentlich trug sie einen langen, unaussprechlichen indianischen Namen, doch hinter ihrem Rücken nannten sie alle Vaca. Ansonsten wurde sie nur mit »Doña« angesprochen.

»Buenas y santas, Doña«, flötete Eloísa.

Vaca senkte die großen Augen und richtete den Blick auf die Margeriten, die Eloísa an ihre Brüste presste. »Was kann ich für dich tun?«

»Ist die Bürgermeisterin zugegen?«

Vaca überlegte einen Moment und sagte dann: »Die Bürgermeisterin hat ein Büro und eine Sekretärin. Rosalba hat ein Haus und eine Untermieterin. Also, wen willst du sprechen?«

»Rosalba.«

»Sie ist nicht da.«

»Kannst du ihr diese Margeriten von mir geben?«

Ohne ein weiteres Wort nahm Vaca die Blumen, wandte sich um und ging wieder hinein.

»Vergiss nicht, ihnen frisches Wasser zu geben!«, rief Eloísa noch hinter ihr her, doch da war die massige Frauengestalt auch schon im Haus verschwunden.

Als die Bürgermeisterin ihre Pflanze bei Eloísa vorbeibrachte, kam es zu einem ähnlich unerfreulichen Zusammenstoß.

»Was soll denn das verdammte Gehämmer?«, schnauzte die Witwe Pérez und riss die Tür auf. Verdattert sah Rosalba sie an. In den Händen hielt sie einen Blumentopf mit einem kleinen Kamelienbaum, der auffällig hübsche gelbe Blüten trieb. Die Witwe Pérez, vollständig angezogen, musterte die nackte Bürgermeisterin von oben bis unten und verdrehte die Augen. »Ja?«

»Ich würde gern mit Eloísa sprechen, Señora Pérez.«

Die alte Dame stützte die Hände in die Hüften und sah Rosalba missbilligend an. »Wie? Und deswegen haben Sie mich beim Gebet unterbrochen?«

»Nun ja, ich wollte ihr diesen Kamelienbaum schenken. Ist er nicht schön?«

Die Witwe Pérez gab einen ungeduldigen Seufzer von sich. »Eloísa ist nicht da. Tja, da musst du deinen Busch wohl woanders hintragen.«

»Wenn es dir nichts ausmacht, würde ich ihn lieber hierlassen.«

»Von mir aus«, schnaubte die Alte. »Stell ihn einfach ab, wo es dir passt.« Und damit marschierte sie, leise vor sich hin fluchend, wieder ins Haus.

Rosalba stellte den Blumentopf in die Diele und ging.

―――

Ubaldina, Dritte Sonne des Übergangs

Zu Beginn der weiblichen Zeitrechnung hatten die Bürgermeisterin und die Dorfschullehrerin darauf gedrungen, dass die Frauen während der dritten Sonne des Übergangs darüber nachdenken sollten, was ihnen an sich selbst nicht gefiel. Die Dorfbewohnerinnen aber waren dagegen gewesen, da sie fanden, dass man sich so akzeptieren sollte, wie man war, es sei denn, ein bestimmter Wesenszug wirkte sich negativ auf die Beziehung zu anderen aus. Rosalba und Cleotilde waren nicht sehr begeistert gewesen, doch da die Mehrheit so entschieden hatte, ließen sie die Sache auf sich beruhen. Was wiederum bedeutete, dass die Dorfbewohnerinnen eine halbe Sonne Freizeit für sich gewonnen hatten.

Rosalba wusste, dass Eloísa in ihren freien Stunden gern schwimmen ging. Auf dem Weg zum Fluss stellte Rosalba sich vor, wie Eloísa aus dem Wasser stieg, die Sonne auf ihrer nackten Haut schimmerte und von ihrem Haar Wasser über ihre Schultern lief. Am Ufer angelangt, verharrte Rosalba neben einem Felsen und ließ den Blick über das klare Wasser schweifen. Sie sah fünf Köpfe, die wie Blasen auf der Oberfläche trieben; die Umrisse der dazugehörigen Körper verschwammen unter Wasser. Eloísa war nicht unter den Badenden.

»Komm doch zu uns, Bürgermeisterin«, rief Virgelina Saavedra. »Das Wasser ist warm und angenehm.«

Rosalba winkte ihr zu und lächelte, rührte sich aber keinen

Millimeter vom Fleck. Das Mädchen verunsicherte sie. Virgelina, die dürre Kleine, die Padre Rafaels Zeugungskampagne seinerzeit so jäh beendet hatte, war die schönste Frau von Mariquita geworden. Rosalba beschloss, wieder nach Hause zu gehen, doch als sie sich umwandte, sah sie, wie Eloísa die Straße herunterkam.

»Ich wusste gar nicht, dass du gern schwimmst, Bürgermeisterin«, sagte Eloísa.

»Oh, sogar wahnsinnig gern. Ich komme bloß nie dazu.«

»Na, dann lass uns doch einfach reinspringen.«

Kurz darauf war Rosalba von sechs jüngeren Frauen umringt, was ihr einiges Unbehagen verursachte. Sie hielt sich so tief wie möglich im Wasser, ließ gerade mal den Kopf sehen, streckte nicht einmal die Arme heraus, da ihr plötzlich nur allzu bewusst wurde, wie schlaff die Haut an ihren Unterarmen war. Wehmütig dachte sie an die Zeit zurück, als ebendieser Körper die drei Junggesellen von Mariquita so verrückt gemacht hatte, dass sie sogar eine Münze geworfen hatten, wer Rosalba als Erster ansprechen dürfe. Wegen diesem Körper war Napoleón zu Hause geblieben, während die meisten anderen verheirateten Männer sich im Rincón de Gardel betrunken oder mit den Prostituierten in der Casa de Emilia verlustiert hatten. Und nun war er alt und schlaff geworden, dieser Körper, regelrecht aus dem Leim gegangen. Was für ein Riesenfehler, hierherzukommen! Am liebsten hätte sie sich in Luft aufgelöst. Da das leider nicht möglich war, ließ sie sich ein Stück von der Gruppe forttreiben. Eloísa folgte ihr.

»Danke für die wunderschöne Kamelie, Bürgermeisterin.« Das klare Wasser reichte ihr beinahe bis zu den Brüsten, betonte ihre Form und Farbe.

»Oh, *ich* habe zu danken, Eloísa – für das Gedicht und die reizenden Margeriten. Und bitte nenn mich Rosalba.«

»Ich würde dir lieber einen anderen Namen geben.«

Rosalba errötete. »Was denn für einen?«

»Ich weiß nicht ... vielleicht Corazoncito?«

»Ha, ha!« Rosalba wischte sich ein paar Wassertropfen vom Gesicht. »Ich glaube, mir wär's lieber, wenn du einen Namen für mich erfinden würdest. Einen Kosenamen für mich ganz allein.«

»Aber warum? Corazoncito ist doch der süßeste Kosename der Welt.«

»In der Welt, die du dir mit Marco Tulio erschaffen hast«, erwiderte Rosalba, die aus unerfindlichen Gründen eifersüchtig auf Eloísas toten Ehemann war.

Eloísa überlegte einen Augenblick. »Du hast recht«, sagte sie dann. »So habe ich das noch nie betrachtet. Wie wär's mit ... Ticú? Nein, Ticuticú. Was hältst du von Ticuticú?«

»Ticuticú? Bedeutet das irgendwas?«

»Ist mir gerade erst eingefallen. Es steht für ›meine süße, über alles geliebte Rosalba‹.«

»Dann ist es genau richtig.«

Eloísa legte die Hände auf Rosalbas Schultern, und als sie bis drei gezählt hatten, tauchten sie unter Wasser wie kleine Mädchen. Zärtlich umfasste Eloísa Rosalbas Brüste, die warm und weich im Wasser schwebten; es war verblüffend, wie wunderbar Hände und Brüste zusammenpassten. Sanft drückten Eloísas Finger zu, spürten den Herzschlag unter Rosalbas Haut, und als sie wieder losließen, blieben für einen Moment zehn kleine weiße Stellen zurück, die sofort wieder verblassten.

Dann tauchten sie wieder auf, und ihre Lippen bebten, als sie einander scheu anlächelten. Unter Wasser fanden ihre Hände zueinander, liebkosten einander flüchtig und ungeschickt, da sie ihr Verlangen nur noch mühsam unterdrücken konnten: Eloísa und Rosalba hatten sich unsterblich ineinander verliebt.

Ubaldina, Vierte Sonne des Übergangs

Während der vierten Sonne des Übergangs arbeitete niemand, nicht einmal die Köchinnen: Die Dorfbewohnerinnen waren angehalten, sich mit frischem Obst und Gemüse zufriedenzugeben, und bei Sonnenuntergang fand auf der Plaza ein großes Fest zur Feier der Weiblichkeit statt.

Rosalba wälzte sich im Bett herum; sie war alles andere als in Feierstimmung. Inzwischen war ihr aufgegangen, dass sie für Eloísa weit mehr empfand, als sie bislang geglaubt hatte, und nun fühlte sie sich hilflos und zornig zugleich. Einen Schal zu stricken, ohne ihr Werk je zu vollenden – eine kleine Ewigkeit lang hatte ihr Prinzip vortrefflich funktioniert, doch nun musste sie feststellen, dass es sich auf ihre Gefühle für Eloísa nicht anwenden ließ. Die kleinen Momente des Wohlgefühls reichten nicht länger aus: Sie wollte mit ihr ins Bett. Das aber war wider die Natur. *Wirklich?* Und obendrein war sie die Bürgermeisterin, eine öffentliche Person. Aber trotzdem habe ich Gefühle, so wie alle anderen auch. Sie verbrachte die gesamte Sonne im Bett und zerbrach sich den Kopf, wie sie ihr Problem lösen konnte. Und schließlich hatte sie eine Idee.

Sprosse für Sprosse war ein anderer Haushalt für die Organisation des Festes verantwortlich; diesmal waren die Ospinas an der Reihe, und sie übertrafen die kühnsten Erwartungen. Die Plaza war hell erleuchtet, ringsum von Kerzen gesäumt und mit Blumengirlanden geschmückt. Lilafarbene Orchideen, gelbe Margeriten und weiße Lilien baumelten von den unteren Ästen der Mangobäume herab.

Als die Frauen eintrafen, teilten sie sich in vier Gruppen auf, die sich scheinbar spontan zusammenfanden, obwohl es tatsächlich schon lange eine feste Ordnung gab; ausschlaggebend war dabei vor allem das Alter der Frauen, doch auch die jeweilige Arbeit, bestimmte Vorlieben, Abneigungen oder Zipperlein spielten bei der Zusammensetzung der Gruppen eine Rolle.

Die Feier selbst war ziemlich vorhersehbar. Wie immer begann sie mit einem Umtrunk. Die Frauen stellten sich hintereinander an, um sich einen großen Becher Chicha bei der Witwe Villegas zu holen. Das Getränk aus fermentiertem Mais setzte die Witwe mindestens fünf Tage vor dem Fest an, damit es seinen aromatischen, leicht pfefferigen Geschmack entfalten konnte. Anschließend brachte die Dorfschullehrerin die Versammelten wie immer zum Gähnen, indem sie Gedichte von einer gewissen Alfonsina Storny deklamierte. Als Cleotilde fertig war, konzentrierte sich die Aufmerksamkeit aller auf Francisca, die ihr Publikum mit den üblichen Witzen und Parodien amüsierte. »Mach uns die Lehrerin«, wurde dann etwa gerufen, und schon schlurfte Francisca mit kerzengeradem Rücken und nach vorn gerecktem Hals über die Bühne und zwirbelte dabei einen unsichtbaren Schnurrbart. Diesmal äffte sie die Witwe Pérez, Vaca, Julia Morales und die Bürgermeisterin nach, und zum Abschluss imitierte sie noch eine Frau, die schon lange nicht mehr unter ihnen weilte – Doña Emilia, die ehemalige Madame des Dorfes. Dann kam die »Band« der vier Morales-Schwestern. Die Mädchen kannten nur ein halbes Dutzend Lieder, die sie wieder und wieder auf ihren seltsamen Instrumenten spielten, zusammengebastelt aus alten Töpfen, Topfdeckeln und Bratpfannen. Die Frauen sangen mit und tanzten zu den munteren Rhythmen. Als das musikalische Programm vorbei war, setzten sich die Frauen, um der Ansprache der Bürgermeisterin zu lauschen. Der erste Satz war jedes Mal der gleiche: »In Kürze beginnt eine neue Sprosse und damit die nächste Gelegenheit, weiter an unseren individuellen Persönlichkeiten zu arbeiten.« Die meisten Frauen kannten diese Worte inzwischen auswendig.

Rosalba erhob sich und trat vor, um ihre Rede zu halten. Zu Hause hatte sie sich von oben bis unten mit Eukalyptusöl eingerieben, um Moskitos und andere Insekten abzuhalten. Als sie zwischen den Frauen hindurchging, flackerte der Widerschein der Kerzen auf ihrer schimmernden Haut; sie sah aus wie eine Göttin, die jede Sekunde in Flammen zum Himmel aufsteigen würde.

Zufrieden ließ sie den Blick über die Menge schweifen und begann mit ihrer Rede:

»Zuallererst möchte ich mich herzlich bei der Familie Ospina bedanken, die unsere heutige Feier der Weiblichkeit so wunderbar organisiert hat.« Allein der Umstand, dass sie ihre Ansprache nicht wie sonst üblich begann, ließ die Dorfbewohnerinnen bereits argwöhnen, dass etwas im Busch war. »Ich kann mich nicht erinnern, unsere Plaza je als so schön und friedlich wahrgenommen zu haben wie heute Abend.« Sie sah zu den Blumengirlanden auf und lächelte versonnen. »Außerdem würde ich gern etwas bekanntgeben«, fuhr sie dann fort.

Die Dorfbewohnerinnen machten sich auf das Schlimmste gefasst; womöglich gab es einen neuen Erlass. Sie hielten den Atem an und spitzten die Ohren.

»Ich habe mich in Eloísa verliebt«, sagte sie kurz und knapp und blickte der Menge mit hoch erhobenem Haupt entgegen. Schweigend starrten die anderen Frauen sie an; dann begannen sie langsam zu nicken, als würden sie das Ausmaß der Schande erst allmählich begreifen.

»Und ich bin verliebt in Rosalba«, rief Eloísa von hinten. Die Frauen wandten die Köpfe, auch diesmal wie in Zeitlupe. Ihre durchdringenden Blicke folgten Eloísa, während sie zu Rosalba schritt und ihr einen Kuss auf die Lippen drückte.

»Und ich liebe Cecilia«, rief Francisca mit lauter Stimme. Diesmal sahen sich die anderen Dorfbewohnerinnen nicht nach der Frau um, die sich gerade zu ihrer Liebe bekannt hatte, sondern wandten die Blicke ihrer Geliebten zu. Cecilia blieb keine andere Wahl, als aufzustehen und ihre Sünde einzugestehen: »Ich ... ich liebe ... Francisca.«

»Virgelina und ich lieben uns auch«, ließ sich Magnolia Morales vernehmen. Beide Frauen erhoben sich, legten einander die Arme um die Taillen und lächelten.

»Und ich liebe Erlinda«, sagte Schwester Ramírez. Sie reichte der Witwe Calderón die Hand und erhob sich zusammen mit ihr.

Zögernd enthüllten weitere Pärchen ihr Geheimnis, und als sie fertig waren, verkündeten plötzlich noch ein paar alleinstehende Frauen, in wen sie verliebt waren. Die Atmosphäre war so ansteckend, dass sich einige Frauen spontan dazu entschlossen, ihrer jeweiligen Nachbarin ihre Liebe zu gestehen. Selbst die Greisinnen, die schon seit Ewigkeiten niemanden mehr geliebt hatten, spürten plötzlich wieder, wie die Kraft der Leidenschaft in ihnen pulsierte.

Bald darauf verschwanden die alten und die neuen Paare hinter ihren Türen oder im Dunkel der Nacht. Und die wenigen Frauen, die allein waren, ob nun freiwillig oder nicht, gingen nach Hause und verschwanden in ihren Schlafzimmern, wo leere Betten und saubere Laken auf sie warteten, die nie mit dem Blut oder dem Schweiß einer anderen in Berührung kommen würden.

Nur Santiago Marín und Julia Morales blieben auf der Plaza zurück, umgeben von Orchideen, Margeriten, Lilien und den langsam erlöschenden Kerzenflammen. Sie lagen auf dem Boden, blickten gen Himmel und warteten auf eine Sternschnuppe, damit sie sich etwas wünschen konnten. Und als die Sterne schließlich zu funkeln begannen, wünschte sich Santiago, irgendwann, irgendwo wieder mit Pablo zusammen sein zu können, während Julia sich wünschte, irgendwann ebenso laut wie die anderen Frauen rufen zu können, dass sie sich verliebt hatte – nur eben in einen Mann.

Eine Kerze erstarb nach der anderen, mit leisem Zischen und ein paar letzten blauen und gelben Funken, die gleich darauf ebenfalls erloschen.

Der geschmolzene Talg erstarrte auf dem Boden und hinterließ den durchdringenden Geruch von verbranntem Fett, der nach und nach in der dünnen Luft verwehte.

Und die Nacht, nun sternenklar, verschluckte jeden Laut, die ungestümen Seufzer leidenschaftlicher Frauen ebenso wie das sanfte Wispern der verliebten Witwen von Mariquita.

Gerardo García, 21
Söldner der Regierung

Wir hatten ein Massengrab ausgehoben und fast alle Leichen unserer Feinde hineingeworfen. Nur ein letzter verstümmelter Körper wartete noch darauf, von uns beseitigt zu werden. Ich kniete direkt neben der Leiche. Unweit von mir entfernt rauchte »Matasiete« eine Zigarette – unser Kommandant, der berüchtigt für seine Härte war (ein eiskalter Bursche, der Rebellen tötete und dann neben den Leichen seinen Proviant aß). Meine Arbeit bestand darin, die Toten zu entkleiden, nach Hundemarken oder Ausweisen zu suchen, Augen- und Haarfarbe sowie weitere besondere Merkmale festzustellen und Matasiete darüber zu unterrichten, der selbige Informationen dann in seinem großen Notizbuch protokollierte.

Die Leiche vor mir war nicht besonders groß. Es handelte sich um einen Jungen, dem sowohl der linke Arm als auch beide Unterschenkel fehlten, und von seinem völlig entstellten Gesicht war so gut wie nichts mehr zu erkennen. »Jung«, sagte ich zu Matasiete. »Siebzehn, möglicherweise jünger.« Die Jackentaschen waren leer, doch das Schweizer Armeemesser in seinem Gürtel war unseren Soldaten wie durch ein Wunder entgangen. Ich steckte es ein.

»Runter mit den Klamotten«, sagte Matasiete desinteressiert. Ich zog dem toten Jungen die zerrissene Jacke aus und streifte den Rest der Hose von seinen Beinen. Brust und Bauchgegend waren verschmiert von getrocknetem Blut. Von seinem Hals hing ein kleines, kunststoffbeschichtetes Bild vom Jesuskind. Das war kein ungewöhnlicher Anblick (jeder von uns Soldaten trägt irgendwelche Talismane oder Amulette mit sich herum), nur dass dieser Glücksbringer genau wie mein eigener aussah: dieselbe Größe, das gleiche braune Lederband, und auf der Rückseite dasselbe Schwarzweißfoto meiner Mutter.

Wir waren noch kleine Jungs gewesen, als meine Mutter uns die Talismane geschenkt hatte, damit wir vor Unglück bewahrt wurden. Plötzlich hatte ich einen Kloß in der Kehle. Er war gerade erst sechzehn geworden. Was, wenn er sich unseren Feinden angeschlossen hatte? Warum hatte ich mich nicht mehr um ihn gekümmert?

Ich konnte Matasiete gegenüber nicht zugeben, dass der Tote mein Bruder war – er würde mich verdächtigen, ein Guerillaspitzel zu sein, und wahrscheinlich sofort erschießen lassen –, aber ebensowenig konnte ich zulassen, dass mein Bruder zu einem weiteren »unbekannten Toten« auf unserer immer längeren Liste herabgewürdigt wurde.

»García Vidales.« Ich tat so, als würde ich seinen Namen von einer Hundemarke ablesen.

»Was? Sprich lauter«, raunzte Matasiete.

Ich schluckte, hielt noch einen Moment länger inne und sagte dann: »García Vidales Juan Diego. Geboren 1982.« Meine Stimme zitterte. Matasiete notierte sich die Information, stand auf und bedeutete mir, die Leiche in das Grab zu werfen. Plötzlich wünschte ich mir den Duft von Ringelblumen und Nelken herbei; ich war im Begriff, meinen kleinen Bruder zu beerdigen, und so riecht es eben bei christlichen Begräbnissen. Doch alles, was mir in die Nase stieg, war der Gestank von Blut und Tod.

»Vergib mir, Dieguito«, flüsterte ich. Ich wusste, dass er mich hören konnte. Ich zog ihn an seinem verbliebenen Arm zum Grubenrand und stieß ihn so sacht wie eben möglich hinab. Er rollte den Erdwall hinunter und landete auf den Leibern seiner toten Kameraden.

Während ich Erde auf seine Leiche schaufelte, sprach ich in Gedanken das Vaterunser.

Kapitel 13

DER NEUGIERIGE GRINGO

Neu-Mariquita, Francisca 20, Leiter 1996

Den ganzen Morgen hatte Julia Morales in einer Hängematte gelegen, die sie zwischen zwei Bäumen auf der Plaza aufgespannt hatte; sie nestelte an ihren Haaren und atmete tief ein und aus, den Blick gen Süden gerichtet. Sie trug ein enges, blaues Kleid, das ihr über die Knie gerutscht war. Ab und zu brachte sie die Hängematte zum Schaukeln, indem sie sich mit einem ihrer grazilen Füße vom Boden abstieß. Als ihr die Sonne mitten ins Gesicht schien, stand sie auf, befestigte das eine Ende der Hängematte an einem anderen Baum, legte sich wieder hinein und blickte sehnsuchtsvoll nach Süden, in die Richtung, aus der dieser ganz bestimmte Geruch zu ihr herüberwehte.

Ihre drei älteren Schwestern waren nacheinander aufgetaucht und hatten ihr geraten, endlich mit den Tagträumereien aufzuhören und zur Arbeit zu gehen. »Geruch? Was für ein Geruch?«, hatte Orquidea, die Älteste, sie angefahren. »Ich rieche hier bloß deine Faulheit, sonst nichts.« Gardenia wurde gleich richtig aggressiv: »Steh jetzt endlich auf, du nichtsnutzige Kuh! Ich werde dir was zu riechen geben! Hier kannst du mal schnuppern!« Und damit streckte sie ihr den nackten Hintern hin, während Magnolia, die grundsätzlich alles auf sich bezog, nur sagte: »Ich rieche gar nichts. Wenn's hier nach irgendwas riechen würde, hätte ich's schon längst gemerkt.«

Julia kümmerte sich nicht weiter um das Geschwätz ihrer Schwestern. Sie wusste genau, dass sie sich den Geruch nicht einbildete, auch wenn ihn sonst niemand wahrnahm: eine herbe, leicht bittere, verführerische Mischung aus Limonenscheiben, Mineralsalzen, Schweiß und Moschus ... jeder Menge Moschus. Der Geruch lag ganz deutlich in der Luft und nahm weiter zu, während die Sonne höher stieg. Für Julia stand fest, dass ein Mann unterwegs war zum Dorf – und dass sie die Erste sein würde, die ihn in Mariquita willkommen heißen würde.

Der amerikanische Reporter trug ein Guayabera-Hemd, das ihm zwei Nummern zu groß war, und eine weite, unterhalb der Knie abgeschnittene Khakihose. Von seiner linken Schulter hing eine Feldflasche, halb voll mit Wasser. Sein langes blondes Haar war zu einem Pferdeschwanz zusammengebunden und sein Gesicht übersät von zwei Wochen alten, flachsfarbenen Stoppeln. Seine Turnschuhe waren derart von Schlamm verkrustet, dass weder die Farbe noch die Marke erkennbar war. Seine Füße waren voller Blasen; den linken hatte es besonders schwer erwischt, so dass er hinkte. Sein sonnenverbranntes Gesicht mit den himmelblauen Augen und der kleinen Nase wirkte intelligent und kultiviert. Sechs Monate lang war er quer durch das Land gereist, hatte Guerilleros, Söldner, Soldaten der Regierungsarmee und Zivilisten interviewt. Er war einunddreißig und hieß Gordon Smith.

Ein barfüßiger Junge und ein struppiges, mit einem mittelgroßen Seesack beladenes Maultier liefen dem Reporter voraus. Der Junge nannte sich Pito, und sein Maultier hieß Pita. Pito trug einen Sombrero mit zerfranster Krempe und verschlissene Shorts. Sonst nichts.

»Nicht so schnell«, rief Gordon ihm hinterher. »Bitte.«

»Wir sind fast da, Don Míster Gordo«, sagte der Junge. Breitbeinig stand er im klebrigen, orangefarbenen Matsch und fragte sich abermals, wieso der merkwürdige Gringo darauf bestand, »Gordo« genannt zu werden, obwohl er doch gar nicht fett war.

Gordon warf einen Blick auf seine Uhr; sie waren nun schon seit fast sieben Stunden unterwegs. »Das sagst du jetzt zum vierten Mal«, gab er zurück und musterte den Jungen mit skeptischer Miene.

Pito ging auf den Kommentar nicht ein. »Sind Sie sicher, dass Sie nicht auf Pita reiten wollen? Sie ist zwar schon alt, aber immer noch stark.«

»Gracias.« Gordon schüttelte den Kopf. Ihm wurde schwindelig, wenn er auf dem Vieh saß, aber er war zu stolz, um es zuzugeben. Stattdessen erwiderte er, das Maultier sehe alles andere als kräftig aus, tatsächliche mache es sogar einen ausgesprochen mitleiderregenden Eindruck. Was der Wahrheit entsprach: Pita wirkte ausgehungert und war ziemlich schwach auf den Beinen; außerdem fehlte ihr das rechte hintere Hufeisen.

Sie setzten ihren Weg durch die Berge fort, kamen durch Waldstücke und folgten engen, selten benutzten Pfaden, die sich immer wieder teilten und ein ums andere Mal im Schlamm verloren. Es war, als liefen sie permanent in die Irre; ab und zu zog Gordon ein Blatt Papier aus seiner Hemdtasche, auf dem sich eine schlecht gezeichnete Skizze des Gebiets befand. Ratlos starrte er auf den Zettel, sah sich um und steckte ihn wieder in die Tasche zurück.

Zwei Tage zuvor war Gordon in dem Dorf Villahermosa, wo er einen desertierten Guerillero interviewt hatte, einem neurotischen, rotgesichtigen Alten vorgestellt worden, der behauptete, dass es in einem kleinen Dorf in den Kordilleren einen Stamm wilder Kriegerinnen gäbe. Die Geschichte weckte Gordons Interesse; er lud den Mann auf ein paar Drinks ein, um sich das Ganze genauer schildern zu lassen.

»Das sind Amazonen«, sagte der Mann. Er hatte einen irren Blick und kaute geradezu zwanghaft an seinen Fingernägeln. »Schweine, Kühe und Pferde gibt's keine mehr in dem Dorf – und auch keinen einzigen Mann! Hm-hm, alle spurlos verschwunden, und das ja wohl nicht ohne Grund. Alle haben Angst vor ihnen. Ganze Indianerstämme haben ihre Lager in den Süden verlegt, um ihnen aus dem Weg zu gehen. Selbst Guerilla- und Söldnertruppen machen einen weiten Bogen um das Dorf. Und das können Sie mir eins zu eins glauben, Gringo. Diese Weiber – die stammen direkt von den Amazonen ab!« Mit jedem Bier schmückte er die Geschichte weiter aus. Als ihr Gespräch beendet war, beschloss Gordon, leicht betrunken, einen Abstecher in die Kordilleren zu machen, um dort nach einem Stamm barbarischer, männerhassender Kannibalinnen zu suchen, die überall Angst und Schrecken verbreiteten.

Am nächsten Tag und wieder nüchtern, wurde Gordon klar, dass die Geschichte völlig absurd war. Aber sie ging ihm nicht mehr aus dem Sinn, und irgendwie schien ihm die Existenz eines ausschließlich von Frauen bewohnten Ortes durchaus plausibel in einem Land, das sich nun bereits seit fast vierzig Jahren im Bürgerkrieg befand. Er ging zum Haus des alten Mannes und ließ sich eine Skizze der Gegend anfertigen, wo der ominöse Stamm hausen sollte. Dann heuerte er einen Jungen an, der ihn dorthin bringen sollte.

Nach sieben Stunden Fußmarsch kam es Gordon so vor, als sei die Skizze völlig unbrauchbar. Doch glücklicherweise benötigte Pito keine Karte. Er kannte sämtliche Pfade und Abkürzungen wie seine Westentasche; als Kind hatte er Vieh über diese Wege getrieben, und während der vergangenen vier Jahre hatte er geheime Botschaften zwischen den Guerillatruppen hin und her getragen, die sich in den Bergen verbargen. Er war der schnellste und zuverlässigste Kurier von allen gewesen. Verstärkte Militärpräsenz hatte die Rebellen zum Rückzug gezwungen, womit Pito arbeitslos geworden war. Daher hatte er sich bereiterklärt, Gordon durch die Berge zu führen.

Sie waren schon eine kleine Ewigkeit unterwegs, als sie schließlich eine Ebene erreichten. Das Maultier trabte schneller, und bald sah Pito auch, warum: Ein kleiner Wasserlauf, der fast geräuschlos dahinplätscherte. Sie wuschen sich die Gesichter und stillten ihren Durst mit dem leicht metallisch schmeckenden Wasser.

»Tja, da wären wir«, sagte Pito. »Sehen Sie den Wald da drüben?« Er wies auf ein schier undurchdringliches Dickicht auf dem Gipfel eines steil ansteigenden Hügels.

»Und?« Gordon kniff die Augen zusammen, um besser sehen zu können, wo der Junge hindeutete.

»Dahinter liegt das Dorf! Der Mann hat gesagt, man erreicht es über den ersten Hügel auf der Tres-Cruces-Ebene. Das hier ist die Ebene, also muss das Dorf da oben hinter den Bäumen liegen.«

Gordon spähte eine Weile in die angegebene Richtung. »Aber ohne Macheten kommen wir da doch gar nicht durch.«

»Don Míster Gordo«, sagte Pito in beinahe feierlichem Ton. »Es war abgemacht, dass ich Sie hierher bringe, aber nicht, dass ich Sie zu den Amazonen begleite.«

Der kleine Dreckskerl will mehr Geld, dachte Gordon. Er griff sich in den Schritt und förderte einen kleinen Plastikbeutel zutage, in dem er ein zusammengerolltes Bündel Banknoten aufbewahrte.

Als der Junge sah, was der Gringo vorhatte, schüttelte er den Kopf. »Ich geh nicht mit, egal, was Sie zahlen wollen. Ich hab gehört, was da vor sich geht. Für diese Frauen sind Sie und ich das willkommene Abendessen.«

Gordon musste lauthals lachen. »Jetzt sag bloß nicht, du glaubst das alles.«

»Und ob. Und Sie sollten besser auch dran glauben. Was wissen Sie denn schon von unserem Land?« Mit stolzer Miene nahm er dem Maultier den Seesack ab und reichte ihn dem Reporter.

Nachdem sie sich vielmals beieinander bedankt und sich die Hände geschüttelt hatten, trat Pito zurück und sah zu, wie Gordon, den Seesack über der Schulter, die steile Anhöhe hinaufhinkte. »Gott sei mit Ihnen, Don Míster Gordo«, flüsterte er. Er ergriff Pitas Zügel, stieg aber noch nicht auf. Erneut richtete er den Blick auf Gordon und hoffte inständig, der Gringo würde doch noch Einsicht zeigen und zurückkommen. Wenn ja, würde er ihn zum halben Preis zurückbringen.

Doch Gordon blieb nicht stehen. Jetzt, da er so weit gekommen war, würde er ganz bestimmt nicht in letzter Sekunde umkehren. Außerdem brauchte er eine neue Story, eine richtig packende Geschichte. Und mit diesem Gedanken bahnte er sich den Weg durch das Gestrüpp, kämpfte sich mit seinen großen, zarten Händen weiter vorwärts, durch Schlingpflanzen, Äste und dichtes Laub, bis er im Dickicht verschwunden war.

Während des Frühstücks sprach Doña Victoria viuda de Morales kurz mit der Bürgermeisterin – ihre Tochter Julia würde sich heute nicht wohlfühlen. Ihre anderen drei Töchter würden Julias Arbeit in der Gemeindeküche übernehmen, bis sie sich wieder erholt hätte.

»Wie?«, protestierte Orquidea anschließend. »Erst soll ich den ganzen Morgen in der Schreinerwerkstatt schuften, und dann soll ich auch noch meine Freizeit für diese Faulenzerin opfern?«

»Genau«, gab Doña Victoria zurück und hievte einen Korb mit roten Zwiebeln auf die Anrichte. »Und die Zwiebeln müssen auch noch kleingehackt werden.«

Orquidea war erst kürzlich von der Küche ihrer Mutter in die Tischlerei abberufen worden, im Rahmen einer vom Bürgerinnenrat ins Leben gerufenen Kampagne zum Ausbau der handwerklichen Fähigkeiten. Gardenia war zur Feldarbeit abgestellt, Magnolia den Dachdeckerinnen zugeteilt worden. Julia hingegen war erlaubt worden, auch weiterhin in der Küche zu arbeiten, nachdem Doña Victoria die fünf Mitglieder des Bürgerinnenrats überzeugt hatte, dass die schmackhaften Mahlzeiten, die in ihrer Küche zubereitet wurden, speziell Julias besonderem Händchen zu verdanken waren.

Julia Morales wurde von ihren Schwestern aus tiefster Seele gehasst, da sie die Schönste in der Familie war. Sie hatte große, haselnussbraune Augen mit grauen Sprenkeln, eine kleine, an der Nasenspitze leicht nach oben gerichtete Puppennase und volle, ausdrucksstarke Lippen. Ihr tänzelnder Gang war so aufsehenerregend, dass es nur allzu oft die Sensation schlechthin war, wenn sie allein über die Plaza stolzierte. Julia war größer als die meisten anderen Dorfbewohnerinnen, und ihre Manieren suchten ihresgleichen. Außerdem hatte sie wunderschönes schwarzes Haar, das in langen Wellen bis zu ihren Hüften fiel, und einen großen Penis zwischen den Beinen.

Julias erstaunliche Verwandlung verdankte sich ihrer Selbstdisziplin, ihrer Hingabe und Ausdauer. Ganze Sonnen hatte sie damit zugebracht, ihre Mutter und ihre Schwestern zu beobachten, genau darauf geachtet, wie sie sich bewegten und sich ihre weiblichen Verhaltensweisen zu eigen gemacht. Und obwohl Julia stumm war, lauschte sie mit gespitzten Ohren, wie ihre Schwestern redeten, wie sie sich ausdrückten, hatte ihre Sprachmuster in lauter anmutige, ineinanderfließende Bewegungen umgesetzt und dabei eine Körpersprache entwickelt, die auf einen Fremden unweigerlich so wirken musste, als würde Julia Morales einen geheimnisvollen Tanz aufführen, den sie in einem unbekannten Land gelernt hatte.

Fast glaubte Gordon zu träumen. Er blickte auf weiße Häuser mit orangefarbenen und roten Ziegeldächern, blühende Mangobäume, ein paar gepflegte Straßen und eine Kirche, deren Turm das harmonische Panorama ein wenig störte. Jenseits des Dorfs erhoben sich grüne Hügel, über die sich eine Reihe von Feldern erstreckte, auf denen Mais, Reis, Kaffee und Kartoffeln angebaut wurden.

Amazonen konnte er nirgends entdecken; es war überhaupt niemand zu sehen. Gordon warf einen Blick auf seine Handflächen: Sie bluteten. Seine Arme waren zerkratzt, und seine Hose fast völlig zerrissen. Seine Hände schmerzten höllisch, als er sie an seinem Guayabera-Hemd abwischte. Sein Gesicht war unversehrt geblieben; er hatte es mit dem Sandsack geschützt, als er sich durch das Dickicht geschlagen hatte.

Als er sich weiterschleppte, drangen von weitem weibliche Stimmen an seine Ohren, Rufe und Gelächter, doch war immer noch niemand zu sehen. Beruhigt stellte er fest, dass es sich um ganz normale Häuser handelte, womit schon mal die ferne Möglichkeit ausgeschlossen war, auf irgendwelche Riesinnen zu stoßen. Vorsichtig stieg er den Hang hinab und überlegte, was er sagen sollte, sobald er den ersten Frauen begegnete; außerdem fragte er sich, wie sie wohl auf ihn reagierten. Natürlich würden sie überrascht sein – aber hießen sie ihn willkommen oder würden sie ihm zu verstehen geben, dass er hier nicht erwünscht sei? Was, wenn sie ihn fragten, warum er gekommen war? Sollte er zugeben, dass er Reporter war? Möglich, dass er sie damit in die Defensive drängte. Wahrscheinlich war es am besten, wenn er behauptete, sich verlaufen zu haben, und ihnen seine blutigen Hände zeigte; einem Verletzten würden sie bestimmt helfen.

Nun hatte er bereits das Dorf betreten und hinkte eine schmale Straße hinunter. Die Häuser, an denen er vorbeikam, sahen alle gleich aus: Sie hatten weiß getünchte Fassaden, eine Eingangstür und ein großes Fenster mit grünem Rahmen. Alle Türen und Fenster standen offen; Gordon beschlich das dumpfe Gefühl, dass hinter den Vorhängen Menschen standen, die ihn beobachteten. Die Rufe und das Gelächter waren vollständig verstummt. Plötzlich nahm er weiter vor sich eine Bewegung wahr und erblickte ein großes, zwischen zwei Bäumen hängendes Bündel, in dem sich irgendetwas regte. Zögernd setzte er seinen Weg fort und sah sich dabei nach allen Seiten um. Noch bevor er die nächste Ecke erreichte, wurde er gewahr, dass es sich bei dem Bündel um eine Hängematte handelte, in der eine ausgesprochen attraktive Frau schlief. Gordon näherte sich ihr vorsichtig, da er sie nicht aufwecken wollte. Im selben Moment ertönte ein lauter Schrei hinter ihm. Als er herumfuhr, erblickte er eine Armee nackter Frauen, die, Knüppel und Steine in den Händen, kreischend aus ihren Häusern gelaufen kamen.

———

Als Gordon erwachte, starrte er an eine blendend weiße Zimmerdecke. Er dachte, er sei tot, glaubte, seine Seele schwebe durch die Luft. Nach und nach aber erinnerte er sich wieder. Die Frau in der Hängematte. Der Schrei. Die Horde nackter kreischender Frauen. Dann nur noch Dunkel um ihn herum.

Wo also war er jetzt? Es gab nur eine Antwort: Die Frauen hatten ihn überwältigt und irgendwo eingesperrt.

Schwaches Sonnenlicht fiel durch zwei kleine, leicht versetzte Fenster. Gordon war immer noch schummrig; er setzte sich auf und tastete sich ab. Sie hatten ihn nicht verletzt; er fand keine neuen Wunden, und er konnte alle Glieder bewegen. Er sah sich um. Er befand sich in einem großen, leeren Raum, der keineswegs nach einem Kerker aussah, sondern wie eine Kirche, auch wenn nirgendwo Bänke, Kreuze oder Heiligenbilder zu sehen waren. Um sich herum erblickte er nichts als nackte Wände, und der Zementboden, auf dem er lag, war makellos sauber und roch nach Lavendel. Mit seinen dreckigen Klamotten und den Schrammen, aus denen immer noch Blut sickerte, war er das einzige unsaubere Element im Raum.

Da weit und breit niemand zu sehen war, stand er auf und machte sich auf den Weg zur Tür, wobei er sich an der Wand abstützte. Er bückte sich ein wenig und spähte durch das kleine Gitterfenster. Im selben Augenblick riss er überrascht die Augen auf: Auf der Straße erblickte er eine große Anzahl nackter Frauen, die leise miteinander redeten. Einige hielten Händchen wie Verliebte. Eine kleinere Gruppe von fünf alten Frauen – vier davon splitternackt – durchforstete seinen Seesack. Er beobachtete, wie eine der

Frauen nacheinander seine T-Shirts herausnahm, sie gegen das Licht hielt, als wären es Fotonegative, und dann an die anderen Frauen weiterreichte. Für sein Mini-Aufnahmegerät schienen sie sich nicht zu interessieren. Sie besahen es sich von allen Seiten und legten es schulterzuckend beiseite, da sie sich seinen Nutzen offenbar nicht erklären konnten. Eine Dose Cola hingegen schien sie hellauf zu begeistern. Sie hielten sie waagerecht, drehten sie mit beiden Händen und lächelten. Gordon sah neugierig zu, aber gleichzeitig war ihm die Sache auch ein bisschen unheimlich.

Dann ertönte ein markerschütternder Schrei. Die Frauen fuhren abrupt herum. Der Schrei kam aus dem Mund des jungen Mädchens, das in der Hängematte geschlafen hatte. Zwei Frauen hielten das Mädchen fest, während eine dritte Frau versuchte, seine Schreie mit einem Taschentuch zu ersticken. Das Mädchen krümmte sich wie ein Wurm, trat wild um sich und stieß dabei eine Reihe kehliger Laute aus. Gordon fand, dass es schlicht umwerfend aussah. Mit einem Mal hörte das Mädchen auf, sich zu wehren; seine Schreie gingen in ein langes, untröstlich klingendes Wimmern über. Die zwei anderen Frauen lockerten ihren Griff, und im selben Moment riss sich das Mädchen so abrupt von ihnen los, dass beide zu Boden stürzten. Dann rannte es zum Kirchenportal.

Gordon blieb gerade noch genug Zeit, zur Seite zu treten, als das Mädchen auch schon die Tür aufstieß. Es ließ den Blick durch den leeren Raum schweifen, und als es ihn erspähte, stürzte es sich unvermittelt auf ihn, schlang seine Arme um Gordons Nacken und küsste ihn leidenschaftlich auf den Mund. Und nun betraten auch die anderen Frauen die Kirche, drängelten und schubsten, um einen Blick auf den blauäugigen Fremden zu erhaschen, während das Mädchen weiter wie eine Napfschnecke an ihm hing.

»Julia Morales«, rief eine Matrone von äußerst stattlicher Figur, während sie sich ihren Weg durch die Menge bahnte. »Lass sofort den Míster in Ruhe! Weg da, aber sofort!« Mit finsterer Miene und zusammengepressten Lippen trat das Mädchen beiseite. Die

Matrone stemmte die Hände in die breiten Hüften und richtete den Blick auf Gordon, der wie angewurzelt dastand.

»Wer sind Sie wo kommen Sie her wer hat Sie geschickt und was wollen Sie?«, platzte sie ohne Punkt und Komma heraus, als wären alle Fragen gleichbedeutend wichtig.

Gordon sagte gar nichts. Er war derart perplex, dass er selbst in seiner eigenen Sprache kein Wort herausgebracht hätte, geschweige denn auf Spanisch. Stattdessen ließ er den Blick über die wohlgeformten nackten Körper der Frauen gleiten, betrachtete ihre sonnengebräunten Brüste, die großen, schokoladenfarbenen Brustwarzen, die langen Oberkörper und dunklen Bäuche, die kurzen dunklen Schamhaare, die geschmeidigen, kräftigen Arme und Beine. Er fand, dass sie wundervoll anzusehen waren.

»Tja«, richtete die breithüftige Frau das Wort an die versammelte Menge. »Sieht ganz so aus, als hätten wir's mit einem Taubstummen zu tun.«

Gordon schoss durch den Kopf, dass sie eine der fünf Frauen gewesen war, die seinen Seesack durchsucht hatten. Sie strahlte Autorität und Durchsetzungskraft aus – und das, obwohl sie splitternackt war. Kein Zweifel, sie hatte hier das Sagen. »Nein, ich bin nicht taubstumm«, erwiderte er beschwichtigend.

»Ohhhh!«, raunte die Menge.

»Dann sagen Sie uns, wer Sie sind.«

»Ich heiße Gordon Smith«, sagte er. Ein paar Frauen kicherten.

»Kommen Sie bitte mit mir ins Rathaus, Señor Esmís«, sagte die Frau. »Der Bürgerinnenrat würde gern wissen, was Sie zu uns geführt hat.«

Sie ging voraus und zwang die neugierigen Frauen auf diese Weise, zur Seite zu weichen. Gordon hinkte hinter ihr her; alles tat ihm weh. Diesmal fiel ihm sofort auf, wie gepflegt die kleine, im Schatten hoher Mangobäume liegende und von Holzbänken umringte Plaza war, wie malerisch die Häuser mit ihren weißen Wänden und den Blumen vor den Fenstern wirkten, wie sauber die Bürgersteige und die ungeteerten Straßen waren. Und inmitten dieses fast utopisch anmutenden Panoramas tauchte nun auch noch die junge Frau auf, von der er inzwischen wusste, dass sie Julia hieß. Während sie mit der Menge vorausging, warf sie ihm ein ums andere Mal kokette Blicke zu. Sie hatte feine, anmutige Züge, doch gleichzeitig spiegelte sich in ihren runden, haselnussbraunen Augen mit den grauen Sprenkeln etwas Wildes, fast Tierhaftes, während von ihrem blauschwarzen Haar und der schimmernden Haut etwas überaus Verführerisches ausging. Er wünschte, sie wäre ebenfalls nackt.

Beim Betreten des Gebäudes sah Gordon sich verstohlen um. Es gab zwei Räume. Der erste war klein und leer; die Einrichtung des anderen bestand aus einem Schreibtisch und vier rohen Holzbänken. Auf dem Tisch stand eine Petroleumlampe. Die Wände waren nackt, bis auf die Wand hinter ihm, die zur Hälfte von einem großen feuchten Fleck verunziert wurde. Die breithüftige Frau erklärte entschuldigend, die Klempnerinnen hätten das Problem leider noch nicht lösen können.»Kennen Sie sich zufällig mit so etwas aus, Señor Esmís?«, fragte sie. Gordon verneinte. Dann stellte er fest, dass sich draußen vor dem Fenster eine Reihe junger Frauen versammelt hatte, die Küsse zu ihm hereinhauchten und kicherten. Als er Julia erkannte, winkte er ihr freundlich zu. Die breithüftige Frau eilte zum Fenster und schloss die Läden, womit sie nicht nur die schäkernden Mädchen, sondern auch die letzten Sonnenstrahlen aussperrte.

Sie griff nach der Lampe und nahm den gläsernen Aufsatz ab. »Mein Name ist Rosalba«, sagte sie. »Ich war früher die Bürgermeisterin hier. Aber nun treffe ich die Entscheidungen nicht mehr allein. Das macht jetzt der Bürgerinnenrat, dem insgesamt fünf Frauen angehören.« Sie zündete den Docht an. »Dieses Zimmer war früher mein Büro, aber damals war es viel hübscher eingerichtet. Ich hatte einen echten Mahagonischreibtisch. Ein Prachtstück. Da drüben stand er.« Sie hob die Lampe und wies auf die Wand mit dem feuchten Fleck. Gordon zog die Augenbrauen hoch, ohne weiter durchblicken zu lassen, ob er nun beeindruckt oder schlicht gelangweilt war.

Im selben Augenblick klopfte es. »Das müssen die anderen sein«, sagte Rosalba. Sie stellte die Lampe zurück auf den Schreibtisch und ging zur Tür. Drei Frauen traten ein; zwei von ihnen trugen Gordons Seesack und stellten ihn neben ihm ab. Dann schlurfte noch eine weitere Frau herein, die sich auf einen Stock stützte und eine Brille mit dicken Gläsern trug. »Bitte setzt euch«, sagte Rosalba. Die Frauen ließen sich jeweils zu zweit auf den vorderen Bänken nieder, während Rosalba hinter dem Schreibtisch Platz nahm und Gordon bat, sich ihr gegenüber zu setzen.

»Señor Esmís«, begann sie. »Wir sind der Bürgerinnenrat von Neu-Mariquita. Das sind Cecilia und Señorita Cleotilde. Da drüben sitzen Schwester Ramírez und Ubaldina, unsere Dorfpolizistin. Ich bin Rosalba, die ehemalige Bürgermeisterin.«

»Sehr erfreut«, sagte Gordon schüchtern und nickte den Frauen zu. Die höfliche Geste schien bei allen einen guten Eindruck zu hinterlassen, nur bei der Dorfpolizistin nicht, die ihn mit starrer Miene fixierte.

»Was hat sie hierher geführt, Señor Gordonmís?« Ubaldina warf ihm einen misstrauischen Blick zu.

Er besah sich die Frauen und kam zu dem Schluss, dass sie ihm, abgesehen von der Polizistin, offenbar freundlich gesonnen waren. Es gab keinen Grund, sie anzulügen. »Ich bin Journalist«, sagte er. »Ich arbeite als Auslandskorrespondent für verschiedene Zeitschriften und Zeitungen. Ich berichte schon seit Längerem über den hiesigen Bürgerkrieg, habe Guerilleros, Söldner und Armeesoldaten interviewt. Ich verkaufe meine Geschichten an Magazine und Zeitungen in den Vereinigten Staaten, aber auch an ...«

»Wer hat Sie hierher geschickt?«, unterbrach ihn Ubaldina. »Und was wollen Sie von uns?«

»Vor ein paar Tagen habe ich einen Mann kennengelernt, einen

Verrückten, der mir lauter Lügen über das Dorf hier erzählt hat. Er hat mir erzählt, hier würden lauter Riesinnen leben, grausame Mannsweiber mit Bärten, die ohne Männer Kinder bekommen könnten, gottlose Kreaturen, die ihre Feinde erst folterten, ehe sie sie bei lebendigen Leibe verspeisten. Natürlich habe ich ihm seine Geschichte nicht abgekauft, aber die Sache mit dem Dorf, in dem nur Frauen lebten, schien mir durchaus glaubwürdig zu sein. Außerdem schien ich ein interessantes Thema gefunden zu haben, über das ich schreiben konnte: Eine Stadt der Frauen in einem von Männern regierten Land.« Er machte eine dramatische Pause. »Jedenfalls habe ich ihn gebeten, mir zu erklären, wie ich hierher komme, und nun bin ich da.« Er hielt inne und ließ den Blick über die Gesichter der Frauen schweifen, die ihm aufmerksam zuhörten. »Das ist die Wahrheit, meine Damen.« Er hob die Hand zum Schwur, als stünde er vor einem Gericht.

Die fünf Frauen schienen nicht sonderlich überrascht. Sie wechselten Blicke untereinander, ohne dass sich auch nur die geringste Gefühlsregung in ihren Mienen widerspiegelte, und schwiegen.

»Nun ja ... nachdem ich Ihnen jetzt alles erklärt habe, würde ich gern um Ihre Erlaubnis bitten, mich vorübergehend hier aufhalten zu dürfen«, sagte Gordon. »Ich möchte über Ihr Dorf schreiben und bin bereit, für Kost und Logis auch zu arbeiten.«

»Wie hieß der Mann, der Ihnen von uns erzählt hat?«, fragte Ubaldina, ohne auf die Frage des Reporters einzugehen.

»Rafael. Rafael Bueno. Er hat behauptet, er wäre hier Priester gewesen, hier in dieser Gemeinde, bis die Dorfbewohnerinnen versucht hätten, ihn bei lebendigem Leibe zu fressen.«

Abermals wechselten die Frauen Blicke. Diesmal jedoch stand ihnen die nackte Wut ins Gesicht geschrieben.

»Was für ein ehrloser Drecksterl«, sagte die greise Señorita und stieß ihren Stock zornig auf den Boden.

»Wir hätten ihm eine ordentliche Tracht Prügel verabreichen sollen.«

»Am besten, wir hätten den Widerling gleich umgebracht.«
»Ja, und seine Überreste an die Hunde verfüttert.«
»Oder gleich an die Schweine.«

Es lag auf der Hand, dass Rafael Bueno den Frauen etwas Unverzeihliches angetan haben musste, aber Gordon hakte nicht weiter nach; es war definitiv nicht der richtige Zeitpunkt. Momentan konnte er nur darauf hoffen, dass der Bürgerinnenrat seiner Bitte um vorübergehenden Aufenthalt zustimmen würde.

»Wir müssten dann noch über die Anfrage des Herrn sprechen«, sagte Ubaldina. Mit Blick auf Gordon fügte sie hinzu: »Allein.«

Er nahm seinen Seesack und ging zur Tür.

»Das können wir nicht machen«, sagte Rosalba. »Julia Morales verschlingt ihn mit Haut und Haar.«

Gordon blieb wie angewurzelt stehen.

»So war das nicht gemeint, Señor Esmís.« Rosalba kicherte. »Ehrlich, wir verspeisen keine Menschen.«

Nachdem die Frauen übereingekommen waren, dass es nur noch mehr Aufruhr verursachen würde, wenn sie den Reporter nach draußen schickten, baten sie Gordon, an Ort und Stelle zu warten und gingen selbst hinaus. Er beobachtete sie durch einen Spalt in der Tür. Umringt von der neugierigen Menge, versammelten sie sich unter einem Mangobaum und diskutierten, ruckten mit den Köpfen wie nervöse Hühner. Schließlich kehrten sie zurück und nahmen mit feierlichen Mienen wieder Platz, ohne sich auch nur im Mindesten anmerken zu lassen, was sie denn nun beschieden hatten. Gordon war davon ausgegangen, dass Rosalba die Entscheidung verkünden würde, doch war es Ubaldina, die sich schließlich erhob und das Wort an ihn richtete.

»Ich mach's kurz, Señor Gordonmís. Ich bin für Frieden und Sicherheit in unserer Gemeinde verantwortlich. Ihr plötzliches Auftauchen hat eine Menge Unruhe verursacht, und offen gesagt erwarte ich nichts Gutes von einer Person, deren Gegenwart sich den Informationen eines Mannes verdankt, der vier unserer Kinder ermordet hat. Am besten wäre es, Sie würden unser Dorf sofort wieder verlassen, aber es wird schon dunkel, und jemand mit weißer Haut könnte allen möglichen nächtlichen Jägern zum Opfer fallen. Daher haben wir beschlossen, Ihnen bis morgen Zeit zu geben, unsere Gemeinde zu verlassen, und wir hoffen, Sie niemals wiederzusehen.«

»Señora Upaultina, ich versichere Ihnen, dass ich …«

»Ubaldina«, sagte sie. »Ich heiße Ubaldina.«

»Ich habe ausschließlich friedliche Absichten, Señora … Ubaldina. Ich will Ihnen nicht schaden.«

»Durch das Dickicht da oben ist noch nie etwas Gutes gekommen«, gab Ubaldina zurück. Und damit verschränkte sie die Arme und setzte sich, um zu signalisieren, dass die Diskussion beendet sei.

Ehe Gordon noch etwas erwidern konnte, bat ihn die Frau, die Schwester Ramírez genannt wurde, sie zur Krankenstation zu begleiten. »Ich bin für die Gesundheit unserer Bürgerinnen verantwortlich und werde mich erst einmal um Ihre Schrammen kümmern.«

»Und danach kommen Sie bitte zu mir«, sagte die Frau, die Cecilia genannt wurde. »Ich bin für das leibliche Wohl unserer Bürgerinnen zuständig und bringe Sie dann in eine unserer Gemeindeküchen. Sie brauchen dringend eine warme Mahlzeit.«

»Ich bin die Gemeindeverwalterin«, sagte Rosalba, »und in dieser Funktion insbesondere für Arbeitsorganisation und Unterbringung verantwortlich. Ich sorge dafür, dass Sie ein sauberes Zimmer bekommen, mit allem, was Sie für heute Nacht benötigen.«

»Und ich bin für die Schule und die Gemeindeglocke zuständig«, sagte die greise Señorita Cleotilde. »Also sozusagen die Uhr von Neu-Mariquita. Ich werde dafür Sorge tragen, dass Sie rechtzeitig aufwachen, um unser Dorf vor Sonnenaufgang verlassen zu können.«

Nachdem er in der Krankenstation behandelt worden war, wurde Gordon zur zweitbesten Küche von Mariquita gebracht, der Kantine der Villegas'. Cecilia sagte, am beliebtesten sei die Küche der Morales', doch sei sie angewiesen worden, ihn von Julia Morales fernzuhalten.

Als Gordon und Cecilia in der Gemeindeküche eintrafen, saßen dort nur drei Pärchen, die sich gegenseitig mit den Resten ihrer Mahlzeit fütterten. Flor (die ehemalige Witwe Villegas) und ihre Verlobte Elvia (die ehemalige Witwe López) trugen identische Schürzen über den nackten Körpern; sie hießen Gordon willkommen und wiesen ihm einen Ecktisch zu. Der Reporter war fasziniert von der Dorfgemeinschaft, der perfekten Organisation, den Frauen und ihrem Miteinander. Da Ubaldina ihm verboten hatte, über das Nötigste hinaus mit den Dorfbewohnerinnen zu sprechen, diktierte er seine Beobachtungen auf Englisch in sein Aufnahmegerät. Cecilia hatte nichts dagegen. Sie zeigte sich sogar ungewöhnlich zuvorkommend, und bald verstand Gordon auch, warum.

»Señor Esmís, Sie haben gesagt, Sie hätten Guerilleros interviewt. Und ich frage mich, ob Sie ... ob Sie vielleicht zufällig irgendwo meinen Sohn getroffen haben. Er heißt Ángel Alberto Tamacá und hat sich vor langer Zeit den Rebellen angeschlossen. Er ist groß, hat ...«

»Sind Sie sicher, dass er ... dass er noch lebt?«

»Mein Herz sagt mir, dass er noch lebt«, erwiderte sie. »Gibt es vielleicht eine Möglichkeit, ihm eine Nachricht zukommen zu lassen?«

»Ich könnte meine Beziehungen spielen lassen. Schreiben Sie ihm einen Brief, und dazu bräuchte ich alle Angaben über ihn, die irgendwie weiterhelfen könnten. Ich werde alles Menschenmögliche tun, damit er den Brief bekommt ... immer vorausgesetzt, dass er noch unter uns ist.«

Die Frauen an den anderen Tischen musterten Gordon neugierig, als sei es etwas Außergewöhnliches, dass er das Gleiche aß wie sie: Reis, gebratene Yucca und ein kleines, stark gewürztes

Stück von irgendetwas, das nach Fleisch schmeckte; er erkundigte sich nicht weiter, da er lieber nicht wissen wollte, worum es sich handelte. Als er fertig war, bedankte er sich für das vorzügliche Mahl. Elvia erwiderte, es sei ihr eine Ehre, einen so feinen Herrn als Gast in ihrer bescheidenen Küche zu haben.

Gordon und Cecilia wollten gerade gehen, als Julia Morales eintrat. Diesmal trug sie ein rotes Kleid mit weißen Punkten. Es war ein altmodisches, oft geflicktes Kleid, passte ihr aber wie angegossen. Die Hände in die Hüften gestemmt, stand sie in der Tür und musterte ihn herausfordernd; kurz darauf schenkte sie ihm ein scheues Lächeln, was ihn völlig durcheinanderbrachte. All das schien zu einem ausgeklügelten Verführungsplan zu gehören, der bestens funktionierte. Sein eines Lid begann zu zucken, ein klares Zeichen dafür, wie sehr er sie begehrte, ebenso wie seine Erektion; glücklicherweise trug er eine weite Hose. Cecilia stellte sich vor den Reporter, als könne sie dem Mann, der sie um Haupteslänge überragte, die Sicht verstellen. »Gehen wir«, sagte sie. »Rosalba erwartet uns bereits in der Kirche.« Julia verschränkte die Arme, lehnte sich dann aber gegen den Türrahmen, um die beiden durchzulassen. Ein kurzes Zwinkern war alles, was er zustande brachte, als er an ihr vorbeiging. Dann marschierte er mit Cecilia an seiner Seite davon und dachte, dass Julia das exotischste Wesen war, das er jemals gesehen hatte.

Im hinteren Teil der Kirche war eine Hängematte aufgespannt worden, in der eine Decke lag. Auf einer umgedrehten Holzkiste, die als Nachttisch dienen sollte, stand eine Petroleumlampe; daneben lagen ein Handtuch und ein Stück Seife.

»Gibt's hier ein Bad?«, fragte Gordon.

»Nein, Míster Esmís«, sagte Rosalba. »Wir haben nur ein Gemeinschaftsbad mit zehn Duschen und zehn Latrinen – so sauber, dass Sie sich wundern würden.«

»Na, großartig! Wo ist denn dieses Bad?«

»Tut mir Leid, Míster Esmís, aber Sie dürfen es nicht betreten. Entscheidung des Bürgerinnenrats. Benutzen Sie bitte diesen Eimer hier.« Sie wies auf zwei Eimer; der eine war mit Wasser gefüllt, der andere leer. »Da drüben in der Ecke liegen weitere Decken, falls Ihnen kalt werden sollte. Ich wünsche Ihnen eine gute Nacht und eine gute Heimreise.« Ein nachdenkliches Lächeln umspielte ihre Lippen. Ihre Lippen öffneten sich leicht, als wollte sie noch etwas sagen, schwieg dann aber doch. Als sie sich abwandte und zur Tür ging, wirkte sie irgendwie traurig.

Er sah ihr hinterher, bis sie verschwunden war, und stellte verblüfft fest, dass er gar nicht weiter auf ihre Nacktheit geachtet hatte. Seltsam, wie schnell sich das Auge an bestimmte Anblicke gewöhnt, dachte er; einen Moment lang stellte er sich vor, wie Hunderte von nackten Leuten die Fifth Avenue in New York City entlangeilten, wie sich ihre Geschlechtsteile in den Schaufenstern der Läden spiegelten, in denen es alles Mögliche zu kaufen gab, nur keine Kleidung. Er lachte leise, trat vor den leeren Eimer und pinkelte hinein. Dann zog er seine dreckigen Turnschuhe und Socken aus, legte sich in die Hängematte, ließ seine Beine zu beiden Seiten herunterbaumeln und begann, in seinem zerfledderten Exemplar von *Hundert Jahre Einsamkeit* zu lesen. Ab und zu warf er einen Blick an die weiß getünchte Decke, auf der sich der Schein der Lampe abzeichnete wie eine große pastellgelbe Sonne. Er las noch ein wenig, löschte schließlich die Lampe und schaukelte im Dunkel ein wenig hin und her, bis ihn die stete Bewegung langsam einschlafen ließ.

Mitten in der Nacht wachte er schweißgebadet auf; er zog seine Sachen aus und wälzte sich schwer atmend von einer Seite auf die andere. Er fühlte sich krank. Plötzlich spürte er, wie eine kleine weiche Hand über seine Wangen und die glühend heiße Stirn strich; dann begann jemand, sein Gesicht und seinen Hals, seine Arme und seine Brust mit einem feuchten Tuch abzutupfen. Das musste ein Traum sein. Er öffnete die Lippen, als ein paar Wassertropfen darauf fielen. Er spürte, wie sein Gesicht abermals abgetupft wurde, weitere Tropfen, die seine Lippen benetzten, und dann einen Kuss, weiche, sanfte Lippen, die sich leicht auf die seinen drückten, zu seinem Ohr und über den Hals wieder zurück zu seinem Mund wanderten. Ein animalischer Duft rief ihm Julia ins Gedächtnis, und im selben Augenblick ging ihm auf, dass er keineswegs träumte. Auf einmal stieg sie zu ihm in die Hängematte. Er spürte, wie ihr geschmeidiger Körper ums Gleichgewicht kämpfte; katzengleich schob sie die knochigen Hüften hin und her. Auch Gordon verrenkte die Hüften, erst leidenschaftlich, dann ruckartig, als er eine ebenso unerwartete wie unerwünschte Schwellung zwischen den Beinen des anderen Körpers bemerkte. Wild kämpften sie mit den Unterleibern gegeneinander an, bis Gordon schließlich erschöpft nachgab. Die kleinen, sanften Hände, die noch vor kurzem seine Stirn gestreichelt hatten, landeten nun auf seiner Brust, während sich zwei muskulöse Oberschenkel um seine Taille schlossen. Julia hockte über ihm, begann auf seinem Unterleib zu tanzen, sog ihn geradezu in sich hinein, als wäre da etwas in ihr, das ihn um jeden Preis besitzen musste. Und schließlich glitt er in sie und sie gab ein lautes Wimmern von sich, wand sich auf ihm, während sie ihn mit den Oberschenkeln umklammerte und wieder und wieder auf ihn niederging. Sie bewegten sich, als würden sie Mambo tanzen. Die Hängematte schaukelte unter dem Gewicht ihrer ruhelosen Körper; er ächzte, sie stöhnte, bis beide schließlich explodierten, er in ihr, sie auf seinen Bauch, und sich von einem Moment auf den anderen ein raubtierartiger Geruch im Raum verbreitete.

Julia sank auf Gordon; schweigend legte sie den Kopf an seine Brust und lauschte dem Pochen seines Herzens. Seine Finger glitten durch ihr langes, dichtes Haar. »Wie heißt du wirklich?«, fragte er. Sie antwortete nicht – oder womöglich doch, mit ihrer ureigenen, so überaus anmutigen Körpersprache, nur dass Gordon nichts sah, da es stockdunkel war. Und so lagen sie da, vereint in fiebrigem Schweigen, bis Gordon schließlich einschlief, so dass er nicht einmal hörte, wie die Tür ins Schloss fiel, als Julia wieder verschwand.

Vor Sonnenaufgang fand Cleotilde den Reporter nackt vor der Kirche; er zitterte am ganzen Körper, umringt von einer Armee roter Ameisen, die ihn offenbar abtransportieren wollten. Die alte Frau kniete sich neben ihn und legte eine Hand auf seine Stirn: Er hatte hohes Fieber. Seine Lippen bebten, und seine Zähne schlugen hart aufeinander, als er irgendetwas Unverständliches vor sich hin murmelte. Sie ergriff ihn am Arm, um ihn zurück in die Kirche zu schleppen, doch sie war zu alt und er zu schwer. Sie runzelte die Stirn, wenn auch weniger beunruhigt über seinen Zustand als vielmehr darüber, dass er nun nicht wie vereinbart den Ort verlassen konnte. Sie schlurfte in die Kirche und begann, die Glocke zu läuten. Anschließend ging sie zu Rosalba und Eloísa und teilte ihnen mit, dass der Reporter krank geworden war. »Was sollen wir jetzt mit ihm machen?«, fragte sie. »Wir müssen dringend den Bürgerinnenrat einberufen.«

»Dazu haben wir jetzt keine Zeit«, gab Rosalba barsch zurück – dann und wann verfiel sie, ganz ohne Absicht und sehr zum Unmut der anderen Ratsmitglieder, wieder in den Ton, den sie als Bürgermeisterin angeschlagen hatte. »Eloísa und ich kümmern uns um Míster Esmís. Hol du Schwester Ramírez. Und beeil dich bitte!« Cleotilde hatte nicht mehr die Nerven, Rosalba wie früher die Stirn zu bieten. Schon war sie unterwegs, stieß ihren Stock auf den Boden und murrte wütend vor sich hin. Vor der Kirche angekommen, wischte Rosalba erst einmal die Ameisen von Gordons Körper; dann fasste sie ihn bei den Füßen, während Eloísa ihn an den Armen ergriff. Gemeinsam trugen sie ihn hinein und besahen sich dabei verstohlen seine Geschlechtsteile, obwohl beide so taten, als handele es sich um einen völlig alltäglichen Anblick. Da es ihnen nicht gelang, Gordon in die Hängematte zu hieven, legten sie ein paar Decken übereinander, platzierten ihn darauf und versuchten, ihn mit einem dünnen blauen Laken zuzudecken, das er sich aber immer wieder vom Körper riss, da er vor Hitze förmlich zu glühen schien. Er klagte über grauenhafte Kopfschmerzen; jeder einzelne Knochen im Leib täte ihm weh.

Kurz darauf traf Cleotilde ein, begleitet von Schwester Ramírez, die nichts trug außer einem Mundschutz und einem Paar Handschuhe, die sie sich schon vor Ewigkeiten aus einer ausrangierten weißen Plastiktischdecke mit aufgedruckten Früchten genäht hatte. Bei sich hatte sie das alte Medizinhandbuch ihres verstorbenen Gatten, seine Instrumententasche und ein Notizbuch, in dem sie eigene Mixturen vermerkte. Als die Schwester den nackten Mann erblickte, blieb sie wie angewurzelt stehen. Der einzige Mann, den sie je nackt gesehen hatte, war ihr verstorbener Ehemann gewesen. Nach so vielen Leitern einen nackten Mann zu sehen, rief eine Art Sehnsucht in ihr hervor, die den Gefühlen für ihre derzeitige Freundin Erlinda ähnelte, aber doch ganz anders war. Der Unterschied lag in der Intensität dessen, was sie empfand. Das Verlangen, das in diesem Augenblick Besitz von ihr ergriff, war um vieles stärker und ließ sich kaum unterdrücken. Sie gab sich alle Mühe, sich nichts anmerken zu lassen. Schweiß trat ihr auf die Stirn, und ihre Hände zitterten, als sie sich neben Gordon kniete und ihn so gründlich wie möglich untersuchte, auch wenn sie von derartigen Untersuchungen nicht viel verstand. Als sie ein Ohr an seine Brust legte, um seinem Herzschlag zu lauschen, streifte eine ihrer Brustwarzen die fiebrige Männerhaut, was sie völlig aus der Fassung brachte. Schließlich stellte sie fest, dass sein Puls stark erhöht und sein Blutdruck zu niedrig war; außerdem hatte er hohes Fieber (auch wenn sie nicht genau wusste, wie hoch das Fieber war, da die Zahlen und Striche auf der Thermometerskala im Laufe der Jahre völlig verblasst waren).

Als sie mit ihrer Untersuchung fertig war, bedeckte sie seinen Unterleib mit einem Laken und stellte ihm verschiedenste, zum Teil völlig unsinnige Fragen wie zum Beispiel, ob in seinem Land alle Menschen so bleich seien wie er. Sie notierte sich seine Antworten – inklusive »Noch bleicher« –, verglich sie mit ihren anderen Notizen und schlug einiges in ihrem medizinischen Handbuch nach. Schließlich stellte sie durch den Mundschutz hindurch ihre Diagnose: Der Patient sei an Dengue-Fieber erkrankt.

»Jetzt sag bloß nicht, das ist ansteckend«, sagte Rosalba.

Sei es nicht, erklärte die Schwester. Der Dengue-Virus könne nur durch den Stich eines infizierten Moskitos übertragen werden, und ein Moskito könne sich den Virus nur über einen infizierten Menschen holen. Weshalb sie lediglich dafür sorgen müssten, dass der Míster nicht von irgendeinem Moskito gestochen würde.

»Ist es ein hämorrhagisches Fieber?«, fragte Gordon mit schwacher Stimme. Er wusste, dass diese Krankheit oft tödlich endete.

Nein, erwiderte sie, aber es sei durchaus möglich, dass es noch dazu käme, wenn sie nicht äußerste Vorsicht walten ließen. Sie kündigte an, ihm zunächst einen Trank zu bereiten, der die Symptome lindern würde, fügte aber hinzu, dass es kein spezifisches Heilmittel gegen Dengue-Fieber gebe. Er müsse ruhig liegen und möglichst viel Flüssigkeit zu sich nehmen; seine Genesung würde zehn bis fünfzehn Sonnen in Anspruch nehmen.

Rosalba bat Cleotilde, die Wartungsmannschaft zu beauftragen, die beiden Kirchenfenster zu schließen und ein Moskitonetz über Gordons Schlafplatz anzubringen. Eloísa entschuldigte sich und ging zur Arbeit. Sie leitete ein Team starker Frauen, das sich der fast unmöglichen Aufgabe angenommen hatte, die Wasserversorgung wiederherzustellen. Schwester Ramírez bat Rosalba, eine Weile auf den Míster aufzupassen. Sie musste erst einmal die Kräuter für den Genesungstrank sammeln und außerdem noch bei der Witwe Pérez vorbeischauen, die hatte verlautbaren lassen, dass sie diesmal *wirklich* im Sterben läge.

»Geh ruhig, Ramírez«, erwiderte Rosalba. »Und lass dir Zeit. Ich kümmere mich solange um Míster Esmís.«

Nachdem sie von Gordons Zustand erfahren hatte, begab Julia Morales sich mit einem Topf Suppe zur Kirche und bedeutete Rosalba durch ein paar Gesten, dass sie für den Fremden sorgen wollte.

»Deine Hilfe wird hier nicht benötigt«, beschied Rosalba dem Mädchen durch das kleine Gitterfenster. »Wenn du willst, kannst du die Suppe draußen stehen lassen. Ich sage Míster Esmís, dass du sie gekocht hast.«

Julia schüttelte den Kopf. Sie wollte ihm die Suppe selbst einflößen, selbst, selbst, selbst. Sie schlug sich dreimal mit der Handfläche auf die Brust.

»Du hast gehört, was ich gesagt habe, Julia. Und jetzt lass die Suppe hier und kümmere dich um deine Arbeit.«

Das Gesicht des Mädchens verfärbte sich zornrot. Mit der freien Hand – speziell mit dem Mittelfinger – bedeutete sie Rosalba, was sie von ihrer Antwort hielt; gleichzeitig stieß sie eine Reihe spitzer, schier unerträglicher Laute aus. Schließlich hockte sie sich, den Topf mit der Suppe zwischen den Beinen, auf den Boden und vergrub das Gesicht schluchzend in ihren Händen.

Ihr erbarmungswürdiger Anblick rührte Rosalba so sehr, dass sie sich erbot, das Mädchen hereinzulassen – unter der Bedingung, dass sie wieder ginge, sobald Gordon die Suppe gegessen habe. Julia stimmte zu und lächelte über das ganze Gesicht, als sie eintrat. Sie breitete eine Decke neben Gordon aus, setzte sich zu ihm unter das mittlerweile aufgespannte Moskitonetz und fütterte ihn besonders langsam, damit sie möglichst lange bei ihm verweilen konnte. Anschließend flößte sie ihm Becher um Becher von dem schwarzen Traubensaft ein, den Flor Villegas und Elvia

López vorbeigebracht hatten – »ein hundertprozentiger Viruskiller«, wenn man Flors Worten Glauben schenken wollte. Kurz darauf schlief Gordon ein, und als er wieder erwachte, starrte er Julia so unverwandt an, als sei sie ein Gemälde an der Wand. Was sie keineswegs entmutigte; unentwegt tupfte sie sein sonnenverbranntes Gesicht mit einem feuchten Lappen ab, benetzte seine roten, geschwollenen Augen und die trockenen, gesprungenen Lippen.

Rosalba saß in einem Klappstuhl, die Hände über dem Bauch gefaltet, und musterte das eifrige Mädchen voller Mitgefühl. Du armes dummes Ding, dachte sie. Sobald der Gringo wieder auf den Beinen ist, wird er gehen – und dich mit gebrochenem Herzen zurücklassen. Selbst wenn du ihm gefallen solltest, wird er dich hassen, sobald er herausfindet, was sich zwischen deinen Beinen befindet.

Ehe sie wieder nach Hause ging, küsste Julia den Reporter leidenschaftlich auf den Mund. Es war ein Kuss, der von niemandem bemerkt wurde, da der Geküsste halb ohnmächtig im Fieber lag und Rosalba auf ihrem Stuhl eingenickt war. Als die ehemalige Bürgermeisterin ein Weilchen später aufwachte, kniete Gordon auf seinen Decken und versuchte sich unter dem Moskitonetz hervorzukämpfen. Sie eilte zu ihm.

»Was machen Sie da, Míster Esmís? Sie werden sich noch wehtun.«

»Ich muss pinkeln«, murmelte er und bedeckte sein Geschlechtsteil mit einer Hand.

»Das können Sie gleich hier erledigen.« Sie griff nach dem Eimer, in den Gordon bereits in der vergangenen Nacht gepinkelt hatte, und hob das Moskitonetz an.

Er nahm den Eimer entgegen, wandte sich um und atmete hörbar ein und aus. Ein lautes Plätschern erfüllte den Raum.

»Es wird schon wieder dunkel«, sagte er und stellte den Eimer ans untere Ende seiner Behelfsmatratze. »Wie spät ist es?«

Die Frage hatte Rosalba schon seit vielen Leitern nicht mehr gehört. »Bald kommen die Frauen von der Arbeit zurück.« Sie sah, wie Gordon in seinem Seesack kramte; offenbar suchte er etwas. Er förderte ein Paar Boxershorts zutage und zog sie sich rasch über. Es ging ihm besser, aber es lag auf der Hand, dass das Fieber noch vor Einbruch der Nacht mit aller Macht zurückkehren würde.

Nach wie vor auf den Knien, ließ Gordon den Blick durch den weitläufigen Raum schweifen. »Das hier soll eine Kirche sein?«, fragte er. »Ich sehe nichts, was mich auch nur entfernt an Gott erinnern würde.«

Rosalba blickte sich ebenfalls um und lächelte, offenbar hochzufrieden mit der Leere, die sie umgab. »Die Macht der Gewohnheit«, sagte sie. »Wir nennen dieses Haus ›Kirche‹, weil es früher mal eine war. So wie wir früher auch von ›Gott‹ oder von ›Himmel‹ gesprochen haben.«

»Und wie nennen Sie Gott jetzt?«

»Wir haben keinen Namen für ›ihn‹. Das ist bloß ein leeres Wort, so wie ›Kirche‹ auch.«

»Und ›Himmel‹?«

»Auch der ist leer. Ohne Gott gibt es keinen Himmel und keine Hölle. Das Leben ist besser so.«

Gordon musterte sie neugierig. »Beten Sie sonst irgendetwas an?«

»Die Natur. Wir haben gelernt, ihre Gaben zu schätzen – die Pflanzen, die Tiere, die Schönheit des Landes, auf dem wir säen und ernten.«

Gordon setzte sich und lehnte den Rücken an die Wand. Er war zu müde, um weiter Glaubensfragen zu erörtern. »Wo ist sie?«, fragte er.

»Wer?« Rosalba griff nach der Lampe.

»Das Mädchen, das hier war.«

»Julia? Sie wird wohl zur Arbeit gegangen sein.« Sie entzündete die Lampe und stellte sie auf die Holzkiste, die ihm als Nachttisch diente.

Der Lichtschein begrenzte Gordons Sichtfeld auf seinen Platz unter dem Moskitonetz, das, wie er nun feststellte, lauter Löcher hatte. »Sie kann nicht sprechen, oder?«
»Nein.«
»Wie heißt sie wirklich? Ich meine, wie heißt *er* wirklich?«
Stirnrunzelnd musterte Rosalba den Reporter durch das Netz. Er weiß also Bescheid, dachte sie. Anscheinend ist er ein ganz besonderer Gringo, einer, der neugierig und offen ist für neue Erfahrungen. Vielleicht sind doch nicht alle Gringos engstirnig, materialistisch und ichbezogen.
»Julio«, erwiderte sie. »Er heißt Julio. An seinen zweiten Vornamen kann ich mich nicht erinnern. Wir nennen ihn jetzt schon so lange Julia, dass ...«
»Wie lange?«
»Hmmm.« Sie zuckte mit den Schultern. »Ich habe aufgehört, die Jahre zu zählen. Ich weiß nur noch, dass es an dem Tag begann, an dem die Männer verschwanden.«
»Wie sind sie verschwunden?«
»Guerilleros.«
»Haben die Guerilleros alle umgebracht?«
»Das, was sie getan haben, war genauso schlimm.«
»Sie haben die Männer verschleppt, oder?«
»Das ist eine lange Geschichte.« Sie war sichtlich bemüht, erschöpft und gelangweilt zu wirken.
Sie wich ihm aus; aber die Art von Spielchen kannte er nur allzu gut. »Kein Problem«, sagte er. »Vielleicht ein andermal.« Er ließ sich an der Wand herabsinken, bis er flach auf den Decken lag, und bedeckte sich mit dem dünnen blauen Laken. Kurz darauf verkündete die Glocke das Ende des Arbeitstages mit fünf donnernden und hallenden Schlägen, die sich im Innern der Kirche anhörten, als hätte das Ende der Welt begonnen.
Das Echo des letzten Glockenschlags klang noch in ihren Ohren, als Rosalba plötzlich rief: »Wollen Sie wirklich wissen, was mit unseren Männern passiert ist?«

»Nur, wenn Sie es mir wirklich erzählen wollen«, rief er zurück und grinste listig.

Sie setzte sich kerzengerade auf und verlagerte ihre Pfunde, ehe sie zur Decke aufsah, als suchte sie dort nach Eingebung. Dann begann sie mit ihrer Geschichte.

»Der Tag, an dem die Männer verschwanden, begann wie ein typischer Sonntagmorgen in Mariquita ...«

Eloísa, Schwester Ramírez und ihre Freundin Erlinda Calderón kamen nach dem Abendessen vorbei. Sie trugen Ponchos aus Sackleinen, die die alte Lucrecia allen Dorfbewohnerinnen für kühle Abende genäht hatte. Eloísa begrüßte ihre Ticuticú mit einem Kuss und reichte ihr einen Teller mit ihrem Abendessen.

»Wie geht's dem Míster?«, fragte die Schwester, die einen kleinen Tonkrug dabeihatte.

»Den Nachmittag über war er relativ munter«, sagte Rosalba. »Ich habe ihm sogar eine Geschichte erzählt. Aber jetzt hat er wieder Fieberträume.«

»Das ist typisch für Dengue-Fieber«, verkündete die Schwester. Sie trat zu Gordon und stellte erleichtert fest, dass er Shorts trug. Sie fühlte seine Stirn und überprüfte, ob er einen Ausschlag bekommen hatte, was, wie sie erläuterte, ebenfalls typisch für diese Krankheit war. Hatte er sich erbrochen? Nein? Sehr gut! Hatte er über Kopfschmerzen geklagt? Ein häufig auftretendes Symptom. Gliederschmerzen? Ebenso. Schwester Ramírez schenkte ein wenig aus dem Tonkrug – es handelte sich um einen Aufguss aus Chrysanthemen und Geißblatt, Marihuana und Minze, Klettenwurzeln und Anissamen – in einen Becher und flößte Gordon den dickflüssigen Trank vorsichtig ein. »Ich sehe morgen wieder nach ihm«, sagte sie.

»Gut«, sagte Rosalba. »Ich sorge dafür, dass er möglichst viel trinkt. Vielleicht bringe ich morgen früh sogar eine gute Suppe von den Morales' mit. Und wenn er mag, erzähle ich ihm noch eine weitere Geschichte.« Sie löschte die Lampe. »Gute Nacht, Míster Esmís.«

———

Nachdem er die erste Geschichte gehört hatte, verkündete Gordon Rosalba, dass er gern ein Buch über Mariquita schreiben würde. Und so erzählte ihm Rosalba an weiteren elf aufeinanderfolgenden Sonnen die ganze Geschichte des Dorfes, während Gordon zuhörte, alles mit seinem Rekorder aufnahm und sich Notizen machte. Rosalba hatte ein hervorragendes Gedächtnis, doch zuweilen erwies sie sich als recht unzuverlässige Quelle. Ihre eigenen Erfahrungen flossen mit verschiedenen anderen Versionen zusammen, und manche ihrer Geschichten beruhten auf puren Vermutungen. Glücklicherweise war es leicht zu erkennen, wenn Rosalba mehr oder minder spekulierte, zum einen, weil ihren Erzählungen dann das Feuer fehlte, und zum anderen, weil sie sich verhaspelte oder ihm nicht in die Augen sah. Sobald Gordon ihren Worten nicht gänzlich traute, markierte er seine Notizen diskret mit einem Fragezeichen oder gab ein leichtes Hüsteln von sich, während die jeweilige Aufnahme lief. Er nahm sich vor, bei Gelegenheit seine spezielle Freundin Julia zu fragen, was den Wahrheitsgehalt einiger Geschichten anging.

So manches Mal wurde Rosalba bei ihren abendlichen Geschichten unterbrochen. Ratsfrau Ubaldina etwa kam häufig vorbei, um Gordon in Augenschein zu nehmen und sich nach seiner Genesung zu erkundigen. Jeden Abend kamen verzückte Frauen verschiedensten Alters vorbei, die einen Blick auf den halbnackten Mann erhaschen wollten; sie brachten Blumen, Mangos, Orangen, Bananen, herzhafte Suppen und warme Blutwurst, deren Anblick allein schon ausreichte, um Gordon zum Würgen zu bringen. Er selbst unterbrach Rosalba, wenn er ein Wort nicht kannte, etwas nicht richtig verstanden oder besondere Fragen hatte. Er musste oft nachhaken. Rosalba sprang zwischen den einzelnen Geschichten hin und her, schweifte ab oder fragte sich, ob sie in dieser oder jener Situation richtig gehandelt hatte. Und dann blieb dem Reporter nichts anderes übrig, als sie mit der sanften Schliche des Journalisten wieder zu ihrem Thema zurückzubringen: »Das ist wirklich hochinteressant, Señora Rosalba, aber wir waren da stehengeblieben, wo ...«

Und so erfuhr Gordon, wie die Männer von Mariquita verschwunden waren. Er erfuhr, wie aus Julio eine Julia geworden war, aber auch von der großen Krise, die das Dorf nach der Verschleppung der Männer erfasst hatte, von der langen Dürre, dem Zusammenbruch der Stromversorgung und von der Grippeepidemie, der zehn Menschen zum Opfer gefallen waren, davon, wie Nahrungsmangel und Wasserknappheit den Dorfbewohnerinnen zugesetzt hatten und wie die Hälfte der Bevölkerung nach und nach weggezogen war. Er erfuhr, wie Rosalba zur Bürgermeisterin von Mariquita geworden war und wie die Madame des Bordells verzweifelt versucht hatte, sich in einem Ort der Witwen und Jungfern über Wasser zu halten. Er erfuhr von der geheimnisvollen Lehrerin, die keine Geschichtsstunden geben wollte, und davon, wie aus Santiago Marín die andere Witwe geworden war. Er erfuhr von dem scheinheiligen Priester, der erst die Zeugungskampagne ins Leben gerufen und später die letzten im Ort verbliebenen Jungen ermordet hatte, von der Witwe Gómez und dem Vermögen unter ihrem Bett, von dem Tag, an dem die Zeit stehengeblieben war, davon, wie sie schließlich ein weibliches Zeitsystem eingeführt hatten, und von einer Kuh namens Perestroika, die der Bürgermeisterin geholfen hatte, ihre Pläne umzusetzen, ein armseliges, darbendes Kaff in eine blühende, unabhängige Gemeinde zu verwandeln.

Und während Rosalba dem Reporter jeden Abend eine Geschichte erzählte, machte Julia Morales es sich zur Aufgabe, gemeinsam mit Gordon noch eine weitere Geschichte zu erfinden: ihre eigene. Sobald die anderen Dorfbewohnerinnen schliefen, eilte sie zur Kirche. Die ersten paar Nächte begnügte sie sich damit, Gordons Körper im Dunkel sanft mit den Fingerspitzen zu streicheln, während er, benommen vom Beruhigungstrunk der Schwester, tief und fest schlief. Doch als sich sein Gesundheitszustand allmählich zu bessern begann, wurde sie fordernder, wollte ihn spüren, seine Hände, seine Finger, seine Hüften, seine Zunge, seine Lippen. Und wenn sie sich küssten und sich liebten, sog sie ihn tief in sich hinein, atmete die Luft ein, die er ausatmete, nahm ihn wieder und wieder in sich auf, Nacht für Nacht.

Zwölf Sonnen später informierte Schwester Ramírez die anderen Ratsfrauen beim Frühstück in der Küche der Morales', dass Gordon voll und ganz wiederhergestellt sei.

»Tja, dann werde ich ihn umgehend den Hügel hinaufbegleiten«, sagte Ubaldina. »Ich möchte ganz sichergehen, dass er nicht wiederkommt.« Sie legte ihren halb gegessenen Maisfladen auf den Teller und stand auf.

»Ich würde gern einen Vorschlag machen«, sagte Rosalba. Sie sah Ubaldina an und bedeutete ihr, sich wieder zu setzen. »Wie wir alle wissen, ist Míster Esmís der erste Mann, den wir seit Ewigkeiten zu Gesicht bekommen haben.« Rosalba beugte sich vor und senkte die Stimme, damit die Frauen an den anderen Tischen sie nicht hören konnten. »Es dürfte wohl niemandem entgangen sein, dass einige unserer schönsten Mitbürgerinnen ein Auge auf ihn geworfen haben. Daher schlage ich vor, dass wir uns seine Anwesenheit zunutze machen. Er könnte für zwei, drei Schwangerschaften sorgen – und Míster Esmís tut uns bestimmt gern den Gefallen, nach allem, was wir für ihn getan haben.«

Ubaldina schien Einspruch erheben zu wollen, weshalb Rosalba im Flüsterton weitere Argumente vorbrachte: »Wir alle werden immer älter. Nach und nach wird keine von uns mehr Kinder bekommen können. In vierzig Leitern werden wir tot und unsere Jüngsten in den Wechseljahren sein – und dann ist niemand mehr da, der unser Werk fortsetzen könnte.« Erneut wollte Ubaldina etwas einwenden, doch Rosalba war noch nicht fertig. »Und davon abgesehen würde Míster Esmís bestimmt ausnehmend hübsche Kinder zeugen. Das goldene Haar, die blauen Augen, und dazu seine weiße Haut! Ja, wunderschöne Kinder!«

Schwester Ramírez und Cecilia musterten unwillkürlich ihre eigenen dunklen Bäuche und verschränkten verlegen die Arme, bedeckten ihre braune Haut mit noch mehr brauner Haut. Cleotilde regte sich nicht; sie steckte schon zu lange in ihrer Haut, um sich plötzlich dafür zu schämen. Ubaldina aber, die von allen die dunkelste Haut besaß, schien Rosalbas Kommentar persönlich zu beleidigen. »Ich bin absolut zufrieden mit meinem Aussehen«, sagte sie und reckte das Kinn gerade hoch genug, um ihre majestätischen Wangenknochen zu voller Geltung zu bringen. »Ich betrachte mein Äußeres als göttlichen Segen und bin der festen Überzeugung, dass unsere Nachkommen genauso aussehen sollten wie wir. Nichts geht über schwarzes Haar und braune Augen – und eine Haut, die so dunkel ist, dass sie den stärksten Sonnenstrahlen trotzen kann!«

Nun wiederum fühlte sich Rosalba herabgesetzt, da ihre helle Haut und ihre grünen Augen offenbar nicht Ubaldinas Ideal entsprachen. »Ich habe lediglich gesagt, dass Míster Esmís ein gutaussehender Mann ist, aber wenn du das anders siehst, nun gut. Trotzdem bin ich der Meinung, dass wir ein, zwei männliche Nachkommen brauchen, wenn wir nicht aussterben wollen.«

»Wir sollten es noch mal mit unseren beiden Männern versuchen«, gab Ubaldina zurück. Zwei Leitern zuvor hatten sie Santiago Marín und Julio Morales überredet, eine Frau ihrer Wahl zu schwängern. Santiago hatte sich Magnolia Morales ausgesucht, während Julio sich für Amparo Marín, Santiagos jüngste Schwester, entschieden hatte, als wollte er sich für Santiagos Wahl revanchieren. Die beiden Frauen waren von ihren Müttern angewiesen worden, so sanft wie möglich zu den Männern zu sein, da Santiago und Julio nur auf Liebe und Zärtlichkeit ansprechen würden. Die Begegnungen fanden während der ersten Nacht des zunehmenden Mondes statt, da in dieser Phase eine Empfängnis am ehesten gewährleistet war. Magnolia und Amparo taten ihr Bestes, versuchten alles, um die beiden Männer zu erregen, doch weder ihre Anmut noch ihr Einfühlungsvermögen vermochten irgendetwas zu bewirken, ja selbst die sinnlichsten, sogar unzüchtigsten Tricks hatten nicht das Geringste ergeben.

Rosalba gab ein gekünsteltes Lachen von sich. »Bitte sehr, wenn du's unbedingt noch mal drauf ankommen lassen willst.« Sie schob ihr Frühstück beiseite, von dem sie keinen Bissen angerührt hatte.

In just diesem Moment trat Julia Morales an ihren Tisch, um ihnen Kaffee nachzuschenken.

»Der Beschluss lautet also«, sagte die greise Cleotilde, »dass der Míster uns heute verlassen wird.« Julias Hände begannen so sehr zu zittern, dass sie die Kaffeekanne kaum noch festhalten konnte, doch die Ratsfrauen waren derart in ihre Diskussion vertieft, dass sie das Mädchen gar nicht bemerkten. »Aber wir sollten warten, bis alle zur Arbeit gegangen sind, sonst gibt es hier womöglich noch einen Riesenaufruhr.«

Schwester Ramírez und Ubaldina gaben mit einem Nicken zu verstehen, dass sie mit Cleotilde übereinstimmten. Cecilia blieb wie immer neutral. »Na schön«, sagte Rosalba schulterzuckend. »Ihr tragt die Verantwortung.« Während Julia im Eiltempo hinter der Küchentür verschwand.

Als Gordon den Blick gen Himmel hob, sah er riesige dunkle Wolken über sich. Er saß auf einer Bank auf der Plaza und hielt seinen Seesack im Schoß wie ein dem Schicksal ergebener Reisender, der auf den nächsten Bus wartet. Er war frisch rasiert und trug seine Sachen, die Julia für ihn gewaschen hatte. Auch seine Turnschuhe waren von dem unermüdlichen Mädchen gereinigt worden; nun konnte man wieder das Nike-Logo und die hellblaue Färbung erkennen. Die dunklen Ringe unter seinen Augen hatten sich verflüchtigt, und sein Teint war gesund und rosig.

Obwohl das Frühstück schon lange vorbei war, hing nach wie vor der Geruch von frisch gebrühtem Kaffee in der Luft. Sein Frühstück war ihm aus der Küche der Morales' in die Kirche gebracht worden, inklusive einer kleinen Überraschung – einem sorgsam zusammengefalteten Zettel, der unter einem fetten Arepa deponiert worden war. Der Zettel stammte von Julia, und darauf stand: »Heute ist unser Tag.«

Und so war Gordon kein bisschen überrascht, als Ubaldina, gefolgt von Rosalba, Cecilia, Schwester Ramírez und Cleotilde, um die Ecke bog. Ein herablassendes Lächeln spielte um Ubaldinas Lippen.

»Ihre Zeit ist abgelaufen, Míster!«, rief sie ihm schon von weitem zu, während sie ihm bedeutete, schleunigst seinen Hintern von der Bank zu erheben. Gordon ließ sich nicht beeindrucken, blieb seelenruhig sitzen und sah der kleinen Indianerfrau entgegen, ohne mit der Wimper zu zucken. Er wusste genau, dass er sie damit nervös machte, und es gefiel ihm, sich damit für ihre ungerechtfertigte Feindseligkeit revanchieren zu können. Doch Ubaldina, die zu ahnen schien, dass sie keine Freunde mehr werden würden, blieb ein paar Meter vor ihm stehen und zog die hässlichste, furchteinflößendste Fratze, die sie zustande bringen konnte. Ihre Augen traten aus den Höhlen, während sie den Mund weit aufriss und ihm ihre vier oder fünf verbliebenen Zähne zeigte – die derart spitz waren und weit voneinander abstanden, dass sie eher als Waffen zu taugen schienen und weniger als Kauwerkzeuge. Ihre lange Zunge schnellte vor und zurück wie die einer Eidechse.

Gordon fand den Anblick ziemlich belustigend. »Ich geh ja schon, Señora Ubaldina«, sagte er. Er deponierte den Seesack auf der Bank und stand auf. »Aber erst würde ich mich gern noch von den anderen Señoras verabschieden.«

»Wenn Sie sich damit bitte beeilen würden«, gab Ubaldina zurück. »Es sieht nämlich nach Regen aus.« Sie trat beiseite und bedeutete Gordon mit einer höflichen Geste, dass er an ihr vorbeitreten könne.

Der Abschied des Reporters war nicht sonderlich spektakulär. Respektvoll verbeugte er sich nacheinander vor den Frauen – auch vor Ubaldina –, küsste ihnen die Hand und bedankte sich wieder und wieder. Cecilia übergab ihm einen Brief, den er an ihren Sohn Ángel Alberto weiterleiten sollte, sowie ein großes Fresspaket. »Das sollte für zwei Tage reichen.« Sie schenkte ihm einen mütterlichen Blick. Abermals küsste ihr Gordon die Hand. Er ging zur Bank, schulterte seinen Seesack und begann, die Straße hinaufzumarschieren. Die Frauen blickten ihm hinterher.

Als er das Dickicht erreichte, durch das er nach Neu-Mariquita gekommen war, wandte Gordon sich noch einmal um, als wollte er sich vergewissern, dass nicht alles nur ein Traum gewesen war. Vor dem grauen Himmel sah das Dorf wie ein vielfarbiges Gemälde aus. Er sah die roten Dächer, die weißen Häuser und die aschenfarbenen Straßen, die grüne Plaza und die elfenbeinfarbene Kirche, die Felder, auf denen Mais, Reis und Kaffee angebaut wurde, und die Frauen, die sie bestellten. Die Äste der höchsten Bäume schwankten im Wind, und einen Augenblick lang kam es Gordon so vor, als würden alle Frauen von Neu-Mariquita bei der Arbeit innehalten, um ihm zuzuwinken.

Er winkte zurück.

Es schüttete in Strömen. Julia Morales raffte ihr Kleid und watete durch den braunen Matsch, den das Gewitter den Abhang herabgespült hatte. Um die Taille trug sie ein kleines Bündel mit den nötigsten Sachen und ein noch kleineres mit Proviant; außerdem hatte sie eine Machete bei sich. Sie lief, so schnell sie konnte, obwohl niemand hinter ihr her war. Als sie den Gipfel des Hangs erreicht hatte, warf sie einen Blick zurück. Nach dem heutigen Tag würde nichts von alldem mehr existieren; nie wieder würde sie jene engen, von Mangobäumen gesäumten Straßen betreten. Jenseits des Dickichts befand sich eine andere Welt, eine Welt der großen Städte mit Tausenden von breiten, gepflasterten Avenuen und Gebäuden, die bis in den Himmel reichten. Ja, natürlich würde sie ihre Schwestern vermissen und ganz besonders ihre Mütter, die sich ihren Lebtag lang so aufopfernd um ihre Kinder gekümmert hatten. Ja, sie würden ihr fehlen, schrecklich fehlen, und doch wollte sie nicht so enden wie ihre verbitterten Schwestern, die immer nur auf morgen hofften, auf bessere Sonnen, so lange, bis sie mit ihrer Hoffnung sterben würden.

Erbarmungslos prasselte der Regen herab, peitschte ihr ins Gesicht. Dann erblickte sie die Schneise, die Gordon früher am Morgen ins Dickicht geschlagen hatte. Hätte sie sprechen können, hätte sie seinen Namen gerufen. So laut wie nur eben möglich. Nur um ihn noch einmal sagen zu hören: »Ich kann dir den Weg freischlagen, Julia, aber gehen musst du ihn selbst. Nur wenn du den Mut besitzt und stark genug bist, es allein bis auf die andere Seite der Welt zu schaffen, wirst du dich da draußen auch behaupten können.« Sie wusste, dass sie Gordon vertrauen konnte. Er war ein guter, ehrlicher Mann, der ihr gestanden hatte, dass er etwas ganz Besonderes für sie empfand: eine Art von Liebe, die sich nicht beschreiben ließ, eine Art von Liebe, für die er – selbst als Mann der Feder – keine Worte fand. Er hatte Julia versprochen, ihrer Beziehung eine Chance zu geben und ihr zu helfen, ein neues Leben zu beginnen.

Als sie vor der Schneise stand, warf Julia einen letzten Blick zurück. Das Dorf verschwamm vor ihren Augen, verschwand nach und nach im sintflutartigen Regen, bis sie nur noch den Turm der verlassenen Kirche sah, der ebenfalls allmählich hinter dem Wasserschleier verblasste.

Sie wandte sich ab, doch statt Gordons Pfad zu folgen, schlug sie sich nach rechts und trat entschlossen vor den dichten Verhau aus Bäumen und Gestrüpp, der seit Ewigkeiten zwischen ihr und einem neuen Leben gestanden hatte. Sie zog die Machete, fuhr mit dem Daumen über den scharfen Stahl und hob die Klinge hoch über den Kopf, über die rechte Schulter. Entschlossen zerteilte sie das Buschwerk, sich ihren eigenen Weg freischlagend.

Germán Augusto Chamorro, 19
Soldat, Kolumbianische Regierungsarmee

Ich versteckte mich in den Büschen gegenüber des Baums. Dann sah ich einen Guerillero, der direkt auf mich zukam. Er war gut einen Kopf größer als ich und über und über mit Muskeln bepackt – ein ziemlich harter Brocken. Er ging langsam und sah sich dabei unablässig in beide Richtungen um, als würde er seine Nackenmuskeln trainieren. Das war mein Glückstag. Er befand sich direkt vor mir; ich musste nur noch abdrücken, und es gab einen Rebellen weniger auf der Welt. Trotzdem wartete ich noch ab. Ich wollte sichergehen, dass es sich nicht um irgendeinen miesen Trick handelte und dass er tatsächlich allein war. Plötzlich brach er in Tränen aus. Einfach so. Der große, starke Kerl ließ seine Galil zu Boden fallen, hockte sich unter den Baum, vergrub das Gesicht in den Händen und weinte wie eine Frau. Schweigend beobachtete ich ihn, während ich mich fragte, ob er von seiner Truppe getrennt worden war oder nur nach einem Ort gesucht hatte, an dem er in Ruhe weinen konnte (was eben auch Männer gelegentlich tun).

Ich wartete noch ein bisschen, dann rief ich: »Hände hoch!« Der Guerillero reckte die Hände in die Luft. Vorsichtig trat ich näher. Er sah mich mit schreckgeweiteten Augen an. »Du weinst ja«, herrschte ich ihn an, als hätte er ein Verbrechen begangen«. »Warum?« Der Guerillero antwortete nicht. Ich trat einen Schritt zurück und senkte mein Gewehr. »Warum weinst du?«, wiederholte ich, wenn auch diesmal in einem sehr viel sanfteren Tonfall, der mich selbst überraschte. Er erwiderte, seine Mutter sei gestorben. Vor drei Monaten schon, nur habe er erst jetzt davon erfahren. »Den Mist hast du dir ausgedacht«, sagte ich und hob die Waffe. Er schüttelte den Kopf und bat, in seine Tasche greifen zu dürfen; dort befände sich ein Brief von seiner Schwester. »Okay«, sagte ich. Er warf mir ein zusammengefaltetes Stück Papier vor die Füße. Ich hob es auf und las. »Das tut mir Leid«, sagte ich. Dann erzählte ich ihm, dass ich meine Mutter nie kennengelernt hatte; als ich drei Tage alt gewesen war, hatte sie mich auf einer Kirchenbank ausgesetzt. Er sagte, bei seinem Vater sei es genauso gewesen, und erzählte mir die Geschichte, als seien wir alte Freunde. Bald darauf hockte ich neben ihm unter dem Baum, lauschte seiner Geschichte und erzählte ihm meine. Wir lachten über uns, über den Krieg, über das Leben und über unsere Waffen, die vergessen im Gras lagen.

Plötzlich hörten wir Schritte. Wir griffen nach unseren Gewehren. Ich kletterte auf den Baum, und im Nu war er ebenfalls oben. Im selben Augenblick stellten wir fest, dass wir nicht allein gewesen waren, dass sich dort oben ein weiterer Mann versteckt hatte – ein paramilitärischer Söldner in grüner Uniform. Die ganze Zeit über hatte er uns beobachtet und uns zugehört. Er lächelte, senkte seine Waffe und legte zum Zeichen des Friedens die Hand aufs Herz. Uns blieb nichts anderes übrig, als seinem Lächeln und seiner Geste zu vertrauen.

Mucksmäuschenstill verharrten wir dort oben, hielten den Atem an und senkten den Blick gerade so weit, dass wir vier Männer in grünen Uniformen erkennen konnten, die durch das Gestrüpp unter uns streiften. Armeesoldaten? Guerilleros? Söldner? Wir wussten es nicht und ließen sie ungeschoren davonkommen.

Von oben sahen wir nur vier Männer auf der Flucht, auf der Suche nach einem Ort, an dem sie ungestört weinen konnten.

Kapitel 14

Die Männer, die um eine zweite Chance baten

Neu-Mariquita, Eloísa 13, Leiter 1993

Während am Himmel noch der Mond schien, brach über dem kleinen Tal langsam der Morgen an. In Haus Nummer eins, das dort, wo früher das Rathaus und das Polizeirevier standen, nun den gesamten Block einnimmt, schliefen fünfzehn Frauenpärchen friedlich in ihren Kammern. Plötzlich schreckte Virgelina Saavedra, die dem Eingang am nächsten lag, aus dem Schlaf.

»Magnolia«, rief sie halblaut. Das Echo ihrer zarten Stimme hallte von den nackten Wänden; in der Kammer befand sich nichts weiter als ein großes, aus Brettern zuammengezimmertes Bett mit einer selbstgenähten Matratze, die mit Baumwolle und Stroh gefüllt war.

»Was ist denn?«, fragte Magnolia schläfrig.

»Hast du etwas gehört?«

»Nein, nichts.«

Virgelina ging zum Fenster und spähte hinaus. »Auf der Plaza bewegen sich Schatten«, flüsterte sie.

»Das sind bestimmt bloß Hunde.«

»Aber ich höre auch Stimmen.«

»Ich höre nur dich. Komm wieder ins Bett.«

»Das sind Männerstimmen.«

Erschrocken setzte Magnolia sich auf. Hand in Hand lauschten sie und Virgelina den gedämpften, kaum wahrnehmbaren Lauten, die vom Wind herbeigetragen wurden.

Unterdessen schliefen in Haus Nummer zwei – dort, wo früher die Krankenstation und der Frisiersalon zu finden waren – einunddreißig Frauen und Santiago Marín den Schlaf der Gerechten.

Haus Nummer zwei besteht aus einem großen Saal; die Schlafplätze sind hier nur durch die wenigen Möbel getrennt. Am rückwärtigen Ende des Raums befinden sich drei Reihen von parallel ausgerichteten Hängematten, die mit Haken an soliden Holzpfeilern befestigt sind. Die Pfeiler stützen außerdem das Gebäude, und an den Haken hängen Körbe oder Taschen, in denen sich das persönliche Hab und Gut der Bewohner befindet: Armreifen, Halsketten, Binden für den Übergang, Kleidung (wenn überhaupt), Fotos und andere Sachen, die die Dorfbewohnerinnen an ihre verlorenen Verwandten erinnern.

In Haus Nummer zwei wohnten die jüngsten, allesamt alleinstehenden Frauen sowie Santiago Marín und seine Mutter Aracelly, die für die Küche zuständig waren. Die Schlafplätze befanden sich im hinteren Teil des Hauses, damit die Bewohnerinnen der beiden anderen Häuser nicht vom pausenlosen Geschnatter der Mädchen gestört wurden. Vielleicht bemerkte deshalb niemand in Haus Nummer zwei, wie die Männer am Morgen der 13. Eloísa 1993 nach Hause zurückkehrten.

In Haus Nummer drei gegenüber der Kirche weckte Cleotilde kurz darauf Ubaldina, die neben ihr schlief. Ubaldina murmelte irgendetwas Unverständliches und drehte sich auf die andere Seite.

»Aufstehen!«, schnauzte Cleotilde. »Oder hast du überhaupt kein Pflichtbewusstsein?«

»Ja, ja, ist ja gut«, gab Ubaldina zurück. »Ich komme ja schon.« Gähnend kratzte sie sich am Kopf. An der ihr gegenüberliegenden Wand hingen acht kleine Fotos in identischen Rahmen. Es waren Bilder von Ubaldinas Familie; ihre sieben Söhne und ihr Mann waren allesamt den kommunistischen Rebellen zum Opfer gefallen. Sie trat vor das erste Bild und seufzte. Auf dem Bild war ihr jüngster Stiefsohn zu sehen, Campo Elías Restrepo jr., der lächelnd einen dürftig aussehenden Kuchen anschnitt. »Mein süßer Junge, hör mir zu«, flüsterte sie. »Geh niemals zu Bett, ohne vorher eins von den indianischen Gebeten aufzusagen, die ich dir beigebracht habe.« Langsam schritt sie die anderen sechs Bilder ab, gab jedem der Fotos einen mütterlichen Rat: »Vergiss nicht, dir die Zähne zu putzen.« »Iss dein Gemüse.« »Kau nicht an den Fingernägeln.« »Geh rechtzeitig schlafen.« »Vergiss nicht zu lächeln.« »Pass auf deine Brüder auf.« Und als sie schließlich vor dem Bild ihres Mannes stand, sagte sie: »Ruhe in Frieden.«

»Beeil dich!«, rief Cleotilde vom anderen Ende der Reihe. »Wegen dir komme ich noch völlig in Verruf!« Inzwischen war Cleotilde zu alt und schwach, um die Kirchenglocke zu läuten. Ihre biologische Uhr aber war noch voll intakt, weshalb sie dafür sorgte, dass stellvertretend stets eine andere – egal wer – die Aufgabe übernahm, pünktlich und über die Sonne verteilt die Glocke zu läuten. Heute nun scheuchte sie bereits den dritten Morgen hintereinander Ubaldina zur Kirche, damit diese das Zeichen zum Aufstehen gab.

Kurz überlegte Ubaldina, ob sie gegen die ungerechte Behandlung protestieren sollte. Wieso riss sie nicht jemand anderen aus dem wohlverdienten Schlaf? »Komme ja schon«, sagte sie dann, zog sich ihren Poncho über und nahm eine Lampe zur Hand. Als sie zwischen den zwei Reihen schlafender und schnarchender Frauen hindurchging, sehnte sie sich danach, wieder ein eigenes Haus oder wenigstens ein eigenes Schlafzimmer zu besitzen. Beim nächsten Treffen würde sie das Thema Privatsphäre zur Sprache bringen, soviel stand fest. Obwohl sie sich genau vorstellen konnte, wie die Antwort ausfallen würde: »Wozu haben wir Gemeinschaftshäuser geschaffen, wenn die Bewohnerinnen dann doch eigene Zimmer haben? Nur Paare haben Anspruch auf Privatsphäre.« Hätte es mit ihr und Mariacé Ospina geklappt, würden sie sich jetzt ein eigenes Zimmer in Haus Nummer eins teilen. Doch nachdem sie zweimal bei Mariacé abgeblitzt war, hatte Ubaldina beschlossen, solo zu bleiben – sie konnte einfach keine andere Frau lieben. Jedenfalls nicht in dem Sinne, wie sich Eloísa und ihre »Ticuticú« liebten.

Sie schritt durch das weitläufige Haus zur Eingangstür und öffnete sie. Sie erschrak bis ins Mark, als sie auf der anderen Straßenseite vier geisterhafte Gestalten erblickte. Mit zitternder Hand hob sie die Lampe. »Wer ist da?«

»Guten Morgen, Señora«, sagte die links stehende Gestalt mit tiefer Männerstimme. Höflich lüpfte der Mann seinen Hut. »Entschuldigung, dass wir Sie in dieser Herrgottsfrühe stören, aber ...«

»Wenn ihr Rebellen oder Paras sein solltet, habt ihr euch den falschen Ort ausgesucht«, unterbrach sie ihn. »Hier gibt's keine Männer.« Im selben Augenblick bereute sie ihre Worte auch schon wieder. Ein Ort, in dem nur Frauen lebten, bot ein nur allzu leichtes Angriffsziel für Banditen.

»Mit denen haben wir nichts zu tun, Señora. Wir sind anständige Leute.«

»Was heißt ›wir‹? Sind da noch andere?« Sie kniff die Augen zusammen und spähte ins Dunkel.

»Nein«, erwiderte dieselbe Stimme. »Nur wir vier.«

»Hmm-mm«, gab sie misstrauisch zurück. »Und was wollt ihr?«

»Wir haben uns verirrt, Señora. Wir sind unterwegs nach Mariquita. Können Sie uns sagen, wie wir dort hinkommen?«

Die Antwort des Mannes jagte ihr einen Schauder über den Rücken, und das Herz klopfte ihr plötzlich bis zum Hals. »Nein«, erwiderte sie instinktiv, während ihr durch den Kopf schoss, dass die Kerle wahrscheinlich von dem verdammten Padre geschickt worden waren. »Wer seid ihr überhaupt?«

»Ich heiße Ángel Alberto Tamacá«, antwortete der Sprecher. Zwar konnte sie sein Gesicht kaum erkennen, aber irgendwie kam ihr der Name bekannt vor. Doch bevor sie ihn unterbringen konnte, meldete sich ein weiterer Mann zu Wort, dessen Stimme jünger und heller klang.

»David Pérez«, sagte er und tippte sich an die Hutkrempe.

»Jacinto Jiménez jr.«, sagte der dritte Mann und hob schlicht die Hand.

»Und mein Name ist Campo Elías Restrepo.« Der letzte Mann verneigte sich. »Zu Ihren Diensten.«

Als sie diesen letzten Namen hörte, fühlte sich Ubaldina, als hätte sie soeben ein Blitz getroffen. Sie kniff die Augen zusammen, doch im schwachen Licht der Lampe konnte sie kaum mehr als seine Umrisse erkennen. Das ist nicht wahr, dachte sie. Es kann sich nur um einen bösen Streich oder eine Verwechslung handeln. Langsam überquerte sie die Straße, hielt die Lampe in die Höhe und hoffte, dass sie einer Täuschung erlegen war. Als sie näher trat, schälten sich die Konturen der Männer allmählich aus dem Morgennebel, hier ein staubbedeckter Arm, dort ein Bein, dann ihre Oberkörper – und schließlich blickte Ubaldina in vier matt beleuchtete Gesichter, deren Züge sie an ein paar Männer erinnerten, die sie einst gekannt hatte. Sie trat zwei Schritte zur Seite, um den Mann näher in Augenschein zu nehmen, der ganz rechts stand. Er war älter als die anderen, stand leicht vornübergebeugt da; er hatte einen weißen Bart, eine vorstehende Unterlippe und Augen, die fast gänzlich unter den buschigen Augenbrauen verschwanden. Und obwohl er sich den Hut tief ins Gesicht gezogen hatte, erkannte sie doch eine Narbe über seiner linken Augenbraue, die wie eine Tilde geformt war – eine alte Narbe, wie Ubaldina wusste, eine Narbe, die er sich zugezogen hatte, als ihn ein anderer Junge auf der Straße mit Steinen beworfen hatte. Sie hatte die Geschichte oft gehört, von genau jenem Mann, der nun vor ihr stand, alt und grau. Ihrem Ehemann.

Die Lampe entglitt ihrer Hand und zersplitterte auf dem Boden. Ubaldina zitterte am ganzen Körper, während sie langsam zurückwich, einen Schritt nach dem anderen, und dabei ein ums andere Mal stolperte. Ihre Schritte knirschten laut in der Dunkelheit. Als sie den Eingang des Hauses erreicht hatte, musste sie sich am Türrahmen festhalten. In flehentlichem Ton sagte sie: »Bitte, bitte geht wieder fort.«

Die Männer wussten nicht, was sie sagen sollten.

»Geht dahin zurück, wo ihr hergekommen seid«, sagte sie. »Bitte.«

Doch sie rührten sich nicht vom Fleck.

»Bitte geht wieder fort«, sagte sie abermals, und dann nochmals und nochmals, und schließlich überschlug sich ihre Stimme derart, dass sie die ganze Gemeinde zum genau richtigen Zeitpunkt aus den Hängematten schreckte.

Die meisten Bewohnerinnen von Mariquita würden wohl zustimmen, dass von allen dreizehn Sprossen Eloísa die schönste ist. Die Regenzeit ist bereits vorüber, aber die Dürrezeit hat noch nicht begonnen. Die Temperaturen sind mild und angenehm, die Blätter der Bäume unwiderstehlich grün. Morgens kühlt der Tau die Luft, und der Duft von Gräsern und wilden Blumen zieht durchs Dorf. Während dieser Zeit wird fast ausschließlich im Freien gekocht. Sobald die Sonne herauskommt und die Kirchglocke zum ersten Mal läutet, werden drei Feuerstellen auf der Plaza angeheizt. Drei Köchinnen – eine aus jedem Haus – und ihre Helfer bringen Mehl, Eier, gehackte Zwiebeln und Tomaten herbei. Auf den Feuerstellen stehen mittlerweile alle möglichen Töpfe und Pfannen. Es gibt frischen Kaffee, Arepas und Omeletts werden zubereitet. Zweimal fünf Glockenschläge rufen die dreiundneunzig Dorfbewohnerinnen zum Frühstück. Das Frühstück wird auf Tongeschirr von feinster Qualität serviert. Die einen essen mit den Händen oder halten sich die Teller an die Lippen, die anderen benutzen geschnitztes Holzbesteck. Die einen sprechen Dankgebete, die anderen wiederum über das, was sie letzte Nacht geträumt haben. Die einen hören zu, die anderen lachen. Und wenn die Kirchenglocke erneut ertönt, machen sich alle zur Arbeit auf.

Diesmal jedoch war alles anders. Die drei Feuerstellen wurden erst angeheizt, als die Sonne hoch am Himmel stand und sich die Aufregung über die Rückkehr der vier Männer einigermaßen gelegt hatte.

Alarmiert von Ubaldinas verzweifelten Schreien, waren die Dorfbewohnerinnen aus den Häusern geeilt. Zuerst vernahmen Ángel Alberto Tamacá, David Pérez, Jacinto Jiménez jr. und Campo Elías Restrepo nur das wilde Geschrei; dann wurden sie von lauter nackten Frauen eingekreist, die schwere Knüppel und Speere in Händen trugen. Rücken an Rücken standen sie da und starrten die wilden Kreaturen fassungslos an. Tamacá und Pérez glaubten, dass ihnen ein Stamm zorniger Indianerinnen ans Leder wollte. Jiménez war so erschöpft, dass er glaubte, seine Fantasie würde ihm einen Streich spielen. Und Restrepo erschrak derart, dass er überhaupt nicht mehr denken konnte.

Die Dorfbewohnerinnen kreisten die Eindringlinge weiter und weiter ein. Schweigend musterten sie ihre Gesichter, als gehörten die Männer einer unbekannten Rasse an. Doch dann erblickte Cecilia Guaraya ihren Sohn. Sie ließ ihren Speer fallen und schlug die Hände vors Gesicht.

»Ángel!«, stieß sie hervor und trat zögernd ein paar Schritte auf ihn zu. Sie hatte ihn sofort erkannt – trotz seines fehlenden rechten Auges, an dessen Stelle sich lediglich ein tiefes dunkles Loch befand, das seiner einen Gesichtshälfte das Aussehen eines Totenschädels verlieh. Er war fast vollständig kahl geworden und trug verdreckte, halb zerrissene Sachen, die nach altem Schweiß rochen. »Ángel Alberto!«, rief sie abermals, damit auch ja alle Frauen die gute Neuigkeit mitbekamen: dass ihr Sohn, Mariquitas ehemaliger Lehrer, endlich aus dem Krieg zurückgekehrt war. »Ich bin deine Mutter – erkennst du mich denn nicht?«

Er schüttelte den Kopf und wich zurück. Wer war diese Verrückte, die behauptete, seine Mutter zu sein? Wer waren diese nackten Indianerinnen? Warum sahen sie ihn so fassungslos an? Wo war er überhaupt?

»Ich bin deine Mutter, Ángel«, wiederholte sie. »Cecilia Guaraya.«

Ángel nahm das Gesicht der Frau genau in Augenschein, und mit einem Mal schlang er die Arme um sie und begann zu weinen. »Es tut mir so Leid, Mamá«, schluchzte er, während heiße Tränen aus seinem verbliebenen Auge strömten. »Es tut mir so Leid.« Cecilia weinte nicht, sagte nichts, hielt ihn einfach nur fest, wiegte ihn sanft in den Armen, während er weinte. Sein halbes Leben hatte ihr armer Sohn einen sinnlosen Kampf gefochten und nichts als eine leere Augenhöhle mit nach Hause gebracht.

Die Dorfbewohnerinnen scharten sich noch näher um die Männer.

»Jacinto Jiménez, bist du das?«, fragte Marcela, die es kaum glauben konnte, den Sohn des früheren Bürgermeisters vor sich zu haben. »Ich bin es. Marcela. Marcela López.« Mit der flachen Hand schlug sie sich mehrmals auf die Brust, ehe sie ihn auf die Lippen küsste, als wären es allein ihre Küsse, die die Erinnerung der Männer wecken konnten. Als Jacinto Jiménez endlich begriff, dass er in seinem Heimatdorf und das Mädchen tatsächlich seine frühere Verlobte war, hüllte er sie instinktiv in seine Jacke, da er nicht wollte, dass die anderen drei Männer ihre nackten Brüste und wohlgeformten Kurven zu sehen bekamen. Lächelnd zog sie seine Jacke über, weigerte sich aber, sie zuzuknöpfen. Was Jacinto verärgerte und gleich zum ersten Streit des Pärchens führte.

Enttäuscht stellte Marcela fest, dass ihr Verlobter sich nur äußerlich verändert hatte: Er war größer und hagerer, und in seinem ärmellosen T-Shirt sah er viel männlicher aus als früher. Er hatte eine hohe Stirn bekommen, und seinem Teint sah man deutlich an, dass er zu viel Zeit in der sengenden tropischen Sonne verbracht hatte. In einer Hinsicht aber war er derselbe geblieben; er war genauso aufbrausend, eifersüchtig und besitzergreifend wie früher.

Inzwischen hatten die Dorfbewohnerinnen auch die beiden anderen Männer identifiziert: David Pérez, den Enkel der alten Justina, und Campo Elías Restrepo, Ubaldinas Gatten, der einst einer der wohlhabendsten Männer des Orts gewesen war. Rasch riss Rosalba das Heft an sich: »Willkommen in Neu-Mariquita. Ich bin Rosalba viuda de Patiño – erinnert ihr euch an mich? Mein Mann war Napoleón Patiño, der frühere Polizeisergeant.« Auch ein paar andere Frauen stellten sich vor, doch die meisten blieben stumm. Die Männer nickten lediglich, während sie versuchten, die nackten drallen Amazonen mit jenen Frauen in Einklang zu bringen, an die sie sich von früher erinnerten.

Nachdem die Dorfbewohnerinnen sich allmählich wieder an die Männer gewöhnt hatten, wurden sie mit ihrem Besuch etwas vertrauter, und schließlich hockten sich alle zusammen; die Frauen lauschten den bewegenden Berichten der Männer, stellten ihnen alle möglichen Fragen, und auch die Männer wollten wissen, was in ihrer Abwesenheit geschehen war. Jacinto Jiménez senkte den Kopf, als er erfuhr, dass seine Mutter und seine zwei Schwestern Mariquita schon bald nach dem Verschwinden der Männer verlassen hatten, während David Pérez überglücklich war, dass seine Großmutter Justina noch lebte, wenn auch von Arthritis geplagt und inzwischen so alt, dass sie nur noch wenige lichte Momente hatte. David war inzwischen neunundzwanzig und ein ausgesprochen attraktiver, hochgewachsener Mann mit großen Augen und olivfarbenem Teint. Sein langes Gesicht und sein welliges, nach hinten gekämmtes Haar verliehen ihm eine weltgewandte, beinahe elegante Aura, die ihn deutlich von den anderen Männern unterschied.

Zu Mittag gab es erst einmal eine herzhafte Mahlzeit: gekochtes Wurzelgemüse, Reis und Pökelfleisch. Jacinto Jiménez jr. saß neben seiner störrischen Verlobten, ohne ein Wort mit ihr zu wechseln, David Pérez neben seiner geistig umnachteten Großmutter, die gefüttert werden musste, weil sie ihre Finger nicht mehr bewegen konnte. Ángel Tamacá hockte neben seiner Mutter, die Knie an die Brust gezogen, sein totes linkes Auge auf den Boden gerichtet; der Anblick seiner Mutter, deren nackter Körper sich in der Hitze mehr und mehr aufzublähen schien, war schlicht zu viel für ihn. Cecilia, die zuvor kaum etwas gesagt hatte, redete nun wie ein Wasserfall, und bei jedem einzelnen ihrer Sätze klappte Ángel die Kinnlade noch ein wenig mehr herunter: »Tja, und dann kam der Padre mit seinem Plan, eine Frau nach der anderen zu schwängern... Alle vier Jungen hat er im Namen Gottes umgebracht... Dann haben die beiden die weibliche Zeit eingeführt, und...« Ángel saß reglos da und sagte kein einziges Wort, während er sich fragte, was aus dem Ort geworden war, den er einst gekannt hatte. »Nun ja, und als Francisca und ich dann gemerkt haben, dass wir uns lieben, lag ja sozusagen auf der Hand, dass wir...« Was, um Himmels willen, ist bloß mit meiner Mutter passiert?

Campo Elías Restrepo saß zwischen Rosalba und Schwester Ramírez inmitten einer Wolke aus penetranten Körpergerüchen. Ihm war bewusst, dass er selbst nicht gerade nach Rosen duftete, doch hatte er eine schier endlose Strecke in sengender Sonne zurückgelegt, steile Anhöhen erklommen und sich durch unwegsamstes Dickicht geschlagen. Diese Frauen aber rochen wie die Tiere, obwohl der Tag für sie noch gar nicht richtig begonnen hatte.

Restrepo war wütend. Seit seiner Ankunft hatte seine Frau sich im Haus eingeschlossen und kategorisch geweigert, herauszukommen und mit ihm zu reden. Er hatte traurige Neuigkeiten: Ihr jüngster Stiefsohn, Campo Elías Restrepo jr., war vor einigen Jahren ertrunken; er und ein Freund hatten sich ein Floß gebaut, um den Rebellen zu entkommen, waren aber in einen Strudel geraten und gekentert. Als er den Dorfbewohnerinnen von der Tragödie erzählte, war Ubaldina nicht zugegen, aber Restrepo war sicher, dass sie inzwischen davon erfahren hatte und ihn für die Sache verantwortlich machte. Er überlegte, ob er zu ihr gehen und mit ihr reden sollte. Aber vielleicht war es doch besser, wenn er einfach abwartete, sie ein Weilchen trauern ließ und dann aufforderte, wieder ihren Pflichten als Eheweib nachzukommen.

In Haus Nummer drei lag Ubaldina in ihrer Hängematte. Tatsächlich war die Kunde vom Tod ihres Stiefsohns bereits zu ihr vorgedrungen; sie weinte still in sich hinein, den Blick auf das Bild an der Wand geheftet. Warum hatte ihr süßer Junge sterben müssen? Warum er und nicht ihr Ehemann?

Ubaldinas Ehe war eine Farce gewesen. Sie hatte als Hausmädchen bei den Restrepos gearbeitet. Als seine Frau gestorben war, hatte Campo Elías ihr einen Heiratsantrag gemacht – einfach nur, damit er ein Kindermädchen und eine Köchin hatte. Ubaldina war das schnell klar geworden, doch statt sich die Seele aus dem Leib zu weinen, hatte sie sich aufopferungsvoll um die sieben Jungen gekümmert und so ihr Herz gewonnen. Campo Elías hingegen hatte sich auf die zwölf Mädchen der Casa de Emilia konzentriert, wo er die meisten Nächte zu verbringen pflegte. Genau dort, im Bordell, hatten ihn die Rebellen auch aufgestöbert, bevor sie ihn mit den anderen Männern verschleppt hatten.

Und nun musste Ubaldina nicht nur mit dem Tod ihres Stiefsohnes fertig werden, sondern auch mit der Tatsache, dass ihr Ehemann zurückgekehrt war.

Die erste Nacht verbrachten die Männer in der ehemaligen Kirche. Rosalba und Eloísa versorgten sie mit Hängematten, Decken, Handtüchern, Wasser, Eimern und einer Lampe. Sie rieten den

Männern, sich ein paar glühende Holzscheite von der Plaza zu holen und unter ihre Hängematten zu legen; so würden sie die ganze Nacht über warm und wohlig schlafen. Sobald die Frauen gegangen waren, sprachen die Männer freimütig über ihre ersten Eindrücke von Neu-Mariquita.

»Um Himmels willen«, schnaubte Restrepo. »Zugegeben, ich hätte nicht erwartet, dass ein paar Frauen in der Lage sind, hier alles am Laufen zu halten, doch ebensowenig hätte ich erwartet, dass sie ins Mittelalter zurückfallen. Die führen sich ja auf wie Eingeborene. Hier wartet verdammt viel Arbeit auf uns, soviel steht fest!«

»Ich bin auch nicht von allem begeistert«, stellte David Pérez nüchtern fest. »Aber ganz so schlimm ist es doch auch nicht. Na schön, sie führen ein relativ schlichtes Leben, aber ...«

»Schlicht?«, unterbrach ihn Jiménez. »Die verdammten Weiber laufen splitternackt durch die Gegend! Hast du nicht gesehen, wie sie Händchen halten und sich dauernd abschlecken? Verfluchte Lesben! Restrepo hat recht: Wir müssen ihnen wieder Zucht und Ordnung beibringen!«

»Du bist ein Trottel, wenn du glaubst, dass wir ihnen irgendetwas beibringen können«, warf Ángel Tamacá ein. »Sie kommen bestens ohne uns klar. Wir waren sechzehn Jahre fort – und jetzt wollen wir von ihnen verlangen, dass sie ihr Leben ändern?«

»Na und?«, schnauzte Jiménez. »Wir sind die einzigen männlichen Bewohner dieses Dorfs, die den Krieg überlebt haben. Mariquita gehört uns, und deshalb müssen wir wieder das Ruder übernehmen.«

»Wir können nirgendwo anders hin, Jiménez«, sagte David Pérez. »Im ganzen Land werden wir als Verbrecher betrachtet. Vielleicht sollten wir uns einfach mit den neuen Verhältnissen abfinden und das Beste draus machen.«

»Ich habe mich schon bei den verdammten Rebellen mit viel zu viel abgefunden«, gab Jiménez wutentbrannt zurück. »Ich lasse mir von keiner Frau sagen, was ich zu tun oder zu lassen habe.

Dann lasse ich mich lieber auf das Amnestieprogramm der Regierung ein. Danach bin ich wieder ein unbescholtener Bürger und kann mich an einem Ort niederlassen, an dem die Frauen uns Männern noch Achtung und Gehorsam erweisen.«

»Nur zu«, sagte Ángel Tamacá und setzte ein falsches Lächeln auf. »Mach dich auf nach Bogotá und lass dich in eins von ihren dreckigen Auffanglagern stecken. Und wenn sie dich durch die Mangel gedreht haben, setzen sie dich direkt auf die Straße, wo du entweder verhungerst oder gleich umgebracht wirst. Glaubst du ernstlich, irgendjemand würde dir ein Zimmer vermieten? Oder dir Arbeit geben? Sobald sie herausfinden, dass du noch vor ein paar Monaten Brücken und Pipelines in die Luft gesprengt und harmlose Bauern und Indianer umgebracht hast, bist du für sie kaum besser als ein Stück Hundescheiße.«

»Jedenfalls sind wir jetzt erst mal hier«, sagte Campo Elías Restrepo. »Was also sollen wir tun?«

Die Antwort war ein langes, nachdenkliches Schweigen, das bis zum nächsten Morgen anhielt.

Unterdessen hatten sich die Dorfbewohnerinnen in Haus Nummer zwei versammelt, um Ubaldina zu trösten und über die Männer zu sprechen.

»Er braucht mir nicht mehr unter die Augen zu treten«, fauchte Ubaldina. »Das Schwein hat die Kinder und mich wie Dreck behandelt! Er hat uns nicht verdient – weder mich noch seine Söhne!«

»Aber du hast doch noch gar nicht mit ihm geredet, Ubaldina«, sagte die Witwe Morales besänftigend leise. »Der Verlust eines Kindes kann einen Menschen völlig verändern.« Doña Victoria sprach aus eigener leidvoller Erfahrung. Das jähe Verschwinden ihrer Tochter Julia hatte auch sie nachhaltig verändert. Das Mädchen fehlte ihr sehr, und sie weinte jeden Abend, als habe Julia den

Ort erst gestern verlassen. Andererseits glaubte sie, dass sie ihren anderen drei Töchtern nun eine bessere Mutter war.

»Tu bloß nicht so, als hätte ich mich nicht verändert«, gab Ubaldina trotzig zurück.

»Die wichtigste Frage ist momentan doch wohl, wie lange die Männer hierbleiben wollen«, meldete sich die greise Señorita Guarnizo zu Wort.

»Nein«, sagte Ubaldina. »Die wichtigste Frage ist, wie lange die Männer hierbleiben *dürfen*.«

»Nun gut, du willst, dass dein Mann wieder verschwindet«, mischte sich Cecilia ein. »Aber ich möchte, dass mein Sohn hierbleibt.« Sie wandte sich zu Marcela López. »Und wie stehst du zu deinem Verlobten?«

»Moment!«, rief Rosalba, ehe Marcela antworten konnte. »Das steht doch jetzt überhaupt nicht zur Debatte. Wir müssen den Männern erst einmal zeigen, was sich hier alles verändert hat. Wir haben unsere eigenen Regeln. Möglich, dass sie gar nicht bleiben wollen.«

Cecilia schlug vor, dass die Männer eine ganze Sprosse lang bleiben sollten, um sich mit den neuen Gegebenheiten vertraut zu machen. Schwester Ramírez meinte, zehn Sonnen würden reichen. Es ging hin und her, bis der sonst so schweigsame Santiago Marín, die andere Witwe, die Diskussion schließlich beendete, indem er die Frauen davon überzeugte, dass drei Sonnen – eine pro Haushalt – erst einmal vollauf genügten, damit sich die jeweils andere Seite einen Eindruck verschaffen konnte. Sollte dann noch Interesse an einem Zusammenleben bestehen, sagte er, könne man ja über einen längeren Aufenthalt verhandeln.

Die Gemeinde von Neu-Mariquita hat weder eine Bürgermeisterin noch einen Bürgerinnenrat. Wichtige Entscheidungen werden per Konsens aller dreiundneunzig Bürgerinnen getroffen. In kleineren Fragen entscheidet die jeweilige Leiterin für ihren Zuständigkeitsbereich. Beispielsweise hat jedes Haus eine Küchenleiterin, die gemeinsam mit einer Helferin die Mahlzeiten zubereitet und dafür sorgt, dass alle Bewohnerinnen genug zu essen kriegen. Die Küchenvorräte werden von der Leiterin des Lagerhauses geliefert; sie ist zudem für das Dreschen des Getreides zuständig, pökelt und räuchert überschüssige Fisch- und Fleischbestände und lagert alle möglichen Nahrungsmittel in großen Tongefäßen ein. Die Agrarleiterin wiederum sorgt dafür, dass das Lager Nachschub bekommt; sie ist für die landwirtschaftliche Organisation verantwortlich, kümmert sich um Saat und Ernten und entscheidet in Absprache mit der Gemeinde, welche Nahrungsmittel angebaut und welche Tiere gezüchtet werden. Die Leiterinnen wechseln jede Sprosse; alle Bereiche werden im Rotationsprinzip verwaltet. Wolle und Baumwolle werden den alten Frauen überlassen, die Spinn- und Webarbeiten übernehmen.

Alle Frauen arbeiten eigenverantwortlich; hat jemand ein Problem, wird dieses beim Gemeindetreffen erörtert.

Die vier Männer standen vor Anbruch der Morgendämmerung auf. Sie wuschen sich mit dem Wasser aus den Eimern; nachdem sie ihre stinkenden Klamotten angezogen hatten, die sie nun schon trugen, seit sie aus ihrem Camp geflüchtet waren, hockten sie sich auf die Stufen vor der Kirche und sahen schweigend zu, wie die Konturen des Dorfs sich allmählich aus dem Dunkel schälten.

Die Plaza lag noch im Halbdunkel, als sich die Tür des Hauses öffnete, das der Kirche genau gegenüberlag. Eine Frau trat heraus, die von oben bis unten in ein langes, weißes Tuch gehüllt war. Sie sah aus wie ein Gespenst, und wie ein Gespenst bewegte sie sich langsam auf die Kirche zu. Als sie die Männer erblickte, senkte sie den Kopf, beschleunigte ihre Schritte und betrat die Kirche durch den Hintereingang. Die vier Männer wechselten Blicke und zuckten mit den Schultern, da sie sich ihr seltsames Verhalten nicht erklären konnten. Dann ertönte die Kirchenglocke. Kurz danach trat die Frau wieder auf die Straße. Restrepo erhob sich und folgte ihr, da er glaubte, dass es sich um seine Frau handelte. Sie war schnell, aber Restrepo war schneller. Er packte sie, hielt sie fest und riss ihr das Tuch vom Leib. Doch es war nicht seine Frau, die splitternackt vor ihm stand, sondern die Witwe Morales, die sofort Zeter und Mordio schrie.

Aus allen drei Häusern eilten Frauen herbei, um der bedrängten Witwe beizustehen. Sie hüllten sie wieder in das weiße Tuch ein und brachten sie rasch ins Haus Nummer eins, das nur wenige Schritte entfernt lag.

Bald darauf begann die Kirchenglocke unablässig zu läuten: Alarm. Die Türen aller drei Häuser öffneten sich weit, und drei Armeen nackter Frauen marschierten schweigend auf die Männer zu. Der Anblick war ebenso unerwartet wie außerordentlich einschüchternd. Die Männer erhoben sich, schienen aber gleichzeitig im Boden versinken zu wollen. Sie standen stramm wie bei einem Appell und blickten wortlos den Frauen entgegen, die näher und näher kamen, bis sie schließlich direkt vor ihnen verharrten.

»Moment«, platzte Restrepo heraus. »Ich kann alles erklären.« Nervös ließ er den Blick über die Menge schweifen und hielt Ausschau nach Ubaldina. Sie musste ihm helfen; schließlich war sie doch seine Frau.

»Nicht nötig, Señor Restrepo«, erwiderte Rosalba ruhig. Sie stand in der ersten Reihe. »Wir wissen genau, was passiert ist, und wir wissen auch, was Sie dazu getrieben hat. Es spielt aber keine Rolle. Wir werden nicht dulden, dass irgendein Fremder eine von uns behelligt, was immer er auch für Gründe vorbringen mag. Das Dorf, in dem Sie gelebt haben, gibt es nicht mehr. Sie sind hier in Neu-Mariquita, einer unabhängigen weiblichen Gemeinde mit... besonderen sozialen, kulturellen und ökonomischen Strukturen, die zu wesentlichen Teilen auf unserer Naturverbundenheit beruhen.« Selbige Definition hatte sie sich vor noch nicht allzu langer Zeit zurechtgelegt, als sie darüber nachdachte, wie man Neu-Mariquita am besten beschreiben konnte; doch war es das erste Mal, dass sie diese Worte laut aussprach, und wie sie fand, hätte sie sich keinen besseren Zeitpunkt aussuchen können. »Fakt ist, dass wir keinen von euch in unsere Gemeinschaft aufnehmen werden, solange wir nicht hundertprozentig sicher sein können, dass er zu uns passt und unsere Ideale und Regeln beherzigt.« Während sie sprach, ließ sie den Blick so gleichmütig wie möglich von einem Mann zum anderen schweifen. »Warum fangen wir nicht mit Ihnen an, Señor Jiménez? Sagen Sie uns, warum Sie hierher gekommen sind und was Sie von uns wollen.«

Jacinto Jiménez jr. trat einen halben Schritt vor; er war der Größte und Muskulöseste von ihnen. Er sah erst seine Kameraden, dann die Dorfbewohnerinnen an und senkte schließlich den Blick auf einen Löwenzahnkopf, den die Morgenbrise aus irgendjemandes Garten herbeigetragen hatte und der nun vor Rosalbas nackten Füßen lag.

»Ich will überhaupt nichts von euch«, begann er. »Ich bin hier, um ein neues Leben zu beginnen, und dabei wird mir niemand hereinreden. Ich werde das Haus meines Vaters so schnell wie möglich wieder aufbauen. Dann werde ich Marcela heiraten und mit ihr in *meinem* Haus wohnen, auf *meinem eigenen* Grund und Boden.« Und damit trat er zu den anderen Männern zurück.

Rosalba ließ sich seine Worte kurz durch den Kopf gehen. Dann sagte sie: »Señor Jiménez, stimmt es, dass Sie sich an Marcelas Nacktheit stoßen?«

»Und ob«, schnaubte er. »Was ihr tut und lasst, ist eure Sache. Von mir aus könnt ihr auf euren Titten laufen, aber meine Frau sieht niemand nackt außer mir!« Wütend verschränkte er die Arme. Die Dorfbewohnerinnen blickten zu Rosalba und warteten auf ihre Antwort, doch in genau diesem Moment trat Marcela vor, die Hände in die Hüften gestemmt. Sie musterte ihren Verlobten und zog das Hemd aus, das sie von ihm bekommen hatte.

»Du hast dich kein bisschen verändert, Jacinto«, sagte sie verächtlich. »Du bist immer noch genauso arrogant und selbstherrlich wie früher. Aber leider bin ich nicht mehr dieselbe. Du hast nicht die geringste Ahnung von mir und meinem Leben. Lass es mich klipp und klar sagen: Du machst mir keine Schuldgefühle, und Angst schon gar nicht!« Ihr Gesicht wurde puterrot, als sie hinzufügte: »Lieber verbringe ich den Rest meines Lebens als alte Jungfer, als auch nur einen Augenblick lang deine Frau zu sein.« Sie warf ihm das Hemd vor die Füße, als handele es sich um ihren Verlobungsring, und trat wieder zu den anderen Frauen, während Jiménez ihr wütend hinterherblickte.

Mit spöttischem Lächeln bat Rosalba den nächsten Mann, ihnen zu sagen, was ihn nach Neu-Mariquita geführt hatte.

David Pérez schlug einen weit diplomatischeren Ton an als Jiménez und sagte, er wolle das kleine Stück Land seiner Großeltern bestellen. »Außerdem möchte ich unser Haus wieder aufbauen, für mich und meine Großmutter. Ihr habt euch wirklich rührend um sie gekümmert, und dafür möchte ich mich herzlich bei euch allen bedanken. Aber nun bin ich wieder zurück und will meiner Verantwortung selbst nachkommen.« Er räumte ein, dass ihm nicht alles gefiel, was sich in Mariquita verändert hatte, und fügte schließlich hinzu: »Ich weiß nicht genau, ob es mir gelingen wird, mich euren ›besonderen Strukturen‹ anzupassen, aber ich bin bereit, es zu versuchen. Bitte vergesst nicht, dass wir erst gestern angekommen sind. Gebt uns ein wenig Zeit.« Oh, und außerdem wolle er eine Familie gründen. Ob vielleicht eine Frau unter ihnen sei, die Interesse an einem mutigen, liebevollen Mann habe?

Niemand zeigte Interesse. Dennoch wurde Davids Erklärung allgemein positiv aufgenommen.

Campo Elías Restrepo trat vor, ehe ihn Rosalba aufrufen konnte.

»Was haben Sie uns zu sagen, Señor Restrepo?«, fragte Rosalba.

»Wie ihr alle wisst«, begann er, »haben mir hier früher eine ganze Reihe von Häusern und viele Morgen Land gehört. Tja, nun bin ich wieder da, und es dürfte wohl nur gerecht sein, dass ich mein Eigentum zurückbekomme. Ich verspreche auch, dass ich niemandem im Nachhinein Pacht berechne.« Er lachte über seinen Witz und fuhr fort: »So wie die Kameraden Jiménez und Pérez will auch ich mein Haus wieder aufbauen und … meine Frau zurückhaben. Schließlich ist sie ja immer noch meine Frau, oder? Oder wollt ihr mir erzählen, dass Ubaldina es jetzt ebenfalls mit anderen Frauen …«

Die Menge musterte ihn voller Verachtung.

»Warum fragen Sie sie nicht selbst, Señor Restrepo?« Rosalba deutete auf eine kleine Indianerfrau, die kerzengerade und mit unter dem Nabel verschränkten Händen in der ersten Reihe stand.

Restrepo warf der Frau einen Blick zu und runzelte die Stirn. Irritiert sah er Rosalba, dann wieder die andere Frau an. Sie hatte wohlgeformte Beine und stand da wie eine Statue aus Bronze. Zwei graue Zöpfe rahmten ihr rundes kleines Gesicht ein. Sie hatte schrägstehende braune Augen, die unter schweren Lidern hervorsahen, eine breite Nase und volle Lippen. Ihre Brüste waren klein, aber fest und schön für ihr Alter.

»Ubaldina?«, fragte er ungläubig.

Sie nickte.

»Du siehst so … so anders aus«, stammelte er. »Gut. Richtig, richtig gut.«

»Tja, das dürfte wohl das erste Mal sein, dass du mich *wirklich* ansiehst, Campo Elías«, sagte Ubaldina. »Oh, pardon, *Don* Campo Elías. Verzeih meine Respektlosigkeit.« Sie gab ein abschätziges Lachen von sich.

Schweigend stand er da und erinnerte sich. Er hatte Ubaldina geheiratet, weil seine sieben Jungs eine Mutter brauchten. Sie hatten Ubaldina bald als Familienmitglied akzeptiert, doch er hatte sie auch nach der Hochzeit stets als Dienerin betrachtet. Er hatte sie immer nur mit den Augen des Herrn gesehen. Wenn er mit ihr geschlafen hatte, dann nur, weil er zu betrunken oder zu müde war, um noch einen Abstecher ins Bordell zu machen. Nicht ein einziges Mal hatte er sie vermisst in all den Jahren, die mittlerweile ins Land gezogen waren. Wenn er sich an sie erinnert hatte, dann an eine schlichte, unauffällige Frau in einer Schürze, die stets mit Kochen oder Putzen beschäftigt war und ständig zu Boden blickte. Doch die Frau, die ihm nun gegenüberstand, hatte die Schürze schon lange abgelegt. Plötzlich sah er eine reife und attraktive Frau vor sich, die ihm nachtrug, dass er sie betrogen und schlecht behandelt hatte, und zu Recht nichts mit ihm zu tun haben wollte. Er wusste genau, dass er sagen konnte, was immer er wollte. Er konnte seine Fehler nicht rückgängig machen.

»Hast du sonst nichts zu sagen?«, riss Ubaldina ihn aus seinen Erinnerungen.

Restrepo fühlte sich außerstande, seine Gefühle in Worte zu fassen. Er brachte keinen Ton mehr heraus.

»Ist auch besser so«, verkündete sie.

Mit gesenktem Kopf trat er zurück.

Kurz herrschte Stille; dann war Ángel Tamacá an der Reihe. Als er vortrat, fragte sich Rosalba unwillkürlich, was ihn – den einzigen Mann, der den kommunistischen Rebellen freiwillig beigetreten war – zur Rückkehr bewegt hatte. Er hatte weder ein Haus noch ein Stück Land besessen. Wollte er seine alte Stelle als Lehrer wiederhaben? Aber was wollte er lehren? Die Tugenden des Sozialismus, die sie längst verwirklicht hatten?

»Ich bitte euch nur, mir eine zweite Chance zu geben«, sagte Ángel leise, ohne dabei jemanden anzublicken.

»Eine zweite Chance?«, gab Rosalba zurück. »Wozu?«

»Um wieder ein Mensch sein zu können«, sagte er.

Die Dorfbewohnerinnen nickten gerührt. Ángels Bitte schien von Herzen zu kommen; er hatte sich eine zweite Chance verdient. Amparo Marín war besonders beeindruckt von Ángels bescheidenem Auftreten, seiner männlichen Stimme und seinem traurigen Blick. Wie konnte ein Mann seinen Gefühlen so aufrichtig Ausdruck verleihen, obwohl er kaum etwas gesagt und obendrein nur noch ein Auge hatte?

Bevor sie die Versammlung auflöste, unterrichtete Rosalba die vier Männer, wie sie nun weiter vorgehen würden. »Wir hatten vor euch schon andere Besucher, meist Durchreisende oder heimatlose Familien, die in die nächste Stadt wollten. Trotzdem gab es nie jemanden, der hierbleiben wollte. Daher ist die jetzige Situation völlig neu für uns. Wir werden erst einmal darüber reden und zu einem Konsens gelangen müssen. Erst wenn wir einen derartigen Konsens vorliegen haben, werdet ihr eine Antwort von uns erhalten.«

»Ach ja? Worüber denn?«, brüllte Jacinto Jiménez. »Wir haben niemanden um etwas gebeten, und wir sind bestimmt nicht hier, um vor irgendjemandem zu Kreuze zu kriechen. Wir bleiben hier, so oder so. Wir geben einen Dreck auf eure Beschlüsse. Mariquita ist auch unser Dorf – oder habt ihr das vergessen?«

»Señor Jiménez«, sagte Rosalba. »Sehen Sie sich in aller Ruhe um – und dann sagen Sie mir, ob es dasselbe Dorf ist, auf das Sie jetzt Anspruch erheben.«

Er sah lediglich in ihre Augen, während seine Lippen vor Wut bebten. »Wir werden unseren Grundbesitz nicht aufgeben. Und uns ganz bestimmt nicht von euch vertreiben lassen!«

»Wir sind friedliebende Leute, Señor Jiménez, aber Sie sollten sich nicht täuschen: Wir werden alles tun, um unsere Gemeinde und unsere Prinzipien gegen freche Eindringlinge wie Sie zu verteidigen.« Ein drohender Ton hatte sich in Rosalbas Stimme geschlichen.

Er lachte verächtlich. »Das möchte ich sehen. Eine Handvoll armseliger Weiber, die gnadenlosen Kriegern wie uns die Stirn bieten wollen. Hast du eine Ahnung, wie viele Menschen wir abgeschlachtet haben? Hunderte! Tausende! Ihr paar Kühe macht da auch keinen Unterschied mehr!«

»Das ist deine Meinung, Jiménez«, fiel ihm Ángel Tamacá ins Wort. »Ich habe jedenfalls die Nase voll vom Krieg. Und ich hatte eigentlich gedacht, das würde auch für euch gelten.« Er trat beiseite, weg von den anderen drei Männern. David Pérez warf erst

Restrepo, dann Jiménez einen Blick zu, zuckte dann mit den Schultern und gesellte sich zu Tamacá.

»Was seid ihr nur für verdammte Arschlöcher?«, schnauzte Jiménez. »Erst setzen wir Himmel und Hölle in Bewegung, um der Scheißguerilla zu entkommen, und jetzt lasst ihr euch von ein paar dahergelaufenen Weibern behandeln, als stündet ihr vor dem Kriegsgericht.« Ungläubig schüttelte er den Kopf, ehe er sich an Restrepo wandte. »Willst du dich ebenfalls gegen mich stellen?«

Restrepo fasste ihn an der Schulter. »Ich habe nicht wirklich eine Wahl, mein Junge«, sagte er leise. »Ich bin zu alt, um anderswo noch mal von vorn anzufangen.«

»Von denen lässt du dir doch wohl nicht ernstlich den Schneid abkaufen«, zischte Jiménez. »So sind die Weiber eben. Die wollen sich doch bloß an uns rächen, weil wir sie sitzengelassen haben. Als hätten wir irgendeine Wahl gehabt.«

Doch Restrepo hatte sich bereits entschieden. Er senkte den Kopf und trat zu den beiden anderen Männern. Fassungslos starrte Jacinto seine Kameraden an. Tränen traten ihm in die Augen, und seine Züge drohten ihm zu entgleisen. Doch just in dem Moment, als alle glaubten, dass er klein beigeben würde, brüllte er: »Dann fahrt doch zur Hölle, ihr verdammten Verräter! Ja, bleibt doch in diesem Loch mit seinen verfluchten Lesben!« Auf einmal flossen ihm Tränen über das Gesicht, doch mit erstickter Stimme brüllte er weiter. »Und ich? Ich beantrage Amnestie, und danach bin ich wieder ein ehrbarer Bürger – etwas verdammt Besseres als ihr verdammten Verräter!« Und damit ging er die Straße hinunter, rückwärts, damit er ihre Gesichter sehen konnte, die immer kleiner wurden und schließlich vor seinen Augen verschwammen, während er ein ums andere Mal »Ihr Verräter!« brüllte, bis seine gellenden Schreie im Kreischen einiger Krähen untergingen, die gerade den Ort überflogen.

Hinter den drei großen Gemeinschaftshäusern befinden sich Überreste des alten Dorfs: Häuser ohne Dach oder vielmehr rechteckige Parzellen mit Adobewänden, da alles, was sie einst zu Häusern machte – Türen, Fensterrahmen, Dielen –, schon vor langer Zeit entfernt und anderweitig wiederverwendet worden ist. Einst spross dort wildes Unkraut, das sich unkontrolliert ausbreitete und alles zu überwuchern drohte. Doch nachdem die Frauen die Gemeinschaftshäuser fertiggestellt hatten, richteten sie ihr Augenmerk auf jene fast vergessenen Ruinen. Sie beschlossen, alle Innenwände niederzureißen und innerhalb der verbliebenen Außenwände kleine Gärten anzulegen.

Wenn man nun von den Bergen aus auf Neu-Mariquita blickt, kommt es einem vor, als würde man von oben eine riesige Steppdecke sehen, die aus Dutzenden und Aberdutzenden von Flicken in den verschiedensten Grüntönen zusammengenäht worden ist.

Die Sonne stand bereits hoch am Himmel, als die Feuerstellen auf der Plaza angeheizt wurden. Nachdem die Dorfbewohnerinnen gefrühstückt hatten, wurden sie in die Kirche gerufen.

Die drei Männer blieben auf der Plaza zurück und harrten der Entscheidung, die ihr Schicksal beschließen würde. In Ángel Tamacás Ohren klang noch immer das Wort *Verräter*, und plötzlich erinnerte er sich daran, dass es Jiménez' Idee gewesen war, der Guerilla endgültig den Rücken zu kehren. Zuerst hatte er seinen Plan mit Tamacá besprochen, dann mit Pérez und schließlich mit Restrepo. Die vier hatten sich geschworen, um jeden Preis zusammenzubleiben und niemandem etwas von ihrem Plan zu verraten; alles hatten sie bis ins kleinste Detail ausgeklügelt, da ihnen nur allzu klar war, welche Konsequenzen sie erwarteten, wenn irgendetwas nach außen durchdrang. Jiménez hatte schließlich mit einem in der Nähe wohnenden Bauern gesprochen, und eines Tages, vor Sonnenaufgang, trafen sie sich alle vier in seiner Kate, zogen Zivilkleidung an, aßen, was die Bäuerin ihnen vorsetzte, nahmen noch etwas zu essen mit und zogen los – immer am Felsufer des großen Flusses entlang, dessen Verlauf sie ihrem Reiseziel näher und näher brachte.

Vielleicht fühlten Pérez und Restrepo sich genauso mies wie er, weil sie Jiménez im Stich gelassen hatten, dachte Ángel. Aber vielleicht würde ihnen ihre Entscheidung nicht mehr so schwer im Magen liegen, wenn sie gemeinsam all die erstaunlichen Veränderungen in Augenschein nähmen, die (seine Mutter hatte bereits einiges durchblicken lassen) die Dorfbewohnerinnen in all den Jahren zuwege gebracht hatten. »Lasst uns eine Runde durchs Dorf machen«, schlug er vor.

Als sie durch Neu-Mariquita spazierten, fühlte Ángel sich wie ein kleiner Junge auf einem Rummelplatz. Dauernd streckte er den Zeigefinger aus, deutete auf die blühenden Gärten, die sich zu beiden Seiten der Straße erstreckten. »Seht mal, Yuccas!«, rief er. »Und die Kürbisse da drüben!« Und so fuhr er unablässig fort, als könne er mit seinem einen Auge plötzlich Dinge sehen, die den anderen ohne seinen Zuruf verborgen geblieben wären. Restrepo war schwer beeindruckt vom Wasserleitungssystem des Dorfes, einem perfekt angelegten Kanal, der von der ehemaligen Casa de Emilia in den Ort führte und die drei Gemeinschaftshäuser, das Gemeinschaftsbad und die kleine Wäscherei mit fließend Wasser versorgte. Mit offenem Mund besichtigte Pérez das überdachte, mit zehn Duschen und zehn Latrinen ausgestattete Gemeinschaftsbad. Sie besichtigten die Krankenstation, den Kornspeicher und die Ställe, schweiften durch die Mais-, Reis- und Kaffeefelder jenseits des Dorfkerns.

Als sie ihre Besichtigung beendet hatten, gingen sie zurück zur Plaza und ließen sich im Schatten eines Mangobaums nieder. Sie waren todmüde von der Hitze, doch war ihnen so bange, dass sie kein Auge zutun konnten.

Im Inneren der Kirche versuchten die Dorfbewohnerinnen, zu einem Konsens zu gelangen. »Über die Männer im Einzelnen zu reden, bringt überhaupt nichts«, sagte Cleotilde, »solange wir uns nicht grundsätzlich entschieden haben, ob wir überhaupt männliche Mitglieder in unserer Gemeinde dulden wollen.« In der Vergangenheit wurde bei allen anstehenden Entscheidungen nach herkömmlichem Muster abgestimmt, was zwar zu raschen Ergebnissen, aber stets auch bei einigen Gemeindemitgliedern zu Unzufriedenheit geführt hatte. Weshalb Cleotilde den Beschluss per Konsens vorgeschlagen hatte. »Unser Ziel sollte nicht darin bestehen, Stimmen zu zählen, sondern darauf ausgerichtet sein, gemeinschaftlich und einstimmig zu entscheiden«, sagte sie in ihrer philosophischen Tonart, in die sie mit zunehmendem Alter verfallen war. Eigentlich hatte sie ihre Empfehlung ironisch gemeint, aber die große Mehrheit war von ihrem Vorschlag hellauf begeistert gewesen.

Augenblicklich war die große Mehrheit dafür, die Männer in die Gemeinde aufzunehmen. Nur zwei Frauen wollten sich unter keinen Umständen darauf einlassen: Ubaldina und Orquidea Morales.

»Vergesst nicht, dass es womöglich unsere letzte Chance ist, Nachkommen zu zeugen und unsere Gemeinschaft am Leben zu erhalten«, gab Rosalba zu bedenken. Sie erinnerte Ubaldina daran, dass sie sich seinerzeit – lange war es her – strikt gegen Don Míster Esmís als potentiellen Erzeuger ausgesprochen hatte, weil ihr seine weiße Hautfarbe nicht gefiel. »Die Männer da draußen sind dunkelhäutig wie wir. Denk drüber nach, Ubaldina. Und Campo Elías kannst du ja links liegen lassen.«

Cecilia beschwor Orquidea Morales, ein Einsehen zu haben. »Bitte, Orquidea«, schluchzte sie. »Lass mir meinen Sohn!« Francisca, Cecilias Lebensgefährtin, schlug einen weitaus aggressiveren Ton an: »Denk dran, dass du auf unsere Stimmen angewiesen bist, falls Julia eines Tages zurückkehren sollte.«

Ubaldina lenkte schließlich ein, während Orquidea sich um

keinen Preis erweichen lassen wollte und schließlich klipp und klar sagte, dass alle Überredungsversuche zwecklos seien. Sie war eine der ältesten Jungfern im Ort und nachweislich die unansehnlichste.

Doch dann, als die Situation vollends verfahren schien, meldete sich wieder einmal die andere Witwe zu Wort und machte einen Vorschlag, der nach kurzer Diskussion auf einhellige Zustimmung stieß: »Warum helfen wir den Männern nicht, eine eigene kleine Gemeinde zu gründen? Die Frauen, die mit ihnen zusammenleben wollen, können sie jederzeit besuchen oder auch ganz zu ihnen ziehen. Das wäre doch ein faires Angebot – und im Gegenzug müssen sie unsere Bedingungen akzeptieren.«

Ein vieldeutiges Schweigen breitete sich aus.

»Und was sind unsere Bedingungen?«, fragte Ubaldina.

»Das müssten wir noch näher erörtern«, sagte die andere Witwe.

»Wer will denn schon mit Männern zusammenleben?«, sagte Orquidea Morales.

»Nun, lasst uns einfach sehen, was die Zukunft bringt«, erwiderte die andere Witwe. »Könntet ihr euch vorstellen, zusammen mit den Männern in einer Gemeinschaft zu leben und zu arbeiten, die auf denselben Prinzipien wie den unseren beruht?«

Die Frauen überlegten, und viele ließen ihrer Fantasie freien Lauf. Amparo Marín stellte sich vor, dass sie mit Ángel Tamacá glücklich verheiratet war und ein Kind von ihm erwartete. Pilar Villegas ging noch weiter: Vor ihrem inneren Auge sah sie sich und David Pérez, umringt von sieben Kindern. Der Gedanke zauberte ein versonnenes Lächeln auf ihr Gesicht. Cecilia stellte sich vor, wie sie und Francisca Hand in Hand zum angrenzenden Weiler spazierten, um Ángel und seine Frau zu besuchen. Rosalba malte sich aus, wie es wohl wäre, mit »dem anderen Neu-Mariquita« Handel zu treiben. Virgelina Saavedra versuchte sich vorzustellen, wie es wohl wäre, das Bett mit einem nackten Mann zu teilen, doch sah sie nur den nackten Padre vor sich, der sie gerade besteigen wollte. Eilig verdrängte sie den Gedanken, griff nach Magnolias Hand und führte sie reumütig an die Lippen. Selbst Orquidea Morales träumte von der neuen Gemeinschaft und stellte sich vor, wie sie den Konsens, dass es künftig auch den Männern gestattet sein sollte, keine Kleidung zu tragen, eiskalt mit ihrer Gegenstimme blockierte.

»Ja, ich kann es mir vorstellen«, sagte Amparo Marín leise.

»Ich auch«, sagte Pilar Villegas und reckte den Zeigefinger.

»Ich auch«, rief Cuba Sánchez von hinten.

Santiagos Vorschlag wurde einstimmig angenommen, und auch alle weiteren Diskussionspunkte erzielten einhelligen Konsens. Bis in den späten Nachmittag wurde geredet und debattiert. Anschließend baten die Dorfbewohnerinnen die drei Männer in die Kirche, um ihnen ihren Beschluss zu verkünden.

Ángel Tamacá lächelte, David Pérez zuckte resigniert mit den Schultern, und Campo Elías Restrepo runzelte missmutig die Stirn, als Santiago kundgab, zu welchem Ergebnis die Dorfgemeinschaft gekommen war. Die Bedingungen, sagte Santiago, seien in einem Vertrag fixiert worden, den alle drei Männer unterzeichnen müssten.

»Was sind das für Bedingungen?«, fragte Restrepo.

»Erster Vertragspunkt ist die Gleichstellung der Geschlechter«, erklärte Rosalba.

»Was noch?«

»Die neue Gemeinschaft beruht auf denselben Prinzipien wie die alte. Es gibt keinen Privatbesitz mehr, und …«

»Aber was ist mit *meinem* Eigentum? Irgendeine Form von Entschädigung steht mir doch wohl zu. Mein ganzes Leben lang habe ich hart gearbeitet, und jetzt im Alter …«

»Die Dorfgemeinschaft wird für Sie sorgen. Darin besteht Ihre Entschädigung.«

»Hmmm...«

Santiago erläuterte ihnen, wie das künftige Zusammenleben aussehen würde, beantwortete sämtliche Fragen der Männer und informierte sie über die zeitlichen Abläufe (die sie nicht ganz verstanden, da sie nicht mit der weiblichen Zeit vertraut waren). Restrepos Miene entspannte sich ein wenig, und David Pérez lächelte sogar. Und so kamen die Männer und die Dorfbewohnerinnen schließlich überein, ihre Differenzen beizulegen und sich sobald wie möglich ans Werk zu machen.

Jeweils in Begleitung machten sich die Männer am nächsten Morgen auf, um nach einem geeigneten Platz zu suchen, an dem sie sich niederlassen konnten: Ángel Tamacá bot Amparo Marín den Arm, und gemeinsam schlugen sie den Weg nach Norden ein. Pilar Villegas nahm David Pérez bei der Hand; dann gingen sie in westlicher Richtung davon. Campo Elías Restrepo wandte sich – nachdem Ubaldina drei Mal abgelehnt hatte – an Sandra Villegas mit der Frage, ob sie mit ihm gehen wollte. Zwölf Mal mussten sie aufbrechen, bis der geeignete Ort endlich gefunden war – eine schattige, von vielen Bäumen bestandene Grasebene nahe des Flusses – der umgehend innerhalb einer Sonne bewilligt wurde. Am nächsten Morgen zogen die Dorfbewohnerinnen zusammen mit den Männern los; mit Macheten und Messern schlugen sie breite Schneisen ins Gestrüpp.

Zwei Sonnen später machten sich zwölf starke Frauen und drei Männer an den Bau der neuen Häuser. Langsam entstand das Neuere Mariquita.

Das Neuere Mariquita ist ein Wunderwerk, dessen Errichtung anderthalb Leitern in Anspruch nahm. Es besteht aus zwei Gemeinschaftshäusern, einer Gemeinschaftsküche, in der zwei Mahlzeiten pro Tag serviert werden, einer kleinen Plaza mit kleinen Andentannen und vier aus Baumstämmen geschnitzten Bänken, einem großen Gemeinschaftsbad, einem Kornspeicher und einer Gemeinschaftsfarm mit kleinen Ställen, die sechs Hühner, zwei Puten, acht Kaninchen und einen rebellischen jungen Hahn beherbergen.

Die beiden spitzgiebeligen Häuser stehen sich gegenüber. Das eine Haus ist in separate Einheiten unterteilt und wird Casa del Sol genannt; das andere besteht aus einem Saal und trägt den Namen Casa de la Luna. Beide Häuser besitzen eine Länge von etwa vierzig Metern und sind gut zehn Meter breit. Das Gerüst des Hauses besteht aus massiven Holzpfeilern und Bambusstäben. Die Wände sind mit Baumrinde verkleidet und die Dächer mit Palmwedeln gedeckt. Unter den Decken hängen Tontöpfe mit lilafarbenen Orchideen, gelben Margeriten, weißen Lilien und Veilchen. Jedes Gebäude verfügt über zwei Türen. Die Vordertür geht auf die Plaza hinaus; durch die Hintertür gelangt man zum Fluss, in den Wald und zur Schwestergemeinde von Neu-Mariquita, die kaum eine Meile weit entfernt liegt.

Am Morgen der 7. Mariacé 1992 verkündete Ángel Tamacá, dass seine Gefährtin, Amparo Marín, in den Wehen lag. Eloísa läutete die Glocke, worauf sich ein Freudenschrei über das ganze Dorf und das kleine Tal verbreitete. Die Dorfbewohnerinnen unterbrachen ihre Tätigkeiten und versammelten sich auf der Plaza, tanzten, sangen und beglückwünschten einander.

Rosalba und Cecilia eilten zum Lagerhaus und füllten zwei Körbe mit den größten Orangen, den schönsten Papayas, den rötesten Mangos und dem saftigsten Pökelfleisch. Dann machten sie sich, begleitet von den anderen Frauen, in ihre Schwestergemeinde auf.

Amparo Marín und Ángel Tamacá wohnten in der Casa del Sol. Bis zu jenem Morgen war Amparo für die Küche zuständig gewesen. Ángel kümmerte sich um die Ställe. Sie teilten sich das Haus mit zwei anderen Paaren – Pilar Villegas und David Pérez, die erst kürzlich zusammengezogen waren, sowie Magnolia Morales und Virgelina Saavedra, die nach dem Tod von Virgelinas Großmutter hierher gezogen waren.

Gegenüber in der Casa de la Luna lebten sechs Menschen: Campo Elías Restrepo, der sich um die Häuser kümmerte und seine Frau Ubaldina nur alle zwei Sprossen sah, ohne bislang auch nur ein nettes Wort von ihr gehört zu haben, Cuba und Violeta Sánchez, die beim Bau der Häuser geholfen hatten und nun für die Sauberkeit des Dorfes verantwortlich waren, sowie Sandra Villegas und Marcela López, die sich gemeinsam mit Pilar, David, Magnolia und Virgelina um die Farm, den Gemüse- und den Obstgarten kümmerten. Die sechste Bewohnerin des Hauses war Davids Großmutter, die Witwe Pérez. Sie verbrachte ihre Tage draußen im Schaukelstuhl und sprach unablässig ihre Gebete vor sich hin, obwohl sie schon lange vergessen hatte, an wen sie ihre Gebete überhaupt richtete.

Während die Frauen den Weg entlangmarschierten, der durch ein kleines Waldstück führte, überlegten sie sich Namen für das Baby, die sie Amparo und Ángel vorschlagen wollten.

»Wenn es ein Mädchen wird, sollte es nach seinen beiden Großmüttern benannt werden«, sagte die alte, fast senile Señorita Cleotilde. »Ich plädiere für Cecilia Aracelly.«

»Nein«, gab Cecilia zurück. »Wenn es ein Mädchen wird, soll es Mariquita heißen. Schließlich ist es das erste Baby, das in unserer neuen Gemeinde geboren wird.«

»Gute Idee«, sagte Aracelly.

Rosalba schwieg. Bislang hatte sie nicht eine Sekunde in Erwägung gezogen, dass es ein Mädchen sein könnte. Seit sie von Amparo Maríns Schwangerschaft erfahren hatte, war sie davon ausgegangen, dass es ein Junge werden würde. Es musste einfach ein Junge sein, damit der Fortbestand des Dorfes gesichert war. Sie verstand die anderen Frauen einfach nicht. Das Baby würde nach seinen Großvätern benannt werden, nach seinem Vater, seinem Onkel, seinem Cousin – welchem Mann auch immer. Als sie an der Biegung angekommen waren, die zu dem Hang führte, von dem aus man das neue Dorf bereits sehen konnte, sagte Rosalba schließlich: »Und was, wenn es ein Junge wird?«

»Dann muss er Ángel heißen!«, platzte Cecilia heraus. »So wie sein Vater und sein Großvater.«

»Wie wär's mit Gordon?«, fragte Rosalba. »So hieß Míster Esmís mit Vornamen.«

»Gordon Tamacá?«, sagte Francisca. »Das klingt aber komisch.« Die Frauen wollten sich schier ausschütten vor Lachen, ehe sie eigene Vorschläge machten, die Namen ihrer verschwundenen Söhne und Gatten nannten, die Namen ihrer Väter und anderer Männer, die sie auf diese Weise unsterblich machen wollen.

»Und was haltet ihr von Pablo?«, sagte die andere Witwe. Zum ersten Mal seit dem Tod seines geliebten Freundes sprach er dessen Namen aus. Die Frauen blieben stehen und verfielen in Schweigen, als wollten sie seiner einen Augenblick lang stumm gedenken. Rosalba hingegen war so mit männlichen Vornamen beschäftigt, dass sie von alldem nichts mitbekam. Den Korb am Arm, marschierte sie einfach weiter und verharrte erst, als sie an jenem Punkt des Wegs angekommen war, von dem aus man auf das Neuere Mariquita blickte. Mit jeder Sekunde wurde sie nervöser, konnte es kaum erwarten, endlich das Geschlecht des Neugeborenen zu erfahren. Liebevoll ließ sie den Blick über die wundervolle Landschaft schweifen, die hohen Berge, die sich schier endlos erstreckenden Wälder, die Steilwände und Täler, die grünen Ebenen, auf denen hohes Gras und wilde Blumen wuchsen, die gepflügten Äcker, die Gärten und das winzige Dorf, das schlummernd in der Hitze lag. Dann erblickte sie Ángel in der Ferne. Wieder und wieder sprang er jauchzend in die Luft und winkte. Das Baby war da. Rosalba drückte den Korb fest an sich und hielt den Atem an, bis sie Ángels Rufe endlich verstand. »Ein Junge! Es ist ein Junge!«, rief er, und das Echo seiner Worte erfüllte das ganze Tal.

In jenem Moment sah Rosalba die hohen Berge nicht mehr. Sie verschwanden vor ihren Augen, ebenso wie die Wälder und die wild wuchernden Pflanzen, die unberührten Gipfel und Täler – alles verschwand wie durch Zauberei. Nur der offene, klare Horizont stand zwischen dem Neueren Mariquita und dem Rest der Welt. Das himmlische Panorama war so schlicht und schön, dass Rosalba sich nicht sattsehen konnte. Sie wusste, es war nur ein Traumbild, eine Veränderung, die sich nicht in der Ferne abspielte, sondern in ihrem Inneren, ein Spiegelbild ihrer Weltsicht. Das Universum hatte ihr neue Augen geschenkt, die ihre Sicht der Dinge verändert und es ihr ermöglicht hatten, das Dasein aus einem anderen Blickwinkel zu betrachten und neue Gefilde zu erkunden, in denen Leben, Arbeit und Unabhängigkeit eine wunderbar harmonische Verbindung eingingen. Und mit einem Mal wurde ihr klar, dass sie mit dem Neueren Mariquita nicht nur das alte Dorf, sondern auch ihren Horizont erweitert hatten, was sich nicht zuletzt in der weiblichen Zeitrechnung und ihrem ausgeprägten Sinn für Freiheit und Gerechtigkeit manifestierte; damit hatten sie den Grundstein gelegt für ein gemeinschaftliches System, das sich früher oder später über Berge und Hügel, Ebenen und Wälder, Wüsten und Halbinseln verbreiten würde, bis ans Ende aller Zeit.

Rosalba wischte sich die Tränen aus den Augen, als die anderen Frauen zu ihr stießen. Auch sie hatten Ángels Rufe gehört und liefen ihm jetzt entgegen, bejubelten den Neugeborenen und seine Eltern, die beiden Mariquitas und das Leben selbst. Rosalba ergriff Eloísas Hand, und zusammen folgten sie den anderen den Hügel hinab ins Neuere Mariquita, von Glück und Zufriedenheit erfüllt.

Sie hatten eine zweite Chance erhalten.

DANKSAGUNG

Zuallererst und ganz besonders bedanke ich mich bei Hillary Jordan, einer wahrhaft guten Freundin und Kollegin, die die vorliegende Geschichte las, als sie lediglich in Form einer kurzen Erzählung und in gebrochenem Englisch vorlag; sie half mir dabei, sie zu verbessern, weitere Geschichten zu erfinden und sie in einen größeren Rahmen einzubinden, ohne je einen Augenblick daran zu zweifeln, selbst als ich den Mut zu verlieren begann. Hill: Dein unbezahlbarer Rat und Enthusiasmus, deine unschätzbare Treue und Liebe waren absolut lebenswichtig beim Schreiben dieses Romans und für meine eigene Gesundheit. Dieser Roman ist dein Buch, mein Buch, unser Buch.

Ebenfalls bedanken möchte ich mich bei Maureen Howard für all die klugen Worte und Ermunterungen, dafür, dass sie mir immer wieder dieselben Fragen stellte, bis ich endlich die Antworten fand. Bei Magda Bogin für all die guten Fingerzeige und Vorschläge und für die Einladung in ihr entzückendes Haus in Tepoztlán, wo ich ein Kapitel dieses Romans schrieb. Dank auch an Binnie Kirshenbaum, David Plante, Victoria Redel, Alan Ziegler und die Fakultät für Creative Writing an der Columbia University, die meine Arbeit mit so viel Begeisterung begleitet hat.

Ich danke jenen Freunden und Seelenverwandten, die meinen Roman oder Teile daraus vorab gelesen haben und mir mit wertvollen Tipps zur Seite standen: Allison Amend, Raul Correa, Elizabeth Harris-Behling, Antonia Logue, Michele Morano, Amy Sickels und Scott Snyder.

Für ihr Vertrauen, ihren Enthusiasmus und ihre Gabe, Dinge zu erkennen, die anderen verborgen blieben, bin ich zwei außergewöhnlichen Frauen zu Dank verpflichtet: meiner Agentin Lisa Bankoff und meiner Lektorin Claire Wachtel. Die gute Zusammenarbeit mit ihnen verdankt sich nicht zuletzt auch der unermüdlichen Hilfe ihrer Assistentinnen: Tina Wexler bei ICM und Lauretta Charlton bei HarperCollins.

Für Stipendien und weitere Unterstützung bedanke ich mich bei der Henfield Foundation, der National Hispanic Foundation for the Arts, der Rolex Mentor & Protégé Arts Initiative, der Columbia University Writing Division, der MacDowell Colony, der Corporation of Yaddo, dem Blue Mountain Center, der Saltonstall Foundation for the Arts, der Millay Colony und dem Hall Farm Center for Arts and Education.

Für moralischen Rückhalt und ihre Freundschaft bedanke ich mich bei Bogdan Apetri, Alejandro Aragón, Neilson Barnard, Patricia Cepeda, Kathryn und Gary DiMauro, Beth Dodd, Miguel Falquéz-Certain, René Jiménez, Jaime Manrique, Melissa Moran und allen anderen im Hell's Kitchen Restaurant, Claudia und Alfredo Sanclemente, Sue Torres und Rob Williams.

All meine Liebe und meine tiefste Dankbarkeit gebühren meiner Mutter und meiner Großmutter, die mich dazu inspirierten, dieses Buch zu schreiben, ebenso wie meinen Brüdern Oscar, Hernán, Pepe und Carlos, meiner Schwester Margarita und meiner gesamten Familie, die stets an mich geglaubt hat.

Nicht zuletzt möchte ich mich bei jenem Menschen bedanken, der den nervenaufreibenden Prozess des Schreibens auf so bewundernswerte Weise mit mir durchgestanden hat. Danke für deinen Glauben an mich, dein Verständnis, deine unendliche Liebe und dafür, dass du mir außerhalb meiner Geschichten ein so schönes Leben bereitet hast. *Mil y mil gracias a ti,* José, und all meine Liebe.

Åke Edwardson

ROTES MEER

Kriminalroman

Aus dem Schwedischen von Angelika Kutsch
368 Seiten. Gebunden mit Schutzumschlag
ISBN: 978-3-550-08711-0

Mittsommer in Göteborg: Die Nacht wird zum Tag, und doch legen sich lange Schatten auf die Stadt. Erik Winter steht vor drei Leichen. Die Toten sind Jimmy Foro, der Besitzer eines kleinen, rund um die Uhr geöffneten Ladens, und zwei seiner kurdischen Mitarbeiter. Der einzige Zeuge der Morde, ein kleiner Junge, versteckt sich vor Winter, und so kommt er nur schwer voran mit den Ermittlungen in einem Milieu, in dem der Kampf ums Überleben zusammenschweißt. Als Winter zu verstehen beginnt, was es heißt, am Rande des Abgrunds und ohne Heimat zu leben, geschieht ein weiterer Mord.
Er muss den Jungen unbedingt finden.
Einfühlsam, poetisch und mit großer erzählerischer Kraft schreibt Åke Edwardson in seinem neuen Roman über die, die im Schatten unseres Überflusses leben. Ein Wettlauf mit der Zeit beginnt – ein Fall, der den Blick freigibt in die Abgründe unserer Parallelgesellschaft.

»Der Roman ist dicht und äußerst raffiniert erzählt.«
Svenska Dagbladet

ullstein

① Plaza ② Kirche ③ Rathaus ④ Markt ⑤ Schule
⑥ Haus von Schwester Ramírez ⑦ Polizeiwache
⑧ Frisiersalon Gómez ⑨ Cafetería d'Villegas
⑩ Eloísas Haus ⑪ Casa de Emilia ⑫ Rosalbas Haus
⑬ Señorita Cleotildes Haus ⑭ Virgelina Saavedras Haus
⑮ Ubaldinas Haus ⑯ Das Haus der Morales'
⑰ Franciscas Haus ⑱ Das Haus der anderen Witwe